S0-CFA-816

Date: 02/24/12

SP FIC BINCHY
Binchy, Maeve.
El lago de cristal /

PALM BEACH COUNTY
LIBRARY SYSTEM
3650 SUMMIT BLVD.
WEST PALM BEACH, FL 33406

BESTSELLER

Maeve Binchy nació y se crió en Dublín. Licenciada en historia por el University College Dublin, ejerció de profesora en varias escuelas para chicas, mientras en los veranos escribía artículos de viaje. En 1969 se incorporó al *Irish Times*. Es autora de diversas obras de teatro y un telefilme. Entre sus novelas destacan: *Círculo de amigos*, *El lago de cristal*, *Ecos del corazón*, *Tara Road: una casa en Irlanda*, *La pluma escarlata*, *Los bosques de Whitethorn* y *Bajo el cielo de Dublín*.

Biblioteca
MAEVE BINCHY

El lago de cristal

Traducción de
Edith Zilli

DEBOLS!LLO

Título original: *The Glass Lake*

Segunda edición: septiembre, 2011

© 1994, Maeve Binchy
© 2011, Random House Mondadori, S. A.
  Travessera de Gràcia, 47-49. 08021 Barcelona
© Edith Zilli, por la traducción

Quedan prohibidos, dentro de los límites establecidos en la ley y bajo
los apercibimientos legalmente previstos, la reproducción total o par-
cial de esta obra por cualquier medio o procedimiento, ya sea electró-
nico o mecánico, el tratamiento informático, el alquiler o cualquier
otra forma de cesión de la obra sin la autorización previa y por escrito
de los titulares del *copyright*. Diríjase a CEDRO (Centro Español de
Derechos Reprográficos, http://www.cedro.org) si necesita fotoco-
piar o escanear algún fragmento de esta obra.

Printed in Spain – Impreso en España

ISBN: 978-84-9908-118-7 (vol. 912/2)
Depósito legal: B-11070-2011

Compuesto en Zero pre impresión, S. L.

Impreso en Novoprint, S. A.
Energia, 53. Sant Andreu de la Barca (Barcelona)

P 991187

*A mi queridísimo Gordon,
con la mayor gratitud
y con todo mi amor*

1

Kit estaba convencida de que el Papa había estado presente en la boda de sus padres. En la casa había un retrato suyo (de un Papa diferente, que ya había muerto) y el epígrafe decía que Martin McMahon y Helen Healy se habían arrodillado a sus pies. Nunca se le había ocurrido buscarlo en la fotografía de la boda. De cualquier modo, era una foto horrible, llena de gente en fila, con abrigos y sombreros incómodos. Si lo hubiera pensado un poco, Kit lo habría justificado diciendo que el Papa se había ido antes de que se hiciera la foto, para embarcar en el buque correo de Dun Laoghaire y volver a Roma.

Por eso quedó tan desagradablemente sorprendida cuando la madre Bernard explicó que el Papa no podía abandonar la Santa Sede; ni siquiera una guerra lo haría salir del Vaticano.

—Pero iba a las bodas, ¿no? —observó Kit.

—Solo a las de Roma. —La madre Bernard lo sabía todo.

—¡Pero si estuvo en la boda de mis padres! —insistió Kit.

La madre Bernard miró a la pequeña McMahon: una mata de pelo negro rizado y luminosos ojos azules; una gran escaladora de muros y líder en muchas de las diabluras que se cometían en el patio de la escuela, pero nunca fantasiosa, hasta el momento.

—No lo creo, Katherine —dijo la monja, con la esperanza de que todo terminara allí.

—Claro que sí. —Kit estaba ofendida—. Tienen en la pared una foto enmarcada del Papa donde dice que estuvo allí.

—Eso es la bendición papal, idiota —dijo Clio—. La tiene todo el mundo. Las venden a diez centavos la docena.

—Te agradeceré que no hables en esos términos del Santo Padre, Cliona Kelly —la recriminó la madre Bernard.

Ni Kit ni Clio escucharon los detalles del concordato por el cual el Papa era gobernante independiente de su diminuto Estado. Con la cara hacia el pupitre, escondida tras el atlas, Kit amenazaba entre susurros a su mejor amiga.

—Ya verás lo que te pasa si vuelves a llamarme idiota.

Clio no parecía arrepentida.

—Pues eres una idiota, sí. ¿Cómo va a ir el Papa a la boda de tus padres? ¡De «tus» padres, nada menos!

—¿Y por qué no, si le hubieran dejado salir?

—Oh, no sé.

Kit percibió que se callaba algo.

—¿Qué tenía de malo la boda de mis padres? A ver, dime.

Clio prefirió evitar el tema.

—Chist..., está mirando.

Y tenía razón.

—¿Puedes repetirme lo que acabo de decir, Cliona Kelly?

—Usted ha dicho que el Santo Padre se llamaba Pacelli, madre, y que el anterior se llamaba Pío XII.

La madre Bernard tuvo que reconocer a regañadientes que eso era lo que había dicho.

—¿Cómo lo sabías? —Kit estaba perpleja.

—Siempre hay que tener un oído atento.

Clio era muy rubia y alta, excelente en los deportes y muy lista en clase. Tenía una melena preciosa. Clio era la mejor amiga de Kit, y a veces la detestaba.

A menudo, Anna, la hermana menor de Clio, quería acompañarlas a la salida de la escuela, pero ellas sabían disuadirla.

—Vete de aquí, Anna. Eres peor que un grano en el culo —decía Clio.

—Voy a decirle a mamá que dijiste culo en plena calle —la amenazaba Anna.

—Mamá tiene cosas mejores que hacer que oír estupideces. Vete de aquí.

—Todo porque quieres quedarte bromeando y riéndote con Kit —replicaba Anna, ofendida—. No haces otra cosa en todo el día. Mamá lo dijo, yo la oí... «No sé de qué se ríen siempre Clio y Kit.»

Aquello las hizo reír aún más. Se alejaban corriendo del brazo, dejando allí a Anna, que cargaba con la desgracia de tener siete años y no tener sus propios amigos.

Eran muchas las cosas que se podían hacer en el trayecto de la escuela a casa. Eso era lo bueno de vivir en un lugar como Lough Glass, una población pequeña a orillas de un gran lago. No era el lago más grande de Irlanda, pero era enorme. No se veía la otra orilla, salvo en los días despejados, y estaba lleno de arroyuelos y ensenadas. Lo llamaban «lago de cristal», pero era una traducción equivocada. En realidad, Lough Glass significaba «lago verde».

Decían que, si contemplabas el lago en la víspera de Santa Inés, al ponerse el sol, podías ver tu futuro. Kit y Clio no se tragaban estas cosas. ¿Qué futuro? El futuro era el día siguiente. De cualquier modo, siempre había muchachas y chavales medio guillados, viejos de casi veinte abriles, empujándose para mirar. ¡Como si pudieran ver algo además de sus propios reflejos y los de los demás!

A veces, cuando volvían de la escuela, Clio y Kit entraban en la farmacia de McMahon para ver al padre de Kit, con la esperanza de que les ofreciera un caramelo. O bajaban al muelle que se metía en el lago, para ver la llegada de los pescadores con su carga. También solían subir al campo de golf en busca de pelotas perdidas que pudieran vender a los jugadores.

Rara vez iban a la casa de una u otra. Ir a casa entrañaba peligro: el peligro de que les mandaran hacer los deberes. Para evitar llegar pronto, las niñas se entretenían en el trayecto.

En correos nunca había mucho que ver... La tienda de la señora Hanley tenía a veces blusas bonitas y algún buen par de zapatos.

Luego pasaban sigilosamente frente al bar de Foley y el taller de Sullivan. Podían echar un vistazo a la ferretería de Wall, por si había algo interesante, como unas tijeras de podar afiladas. Con un poco de suerte, en la acera opuesta habría viajeros saliendo del Hotel Central, pero generalmente solo estaba allí el antipático padre de Philip O'Brien, mirando a todo el mundo con gesto ceñudo. Después estaba la carnicería, que les daba un poco de asco. Podían entrar en la tienda de Dillon a examinar las tarjetas de cumpleaños, fingiendo que iban a comprar, pero los Dillon nunca les permitían leer las historietas ni las revistas.

Si iban a casa de los McMahon, la madre de Kit les encontraría un millón de cosas que hacer. Les enseñaría a hacer polvorones, y Rita, la criada, miraría también. Tal vez las pusiera a plantar en una jardinera para la ventana o les enseñara a cortar un esqueje para que brotara. Los McMahon no tenían un jardín de verdad, como los Kelly; era solo un patio trasero, pero estaba lleno de plantas que crecían en toneles y trepaban por los muros. La madre de Kit les había enseñado caligrafía para que escribieran una tarjeta a la madre Bernard; decía «Felices fiestas» con hermosas letras, como si la hubiera escrito un monje, y la monja la tenía guardada en su libro de oraciones. A veces les enseñaba su colección de paquetes de cigarrillos y los regalos que obtendría cuando llenara un álbum.

Pero Clio solía preguntar cosas como: «¿Qué hace tu madre todo el día, que tiene tanto tiempo para estar con nosotras?». Parecía una crítica. Como si su madre tuviera que hacer cosas más importantes, como ir a tomar el té con otra gente, al igual que hacía la señora Kelly. Para no darle motivos para criticar, Kit no la invitaba mucho a su casa.

Lo que más les gustaba hacer era visitar a la hermana Madeleine, la ermitaña que vivía en una cabaña próxima al lago. La hermana Madeleine lo pasaba estupendamente como ermitaña, porque todos se preocupaban por ella y le llevaban comida o leña. Nadie recordaba cuándo había ocupado aquella vieja cabaña abandonada a orillas del lago. Tampoco se sabía bien a qué comunidad había pertenecido en otros tiempos ni por qué la había abandonado. Eso sí: nadie dudaba de su santidad.

La hermana Madeleine solo veía cosas buenas en la gente y en los animales. Su figura encorvada estaba siempre arrojando migajas a los pájaros o acariciando al perro más gruñón y arisco.

El padre Baily y la madre Bernard, junto con el hermano Healy, de la escuela masculina, habían decidido aceptarla cordialmente. Hasta donde se podía averiguar, ella creía en el Dios único y verdadero y no se oponía a la interpretación que ellos hacían de Su voluntad. En domingo oía misa en silencio, desde los bancos traseros, sin hacerles frente en el púlpito.

Hasta el doctor Kelly, el padre de Clio, decía que la hermana Madeleine sabía tanto como él sobre cosas como traer niños al mundo y consolar a los moribundos. El padre de Kit opinaba que, en otros tiempos, la habrían tomado por una mujer sabia y hasta por una bruja. Sabía preparar cataplasmas y sacar provecho de las raíces y las plantas que crecían alrededor de su pequeña vivienda. Y como nunca hablaba del prójimo, cada cual sabía que sus secretos estaban a salvo.

—¿Qué le llevamos? —preguntó Kit. Porque nadie iba a la cabaña con las manos vacías.

—Si fuéramos a la farmacia de tu papá, podría darnos algo.

—Pero también podría decirnos que fuéramos inmediatamente a casa —observó Kit. Era un riesgo que no podían correr—. ¿Por qué no recogemos algunas flores?

Clio se mostró indecisa.

—Pero si tiene la casa llena de flores.

—¡Ya sé! —Kit había tenido una súbita inspiración—. Rita está haciendo mermelada. Le llevaremos un tarro.

Para eso había que ir a casa, claro. Rita era la criada de los McMahon. Pero la mermelada se estaba enfriando en la ventana trasera; bastaría con coger un tarro.

Los McMahon vivían encima de la farmacia, en la calle Mayor de Lough Glass. Se podía subir por la escalera de la fachada, que estaba junto al establecimiento, o por detrás. No había nadie a la vista cuando Kit se deslizó por el patio para subir por la escalera de detrás. Caminó de puntillas hasta la ventana, llena de tarros de todos los tamaños y formas, y cogió uno de los que había más, para que su ausencia fuera más difícil de notar.

Se llevó una sorpresa al ver una figura por la ventana. Era su madre, sentada a la mesa, totalmente inmóvil y con expresión ausente. No había oído a su hija ni parecía tener conciencia de cuanto la rodeaba. Kit vio con horror las lágrimas que le rodaban por la cara, sin que se molestara siquiera en enjugarlas.

Se alejó en silencio.

Clio la esperaba en el patio.

—¿Te han visto?

—No —dijo, concisa.

—¿Qué pasa?

—No pasa nada. Siempre estás preguntando qué pasa cuando no pasa nada.

—Mira, Kit, te estás volviendo tan pesada como Anna. Santo Dios, qué suerte la tuya, que no tienes hermanas. —La respuesta le salió del alma.

—Tengo a Emmet.

Pero las dos sabían que Emmet no molestaba. Emmet era un niño; los niños no te rondan queriendo meterse en tus cosas. Emmet habría preferido la muerte a dejarse ver con niñas. Él iba a lo suyo y libraba sus propias batallas, que eran muchas, porque tenía un problema con el lenguaje y los otros chicos imitaban su tartamudeo.

—¿Qué es lo que te molesta? —insistió Clio, mientras bajaban al lago.

—Supongo que, tarde o temprano, alguien aceptará casarse contigo, Clio. Pero tendrá que ser alguien muy paciente; mejor aún: sordo como una tapia. —De ningún modo Kit McMahon se dejaría sonsacar que había visto a su madre llorando.

La hermana Madeleine se alegró de verlas.

Tenía la cara arrugada de tanto estar a la intemperie. Llevaba el pelo oculto por una toca oscura y corta. Por delante se le veía un poco de pelo gris, a diferencia de las monjas de la escuela, a las que no se les veía nada.

La hermana Madeleine era muy vieja. Kit y Clio no sabían su edad exacta, pero era muy vieja; más que sus padres, probablemente. Más que la madre Bernard. Tendría cincuenta, sesenta o setenta. No se sabía. Una vez Clio se lo había preguntado. No recordaban muy bien qué había dicho, pero en realidad, la pregunta había quedado sin respuesta. Ella sabía cómo contestar algo completamente distinto, aunque más o menos relacionado con lo que le hubieran preguntado.

—¡Un frasco de mermelada! —exclamó con entusiasmo, como un niño al que le regalan por sorpresa una bicicleta—. ¡Pero si es lo mejor que se podría pedir! ¿Vamos a tomar el té?

Tomar el té allí no era aburrido, como en casa, sino excitante. Había un fuego al aire libre y una tetera que pendía de su gancho. La gente le había regalado muchos hornillos, pero ella siempre se los daba a alguien menos afortunado. Se las arreglaba para reciclar los regalos sin ofender a nadie, pero uno sabía que si le daba algo para su propia comodidad (como alfombras o almohadones), terminaría en el carromato de alguna familia de gitanos o de alguien a quien le hiciera más falta. Los habitantes de Lough Glass se habían acostumbrado a regalar a la ermitaña solo cosas que ella pudiera usar en su vida cotidiana.

La vivienda era sencilla y austera, casi como si nadie se

alojara allí. No había cuadros en las paredes: solo una cruz hecha con una simple madera tallada, tazones, una jarra de leche que alguien debía de haberle llevado durante el día y una hogaza de pan, amasada por otro amigo. Cortó rebanadas y extendió el dulce como si preparara un banquete.

Clio y Kit nunca habían disfrutado tanto de un poco de pan con mermelada. Unos patitos se paseaban ante la puerta, a la luz del sol; la hermana Madeleine les bajó su plato para que picotearan las migajas. Allí siempre había paz; ni siquiera la inquieta Clio sentía necesidad de andar o de dar saltos.

—Contadme algo de lo que habéis aprendido hoy en la escuela. Me encanta tener cosas en qué pensar —dijo la hermana Madeleine.

—Aprendimos que Kit McMahon creía que el Papa había asistido a la boda de sus padres —dijo Clio. De inmediato tuvo la sensación de que había dicho algo incorrecto, y añadió de mala gana—: Bueno, es un error que cualquiera podría cometer.

—Tal vez algún día venga el Papa a Irlanda —comentó la hermana Madeleine.

Le aseguraron que no podía ser. La cosa tenía que ver con algún tratado. El Papa había prometido permanecer dentro del Vaticano en vez de salir a la conquista de Italia, como hacían los papas antiguamente. La hermana Madeleine escuchaba con actitud de creer cada palabra.

También le dieron noticias de Lough Glass: le hablaron del viejo señor Sullivan, el del taller, que había salido en pijama a cazar ángeles, en mitad de la noche. Aquello interesó a la hermana Madeleine, que se preguntó qué podía haber soñado el hombre para estar tan convencido.

—Está más loco que una cabra —explicó Clio.

—Bueno, todos estamos un poquito locos, supongo. Eso es lo que nos impide parecernos demasiado, ser como guisantes de una misma vaina.

Las niñas la ayudaron a lavar y limpiar los restos del té. Al abrir el aparador, Kit vio otro frasco de mermelada, exactamente igual al que ella había llevado. Puede que su madre hubiera visitado a la ermitaña más temprano. La hermana Madeleine no les había dicho nada, así como tampoco diría a nadie que Clio y Kit habían estado allí.

—Aquí hay más mermelada —comentó Kit.

La hermana Madeleine se limitó a sonreír.

Desde que Kit podía recordar, en casa de los McMahon el té se servía a las seis y cuarto. El padre cerraba la farmacia a las seis, pero nunca en punto, porque siempre iba alguien a última hora.

A menudo la madre preguntaba por qué no podía trabajar en el negocio, alegando que sería lo más sensato. A las mujeres les gustaría que las atendiera una mujer. Los representantes de diversas fábricas de cosméticos estaban aumentando sus visitas a las farmacias rurales para vender sus maravillas.

Pero esas cosas interesaban muy poco a Martin McMahon. «Déjeme lo que le parezca mejor», decía. Y aceptaba una cantidad de jabones caros de tocador y lápices de labios.

Estaban mal expuestos; con frecuencia se desteñían en el escaparate sin que nadie los comprara. La madre de Kit aseguraba que las mujeres de Lough Glass eran como las de cualquier otro sitio: les gustaba estar guapas. Aquellas fábricas de cosméticos ofrecían cursos breves a los asistentes de farmacia, enseñándoles a presentar bien los productos y a asesorar a las clientas. Pero el padre de Kit era inflexible. No era cuestión de tentar con pinturas y polvos a mujeres que no podían permitirse esos gastos, ni de vender pociones mágicas que prometieran la eterna juventud...

—Yo no lo haría —aseguraba Helen McMahon—. Solo querría aprender a utilizarlos bien para aconsejar a las mujeres.

—Ellas no quieren consejos. Tampoco quieren tentaciones. Están guapas tal como son. Y de cualquier modo, no quiero que se diga que hago trabajar a mi esposa como si yo no fuera capaz de mantener a mi familia. —Al decir esto, Martin siempre reía y hacía una mueca divertida.

Le encantaban las bromas y sabía hacer trucos con cartas y monedas. Mamá no reía tanto, pero sonreía a papá y por lo general estaba de acuerdo con él. No se quejaba, como la madre de Clio, cuando él trabajaba hasta tarde o cuando iba al bar de Paddles con el doctor Kelly.

Kit pensaba que a mamá le habría gustado trabajar en la farmacia, pero comprendía que, tratándose de gente como ellos, no habría sido correcto que papá la dejara trabajar allí. En el comercio solo trabajaban mujeres como la señora Hanley, que era viuda y llevaba la tienda; o Mona Fitz, la encargada de correos, que era soltera; o la señora Dillon, cuyo marido estaba siempre borracho. Así eran las cosas en Lough Glass y en todas partes.

Mientras volvían a casa, después de visitar a la hermana Madeleine, Kit no podía quitarse de la cabeza las lágrimas de su madre. Subió la escalera despacio, casi resistiéndose a entrar y descubrir qué sucedía. Tal vez había alguna noticia muy mala, pero ¿qué?

Martin estaba bien, cerrando la farmacia. Emmet, en casa, sano y salvo, después de haberse revolcado en el polvo o lo que hiciese al salir de la escuela. Así que no había problemas con la familia. Como si caminara sobre huevos, Kit entró en la cocina, donde solían comer. Todo estaba normal. Su madre parecía tener los ojos un poco brillantes, pero solo si se la miraba bien. Se había cambiado de vestido.

Helen siempre estaba preciosa; parecía una española, con la cabellera recogida en un moño y sus grandes ojos oscuros.

Martin estaba contento, así que no podían haberse peleado ni nada de eso. Les contó, riendo, que el viejo Billy Sullivan había entrado en busca de vino tónico. Como tenía la entrada prohibida en todos los establecimientos que vendían alcohol, había descubierto repentinamente la salvación bajo la forma del vino tónico. Papá hizo una magnífica imitación del señor Sullivan tratando de parecer sobrio.

—Supongo que fue eso lo que le hizo ver ángeles: la bebida —comentó Kit.

—Tuve que decirle que era el último frasco de mis existencias y que ya no lo sirven —dijo su padre en tono melancólico.

—Eso es mentira.

—Lo sé, hijo, pero tuve que elegir entre mentirle o dejar que el pobre acabara en la zanja, gritando como un loco.

—La hermana Madeleine dice que todos estamos un poquito locos; es lo que nos hace distintos de los demás —comentó Kit.

—La hermana Madeleine es una santa —aseguró Helen—. ¿Fuiste ya a verla por lo otro, Rita?

—Ya iré, señora, ya iré —respondió Rita, poniendo en la mesa una gran fuente de macarrones con queso.

Aunque comían en la cocina, mamá siempre exigía que todo se sirviera con elegancia. Los Kelly usaban el comedor, pero Kit sabía que allí no se servían las comidas con tanto esmero como en su casa. Era otra de las cosas que hacían de su madre una persona especial.

Ellos trataban a Rita como si fuera de la familia, cosa que los Kelly no hacían con su criada. Emmet, que le tenía mucho cariño, siempre quería saber adónde iba.

—¿Qué es «lo otro»?

—Ayudarme con la lectura —dijo Rita pronunciando con toda claridad, antes de que nadie regañara a Emmet por entrometido—. En la escuela no aprendí bien, ¿sabes?, porque faltaba mucho.

—¿Adónde ibas? —Emmet tenía envidia. Era estupendo poder decir con esa tranquilidad que uno faltaba a clase.

—Por lo general, a cuidar al bebé, recoger el heno o recortar el césped. —Rita hablaba con despreocupación. No parecía resentida por la instrucción perdida ni por los años dedicados a cuidar a sus hermanos, envejeciendo antes de tiempo y finalmente atendiendo hijos y casas ajenos.

No mucho después del té, el señor Sullivan empezó a ver diablos por todas partes. Cuando la luz se volvió escasa, los vio escabullirse con sus tridentes en las casas de toda la calle, incluida la del farmacéutico. Kit y Emmet, entre risitas y desde lo alto de la escalera, oyeron a su padre sermonear al señor Sullivan mientras daba órdenes torciendo la boca.

—No pasa nada, Billy. Aquí no hay ningún demonio. Solo tú y yo... Helen, llama a Peter, ¿quieres?... Ahora siéntate, Billy, siéntate aquí y vamos a discutir esto de hombre a hombre... Explícale lo mal que está, Helen... Escúchame, Billy. ¿Te parece que soy de los que dejarían entrar en su casa a un sujeto con tridente...? Que venga volando, con cualquier tranquilizante que pueda meter en una jeringa.

Los chicos siguieron sentados en lo alto de la escalera hasta que llegó el padre de Clio. Entonces cesaron los gritos, los alaridos de pánico y la cacería de diablos. El doctor Kelly dijo al padre de Kit que no le quedaba más remedio que ir al asilo del condado; Billy era un peligro para sí mismo y para todos los demás.

—¿Y qué va a pasar con el taller? —preguntó Martin.

—Pueden hacerse cargo sus hijos, esos buenos muchachos que él echó de casa.

Emmet tenía la barbilla entre las manos. Cuando se asustaba le volvía el tartamudeo.

—¿Lo van a encerrar? —preguntó, con los ojos muy abiertos.

Súbitamente, Kit se dijo que, si en aquel momento le hubieran concedido un deseo, habría pedido que desapareciera el tartamudeo de su hermano. A veces deseaba tener el pelo rubio y largo, como Clio, o que sus padres fueran más amables entre sí, como el doctor Kelly y su mujer, pero aquella noche pensó en el tartamudeo de Emmet.

Cuando se llevaron al señor Sullivan, su padre y el de Clio se fueron a tomar una copa. Helen entró sin decir palabra. Kit la vio moverse por la sala, recogiendo objetos para volver a dejarlos; por fin se retiró a su dormitorio.

Kit llamó a la puerta.

—Pasa querida. —Su madre estaba sentada ante el tocador, cepillándose el pelo. Con la melena suelta parecía una princesa.

—¿Estás bien, mamá? Pareces un poco triste.

Helen la rodeó con un brazo para acercarla hacia sí.

—Estoy bien, muy bien. ¿Por qué dices que estoy triste?

Kit no quiso decirle que la había visto por la ventana de la cocina.

—Por tu cara.

—Bueno, supongo que hay cosas que me entristecen. Por ejemplo, ver a ese pobre tonto maniatado y arrastrado a un manicomio, por no haber sabido beber con moderación. Y que haya gente egoísta y codiciosa como los padres de Rita, que tuvieron catorce hijos e hicieron que los mayores cuidaran a los pequeños, y ahora los mandan a trabajar de criados para quitarles la mitad del salario. Por lo demás, estoy bien.

Kit miró con aire incrédulo la imagen de su madre en el espejo.

—¿Y tú, pequeña mía? ¿Estás bien?

—En realidad, no. No del todo bien.

—¿Qué es lo que te falta?

—Me gustaría ser más lista —dijo Kit—. Entender las cosas al instante, como Clio, y ser rubia, y saber escuchar lo que alguien dice mientras hablo yo también. Y ser más alta.

—Supongo que no me creerás si te digo que eres veinte veces más bonita que Clio. Y mucho más inteligente.

—Oh, mamá, eso no es cierto.

—Claro que sí, Kit. Lo juro. Lo que tiene Clio es estilo. No sé de dónde le viene, pero sabe sacar el máximo provecho de todos sus puntos buenos. Tiene solo doce años y ya sabe cómo sonreír y qué le sienta mejor. Eso es todo. No se trata de belleza como la que tienes tú. Y recuerda que heredaste mis pómulos. Clio heredó los de Lilian.

Rieron juntas, como dos adultas conspirando burlonas. La señora Kelly tenía la cara regordeta, sin rastro de pómulos.

Rita visitaba a la hermana Madeleine los jueves, en su medio día libre. Si llegaba otra persona, la hermana decía: «Rita y yo estamos leyendo algo de poesía. Lo hacemos todos los jueves». Era un modo delicado de informarle que aquellas horas eran para Rita; la gente empezó a aceptarlo.

Rita le preparaba algunos bollos o le llevaba media tarta de manzana. Tomaban el té juntas y se inclinaban sobre los libros. Al cabo de unas semanas, al acercarse el verano, la chica empezó a dar muestras de una nueva seguridad. Ya podía leer sin seguir los renglones con el dedo y deducir el significado de las palabras difíciles por el sentido de la frase. Había llegado el momento de practicar la escritura. La hermana Madeleine le regaló una pluma.

—No puedo aceptar esto, hermana. Fue un regalo que le hicieron a usted.

—Bueno, si es mía puedo hacer lo que quiera con ella, ¿no? —La hermana Madeleine rara vez conservaba un regalo más de veinticuatro horas.

—Bueno, entonces podría pedírsela prestada, un préstamo a largo plazo.

—Te la presto por el resto de tu vida —dijo la hermana.

No hubo aburridos cuadernos de caligrafía. Rita y la hermana Madeleine escribían sobre Lough Glass, el lago y el cambio de estación.

—Pronto podrás escribirle a tu hermana, la de América.

—¿Una carta de verdad, a una persona? ¡No!

—¿Por qué no? Te aseguro que lo harás tan bien como cualquiera de aquí.

—¿Y ella querrá tener noticias de casa?

—Se pondrá tan contenta que casi podrás oír su agradecimiento desde el otro lado del Atlántico.

—Nunca he recibido una carta. No me gustaría que los McMahon me tomaran por una de esas personas que reciben cartas.

—Puedes decirle que te escriba aquí.

—¿El cartero le traería la carta?

—Ah, Tommy Bennet es el hombre más decente del mundo. Me trae la correspondencia tres veces por semana. Baja hasta aquí en bicicleta, con sol o con lluvia, y me acepta una taza de té.

La hermana Madeleine no mencionó que Tommy jamás llegaba sin una contribución para su alacena. Ni que ella había hecho algo decisivo al ayudar a su hija a ingresar, rápida y discretamente, en un hogar para madres solteras, manteniendo el secreto a resguardo de los ojos y oídos interesados de Lough Glass.

—¿Tanta correspondencia recibe usted? —se maravilló Rita.

—La gente es muy amable y me escribe con frecuencia —dijo la hermana Madeleine, con el mismo aire maravillado.

Clio y Kit habían aprendido a nadar siendo niñas. Les enseñó el doctor Kelly metido hasta la cintura en el agua. Cierta vez, en sus tiempos de estudiante, había sacado a tres niños muertos del lago, ahogados en medio metro de agua porque nadie les había enseñado a nadar. Había algo de estúpida resignación en eso de vivir al borde de un peligro y no hacer nada por evitarlo.

Como esos pescadores del oeste de Irlanda que salían en frágiles botes al rugiente Atlántico, vestidos con ropas diferentes para que, si se encontraba un cadáver, se pudiera saber a qué familia pertenecía. «Complicado y perverso», pensaba el doctor Kelly. ¿Por qué nadie les enseñaba a nadar?

En cuanto los pequeños Kelly y McMahon aprendieron a andar, se los llevó a la orilla del lago. Otras familias los imitaron, porque el médico era un personaje de mucha autoridad. Aprendieron el joven Philip O'Brien, el del hotel, y las niñas Hanley. Como era de esperar, el viejo Sullivan, el del taller, ordenó al médico que ni se acercara a los hijos de los demás, por lo que era probable que Stevie y Michael aún no supieran nadar.

Peter Kelly había visitado otros países donde los lagos como aquel eran una atracción turística. Escocia, por ejemplo. La gente visitaba tales lugares solo porque había un lago. Y en Suiza, donde él y Lilian habían pasado la luna de miel, los lagos eran importantísimos. Pero en la Irlanda de los primeros años cincuenta nadie parecía apreciar sus posibilidades.

Cuando Peter compró un bote de remos a medias con su amigo Martin McMahon, la gente lo creyó loco. Ambos salían a pescar percas y lucios. Eran peces grandes y feos, pero esperarlos en las cambiantes aguas del lago era un pasatiempo relajante.

Peter y Martin eran amigos desde la niñez. Conocían los juncales donde anidaban las fochas y hasta algún cisne. De vez en cuando tenían compañía en el lago, pues algunos hombres de la zona compartían su entusiasmo por la pesca, pero normalmente solo se veían por allí los barcos que llevaban comida o maquinaria de una orilla a la otra.

Por la manera peculiar en que se habían dividido las fincas, muchos agricultores tenían parcelas tan distantes que cruzar por agua era el camino más corto para ir de un lado a otro. «Otra de las rarezas de Irlanda —decía Peter Kelly—: los inconvenientes que no nos impuso la potencia colonial los creamos nosotros mismos, mediante incesantes guerras familiares.» Martin era de carácter más alegre; siempre pensaba bien de todo el mundo y su paciencia no tenía fin; a su modo de ver, no había situación que no se resolviera con una buena carcajada. Solo temía a una cosa: al lago.

Solía aconsejar a todos, hasta a los visitantes que entraban en su farmacia, que tuvieran cuidado al caminar por la orilla. Clio y Kit tenían ya edad suficiente para salir solas en bote; lo habían demostrado diez veces, pero Martin aún se ponía nervioso. Así lo admitió ante Peter, mientras bebían una cerveza en el bar de Paddles.

—¡Por Dios, Martin, te estás convirtiendo en una vieja!

McMahon no se consideró insultado.

—Supongo que sí. Déjame buscar síntomas secundarios: no me han crecido pechos ni nada de eso, pero ya no necesito afeitarme tan a menudo... ¿Sabes qué puede ser?

Peter miró con afecto a su amigo. Las bromas de Martin disimulaban una auténtica preocupación.

—Las he observado, hombre. Me interesa tanto como a ti que no se metan en dificultades. Pero en el agua no son tan locas como en tierra. Se lo hemos inculcado bien. Obsérvalas tú mismo.

—Lo haré. Quieren salir mañana. Helen dice que debemos permitirlo, que no está bien criarlas entre algodones.

—Y tiene razón —aseveró Peter sabiamente.

Luego discutieron sobre si beberían otra pinta. Como siempre, acabaron pidiendo media. Era tan previsible que Paddles sirvió las cervezas antes de que ellos se decidieran a pedirlas.

—Señor McMahon, ¿puede decir a Anna que vaya a casa, por favor? —preguntó Clio—. Si se lo pido yo, empezará la pelea.

—¿Te gustaría salir a dar un paseo conmigo? —preguntó el padre de Kit a Anna.

—Quiero salir en el bote.

—Lo sé, pero ellas ya son mayores y quieren hablar de sus cosas. ¿Qué te parece si vamos a buscar ardillas, tú y yo? —Miró a las niñas que estaban en el bote—. Ya sé que soy un fastidio, pero quería ver si estabais bien.

—Por supuesto.

—¿Prometéis no correr riesgos? Este lago es peligroso.

—¡Por favor, papá!

Martin se alejó, seguido por Anna, que iba rezongando.

—Tu padre es muy bueno —comentó Clio, acomodando correctamente los remos en los escálamos.

—Sí, comparándolo con otros padres que podrían haber-nos tocado —dijo Kit.

—Como el señor Sullivan, que está en el asilo —añadió Clio.

—O Tommy Bennet, el cartero, con su mal carácter.

—O Paddles Burns, el del bar, con sus pies grandotes...

Celebraron con risas su buena suerte.

—Eso sí, la gente a veces no se explica que tu padre se haya casado con tu madre —comentó Clio.

Kit sintió que la bilis le subía a la garganta.

—No, no es cierto. Eres tú quien no se lo explica. La gen-te no lo piensa.

—Bueno, no te alteres. Solo repito lo que he oído.

—¿Quién lo ha dicho? ¿Dónde lo has oído? —Kit estaba acalorada y furiosa. Le habría gustado tirar a su amiga al lago oscuro y mantenerle la cabeza bajo el agua. La asustó la fuer-za de sus sentimientos.

—Oh, la gente comenta... —Clio se ponía altanera.

—¿Qué, por ejemplo?

—Que tu madre era otra clase de persona, no como los de aquí, ya sabes.

—No, no sé. Tu madre tampoco es de aquí. Es de Lime-rick.

—Pero venía a pasar las vacaciones. Es como si fuera de aquí.

—Mi madre vino cuando conoció a mi padre, así que ella también es de aquí. —A Kit se le habían llenado los ojos de lágrimas.

—Perdona —dijo Clio. Parecía realmente arrepentida.

—¿Que te perdone qué?

—Por decir que tu madre no es de aquí.

Kit tuvo la sensación de que le pedía perdón por algo más, por insinuar que aquel matrimonio había sido algo me-nos que satisfactorio.

—Oh, no seas estúpida, Clio. ¿A quién le importa lo que digas de mi madre, con lo aburrida que eres? Mi madre es de

Dublín; eso es veinte veces más interesante que ser de Limerick.

—Claro —reconoció Clio.

El día se quedó sin sol. Kit no disfrutó de aquella primera salida veraniega al lago. Tuvo la sensación de que Clio tampoco. Ambas sintieron una especie de alivio cuando se fueron cada una a su casa.

Todos los años, Rita tenía dos semanas de vacaciones en julio.

—Voy a echar de menos mis clases con la hermana Madeleine —comentó a Kit.

—¡Qué raro, echar de menos las clases!

—Pues claro, porque no tienes. Todo el mundo quiere lo que no tiene.

—¿Y qué es lo que te gustaría hacer durante las vacaciones? —preguntó Kit.

—No tener que ir a mi casa, supongo. No es una casa como esta. Mi madre apenas se entera de si estoy allí o no, salvo para pedirme dinero.

—Bueno, pues no vayas.

—¿Y adónde puedo ir?

—¿No podrías quedarte aquí y no trabajar? —sugirió Kit—. Yo te llevaría el té por la mañana.

Rita se echó a reír.

—No, no daría resultado. Pero tienes razón: no es obligatorio que vaya a mi casa.

Rita dijo que hablaría de ello con la hermana Madeleine. Tal vez la ermitaña tuviera alguna idea.

La ermitaña tuvo una gran idea. Sugirió que a la madre Bernard le encantaría tener en el convento a alguien que la ayudara a emprender una limpieza a fondo de la sala, tal vez a darle una mano de pintura. A cambio, Rita podía quedarse en la escuela, donde algunas de las monjas la ayudarían con las lecciones.

Rita dijo que sus vacaciones habían sido estupendas, las mejores de su vida.

—¿En serio te gustó estar con las monjas?

—Fue un placer. No sabes la paz que hay allí, y esos cantos preciosos en la capilla. Además, me dieron una llave por si quería ir a la ciudad, a bailar o a ver una película. Y me daban todas las comidas y me ayudaban con los libros.

—No nos vas a dejar, ¿verdad, Rita? —Kit sintió que sobre ellos pendía la sombra del cambio.

Rita fue franca.

—Ahora que sois pequeños, no. Cuando Emmet haya crecido un poco.

—Mamá se moriría si te fueras, Rita. Eres parte de la familia.

—Tu madre lo entiende, de veras. A veces hablamos de aprovechar la vida; ella me alienta a progresar. Sabe que no quiero pasarme la vida fregando suelos.

A Kit se le llenaron los ojos de lágrimas.

—Me parece peligroso que hables así. Quiero que las cosas no cambien jamás, que sean siempre como ahora.

—Eso no puede ser. Piensa en Farouk, que era un gatito y ahora es todo un gato adulto. Y los patitos de la hermana Madeleine, que crecieron y se fueron. Tu madre también querría que tú y Emmet fuerais siempre pequeños y simpáticos como ahora, pero vais a crecer y os iréis de casa. Así son las cosas.

Kit habría preferido que las cosas no fueran así, pero Rita, desgraciadamente, parecía estar en lo cierto.

—¿Quieres salir conmigo en el bote, mamá? —preguntó Kit.

—No, válgame Dios. No tengo tiempo para eso, querida. Ve con Clio.

—Estoy harta de Clio. Me gustaría que vinieras tú. Quiero enseñarte lugares que no conoces.

—No, Kit, eso no puede ser.

—Pero ¿qué haces por las tardes, mamá? ¿Qué es más importante que salir en el bote?

Solo durante las vacaciones escolares, Kit adquiría conciencia de que la vida de su madre era muy diferente de otras vidas. La madre de Clio siempre estaba subiendo a un autobús o procurando que alguien la llevara a la ciudad, donde buscaba telas para cortinas, se probaba ropa o tomaba el café en alguna confitería elegante, con sus amigas. Las señoras Hanley y Dillon se pasaban el día trabajando en sus respectivos comercios. La madre de Philip O'Brien iba a la iglesia a limpiar los bronces o arreglar las flores para el padre Baily. Había madres que iban al convento a ayudar en las obras de la orden.

La madre de Kit no hacía ninguna de aquellas cosas. Pasaba su tiempo en la cocina, ayudando a Rita, experimentando y mejorando la comida. Las madres, en general, hacían arreglos de hojas y ramas para decorar la sala y enmarcaban fotos del lago hasta que en una misma pared había veinte o veinticinco vistas diferentes de Lough Glass.

—Dime —insistió Kit—, ¿qué es lo que te gusta hacer, ya que no quieres salir conmigo?

—Vivo lo mejor que puedo —dijo su madre.

Y Kit quedó impresionada ante la expresión distraída que adquirió la cara de Helen McMahon al decir aquello.

—Papá, ¿por qué tú y mamá dormís en cuartos separados? —preguntó Kit.

Eligió un momento en que la farmacia estaba desierta, para que no los molestaran. Su padre estaba tras el mostrador, con la bata blanca y las gafas subidas por encima de la frente, concentrado, con su rostro pecoso y redondo. Kit tenía permiso para ocupar el taburete siempre y cuando no lo distrajera.

—¿Qué? —preguntó él, pensando en otra cosa. Antes de que ella pudiera repetir la pregunta, añadió—: Te he oído, pero ¿por qué lo preguntas?

—Por preguntar, nada más.

—¿Se lo has preguntado a tu madre?

—Sí.

—¿Y qué te ha dicho?

—Que era porque tú roncabas.

—Bueno, pues ya lo sabes.

—Sí.

—¿Alguna otra pregunta, Kit, o puedo seguir ganándome la vida con las fórmulas magistrales?

—¿Por qué te casaste con mamá?

—Porque nos queríamos. Y todavía nos queremos.

—¿Cómo lo supisteis?

—Uno lo sabe, Kit. Punto. Ya sé que esta explicación no es muy satisfactoria, pero no encuentro otra. Vi a tu madre en la casa de un amigo de Dublín y pensé: Una mujer guapa, agradable y divertida. ¿No sería estupendo que saliera conmigo? Y salimos, varias veces, hasta que le pedí que se casara conmigo y ella aceptó.

Parecía estar diciéndolo con el corazón. Pero Kit no quedó convencida.

—¿Y mamá sentía lo mismo?

—Supongo que sí, querida niña. Después de todo, no hubo nadie que blandiera un garrote y le dijera: «Tienes que casarte con ese joven farmacéutico de Lough Glass, que está loco de amor por ti». Sus padres ya habían muerto. Si me aceptó no lo hizo por complacer a nadie ni porque yo fuera un buen partido.

—¿Eras un buen partido, papá?

—Era un hombre que tenía un trabajo seguro. En 1939, cuando el mundo estaba al borde de la guerra y todo era muy confuso, quien tenía un buen trabajo siempre era buen partido. Y sigue siendo así.

—¿Te sorprendió que ella aceptara?

—No, no me sorprendió. A esas alturas, ya no. Porque nos queríamos, ¿entiendes? Ya sé que no es como en las películas ni como en esas historias que emocionan a las muchachas, pero así fue entre nosotros.

Kit guardó silencio.

—¿Qué pasa, hija? ¿Por qué me preguntas todo esto?

—Por nada, papá. Te pones a pensar y... ya sabes lo que pasa.

—Sí, lo que pasa cuando eres tú quien se pone a pensar.

Su padre dio por terminada la conversación con aquel comentario, y Kit no tuvo que seguir pensando en lo que Clio había dicho. Clio había oído decir en su casa que a Martin McMahon le costaba lo suyo mantener a su esposa atada a Lough Glass y que el milagro era que ella hubiera aceptado ir allí.

—¿Hermana Madeleine?

—Sí, Kit.

—A usted la gente le cuenta todo, ¿no?

—Bueno, me cuentan cosas, Kit, porque yo no tengo mucho que contar, ¿comprendes? Cuando te pasas la vida recogiendo leña, cortando flores y rezando tus oraciones, no es mucho lo que puedes contar.

—¿La gente le cuenta sus secretos? ¿Sus pecados, por ejemplo?

La hermana Madeleine puso cara de susto.

—No, Kit McMahon. Bien sabes que solo debemos contar nuestros pecados a un sacerdote ungido por Dios, que tenga el poder de mediar entre Dios y los hombres.

—Bueno, secretos, entonces.

—¿Por qué me preguntas todo eso? Pitas, pitas... qué gallinas tan bonitas. El hermano Healy ha sido tan bueno... Me regaló unos huevos y los puse junto al fuego hasta que reventaron. Ha sido como un milagro. —La monja se arrodilló para impedir el paso a los polluelos, que estaban a punto de emprender un peligroso viaje, y conducirlos al cajón de paja que les había preparado.

Pero Kit no se dejó distraer.

—Hoy he venido sola porque...

—Sí, ya he notado que no está Clio. Es muy amiga tuya, ¿no?

—Sí y no, hermana Madeleine. Me dijo que la gente hablaba de mis padres... Y yo me preguntaba... Se me ocurrió que tal vez usted...

La hermana Madeleine estiró la espalda, con una ancha sonrisa en su cara arrugada, curtida por la intemperie, como si quisiera calmar el nerviosismo de la niña.

—¿No eres toda una mujer de doce años? ¿No sabes que todo el mundo habla de todo el mundo? ¿Qué otra cosa se puede hacer en un pueblo? Tú no te preocupas por eso, ¿verdad?

—No, pero...

La hermana Madeleine se aferró a la palabra «no».

—No esperaba otra cosa de ti. Mira, es curioso lo que sucede cuando viajas muchos kilómetros, para ir a una gran ciudad donde nadie conoce a nadie ni nadie te conoce a ti. Entonces se invierte la situación. Entonces quieres que la gente se interese por ti, por lo que haces. Los humanos somos muy extraños.

—Es solo que... —empezó Kit, desesperada. No quería hablar de la especie humana. Quería que la hermana Madeleine le dijera que todo iba bien, que su madre no era desdichada, loca, mala o lo que fuera que Clio estuviera sugiriendo.

Pero no llegó a tanto. La hermana Madeleine continuaba a lo suyo.

—Estaba segura de que me entenderías. Y una de las cosas más extrañas es que los animales son mucho más simples. No sé por qué el Señor pensó que éramos tan especiales. A propósito, ¿cómo está Farouk, ese noble gato tuyo?

—Está bien, hermana Madeleine. ¿Por qué no viene a verlo?

—Oh, ya me conoces. No soy de las que van de visita. Solo quería saber si estaba bien, paseándose muy orondo por ahí, como si Lough Glass le perteneciera.

Así que ahí estaban las dos, hablando de Farouk y de la raza humana; habría sido una grosería volver a los motivos por los que Kit había ido sola a hablar con la hermana Madeleine.

—¿Cómo va todo, Kit?

—Bien, señora Kelly.

Lilian Kelly dio un paso atrás para mirar con más atención a la amiga de su hija. La criatura era muy bonita, con aquella mata de pelo oscuro y rizado, y aquellos sorprendentes ojos azules. Seguramente sería una belleza, como la madre.

—Dime, ¿Clio y tú estáis enfadadas?

—¿Enfadadas? —Los ojos azules de Kit miraban de forma demasiado inocente, como si no tuviera idea de lo que eso significaba.

—Bueno, es que hasta ahora habéis sido como hermanas siamesas. Pero durante las últimas semanas no os miráis siquiera. Y me parece una lástima, en plenas vacaciones.

—No hemos tenido ninguna pelea, señora Kelly, de veras.

—Ya lo sé. Es lo que me ha dicho Clio. —Kit estaba deseosa de escapar—. Ya que nadie escucha a su madre, tal vez tú quieras escucharme a mí. Tú y Clio os necesitáis. Vivimos en un lugar pequeño, donde siempre es bueno tener una amiga. Sea la tontería que sea, no tiene importancia; pronto pasará. Ya sabes dónde vivimos, ¿no? ¿Por qué no vienes esta noche?

—También Clio sabe dónde vivo, señora.

—Dios me proteja de estas dos testarudas. No sé qué va a pasar con esta generación...

La señora Kelly suspiró y se alejó sonriendo bonachón. Kit la siguió con la mirada. La madre de Clio era corpulenta y cuadrada y usaba la ropa adecuada. No como su mamá, que era muy delgada y siempre vestía con colores vivos; parecía más una bailarina que una madre.

Kit estaba sentada en el muelle de madera.

El bote estaba amarrado allí, pero existía una regla inflexible por la cual nadie se embarcaba estando solo. Una mujer se había ahogado en aquel lago por salir sola. Hacía siglos de eso, pero la gente seguía hablando del asunto. El cadáver apareció un año después, y durante todo aquel año su alma solía rondar el lago, clamando: «Buscad en los juncales, buscad en los juncales». Eso lo sabía todo el mundo. Bastaba para asustar al más temerario; ni siquiera los muchachos salían solos.

Kit observó con envidia a algunos de los niños mayores que estaban desatando un bote, pero no estaba dispuesta a regresar en busca de Clio, como si todo marchara bien. Porque no era así.

Los días parecían muy largos. No tenía con quien conversar. Rita estaba siempre ocupada o con la cabeza hundida en un libro. Emmet era demasiado pequeño para saber conversar. Su padre trabajaba y su madre... su madre quería que fuera menos dependiente, menos nerviosa. Aquello era fácil cuando estaba con Clio. Tal vez la señora Kelly tenía razón al decir que las dos se necesitaban.

Pero no pensaba subir hasta aquella casa.

Oyó pasos a su espalda; las tablas del muelle se movieron. Era Clio. Traía dos pastelillos de chocolate, los que ambas preferían.

—Yo no quiero ir a tu casa y tú no quieres venir a la mía. Esto es territorio neutral, ¿no?

—Claro —dijo Kit, encogiéndose de hombros.

—Podríamos seguir como antes de la pelea. —Clio quería aclarar las cosas.

—No hubo ninguna pelea —le recordó Kit.

—Sí, ya lo sé. Pero dije una estupidez sobre tu madre. —Se hizo un silencio que Clio se apresuró a llenar—. La verdad es que lo dije por envidia, Kit. Me encantaría tener una madre como la tuya, que parece una estrella de cine.

Kit cogió uno de los pastelillos.

—Ya que estás aquí, podríamos salir en el bote.

Así terminó la pelea que nunca existió.

Durante las vacaciones, el hermano Healy visitaba el convento para la discusión anual con la madre Bernard. Tenían muchas cosas que acordar y se entendían muy bien al analizarlas. Allí estaban los planes de estudio para el año siguiente; la dificultad de conseguir maestros laicos que fueran suficientemente responsables; el terrible problema de que los niños fueran alocados e indisciplinados; que prefirieran las aventuras del cine a la vida real, tal como se debía vivir en Irlanda. Ambos coordinaban los horarios para que las niñas salieran de la escuela a una hora y los niños a otra; de ese modo, los dos sexos tenían menos oportunidades de encontrarse y verse abocados a una innecesaria familiaridad.

El hermano Healy y la madre Bernard eran tan viejos amigos que hasta se permitían algunas bromas, por ejemplo, sobre lo largos que eran los sermones del padre Baily: pensaban que era como si se hipnotizara con el sonido de su propia voz. Y hablaban del amor excesivo que los niños prodigaban a aquella desconcertante hermana Madeleine: resultaba muy fastidioso que aquella extraña mujer, con sus antecedentes tan confusos, ocupara un sitio tan imprevisible en la mente y el corazón de los niños de Lough Glass, que por ella estaban dispuestos a cualquier cosa.

Y no solo los niños habían caído bajo su hechizo, añadía el hermano Healy en tono de queja. Oh, no, no. También gente que no debería dejarse confundir, como Martin McMahon, el farmacéutico: el hermano Healy le había oído sugerir a la señora Sullivan, cuando se llevaron a su marido gritando, que pidiera a la hermana Madeleine alguna bebida sedante para poder dormir.

—En cuanto nos descuidemos, harán magia negra —dijo la madre Bernard, sacudiendo febrilmente la cabeza.

Claro que Martin haría mucho mejor en ocuparse de sus asuntos y cuidar un poco de aquella extraña esposa suya. En ese punto, el hermano Healy podía llegar demasiado lejos con los chismes. Él lo sabía y la madre Bernard también, así que los dos juntaron sus papeles y pusieron fin a la reunión.

No se comentó que Helen McMahon, con su turbadora belleza, paseaba demasiado a solas, castigando los setos con una varita de espino; ni que sus ojos y su mente parecían estar lejos, muy lejos de Lough Glass y de las personas que allí vivían.

Era miércoles. Martin McMahon cerró su farmacia con un suspiro de alivio. El papel cazamoscas estaba lleno de insectos muertos. Tenía que retirarlo de inmediato, antes de que llegaran Kit o Emmet y le echaran un sermón sobre aquellos pobres seres, criaturas de Dios, y lo injusto que era ofrecerles un cebo para llevarlos a la muerte.

Era una suerte que Kit y Clio Kelly hubieran dejado atrás la riña infantil, cualquiera que fuese, que las había mantenido separadas durante algunas semanas. A esa edad las niñas eran tan apasionadas que entenderlas resultaba imposible. Martin había preguntado a Helen si no convendría intervenir para reunirlas, pero ella había dicho que era mejor esperar. Y tenía razón, como siempre.

Cuando Helen decía algo, casi siempre se cumplía. Había dicho que Emmet podría arreglárselas con su tartamudeo, que se reiría de quienes lo imitaran. Y así fue. Había dicho que Rita era una chica muy sagaz, cuando todos la creían deficiente mental. También se dio cuenta de que Billy Sullivan bebía tras las puertas de su taller, antes de que nadie lo supiera. Y hacía muchos años que Helen le había dicho que jamás podría amarlo del todo, pero que lo amaría tanto como pudiera. No era suficiente, pero había que conformarse.

Cuando Martin la conoció, ella sufría por otro hombre. Fue sincera: le dijo que no sería justo darle esperanzas mientras tuviera la mente en otro sitio. Él aceptó esperar. Cada vez inventaba más excusas para ir a Dublín e invitarla a salir. Poco a poco fueron intimando. Ella nunca hablaba de aquel hombre que la había abandonado para casarse con una muchacha rica.

Con el tiempo el color volvió a sus mejillas. Él la invitó a conocer su pueblo, su lago, su gente. Ella fue y caminó a su lado por la orilla.

—Para ti puede no ser el amor más grande del mundo... pero a mí me basta —dijo Martin.

Ella dijo que nadie habría podido hacerle una propuesta más bella. Y aceptó, suspirando.

Helen prometió permanecer a su lado; si alguna vez lo abandonaba, le diría por qué. Y tendría que ser por muy buenos motivos. Dijo que era peligroso tratar de conocer demasiado bien a alguien.

Él estaba de acuerdo, por supuesto. Era el precio a pagar por tenerla como esposa. Pero habría preferido que su mente no se fuera tan lejos, tan a menudo, y que no saliera a vagar junto al lago con sol o con lluvia. Helen aseguraba que era un gran placer; le brindaba paz ver el lago en las distintas estaciones. Allí se sentía a gusto.

Martin entró por la puerta principal, junto a la farmacia. Llevaba directamente a la planta alta, que para ellos era «nuestra casa», aunque Kit se quejaba de no conocer otra casa sin planta baja.

Rita estaba poniendo la mesa.

—La señora no está, señor. Dijo que lo vería cuando usted volviera de jugar al golf.

A él se le notó la desilusión.

—Las mujeres también tienen derecho a sus ratos libres —observó Kit, a la defensiva.

—Por supuesto —respondió el padre, con demasiada jovialidad—. Y hoy es miércoles, así que todo el mundo tiene la tarde libre, salvo Rita. Voy a jugar al golf con el padre de Clio.

Y estoy muy en forma, así que hoy le ganaré. Veamos, haré de mamá —dijo, y comenzó a servir el guiso de cordero.

En los últimos tiempos lo decía con mucha frecuencia. ¿Por qué diablos había salido Helen sin decir adónde iba? ¿Dónde se había metido?

Desde el campo de golf se tenía una hermosa vista del lago. La gente decía que era uno de los campos más bonitos de Irlanda. No tan escarpado como los de la costa, que se usaban para los grandes campeonatos, pero sí muy variado, con extensos parques y muchas arboledas. Y con el lago siempre allí. Aquel día estaba de color azul oscuro; apenas caía en él alguna sombra.

Peter Kelly y Martin McMahon se detuvieron a descansar en el *green* del octavo hoyo. Allí no había mucha gente; siempre era posible detenerse a contemplar el lago y el pueblo.

—Veo que han vuelto los gitanos. —Peter señaló los coloridos techos de los carromatos, en la orilla opuesta del lago.

—Son como las estaciones, ¿no? Siempre regresan por el mismo camino y en la misma época.

—Pero a menuda vida condenan a sus hijos. Hay algunos muy hermosos. —Peter miraba a lo lejos, donde dos mujeres caminaban a la orilla del agua.

Martin miró también; luego los dos se movieron al mismo tiempo hacia las pelotas. Era como si ambos pensaran que una de las mujeres se parecía mucho a Helen McMahon, aunque ninguno de ellos quisiera decirlo.

Clio dijo que entre los gitanos había una mujer que leía el futuro. Sabía todo lo que iba a pasar. Pero la madre Bernard mataría a cualquiera que se le acercara.

—¿Qué opinará la hermana Madeleine? —se preguntó Kit.

Era una buena idea. La hermana Madeleine no era de los

que ven las cosas en blanco y negro. Se alejaron alegremente del camino vecinal para ir a consultarla. Ella opinó que bien podía ser; algunas personas tenían aquel don, sí.

—¿Cuánto dinero habrá que darle? —preguntó Kit—. ¿Bastará con tres centavos?

—Creo que pedirá más. ¿Qué le parece a usted, hermana Madeleine? —Clio estaba entusiasmada. Faltaba menos de una semana para su cumpleaños. Tal vez reunieran suficiente dinero antes de que se marcharan los carromatos. ¡Qué maravilla, conocer el futuro!

Para desilusión de ambas, la hermana Madeleine no apoyó la idea. Nunca te decía que no hicieras algo; no utilizaba palabras como «imprudente» o «necio»; no hablaba de pecados ni de errores. Se limitó a mirarlas con los ojos ardiéndole en la cara bronceada y curtida: su mirada lo decía todo.

—Es peligroso conocer el futuro —advirtió.

Y en el silencio que siguió, Clio y Kit se estremecieron.

Rita bajó silenciosamente por el camino estrecho hasta la cabaña de la hermana Madeleine. Llevaba su libro de poemas y un panecillo recién sacado del horno. Le sorprendió oír voces; generalmente encontraba sola a la ermitaña, cuando iba a sus lecciones.

Se disponía a marcharse cuando la hermana Madeleine la llamó.

—Ven, Rita, pasa a tomar una taza de té.

Allí estaba la gitana que leía la suerte. Rita la reconoció de inmediato porque el año anterior la había consultado a cambio de media corona; la mujer le había dicho que su suerte iba a cambiar. Poseería siete veces siete las tierras que había tenido su padre. Aquello era casi veinte hectáreas. La mujer le había dicho que se ganaría la vida con lo que aprendiera en los libros y que se casaría con un hombre que, en aquel momento, estaba al otro lado del mar. También vio que habría

39

dificultades con los hijos de aquel matrimonio, pero no estaba claro si por problemas de salud o de carácter. Dijo que Rita, al morir, sería sepultada en un cementerio grande, no en la iglesia de Lough Glass.

Había estado muy bien visitar a la mujer, que solo leía la suerte junto al lago; no le gustaba hacerlo cerca del campamento, porque su gente no estaba de acuerdo con que lo hiciera.

Rita volvió a notar, con sorpresa, lo parecida que era a la señora McMahon. Viéndolas con poca luz, cualquiera podría tomarlas por hermanas. Se preguntaba qué estaría haciendo allí, con la hermana Madeleine; pero jamás lo sabría.

—Rita y yo leemos poesía juntas. —Era lo más parecido a una presentación que podía hacer la ermitaña.

La mujer asintió como si ya lo supiera. También estaba segura de cuanto había visto en el futuro. Y de pronto, con una leve sensación de alarma, Rita tuvo la misma certeza.

La mujer se escabulló silenciosamente.

—«Mi morena Rosaleen» —indicó a Rita la hermana Madeleine—. Léemelo despacio y con claridad. Cerraré los ojos para imaginarlo.

Rita se acercó a la luz de la pequeña ventana, decorada con tiestos de geranios que la gente le llevaba, con los polluelos de becada entre los pies, y leyó:

> ¡Mi morena Rosaleen!
> ¡Mi propia Rosaleen!
> te alegrará el corazón, te dará esperanza,
> te dará salud, consuelo y esperanza,
> ¡mi morena Rosaleen!

—¡Qué bonito! —dijo la hermana Madeleine.

La chica rió de placer, de puro placer por haberlo leído todo sin el menor tropiezo.

—Has estado muy bien, Rita. Jamás vuelvas a decirme que no sabes leer poesía.

—¿Sabe usted en qué estaba pensando, hermana?

—No, ¿en qué? Tu mente estaba muy lejos. La poesía causa esos efectos.

—Pensaba que si el pequeño Emmet viniera a verla...

—¿Emmet McMahon?

—Sí. Tal vez usted podría curarle el tartamudeo, hacerle leer sonetos y esas cosas.

—No sé curar el tartamudeo.

—Podría hacer que leyera. En la escuela no se atreve; es demasiado tímido.

—Solo si él quisiera venir. De lo contrario, no sería más que un tormento.

—Yo le hablaré de la magia que usted sabe hacer.

—Creo que no deberíamos hablar tanto de magia, ¿sabes? La gente podría tomarte en serio.

Rita entendió de inmediato. En Lough Glass había quienes sospechaban de la hermana Madeleine. Se murmuraba que quienes creían en las hierbas y en las curas de antaño bien podían recibir su poder del extremo opuesto al de Dios. Nadie había mencionado al diablo, pero la palabra quedó suspendida en el aire.

Dan O'Brien, desde la puerta, miraba la calle en ambas direcciones. En el Hotel Central el trabajo no era mucho; varias veces al día se le presentaba la oportunidad de asomarse al exterior. Como muchos pueblos irlandeses, Lough Glass consistía en una calle larga.

Saliendo a la puerta uno podía enterarse de muchas cosas. Dan O'Brien sabía que los dos hijos de Billy Sullivan habían vuelto a casa, ahora que el padre estaba encerrado. Kathleen los había enviado a casa de un tío para librarlos de las iras del borracho y del clima tenso del hogar familiar; aquel entorno era fatal para los hijos.

Los muchachos no tenían la culpa de haber nacido en un lugar así. Y eran guapos, además: la viva imagen de Billy, antes de que la bebida le hinchara la cara y lo embruteciera hasta lo irreconocible. A la pobre Kathleen le haría bien tener compañía. Stevie debía de tener alrededor de dieciséis años. Y Michael tenía la edad de su hijo, de Philip.

A Philip no le gustaba. Decía que Michael Sullivan era un bruto, siempre dispuesto a pelear.

—Igual serías tú si te hubieras criado con un padre como el suyo —decía Dan O'Brien—. No todo el mundo tiene tu suerte.

Philip lo miraba con incredulidad. Claro que los jóvenes nunca estaban satisfechos con lo que les tocaba en suerte.

La tarde estival seguía su curso tranquilo. Dan vio a Clio Kelly y a Kit McMahon; iban del brazo por el sendero, practicando algunos pasos de danza sin prestar atención a nadie. Parecía que era ayer cuando aquellas dos estaban saltando a la cuerda, y ahora ya se preparaban para los bailes. Tenían doce años, igual que Philip. Una edad incierta.

Vio pasar a la madre Bernard, la del convento, caminando majestuosamente, acompañada por una de las monjas más jóvenes. Su cara era un gesto de desaprobación. Aun en vacaciones, sus alumnas no podían comportarse así, como si la vía pública fuera lugar para absurdas danzas.

Las niñas parecieron percibir su proximidad y abandonaron rápidamente el juego.

Dan sonrió para sí ante la actitud contrita de las dos pícaras. Le habría gustado tener una hija, pero su mujer no estaba en condiciones de afrontar otro embarazo.

—Ya tenemos a Philip —había dicho Mildred—. ¿No te basta?

Y como no habría más hijos, tampoco habría más sexo. Era obvio, había dicho Mildred.

Dan O'Brien suspiró, cosa que hacía a menudo. Quién pudiera llevar la vida normal de un hombre casado, como... Bueno, como cualquiera. Su mirada cayó sobre Martin McMahon, que cruzaba la calle hacia el taller de Sullivan. Un hombre de paso ágil, con una esposa muy atractiva. Quién pudiera llevarse arriba a una mujer como Helen McMahon, correr las cortinas y...

Dan decidió no seguir pensando en aquello. Era demasiado frustrante.

La madre Bernard y el hermano Healy estaban planeando el retiro espiritual del otoño. A veces, los curas que iban a la misión no eran los más indicados para enfrentarse con los escolares. Pero decían que aquel año iría un famoso sacerdote, un tal padre John. Cientos de personas viajaban para oír sus sermones, decía el padre Baily.

—No sé si podrá mantener en orden a una turba de sinvergüenzas. —El hermano Healy tenía sus dudas. Los predicadores célebres solían ser un poco «etéreos» para su gusto.

—O darse cuenta de si esas niñas le toman el pelo. —La madre Bernard tenía ojo de águila para las revoltosas.

—No sé por qué nos complicamos tanto, madre Bernard. Estas decisiones se toman sin consultarnos, aunque somos nosotros los que sabemos cómo se deberían hacer las cosas.

Con frecuencia se preguntaban de qué servía tanto hablar, pero en el fondo les encantaba hacerlo. A ambos les incumbía educar a la juventud de Lough Glass, y estaban unidos ante los problemas.

El día anterior al comienzo de las clases, todos los niños bajaron al lago a disfrutar de las últimas horas de libertad. Aunque protestaban por la obligación de volver a aquellas horribles aulas, para unos cuantos era un alivio que el largo verano hubiera terminado.

El más complacido era Philip O'Brien, el del hotel. Había sido muy difícil llenar las horas. Si se quedaba en el hotel, su padre solía ordenarle que lavara las copas o vaciara los ceniceros.

Emmet McMahon ansiaba exhibir su flamante confianza;

unas semanas con la hermana Madeleine habían hecho maravillas.

Clio Kelly, en cambio, no quería volver a la escuela. Estaba harta de la escuela. Ya sabía lo suficiente para ir a Londres a estudiar danza y canto en una academia de arte dramático, donde la descubriría un anciano bondadoso, dueño de un teatro.

Anna, su hermana menor, se pondría muy contenta cuando se iniciaran las clases. En casa estaba a disgusto por asegurar que había visto al fantasma. Decía haber visto llorar a la mujer. No recordaba exactamente qué decía, pero era algo así como: «Buscad en los juncales, buscad en los juncales». El padre, inesperadamente irritado con ella, la acusaba de querer llamar la atención.

—Pero es cierto que la vi. —Lloraba Anna.

—No, no la viste. Y no se te ocurra decirlo por ahí. Bastante histérica es la gente de este pueblo para que tú vengas a complicar las cosas. Es necio y peligroso dejar que crean que una niña educada como tú puede ceder ante esas estupideces.

Hasta su madre se mostraba poco comprensiva. Y Clio le dirigía una espantosa sonrisita de superioridad, como si dijera a toda la familia: «Ya veis que tenía razón al decir que Anna era horrible».

Kit McMahon se alegraba de volver a la escuela. Había prometido que aquel año se esforzaría mucho. Fue una promesa hecha durante la única conversación larga que había tenido con su madre, creía recordar.

Sucedió el día en que tuvo su primer período menstrual. Su madre había estado maravillosa y dijo todo lo que se esperaba: que era estupendo que ya fuera mujer, y que era buena época para ser mujer en Irlanda, con tanta libertad y tantas oportunidades.

Kit expresó sus dudas. Lough Glass no era un sitio que inspirara ideas de fantasía y libertad; se preguntaba hasta qué punto eran ilimitadas las oportunidades. Pero su madre hablaba en serio. Cuando llegara la década siguiente, los años sesenta, no habría nada fuera del alcance de las mujeres. Incluso entonces, la gente empezaba a aceptar que una mujer podía defenderse.

Allí estaba la pobre Kathleen Sullivan, en la acera de enfrente, llenando los tanques de combustible y vigilando al hombre de la empresa petrolera cuando venía a cargar los surtidores. Pocos años antes nadie habría aceptado órdenes de una mujer; todos habrían preferido tratar con un hombre, aunque fuera tan evidentemente incapaz como Billy Sullivan.

—Pero todo depende de que una esté preparada, Kit. ¿Me prometes que, pase lo que pase, te esforzarás mucho en la escuela?

—Sí, sí, claro. —Kit estaba impaciente. ¿Por qué todo tenía que ir a parar a lo mismo? Pero en la cara de su madre había algo que daba otro sentido al asunto.

—Siéntate aquí, a mi lado. Dame la mano y prométeme que no olvidarás este momento. Es un día importante en tu vida, así que vamos a marcarlo con algo más. Será el día en que prometiste a tu madre prepararte debidamente para hacer frente al mundo. —Kit la miró sin comprender—. Sé que suena a frase gastada, pero si yo pudiera tener tu edad otra vez... si pudiera... me esforzaría tanto... ¡Oh, Kit, si yo lo hubiera sabido...!

Su madre parecía angustiada y ella se alarmó.

—¿Si hubieras sabido qué, mamá? ¿Qué te pasa? ¿Qué cosa no sabías?

—Que el estudio te hace libre. Si tienes una carrera, un lugar, una posición, puedes hacer lo que desees.

—Pero tú hiciste lo que deseabas, ¿no? Te casaste con papá y nos tuviste a nosotros.

Kit también debía de estar pálida, porque la expresión de su madre cambió. Le acarició la mejilla.

—Sí, claro, por supuesto.

—Entonces, ¿por qué desearías...?

—No lo deseo para mí, sino para ti. Para que siempre puedas elegir. Para que nunca tengas que hacer algo solo porque no haya otra salida. —No le había soltado la mano.

—Si te pregunto algo, ¿me dirás la verdad? —quiso saber Kit.

—Desde luego.

—¿Eres feliz? Muchas veces te veo triste. Es aquí donde quieres estar, ¿verdad?

—Te quiero, Kit, y quiero a Emmet. Con todo mi corazón. Tu padre es el hombre más bueno del mundo entero. Esa es la verdad. No podría mentirle, ni tampoco a ti. —Ahora la miraba de frente, en vez de observar por la ventana con la mirada perdida y con la mente en otra parte, como hacía a menudo.

Kit sintió un gran alivio.

—Entonces, ¿no estás triste ni preocupada?

—Prometí no mentirte y no lo haré. A veces me siento triste, sí, y un poco sola en este pueblo tan pequeño. No me gusta tanto como a tu padre; él se crió aquí y conoce cada una de sus piedras. A veces pienso que enloquecería si tuviera que ver todos los días a Lilian Kelly, y oír las quejas de Kathleen Sullivan por lo dura que es la vida en el taller, o las de Mildred O'Brien porque el polvo del aire la descompone. Pero ya me comprendes, tú también te hartas de Clio y de la escuela. —Su madre la había tratado de igual a igual; le había dicho la verdad—. ¿Me crees ahora, Kit?

—Te creo, sí. —Y era cierto.

—¿Y no olvidarás, pase lo que pase, que tu pasaporte al mundo es una carrera? ¿Que solo así podrás decidir qué quieres hacer?

Había sido una conversación estupenda. Después se sentía mucho mejor, en general. En el fondo de su mente quedaba una preocupación inoportuna: ¿por qué mamá había dicho dos veces, dos, «pase lo que pase»? Era como si pudiera leer el futuro. Como la hermana Madeleine parecía leerlo algunas veces. Como la gitana del lago.

Pero Kit la apartó de su cabeza. Tenía demasiadas cosas en que pensar. ¿Y no era estupendo haber tenido la regla antes que Clio? Eso sí que era todo un triunfo.

Cuando Martin estaba cerrando el establecimiento apareció el doctor Kelly.

—Soy la viva imagen de la tentación. ¿Quieres venir conmigo al bar de Paddles a tomar una cerveza?

En cualquier otro pueblo se habría esperado que el médico y el farmacéutico se tomaran sus copas en el hotel, cuyo bar sería más elegante, pero el hotel de los O'Brien era tan tétrico y sombrío que Martin y Peter preferían cambiarlo por la atmósfera de Paddles, más vulgar pero también más alegre. Se instalaron en un reservado.

—¿Un consejo? —Martin inclinó la cabeza a un lado con expresión interrogante.

—Es por la pequeña Anna. Me tiene preocupado. Insiste en que todo el mundo está contra ella y sigue afirmando que vio a una mujer llorando junto al lago.

—A esa edad son dramáticos a más no poder —lo consoló Martin.

—¡Si lo sabré yo! Pero ¿nunca has tenido la sensación de que alguien está diciendo la verdad?

—Oye, ¿no pensarás que vio un fantasma?

—No, pero creo que vio algo. —Martin se quedó desconcertado, sin comprender lo que quería decir— ¿Te acuerdas de ella?

—¿De quién?

—De Bridie Daly, Brigid Daly o como se llamara. La que se ahogó.

—¿Cómo quieres que la recuerde? ¡Éramos unos críos!

—¿Cómo era?

—No tengo ni idea. ¿Cuándo fue aquello? Hace tanto tiempo...

—Fue en 1920.

—Teníamos solo ocho años, Peter.

—¿No era morena, de pelo largo? Lo pregunto porque Anna está muy segura.

—¿Qué piensas tú?

—Se me ocurrió que alguien podría estar disfrazándose para asustar a los niños.

—Bueno, en ese caso lo ha logrado. Y también al padre de los niños, al parecer.

Peter se echó a reír.

—Sí, tienes razón. Supongo que es una tontería, pero no me gusta pensar que alguien se ha propuesto deliberadamente ponernos nerviosos. Dios sabe que Anna tiene muchos defectos, pero parece haber visto algo que la dejó preocupada.

—¿Cómo dice que era la mujer?

—Ya sabes cómo son los críos; necesitan comparar con alguien conocido. Anna dice que se parecía a tu Helen.

Las niñas mayores del convento tendrían una sesión especial con el padre John. Por lo tanto, las de doce a quince años oirían algo que no oirían las más pequeñas.

Anna Kelly estaba llena de curiosidad.

—¿Es sobre los bebés?

—Probablemente —dijo Clio con altanería.

—Yo sé lo de los bebés —replicó Anna en tono desafiante.

—Ojalá yo hubiera sabido lo suficiente como para estrangularte mientras eras bebé. —Clio hablaba con el corazón.

—Tú y Kit os creéis estupendas, pero no sois más que dos estúpidas.

—Sí, lo sé. No vemos fantasmas ni tenemos pesadillas. Es desesperante.

Por fin lograron quitársela de encima y fueron a sentarse en el muro bajo el taller de Sullivan. Era un buen sitio para observar Lough Glass, y si se estaban quietas, nadie podría decir que estaban alborotando.

—¿No es una maravilla que Emmet sea tan normal? Para ser chico, quiero decir —comentó Clio, admirada.

Kit se dijo que Anna Kelly no sería tan irritante si, de vez en cuando, Clio le hablara con menos desdén.

—Emmet nació así —dijo Kit—. No recuerdo que se haya metido nunca en problemas. Nadie le ha regañado mucho, tal vez por ser tartamudo. Debe de ser por eso.

—A Anna tendrían que haberla regañado más —aseguró Clio sombríamente—. Oye, ¿de qué crees que va a hablarnos el padre? ¿Podría ser de lo que ya sabes?

—Si es de eso, me muero.

—Pues yo me muero si no es de eso —dijo Clio.

Y soltaron tales carcajadas que el padre de Philip O'Brien ocupó su sitio habitual, a la puerta de su hotel, para mirarlas con desaprobación.

Nunca se supo de qué pensaba hablar el padre John, el misionero, a las niñas mayores del convento de Lough Glass, porque su visita coincidió con una acalorada discusión desatada entre las alumnas superiores: Judas, ¿estaba en el infierno o no? La madre Bernard no resultaba convincente como árbitro y las niñas insistieron en que el misionero visitante emitiera su dictamen.

Se imponía la convicción de que Judas debía de estar en el infierno.

—¿No dijo Nuestro Señor que para ese hombre sería mejor no haber nacido?

—Eso debe de significar que está en el infierno.

—Podría significar que, durante miles de años, su nombre permanecería ligado a la traición, que ese era su castigo por delatar a Nuestro Señor. ¿No es posible?

—No, no es posible, porque eso sería solo un insulto. A las palabras se las lleva el viento.

El padre John observó aquellas caras jóvenes, acaloradas y rojas de entusiasmo. Hacía mucho tiempo que no veía tanto fervor.

—Pero Nuestro Señor no lo habría elegido como amigo sabiendo que iba a traicionarlo y que iría al infierno. Eso significaría que Nuestro Señor tendió una trampa a Judas.

—No tenía por qué traicionarlo. Lo hizo solo por dinero.

—Pero ¿para qué quería dinero, si andaban todos en grupo?

—Pero eso había terminado. Judas sabía que llegaba el final. Por eso hizo lo que hizo.

El padre John estaba acostumbrado a que las niñas se movieran con inquietud y le preguntaran si los besos con lengua eran un pecado venial o un pecado mortal, para aceptar luego lo que él dijera. Normalmente no encaraba semejantes cuestiones cósmicas ni debates sobre la naturaleza del libre albedrío y la predestinación.

Trató de responder lo mejor posible basándose en evidencias que, al fin y al cabo, eran muy poco decisivas. Dijo que, como en todos los casos, era preciso conceder el beneficio de la duda; que tal vez Nuestro Señor, en su infinita misericordia, había creído oportuno...

Después, aflojándose un poco el cuello, preguntó a la madre Bernard sobre aquella extraordinaria preocupación.

—¿Ha habido alguien en la zona que se haya quitado la vida?

—No, no, nada de eso. Ya sabe usted que a las niñas, cuando se les mete algo en la cabeza... —La madre Bernard hablaba con sabiduría y firmeza.

—Sí, pero muestran demasiado interés. ¿Está usted segura?

—Hace años, mucho antes de que ellas nacieran, hubo una desdichada que se encontró en cierto estado, padre, y se cree que se quitó la vida. Creo que la gente ignorante contaba una absurda leyenda sobre su fantasma; tonterías así. Puede que las niñas estén pensando en eso. —La madre Bernard tenía los labios fruncidos en un gesto de desaprobación; no le gustaba tener que mencionar un suicidio y un embarazo extraconyugal ante un sacerdote de fuera.

—Podría ser eso, sí. Hay dos niñas en la primera fila, dos de las menores, una muy rubia y otra muy morena, que parecen tomárselo muy a pecho, y discuten sobre si los que se quitan la vida pueden ser sepultados en suelo consagrado.

La madre Bernard suspiró.

—Esas deben de ser Cliona Kelly y Mary Katherine McMahon. Esas dos serían capaces de discutirle a una que los mirlos son blancos.

—Bueno, conviene estar alerta —dijo el padre John, mientras volvía a la capilla del convento.

Con mucha firmeza dijo a las niñas que quitarse la vida era rechazar un don que Dios les había dado y, por lo tanto, un pecado contra la esperanza —uno de los dos grandes pecados contra la esperanza—: la desesperación. Quien lo hiciera no era digno de ser sepultado entre los cristianos.

—Ni aunque su pobre mente... —comenzó a decir la niña rubia desde el primer banco.

—Ni aunque su pobre mente —repitió el padre John con firmeza.

Ya estaba exhausto y todavía tenía que ir a la escuela de los chicos para advertir sobre los males derivados del abuso de la bebida.

A veces el padre John se preguntaba si aquello servía para algo. Pero se obligaba a recordar que pensar así era casi un pecado contra la esperanza. Debía tener cuidado con ello.

2

Tú no tienes primos de verdad —dijo Clio, tendida en uno de los dos sofás cama de su habitación.

—Oh, Dios mío, ¿por qué te ensañas ahora conmigo? —gruñó Kit, desde el otro sofá cama. Estaba leyendo en una revista un artículo sobre el cuidado de las manos.

—En tu casa nunca se quedan a dormir primos.

—¿A dormir? ¿Para qué? ¿No sabes que los otros McMahon viven a pocos kilómetros de aquí? —Kit suspiró. A veces Clio se ponía muy pesada.

—Nosotros siempre tenemos en casa a primos que vienen de Dublín, y tías y cosas así.

—Y tú te pasas la vida diciendo que no te gusta.

—Tía Maura me gusta.

—Solo porque te da un chelín cada vez que viene.

—Tú no tienes tías —insistió Clio.

—¡Oh! ¿Por qué no te callas? ¡Claro que tengo! ¿Qué son si no tía Mary y tía Margaret?

—Solo están casadas con los hermanos de tu padre.

—Y la hermana de papá, la que está en ese convento de Australia. Ahí tienes una tía. No pretenderás que venga a dormir a casa y nos dé un chelín, ¿o sí?

—Tu madre no tiene a nadie. —Clio bajó la voz—. Es una persona sin familia propia. —Por su modo de decirlo se notaba que repetía como un loro algo que había oído.

—¿Qué quieres decir? —Kit ya estaba enfadada.

—Lo que he dicho.

—¡Claro que tiene familia! Nos tiene a nosotros, a los de aquí.

—Bueno, pero es peculiar.

—No es «peculiar». Pero tú siempre estás criticando a mi madre por cualquier cosa. ¿No habías dicho que no lo harías más?

—No te enfades.

—Sí que me enfado. Me voy a casa. —Kit se levantó del sofá cama.

Clio se alarmó.

—No lo he dicho en serio.

—¿Por qué lo has dicho, entonces? ¿Por qué andas por ahí diciendo cosas que no van en serio? ¿Eres tonta o qué?

—Solo comentaba...

—¿Qué comentabas? —A Kit le brillaban los ojos.

—No sé.

—Yo tampoco.

Kit salió corriendo del cuarto y bajó la escalera.

—¿Te vas ya, tan pronto? —La madre de Clio estaba en el vestíbulo. Ella siempre sabía si habían reñido—. Iba a llevaros unos panecillos.

Más de una escaramuza se había evitado con la oportuna aparición de la comida. Pero aquella vez no fue así.

—Supongo que Clio los aceptará con mucho gusto, pero yo tengo que volver a mi casa.

—¡Pero si es temprano!

—Mi madre debe de sentirse sola. Como usted sabe, no tiene familia propia.

Esa era toda la insolencia que Kit podía permitirse. Un rubor oscuro en las mejillas y el cuello de la señora Kelly le dio a entender que estaba en lo cierto. Al salir cerró suavemente la puerta. Clio se quedaría sin panecillos. Me alegro —pensó, con una sonrisa de satisfacción—. Espero que su madre se la coma cruda.

Mamá no estaba en casa. Rita dijo que había ido a Dublín de excursión.

—¿Para qué? —gruñó Kit.

—A todos nos gustaría ir de excursión a Dublín —dijo Rita.

—A mí no. Allí no tenemos a nadie —aclaró Kit.

—En Dublín hay millones de personas —observó Emmet.

—Miles —corrigió Kit, distraída.

—Bueno, ¿y...?

—Está bien. —Kit lo dejó correr—. ¿Qué leíste hoy con la hermana Madeleine?

—Ahora le ha dado por William Blake. Alguien le regaló un libro de poemas suyos y le encantan.

—No conozco ninguno, salvo «Tigre, tigre».

—Oh, escribió un montón. Ese es el único que trae el libro de lectura, pero escribió miles.

—Docenas y docenas tal vez —corrigió Kit—. Recítame uno.

—No me acuerdo.

—Anda, si te pasas el día repitiéndolos.

—Sé el del flautista.

Emmet se acercó a la ventana y recitó mirando hacia fuera, tal como hacía en la cabaña de la hermana Madeleine.

> *«¡Toca una canción sobre un cordero!»*
> *Y yo toqué con alegría.*
> *«Flautista, toca la canción de nuevo.»*
> *Toqué y él lloró al oírla.*

Lo hizo con mucho orgullo. Era una estrofa difícil para cualquiera, llena de sonidos que se repetían en los versos. La hermana Madeleine tenía que ser un genio para haberle curado el tartamudeo de aquella manera.

El padre había entrado mientras él recitaba sin que Kit se

diera cuenta, pero el niño no vaciló; su seguridad era extraordinaria. Y mientras todos estaban allí sentados, en el atardecer del otoño, ella sintió un escalofrío. Era como si su madre no formara siquiera parte del hogar, como si la familia se compusiera solo de Emmet, su padre, Rita y ella.

Y como si su madre no fuera a regresar jamás.

Helen regresó, cansada y con frío. En el tren no funcionaba la calefacción y la locomotora se había estropeado dos veces.

—¿Cómo estaba Dublín?

—Ruidoso y lleno de gente que parecía tener mucha prisa.

—Por eso vivimos todos aquí. —Martin estaba encantado.

—Por eso vivimos todos aquí —repitió Helen con voz inexpresiva.

Kit contemplaba las llamas del fuego.

—Creo que cuando crezca voy a ser ermitaña —dijo de pronto.

—No te gustaría llevar una vida tan solitaria. Es solo para gente extraña como yo.

—¿Usted es extraña, hermana Madeleine?

—Soy muy peculiar. ¿No te parece divertida, la palabra «peculiar»? El otro día la repetía con Emmet, y nos preguntábamos de dónde provendría.

Kit recordó entonces lo que había dicho Clio: era peculiar que su madre no tuviera familia.

—Cuando usted era joven, ¿le hacía sufrir que la gente hablara mal de su familia?

—No, hija, nunca.

—¿Y cómo hacía para no afligirse?

—Probablemente pensaba que si alguien decía algo malo de mi familia, era porque estaba equivocado. —Kit guardó silencio—. Como lo estarían si dijeran algo malo de la tuya.

—Lo sé. —Pero la vocecita sonaba incrédula.

—Tu padre es el hombre más respetado en tres condados, muy bueno con los pobres, casi como un segundo médico en la ciudad. Tu madre es el alma más amorosa y gentil que yo haya tenido la suerte de conocer. Tiene corazón de poetisa y ama todo lo bello...

Como entre las dos se hizo el silencio, la hermana Madeleine volvió a hablar. Era difícil saber, por su expresión, lo que estaba pensando.

—Claro que la gente suele decir cosas por envidia, porque no está segura de sí misma.

Era como si supiera lo de Clio. A lo mejor la misma Clio había ido a contárselo. Quién sabe.

—Y a menudo, quien rompe las flores con una vara se arrepiente de haberlo hecho, pero no sabe cómo decirlo.

—Cierto —dijo Kit. La hermana Madeleine pensaba que su madre tenía corazón de poetisa y aquello la complacía. A su debido tiempo perdonaría a Clio.

Siempre que ella le pidiera las debidas disculpas, por supuesto.

—Lo siento mucho —dijo Clio.

—No importa —dijo Kit.

—Sí que importa. No sé por qué lo dije, por qué hago siempre lo mismo. Supongo que quiero sentirme superior a ti, o algo así. No me gusto, esa es la verdad.

—Yo tampoco me gusto cuando estoy de malhumor —reconoció Kit.

Para las dos familias fue un alivio. Todos se preocupaban cuando Kit y Clio reñían.

Cuando una muerte no tenía sentido, a veces era más difícil dar la noticia que cuando el fallecimiento iba a causar un inmenso dolor. Peter Kelly se detuvo a tomar aliento antes de entrar; debía decir a Kathleen Sullivan que, finalmente, su marido había sucumbido a la dolencia hepática, tan peligrosa como el deterioro cerebral que lo había llevado al asilo municipal. Sabía que existían palabras convencionales de condolencia o consuelo. Pero nunca resultaba fácil.

Kathleen Sullivan recibió la noticia con el rostro pétreo. Stevie, el hijo mayor, se limitó a encogerse de hombros.

—Hace mucho tiempo que murió, doctor. —Era un muchacho moreno y apuesto, que había sentido demasiadas veces el puño de su padre, hasta que se fue por propia voluntad a la granja de su tío.

Michael, el menor, parecía confundido.

—¿Habrá funeral?

—Sí, claro —dijo el médico.

—No habrá ningún funeral —decidió Stevie, de pronto.

La madre dio un respingo.

—Algo hay que hacer —objetó.

Todos miraron al médico, como si esperaran una solución.

—Usted no es un hipócrita, doctor Kelly. ¿Para qué hacer una comedia?

—Creo que todo se puede arreglar discretamente en el asilo, como se suele hacer en estos casos. Una misa allí para la familia, nada más. El padre Baily se encargará de todo.

Kathleen Sullivan lo miró con gratitud.

—Es usted muy bueno, doctor. Lástima que las cosas sean así. —Hablaba con gesto firme y duro—. No puedo buscar consuelo en nadie. Todos dirán que es mejor así y que en buena hora nos hemos librado de él.

—Lo entiendo, Kathleen. —Peter Kelly entendía demasiado bien; si él no encontraba el modo de expresar consuelo, nadie en Lough Glass sabría encontrarlo—. Podría visitar a la hermana Madeleine —sugirió—. Es la más adecuada para reconfortarla en un momento como este.

Al salir de la casa y sentarse en el coche, vio salir a Kathleen Sullivan, con abrigo y bufanda, siguiendo su consejo. En el trayecto hacia su casa pasó junto a Helen McMahon, que caminaba con la cabellera al viento. A pesar del frío, llevaba solo un vestido de lana, sin abrigo; se la veía sonrojada y emocionada.

Él detuvo el coche.

—¿Quieres que te lleve a casa, para que no se te cansen las piernas? —preguntó.

Ella sonrió, y el cayó en la cuenta otra vez de lo hermosa que era.

—No, Peter. Me encanta caminar en atardeceres como este. Me siento tan libre... ¿Has visto las aves en el lago? ¿No son magníficas?

Magnífica era ella, con los ojos brillantes y la piel tan limpia. Pese a ser tan delgada, su silueta era voluptuosa; los pechos parecían tirar del tejido azul. Sobresaltado, Peter comprendió que Helen McMahon estaba embarazada.

—¿Qué pasa, Peter?

—Otra vez con esa pregunta. —Estaba irritado con Lilian—. ¿Qué quieres que pase?

—No has dicho una palabra en toda la noche. No haces más que mirar el fuego.

—Tengo cosas en que pensar.

—Desde luego. Lo que quiero saber es cuáles son esas cosas.

—¿Qué eres? ¿El Gran Inquisidor? ¿No puedo pensar sin pedirte permiso?

Vio saltar las lágrimas en los ojos de Lilian. Era muy injusto tratarla así. Ellos formaban una pareja de las que se preguntan lo que sienten y lo que están pensando.

Peter lo reconoció.

—Te lo pregunto porque pareces preocupado. —Lilian se había calmado.

—No sé si hice bien al sugerir que el funeral de Sullivan se celebrara en el asilo.

Peter escuchó a medias a su esposa, que opinaba sobre el asunto, mientras intentaba imaginar las consecuencias de que

Helen McMahon estuviera embarazada. En la boca del estómago tenía la sensación de que algo andaba mal.

No había motivos para que Martin y Helen no tuvieran un hijo tardío. Ella debía de tener treinta y siete o treinta y ocho años; a las mujeres de la zona no les parecía mal tener hijos a esa edad. Pero Peter Kelly estaba intranquilo. En el aire flotaban fragmentos de diálogo que venían a turbarlo: Clio comentando que los padres de Kit dormían en habitaciones separadas; algo dicho por Martin en el bar de Paddles sobre los viejos tiempos, como si hacer el amor fuera cosa del pasado; algo que Helen había dicho cuando Emmet apenas caminaba: que no tendría hermanos menores. Todo aquello formaba un descabellado acertijo en su cabeza. Tenía que ser descabellado, sí, porque si uno suponía, solo teóricamente, que todas aquellas ideas confusas eran verdad...

¿De quién diablos esperaba un hijo Helen McMahon, si no era de su marido?

Martin oyó pasos en la escalera. Se levantó para ir a la sala.

—¿Helen?

—Sí, amor.

—Te estaba buscando. Te has enterado de lo del pobre Billy Sullivan?

—Sí, me lo ha dicho Dan. Supongo que es una bendición, en cierto modo. Ya no tenía cura.

—¿Te parece que debemos ir? —Martin era siempre un buen vecino.

—No. Pasé por la casa al venir hacia aquí. Kathleen no está; solo los muchachos.

—Saliste tarde...

—Fui a caminar. Hace una hermosa noche. Los chicos dicen que la madre bajó a ver a la hermana Madeleine. Es una buena idea. Ella siempre sabe qué decir.

—¿Así que estuviste en el hotel?

Helen pareció sorprendida.

—No, Dios mío. ¿Para qué?

—Dices que Dan te contó lo de Billy Sullivan.

—¿No sabes que Dan se pasa la vida plantado en la puerta? Como te dije, salí a caminar. Bajé al lago.

—¿Por qué quieres pasear sola? ¿Por qué no dejas que te acompañe?

—Ya sabes por qué. Quiero pensar.

—Pero ¿en qué tienes que pensar?

—Tengo tantas cosas en que pensar que la mente se me desborda.

—¿Y son cosas buenas las que piensas? —Martin esperó la respuesta casi con miedo, como si estuviera arrepentido de haberla hecho.

—Tenemos que hablar... Es preciso que hablemos. —Helen miró hacia la puerta como para comprobar que nadie pudiera oírlos.

Él se alarmó.

—No tenemos nada de que hablar. Solo quería saber si eras feliz. Eso es todo.

Helen suspiró. Un suspiro hondo.

—Oh, Martin, cuántas veces tengo que decírtelo. No es cuestión de ser feliz ni infeliz. Tú no habrías podido hacer nada. Sería como pedirte que cambiaras el clima...

Él la observó, abatido. A juzgar por su cara, sabía que preguntar había sido un error.

—Pero ahora todo es diferente. Todo ha cambiado. Y nos decimos siempre la verdad. Es más de lo que otras parejas... —Helen hablaba como si estuviera dándole migajas de consuelo.

—¿Es más, seguro? —Su voz estaba llena de esperanza.

—Lo es, por supuesto, porque nunca te he mentido. Si hubiera algo importante, te lo diría.

Martin se apartó, levantando las manos como para interrumpir cualquier explicación que ella quisiera iniciar. Helen parecía preocupada. Él no era capaz de soportarlo.

—No, mi amor, el error ha sido mío. ¿Acaso no tienes

todo el derecho a pasear sola, junto al lago o donde quieras? ¿Quién soy yo para estar interrogándote? Me estoy convirtiendo en una vieja madre Bernard antes de tiempo, eso es lo que pasa.

—Quiero contarte todo —dijo ella, con expresión vacía.

—No. Por esta noche basta con ese pobre hombre de enfrente, que ha ido a reunirse con su Creador.

—¡Martin! —interrumpió ella.

Pero él no estaba dispuesto a dialogar. La tomó de las manos para acercársela. Cuando la tuvo a su lado la estrechó muy fuerte.

—Te amo, Helen —repitió una y otra vez, con la boca en su pelo.

—Lo sé, lo sé, Martin, lo sé —murmuró ella.

Ninguno de los dos vio pasar a Kit frente a la puerta, detenerse un momento y luego continuar hacia su cuarto. Aquella noche pasó mucho tiempo sin dormir. No conseguía decidir si lo que había visto era muy bueno o muy malo.

Halloween, la víspera de Todos los Santos, caería en viernes. Kit preguntó si podían organizar una fiesta.

Su madre pareció oponerse.

—No sabemos qué vamos a hacer —objetó, de un modo confuso.

—¡Claro que lo sabemos! —protestó Kit, ofendida por tanta injusticia—. Es viernes. Cenaremos patatas y huevos revueltos, como todos los viernes. Solo preguntaba si podrían venir unos cuantos amigos.

—Te aseguro que sé lo que estoy diciendo. No sabemos qué haremos la víspera de Todos los Santos. No es momento para pensar en la víspera de Todos los Santos. Ya habrá tiempo para fiestas. Ahora no.

Era una decisión terminante. Y asustaba mucho.

—¿Es cierto que hay fantasmas la víspera de Todos los Santos? —preguntó Clio a la hermana Madeleine.

—Ya sabes que los fantasmas no existen —dijo la ermitaña.

—Bueno, espíritus.

—Siempre hay espíritus a nuestro alrededor.

—¿Usted teme a los espíritus? —insistió Clio, empeñada en introducir un poco de terror en la conversación.

—No, hija. ¿Cómo puedes temer al espíritu de nadie? Un espíritu es algo amable y cordial. Es la vida que hubo antes en una persona, el recuerdo de esa vida, que permanece en un lugar.

Aquello era aún más interesante.

—Y aquí, alrededor del lago, ¿hay espíritus?

—Claro, los de la gente que vivió aquí y amó este lugar.

—¿Y murió aquí?

—Y murió aquí, eso es.

—¿El espíritu de Bridie Daly está aquí?

—¿Bridie Daly?

—La mujer que decía: «Buscad en los juncales». La mujer que iba a tener un niño sin haberse casado.

Clio parecía demasiado impaciente, demasiado chismosa para el gusto de la hermana Madeleine. Las miró a ambas, pensativamente.

—¿Vais a organizar alguna fiesta la víspera de Todos los Santos?

Kit no dijo nada.

—Kit quería celebrar una, pero se suspendió todo —gruñó Clio.

—Solo dije que tal vez la organizase —protestó Kit.

—Bueno, ¿y para qué lo dices, si después no das explicaciones?

La hermana Madeleine miró a Kit con pena. La niña estaba preocupada por algo.

—¿Alguna vez habéis visto un zorro domesticado? —les preguntó en plan cómplice.

—Los zorros no se pueden domesticar. ¿O sí? —Clio lo sabía todo.

—Bueno, no tanto como para confiarle los patos y los pollos —dijo la hermana—. Pero tengo un cachorrillo encantador para enseñaros. Está en mi dormitorio, en una caja. No puedo dejarlo salir, pero si venís conmigo lo veréis.

¡Su dormitorio! Las niñas intercambiaron una mirada de satisfacción. Nadie había estado tras aquella puerta cerrada. Olvidados quedaron los cadáveres del lago, los espíritus de los difuntos y la intransigencia de cancelar la fiesta de Todos los Santos. Entraron y la hermana Madeleine cerró la puerta tras ellas.

Había una cama sencilla, con un pequeño cabezal de hierro y una pieza similar a los pies. La colcha era de un blanco níveo. En la pared no había un crucifijo sino una simple cruz. La pequeña cómoda no tenía espejo, solo un peine y un par de cuentas de rosario. Había también una silla y un reclinatorio frente a la cruz.

—Todo está muy ordenado —dijo Clio al fin; era el único elogio que se le ocurrió para aquel cuarto tan confortable como una celda.

—Aquí está —exclamó la hermana Madeleine. Y sacó una caja de cartón llena de paja. Sentada en el centro, había una diminuta cría de zorro con la cabeza inclinada a un lado.

—¿No es precioso? —exclamaron Clio y Kit al unísono, alargando torpemente la mano para acariciarlo.

—¿Muerde? —preguntó Clio.

—Puede mordisquear un poco, pero sus dientecillos son tan pequeños que no os hará daño. —Cualquier otro adulto del mundo les habría dicho que no lo tocaran.

—¿Vivirá aquí para siempre? —quiso saber Kit.

—Se rompió una pata, ¿veis? Se la arreglé; no es de esos animales que se puedan llevar al veterinario. El señor Kenny no nos daría las gracias por llevarle un zorro.

Las niñas observaron con admiración el trozo de madera atado a la pata.

—Pronto podrá caminar y correr. Entonces lo dejaremos

ir al encuentro de su vida, cualquiera que sea. —La hermana Madeleine contempló la pequeña cara puntiaguda que la miraba con confianza y acarició aquella cabecita.

—¿Cómo puede permitir que se vaya? —susurró Kit—. Yo me lo quedaría para siempre.

—Su lugar está allí fuera. Ser libre es parte de su naturaleza. No puedes retener aquello que desee marcharse.

—Pero usted podría tenerlo como mascota.

—No, no podría. Quien está destinado a ser libre siempre se va.

Kit se estremeció. Era como si la hermana Madeleine estuviera leyendo el futuro.

Helen bajó lentamente la escalera y entró en la farmacia con una sonrisa; estaba pálida.

—En casa del herrero, cuchillo de palo —dijo—. En el cuarto de baño no hay una sola aspirina.

Él corrió a buscar un vaso de agua y le ofreció dos pastillas. Durante un momento le retuvo la mano. Ella sonrió, en otro débil intento de responderle.

—Pareces agotada, amor mío. ¿No has podido dormir? —preguntó Martin McMahon, con mucho afecto.

· —A decir verdad, no. Estuve deambulando de un lado para otro. Espero no haber despertado a todo el mundo.

—Deberías haber venido a verme. Yo te habría preparado algo para que durmieras.

—Es que no me gusta visitarte en plena noche. Bastante malo es no quererte en mi dormitorio. No quiero despertar en ti falsas esperanzas.

—Las esperanzas están siempre ahí, Helen. Tal vez algún día... —Parecía ansioso. Ella guardó silencio—. Alguna noche... —Sonrió.

—Necesito hablar contigo, Martin.

Él puso cara de preocupación. Inmediatamente le tocó la frente.

—¿Qué pasa, amor mío? ¿Tienes fiebre?

—No, no, no es eso.

—Bueno, dime.

—Aquí no. Es demasiado largo y confuso. Y... Tengo que salir de aquí. —La palidez había desaparecido. En aquel momento estaba colorada.

—¿Quieres que llame a Peter?

—No, no llames a Peter —le espetó—. Quiero hablar contigo a solas. ¿Por qué no sales a caminar conmigo?

—¿Ahora? ¿No tenemos que subir a comer? —Martin parecía completamente desconcertado.

—Avisé a Rita de que tú y yo no comeríamos. Te preparé algunos bocadillos. —Llevaba un pulcro paquete envuelto en papel—. Necesito hablar contigo.

Su voz no era amenazante. Aun así, él parecía tener miedo de oírla.

—Escucha, amor mío, tengo trabajo. No puedo salir a vagar cuando se me antoje.

—Hoy puedes cerrar temprano.

—Pero tengo... tengo cien cosas que hacer. ¿Por qué no subimos los bocadillos y nos los comemos con Rita? ¿No sería estupendo?

—No quiero hablar delante de Rita.

—Mira, no creo que te convenga hablar. Ven, subamos, para que te arrope en tu cama. Dejémonos de tonterías. —Su voz era la que empleaba al quitar una astilla del dedo de un niño o al poner yodo en una herida: brindaba calma y aliento.

A Helen se le llenaron los ojos de lágrimas.

—Oh, Martin, ¿qué voy a hacer contigo?

Él le dio unas palmaditas en la mano.

—Vas a sonreírme. No hay nada en el mundo que no se arregle con una buena sonrisa.

Ella se obligó a sonreír. Martin le enjugó las lágrimas.

—¿Qué te he dicho? —exclamó en tono triunfante.

Aún la tenía cogida de la mano. Parecían una pareja dichosa que compartiera un secreto, una vida en común, tal vez un momento de amor. En aquel instante se abrió la puerta y entró Lilian Kelly, seguida por su hermana Maura, que estaba en el pueblo, como siempre en aquella época del año.

—Muy bien, eso es, como dos tortolitos entre frascos y pociones. —Lilian rió.

—Hola, Helen.

Maura era regordeta como su hermana, y una estupenda jugadora de golf. Trabajaba para un adiestrador de caballos en quien, según rumores, había depositado sus esperanzas. Aquellas esperanzas nunca se materializaron. Maura ya andaba por los cuarenta años, pero seguía siendo alegre y activa.

Acercaron las dos sillas altas que Martin McMahon tenía allí para sus clientes; también un cenicero. Lilian y Maura movían los cigarrillos al gesticular o cada vez que respondían con una exclamación a los comentarios.

Martin notó que Helen retrocedía un poquito, como esquivando el humo.

—¿Quieres que entreabra la puerta? —sugirió.

Ella lo miró con gratitud.

—Nos vas a matar de frío, Martin.

—Es que Helen está un poco... —observó él con aire protector.

—¿No te sientes bien? —preguntó Lilian en tono comprensivo.

—Sí, pero tengo un poco de náuseas, no sé por qué.

—¿No será por el motivo más viejo del mundo? —La pregunta de Lilian era maliciosa.

Helen la miró sin alterarse.

—No creo —respondió, con una vaga sonrisa.

Y salió a la calle, aspirando el aire frío a bocanadas. Hacía más frío del que cabía esperar a mediados de otoño; en el lago se estaba levantando la bruma. Aun así se le encendieron las mejillas.

—Oye, os llamamos para darnos el gusto de ir todos juntos a comer al Central. Oh, vamos, Helen. Hoy se cierra temprano. Peter vendrá también, para que sea una verdadera celebración. ¿Contamos con vosotros?

Helen miró a su marido. Un momento antes él había argumentado que tenía cien cosas por hacer; no podía cerrar temprano para estar solo con ella. Y en aquel momento, evidentemente, se moría de ganas de salir con el grupo.

—Bueno, no sé, en realidad... —dijo él.

Helen no dijo una palabra para ayudarlo a decidirse.

—No es algo que hagamos todos los días. —Lilian Kelly trataba de ser persuasiva.

—Insisto, Martin. —Maura parecía deseosa de ir—. Venid todos. Yo invito, dadme ese gusto. —Les dedicó una gran sonrisa.

—¿Qué opinas, Helen? —Él estaba ansioso como un niño—. ¿Nos portamos mal?

A las visitantes les faltó poco para aplaudir.

—Ve tú, Martin, por favor. Me temo que yo no podré. Tengo que ir a... —Helen movió la mano en un gesto vago que podía señalar cualquier parte.

Nadie le preguntó por qué no aceptaba ni adónde iría.

—Tía Maura estará en casa cuando yo vuelva —comentó Clio.

—Me alegro por ti —dijo Kit.

—Sí. Dijo que nos enseñaría a jugar al golf. ¿Qué opinas?

Kit reflexionó. Era algo realmente de adultos. Algo muy diferente a limitarse a recoger pelotas de golf. Pero sentía cierto recelo. Se preguntaba por qué. Posiblemente porque su madre no jugaba. Helen nunca había manifestado el menor interés por aquel juego. A Kit le pareció que era un poco desleal aprenderlo, como si no estuviera de acuerdo con las preferencias de su madre.

—Lo pensaré —dijo al fin.

—En tu caso, eso significa «no».

—¿Por qué dices eso?

—Porque te conozco muy bien —aseguró Clio en tono amenazante.

Kit decidió hablar del asunto con su madre aquella misma noche. Si ella lo aprobaba, aprendería. Y así demostraría a Clio Kelly que no siempre tenía razón.

—No me sirvas mucho, Rita. He tomado un almuerzo que no se lo darían ni a un condenado —comentó Martin McMahon en tono lastimoso.

—¿Y por qué comiste tanto, papi? —preguntó Emmet.

—Fuimos todos al hotel, para darnos ese gusto.

—¿Cuánto costó? —quiso saber Emmet.

—Si quieres que te diga la verdad, no lo sé. Fue una invitación de Maura, la tía de Clio.

—¿Y a mamá le gustó? —Kit se alegraba de saber que habían salido.

—Ah, tu madre no pudo venir.

—¿Dónde está ahora?

—Vendrá más tarde.

Kit habría querido que ya estuviera allí, para hablarle del golf. ¿Por qué a todo el mundo le parecía tan normal que mamá ya nunca estuviera en casa?

Clio apareció a la hora del té.

—Bueno, ¿qué decidiste?

—¿Sobre qué?

—Sobre el golf. Tía Maura quiere saberlo.

—Ella no. Eres tú la que quiere saberlo. Todavía no he decidido nada.

—Bueno. ¿Qué podemos hacer?

—No sé —dijo Kit. Deseaba oír el paso ligero de su madre en la escalera.

Se hizo un silencio.

—¿Estamos peleadas? —preguntó Clio.

Kit sintió remordimientos. Estuvo a punto de explicar que estaba preocupada porque su madre no había vuelto a casa. Pero no lo hizo.

—Clio se ha quedado muy poco tiempo. —El padre de Kit estaba corriendo las cortinas de la sala.

—Sí.

—¿Estáis peleadas otra vez?

—No. Ella preguntó lo mismo.

—Bueno, es un alivio.

—Papi, ¿dónde está mamá?

—Ya vendrá, hija. No le gusta que la vigilemos.

—Pero ¿dónde está?

—No sé, querida. Anda, deja de pasearte como una fiera enjaulada.

Kit se sentó a mirar las figuras que hacía el fuego. Vio casas y castillos, grandes montañas escarpadas. Nunca aparecía dos veces la misma. De vez en cuando echaba un vistazo a su padre.

Martin tenía un libro en el regazo, pero jamás volvía la página.

Rita estaba sentada junto a la cocina. La Aga era reconfortante en noches de viento como aquella. Pensaba en la gente que no tenía hogar: en las gitanas que estaban siempre viajando en aquellos carromatos húmedos; en la hermana Madeleine, que nunca sabía de dónde vendría el siguiente mendrugo, pero que jamás se preocupaba por ello.

Rita pensaba en la señora.

Una mujer como ella, joven y hermosa, con una familia que la adoraba, ¿por qué salía a caminar junto al lago en una noche fría y ventosa como aquella, en lugar de estar sentada junto al fuego en su sala, con las gruesas cortinas de terciopelo echadas?

—La gente es rara, Farouk —dijo al gato.

Emmet ya estaba acostado. Martin aguzaba el oído para percibir el ruido de la puerta. Kit sintió que el tictac del reloj la atravesaba, casi sacudiéndole el cuerpo.

Pronto oirían el ruido de la puerta al abrirse y las pisadas ligeras de mamá, subiendo la escalera. Papá no le preguntaría siquiera por qué se había retrasado tanto... aunque nunca había llegado tan tarde.

Y haría bien en preguntárselo, se dijo Kit, con un arrebato de impaciencia. Aquello no era normal. No era lo que Clio llamaría «normal».

En aquel momento se oyó el ruido de la puerta, allá abajo. Kit y su padre intercambiaron una cómplice mirada de alivio, alivio que no sería mencionado cuando mamá entrara. Pero la puerta no se abrió. No era mamá.

El padre de Kit bajó corriendo a abrir.

Era Dan O'Brien, el del hotel, con su hijo Philip. Ambos venían mojados y con el pelo revuelto por el viento.

Kit los observó desde arriba. Era como si todo se moviera con mucha lentitud.

—Oye, Martin, no creo que haya ningún problema —comenzó a decir Dan.

—¿Qué pasa? Habla de una vez, caramba. —Su padre estaba aterrado.

—Todo va bien, seguro. Los chicos están en casa, ¿no?

—¿Qué pasa, Dan?

—Es que el bote... Tu bote, Martin. Se ha soltado y estaba a la deriva, dando vueltas. Unos hombres lo traen a remolque. Me pareció mejor echarme una carrera para ver... para asegurarme de que los chicos estaban en casa. —Dan O'Brien parecía aliviado al ver las dos caras que lo miraban desde arriba. Emmet se había levantado en pijama y estaba sentado en el último escalón, hecho un ovillo.

—Bueno, es solo un bote... y puede que no se haya estropeado mucho.

Dan no pudo seguir hablando. Martin McMahon lo había cogido por las solapas de la chaqueta.

—¿Había alguien en el bote?

—¡Tranquilo, Martin! ¿No tienes a tus hijos ahí?

—¿Helen? —Martin pronunció el nombre casi en un sollozo.

—¿Helen? ¿Qué podría estar haciendo Helen allá abajo,

a estas horas? ¡Son las diez menos cuarto, Martin! ¿Has perdido la cabeza?

—¡Helen! —Martin salió corriendo bajo la lluvia, sin cerrar la puerta—. ¡Helen!

Entonces Kit vio la cara asustada de su hermano, que la miraba. «¿Qué ha pasado?» quería decir, pero no pudo pronunciar las palabras.

En aquel mismo instante Rita corrió a cerrar la puerta de la sala, que golpeaba contra los batientes. Philip O'Brien seguía allí, con cara de tonto, sin saber cómo ser útil.

—¿Entras o sales? —preguntó Rita.

Philip entró y subió tras ella.

—Allí no había nadie —dijo a Kit—. Tu madre no estaba en el bote. Todos pensaron que erais los chicos, que estabais gastando una broma.

—Bueno, yo no fui —aseguró Kit. Su voz parecía salir de otro sitio.

—¿Dónde está papá? —Emmet apenas pudo pronunciar aquellas palabras.

—Ha ido en busca de mami para traerla a casa —dijo Kit. Y escuchó las palabras para ver qué significaban. No parecían encerrar peligro. Las dijo otra vez—: Eso es. Fue a buscar a mamá. Para traerla a casa.

Abajo, en el lago, andaban con linternas.

Allí estaba el sargento O'Connor, Peter Kelly y los dos muchachos Sullivan, los del taller, inclinados hacia el bote. De pronto oyeron unos pies que corrían y los gemidos de Martin McMahon.

—No es Helen. Decidme que no habéis encontrado a Helen en el lago.

Sus ojos pasaron de uno a otro por el semicírculo de hombres que conocía desde siempre. El joven Stevie Sullivan apartó la vista; las lágrimas que corren por la cara de un hombre son demasiado significativas.

—Decidme, por favor —insistió Martin.

Peter Kelly se dominó. Rodeando con un brazo a su tembloroso amigo, lo apartó del grupo.

—Contrólate, Martin. ¿Por qué has bajado tan a la carrera?

—Dan vino a casa a decirme que el bote...

—El diablo se lleve a ese entrometido de Dan O'Brien. ¿Por qué tuvo que ir a preocuparte?

—¿Ella...?

—Allí no hay nada, Martin. Solo un bote que no estaba amarrado. El viento lo llevó lago adentro. Eso es todo.

Martin temblaba junto a su viejo amigo.

—Ella no ha vuelto a casa, Peter. Yo estaba allí sentado, pensando que nunca se había retrasado tanto. Quería salir a buscarla. ¡Si hubiera salido! Pero ella quería que la dejaran en paz; se sentía prisionera si no podía salir a caminar sola.

—Lo sé, lo sé. —El doctor Kelly escuchaba y le daba palmaditas en los hombros estremecidos, pero mientras tanto miraba a su alrededor.

Entre los árboles se veían las ventanas de los carromatos, iluminados por lámparas de aceite. Los viajeros debían de haber encendido un fuego en un sitio protegido. El médico divisó sus siluetas; permanecían de pie, vigilantes y callados, observando la confusión y el drama que tenía lugar en la orilla del lago.

—Vamos allí para protegernos del viento —dijo Peter Kelly—, mientras nos aseguramos de que todo... —Se le apagó la voz al percibir la inutilidad de sus palabras.

No sabía qué pensar de aquella gente viajera. Por un lado sabía que robaban pollos en las granjas cercanas y que los muchachos podían causar problemas si entraban en el bar de Paddles. Pero a decir verdad, a menudo era una reacción ante las provocaciones de los vecinos.

Peter habría querido hacerles ver que la vida errante no ofrecía muchas oportunidades para los hijos del grupo. Los pequeños apenas sabían leer y escribir. Tampoco necesitaban sus servicios médicos: se entendían a su manera con el naci-

miento, la enfermedad y la muerte. Y aquella forma de vivir
solía tener mucha más fortaleza y dignidad que la otra. Él
nunca hasta entonces les había pedido un favor.

—¿Podrían dar a este hombre algo para que se eche sobre
los hombros? —preguntó a un grupo de hombres de aspecto
adusto.

El corro se abrió, dando paso a una mujer que llevaba una
manta grande y algo de lo que surgía vapor. Sentaron a Martin McMahon en un árbol caído, a poca distancia.

—¿Necesitan ayuda? —preguntó uno de aquellos hombres morenos.

—Les agradecería que llevaran algunas luces más a la orilla —dijo Peter simplemente.

Entonces se inició la procesión hasta la orilla del lago.

Martin se acurrucó bajo la manta, gimiendo.

—No está en el lago —decía, una y otra vez—. Me lo habría dicho. Helen nunca me mintió. Prometió no hacer nada
sin decírmelo antes.

El tictac del reloj no cesaba. Kit se había sentado al pie del
reloj de péndulo, con su hermano entre los brazos. Philip
O'Brien estaba en el tramo de escalones que llevaba al desván
donde dormía Rita.

La muchacha ocupaba una silla, a la puerta de la cocina.
Una o dos veces, tal vez más, se levantó diciendo:

—Voy a poner otro leño en el fuego. Hará falta cuando
ellos vuelvan.

Alguien había mandado llamar a Clio, que subió la escalera.

—Mi madre me dijo que viniera enseguida. —Todos esperaron la respuesta de Kit. No la hubo—. Dijo que yo debía
estar aquí.

Algo estalló en la mente de Kit.

¿Cómo se atrevía aquella chica a hablar de sí misma?
Siempre «yo», «yo». Comprendió que no debía hablar mien-

tras no se le pasara aquella enorme oleada de ira. Si abría la boca sería para lanzar insultos contra Clio Kelly y ordenarle que saliera de su casa.

—Di algo, Kit. —Clio estaba en la escalera, incómoda.

—Gracias —murmuró ella con dificultad. Y rezó por no decir algo terrible, algo que la obligara a pedir perdón por el resto de su vida.

Emmet percibió aquel extraño silencio.

—Ma... —empezó a decir, pero no pudo pasar de la primera sílaba.

Clio lo miró con simpatía.

—Oh, Emmet, te ha vuelto el tartamudeo —observó.

Philip se levantó.

—Creo que ya hay bastante gente aquí, Clio. Puedes volver a tu casa.

Clio lo miró bruscamente.

—Tiene razón, Clio. —Kit descubrió que su voz sonaba muy serena y clara—. Muchísimas gracias por venir, pero Philip tiene órdenes de mantener esto más o menos despejado, para cuando vuelvan todos.

—Yo quiero estar aquí cuando vuelvan. —Clio parecía una niña malcriada.

Otra vez el «yo», notó Kit.

—Eres una amiga estupenda. Estaba segura de que lo entenderías —dijo.

Y Clio bajó la escalera.

El reloj marcó de nuevo el tictac. Nadie dijo una sola palabra.

—Mientras no escampe no encontraremos nada —dijo el sargento O'Connor, meneando la cabeza.

—No podemos irnos a casa dejándolo todo así. —Peter Kelly tenía la cara mojada de sudor, lágrimas o lluvia; imposible saberlo.

—Sé razonable, hombre. Si esto continúa tendrás a la mitad de estos hombres en tu consultorio y a la otra mitad en el cementerio. No hay nada que encontrar, te digo. Anda, di a los gitanos que vuelvan a su casa, ¿quieres?

—No los llames gitanos, Sean.

—¿Cómo quieres que los llame? ¿«Caballería doméstica»? ¿«Indios apaches»?

—Bueno, han sido de gran ayuda. No tienen ningún motivo para tratarnos como amigos, y en cambio se están esforzando.

—Con esas antorchas parecen salvajes. Me ponen la piel de gallina.

—Si eso sirviera para encontrarla...

—Ya aparecerá, pero poco importa que sea esta noche o el martes que viene.

—¿Tan seguro estás? —preguntó Peter.

—Por supuesto. ¿Acaso esa pobre mujer no estaba medio loca? —apuntó el sargento—. ¿No la veías vagar por aquí día y noche, como hablando sola? El único misterio es que no lo haya hecho antes.

Rita los oyó llegar. Por el arrastrar de pies y las voces bajas que sonaban en el zaguán comprendió que no llevaban buenas noticias. Corrió a la cocina para poner agua a hervir.

Philip O'Brien se levantó. No sucedía a menudo que él estuviera a cargo de la situación, pero ese era el caso.

—Tu padre vendrá muy mojado por la lluvia —dijo. Kit no pronunció palabra—. ¿Hay una estufa eléctrica en el dormitorio? Quizá quiera cambiarse.

—¿En qué dormitorio? —preguntó ella, desde muy lejos.

—En el de tus padres.

—Cada uno tiene el suyo.

—Bueno, en el de él.

Arrojó una mirada de gratitud al chico. Clio no habría dejado pasar la oportunidad sin declararse extrañada de que los padres de Kit no durmieran en la misma cama. Philip estaba resultando de gran ayuda.

—Voy a enchufarla —dijo Kit.

Hacía frío en el dormitorio; buscó la estufa eléctrica y la enchufó. Tal vez, si su padre estaba muy mojado, quisiera ponerse una chaqueta. Se dirigió hacia el gran sillón donde Martin colgaba siempre la chaqueta de mezclilla.

Fue entonces cuando vio la carta en la almohada. Un gran sobre blanco que decía: «Martin».

Sobre la cama de su padre colgaba el retrato del Papa, aquel Papa que Kit había creído invitado a la boda, con las manos levantadas como para dar su bendición. Leyó las palabras con mucha lentitud: «Martin McMahon y Mary Elena Healy se arrodillaron humildemente a los pies de Su Santidad para pedir la bendición apostólica, el 20 de junio de 1939, con ocasión de su boda». Y abajo, una especie de sello en relieve.

Kit lo miró como si lo viera por primera vez. Como si memorizar cada uno de sus detalles le permitiera controlar lo que estaba a punto de suceder.

Y por algún motivo que jamás comprendería, se inclinó para desenchufar la estufa eléctrica. Era como si necesitara ocultar que había entrado a aquella habitación.

Se quedó inmóvil, con la carta en la mano. Su madre había dejado un mensaje. Allí explicaría por qué había hecho lo que había hecho. Sin motivo alguno le vinieron a la memoria las palabras del sacerdote que había ido al colegio. Había dicho que no podemos quitarnos la vida, pues no nos pertenece, sino que es un don de Dios, y quienes se la arrojan a la cara no tienen cabida entre los fieles, en suelo consagrado. Volvía a ver su rostro. Y obró como un autómata: deslizó el sobre hasta el fondo de su bolsillo y salió a la escalera para saludar al grupo que subía y para enfrentarse a la terrible sonrisa de su padre.

—Bueno, no hay señales de ningún accidente. No debemos preocuparnos por nada. Tu madre puede cruzar ese umbral en cualquier momento —dijo el padre, con la esperanza escrita en la cara.

Rita avivó el fuego en la sala y ahuyentó a Farouk de su asiento preferido frente al hogar. La gente seguía de pie, incómoda y azorada, sin saber qué decir.

Todos, excepto el padre de Clio. El doctor Kelly siempre sabía qué decir. Kit lo miró con gratitud; estaba comportándose como si fuera el anfitrión.

—Todos estamos helados, después de haber recorrido el lugar más frío de Irlanda. Ya sé que Rita tiene agua puesta a hervir. Philip, sé buen chico y ve al hotel de tu padre; pide al barman una botella de Paddy, que todos tomaremos un whisky caliente.

—En un momento como este no cobraré ni un céntimo. —El señor O'Brien, el padre de Philip, tenía cara de velatorio.

El doctor Kelly se apresuró a poner una nota más alegre.

—Bueno, qué gentileza, Dan. También necesitamos algunos clavos de olor y un limón. Así entraremos todos en calor. Estoy hablando como médico, así que ¡a obedecer!

El sargento O'Connor insistía en que no podía beber alcohol, pero se dejó servir.

—Es por tu propio bien, Sean. Bebe —dijo el doctor Kelly.

—No quiero probar el whisky de este hombre. Tengo que preguntar si hubo alguna nota...

—¿Qué? —Peter Kelly miró horrorizado al sargento.

—Ya me entiendes. En algún momento tengo que preguntarlo. Y este es buen momento.

—Este no es buen momento —susurró el padre de Clio.

Pero no tan bajo como para que Kit no lo oyera. La niña le volvió la espalda como si no hubiera estado escuchando. Oyó que el sargento decía, en un tono aún más bajo:

—Por Dios, Peter, si hay una nota, ¿no es mejor que lo sepamos?

—No le preguntes nada. Lo haré yo.

—Es importante. No dejes que...

—No vengas a decirme qué es importante y qué no, qué debo hacer y qué no.

—Todos estamos nerviosos. No te ofendas.

—Me ofendo todo lo que me da la gana. Bébete ese whisky, por el amor de Dios, y trata de no abrir la boca mientras no tengas algo que decir.

Kit vio que el sargento enrojecía y le tuvo lástima. Luego vio que el padre de Clio avanzaba entre la gente para acercarse a su padre. Ella también se acercó, sigilosamente.

—Martin... Martin, mi viejo amigo.

—¿Qué pasa, Peter? ¿Qué hay? ¿Sabes algo que no me hayas dicho?

—No sé nada. —Peter Kelly parecía angustiado—. Pero escúchame. ¿Existe alguna posibilidad de que Helen se haya ido por su cuenta? A Dublín, por ejemplo, a visitar a alguien... ya me entiendes.

—Me lo habría dicho. Nunca se iría de ese modo sin avisarme. Entre nosotros siempre ha sido así.

—Y si no estuvieras en casa, ¿dónde te dejaría una nota para avisarte?

—Una nota... un mensaje... —por fin Martin McMahon entendió lo que su amigo se esforzaba por hacerle entender—. No, no.

—Ya lo sé. Por Dios, ¿crees que no lo sé? Pero esa bestia ignorante de Sean O'Connor dice que no puede seguir buscando si no tiene la certeza de que...

—¿Cómo se atreve a sugerirlo siquiera?

—¿Dónde, Martin? Comprobémoslo, solo para darle gusto.

—En el dormitorio, supongo...

Kit los vio entrar en el dormitorio de su padre, aquella habitación fría con el retrato del Papa en la pared. Se llevó una mano al cuello y cayó en la cuenta de que los dos la estaban observando.

—Kit, querida, no te quedes aquí, cogiendo frío. Ve a sentarte junto al fuego, con Emmet.

—Sí. —Los observó mientras entraban en el dormitorio de su padre. Luego se deslizó hacia la cocina.

Rita estaba echando whisky en los vasos, que ya contenían limón, clavo y azúcar.

—Para mi gusto, esto se parece demasiado a una fiesta —refunfuñó.

—Sí. —Kit se detuvo junto a la cocina—. Lo sé.

—¿Te parece bien que llevemos a Emmet a la cama? Si tu madre volviera a casa le gustaría que ya estuviera acostado, ¿no?

—Creo que sí. —Ninguna de las dos había reparado en que había dicho «si volviera».

—¿Lo llevas tú o lo hago yo?

—¿Podrías llevarlo tú, Rita? Después iré a sentarme un rato con él.

Rita salió de la cocina, llevando la bandeja con los vasos. Con un rápido movimiento, Kit abrió el hornillo. Las llamas saltaron hacia ella cuando arrojó el sobre que decía «Martin», la carta por la cual su madre no podría ser sepultada en tierra consagrada.

Durante toda una semana cada día fue como el anterior. Peter Kelly consiguió que un amigo fuera a trabajar en la farmacia, con instrucciones de molestar al señor McMahon solo si era indispensable.

La madre y la tía de Clio se pasaban el rato entrando y saliendo de la casa de los McMahon. Trataban a Rita con mucha cortesía. Aseguraban que no era su intención entrometerse, pero casualmente tenían medio kilo de jamón, una tarta de manzana o una excusa para llevarse a los niños. Y los días parecieron adaptarse a esa especie de extraña rutina.

Todos dormían con las puertas abiertas. Solo la de mamá permanecía cerrada. Todas las noches Kit soñaba que su madre volvía diciendo: «Estuve en mi cuarto desde un principio y a nadie se le ocurrió mirar».

Pero miraron, sí. Todo el mundo había mirado en el cuarto de mamá, incluido el sargento O'Connor, por si había alguna indicación de que ella se hubiera ido.

Se hicieron preguntas de todas clases. ¿Cuántas maletas tenían? ¿Faltaba alguna? ¿Qué ropa llevaba la madre aquel día? Solo una chaqueta; ni abrigo ni gabardina. Y se abrieron todos los cajones, además del guardarropa. ¿Faltaba alguna prenda?

Kit se enorgulleció de que todo estuviera ordenado y limpio. Tal vez el sargento O'Connor dijera a su esposa que la señora McMahon tenía bonitas ramas de espliego en los cajones donde guardaba los camisones y las enaguas. Que mantenía los zapatos en fila, bien lustrados, debajo de los vestidos. Que los cepillos del tocador tenían mangos de plata que hacían juego con el espejo. Y sobre todo le complacía haber hecho lo que su madre habría deseado.

Sí, sin duda: era lo que mamá habría deseado.

Tenía muy poco tiempo para pensar, pero de vez en cuando se escabullía hasta su propio cuarto para tratar de resolver el enigma. ¿Era posible que su madre, que nunca obraba sin saber lo que hacía, hubiera dejado aquella carta con la intención de que la encontraran? ¿Había hecho mal en no leerla? Tal vez expresaba un último deseo. Claro que no estaba dirigida a ella, y si decía algo a su padre...

Kit se sentía demasiado joven y asustada. Pero estaba segura de haber hecho lo correcto. Había quemado aquella nota. De ese modo, cuando apareciera el cadáver de Helen, podrían sepultarla en el lugar debido y todos irían a poner flores sobre la tumba.

En el lago había hombres rana, con trajes de goma. A Kit no se le permitía bajar a ver, pero Clio se lo contó. Clio se estaba portando muy bien. Kit no entendía por qué en algún momento se había enfadado con ella.

—Quieren que vengas a quedarte conmigo —decía Clio, una y otra vez.

—Lo sé y todos son muy amables, pero... Es por papá, ya me entiendes. No quiero dejarlo solo.

Clio comprendía.

—¿Sería mejor o peor que yo viniera a quedarme en tu casa?

—Sería diferente. Y estamos tratando de que todo parezca como siempre, creo.

Su amiga asintió con la cabeza.

—¿Hay algo que yo pueda hacer? Si en algo puedo ayudar... Piensa.

—Cuéntame qué dice la gente, si hay cosas que no se dicen delante de nosotros.

—¿Aunque sean cosas que no te gusten?

—Sí.

Entonces Clio le contó todas las habladurías de Lough Glass y Kit pudo hacerse una idea de cómo era la investigación. Se averiguaba si alguien había visto a la señora McMahon en el autobús o en la estación de trenes, en la ciudad más próxima, en la carretera, buscando a alguien que la llevara, o en algún coche ajeno. Los guardias querían comprobar si cabía alguna posibilidad de que hubiera abandonado el pueblo sana y salva.

—¿No sería estupendo que hubiera perdido la memoria? —sugirió Clio—. ¿Que la encontraran en Dublín, sin saber quién es?

—Sí —dijo Kit secamente. Sabía que no podía ser. Aquella noche su madre no había abandonado Lough Glass. Porque su madre había escrito una nota explicando por qué iba a quitarse la vida.

—Podría haber sido un accidente —añadió su amiga, tratando de expresar la opinión minoritaria.

Todo Lough Glass aseguraba que se veía venir desde hacía mucho tiempo. La pobre mujer estaba desequilibrada; no era posible que hubiera salido en el bote en una noche como aquella, salvo para poner fin a su vida.

—Por supuesto que fue un accidente —aseguró Kit, con los ojos como ascuas.

Cuando apareciera el cuerpo, lo enterrarían decentemente, gracias a ella, que había sabido pensar deprisa. Era preciso que pasara por un accidente. Su madre no podía convertirse en alguien como Bridie Daly, un fantasma para asustar a los niños, una voz clamando entre los juncos.

—Si está en el cielo, ahora puede vernos —comentó Clio, mirando hacia el techo.

—Claro que está en el cielo —dijo Kit, descartando el miedo que a veces afloraba en ella: su madre podía estar en el infierno, sufriendo la tortura de los condenados por toda la eternidad.

Los visitantes eran incontables. Todo el mundo tenía algo que ofrecer: una palabra de consuelo o esperanza, una oración especial, el recuerdo de alguien a quien encontraron tres semanas después de haber desaparecido.

La hermana Madeleine no se presentó. Pero ella nunca iba de visita. Después de una semana, Kit bajó hasta su cabaña. Por primera vez lo hizo sin llevar ningún regalo.

—Usted la conocía, hermana. ¿Por qué lo hizo?

—Tal vez creyó que podría dominar el bote. —Para la ermitaña era sencillo.

—Pero ninguno de nosotros salía solo en el bote. Ella nunca lo había hecho.

—Tal vez en esta ocasión quiso hacerlo. Era una noche muy bonita. Las nubes cruzaban la luna como el humo de un fuego. Yo las contemplé mucho rato desde mi ventana.

—¿Y no vio a mamá?

—No, hija, no vi a nadie.

—No puede estar en el infierno, ¿verdad, hermana Madeleine?

La monja dejó el tenedor para mirar a Kit con asombro.

—No es posible que pienses eso. Ni por un momento.

—Bueno, es un pecado contra la esperanza, ¿no? Es desesperación, el único pecado que no se puede perdonar.

—¿Quién te dijo eso?

—En la escuela, supongo. Y en misa. Y en el retiro espiritual.

—Nadie te ha podido decir una cosa así. Pero ¿por qué piensas que tu pobre madre se quitó la vida?

—No me extrañaría, hermana. Era tan desdichada...

—Todos somos desdichados. Todo el mundo tiene alguna pena.

—No, pero ella era... Usted no sabe...

La hermana Madeleine se puso derecha.

—Claro que sé. Sé muchas cosas. Tu madre no habría sido capaz de comportarse así.

—Pero...

—Sin peros, Kit. Créeme, por favor. Conozco a la gente. Supongamos (y es solo una suposición) que tu madre no encontrara motivos para seguir viviendo. Estoy completamente segura de que habría dejado una nota para explicaros, a tu padre, a ti y a tu hermano, qué la hacía pensar así. Y para pediros perdón. —Hubo un silencio—. Y no dejó ninguna nota —concluyó la ermitaña.

Kit no dijo nada. La hermana Madeleine lo repitió.

—Puesto que no dejó ninguna nota, no es posible que tu madre se haya quitado la vida. Créeme, Kit. Esta noche duerme tranquila en tu cama.

—Sí, hermana —dijo la niña, con un dolor en el pecho que probablemente se quedaría allí para siempre.

Encontró al sargento en su casa, conversando con Rita en la cocina. El diálogo terminó al entrar ella.

Kit los miró a ambos.

—¿Alguna noticia?

—No. Nada nuevo —dijo Rita.

—Vine a preguntar si estaban seguros de haber buscado en todas partes.

—Le aseguro, sargento, que si la señora hubiera dejado algo escrito sobre lo que pensaba hacer... para esta familia sería un gran alivio. Nadie se lo habría callado, de ningún modo.

La criatura estaba tan pálida que parecía a punto de desmayarse. El policía bajó la voz.

—No lo pongo en duda, Rita. Cada uno tiene que cumplir con su trabajo. Tú tienes que limpiar las cacerolas. A mí me toca hacer preguntas difíciles a la gente que sufre.

Y salió a la calle, a paso lento.

—¡Como si no hubiéramos registrado toda la casa buscando alguna carta de la pobre señora!

—¿Y si hubiéramos encontrado una?

—Si ella hubiera dejado una carta, el pobre señor podría descansar tranquilo, en vez de vagar por ahí como un alma en pena.

Kit no dijo ni mu. Rita no lo sabía todo. Rita se equivocaba. Si se hubiera encontrado la carta, a su madre la enterrarían fuera de los muros del cementerio. Como a Bridie Daly.

En aquel momento, cuando encontraran el cuerpo, lo podrían sepultar con honor. Cuando lo encontraran.

Martin McMahon apenas probaba bocado. Pero exigía que los niños comieran como era debido.

—No tengo ganas de comérmelo todo —dijo Emmet.

—Tienes que mantenerte fuerte, hijo. Come. Rita nos ha preparado un verdadero banquete.

—¿Y tú no tienes que mantenerte fuerte, papá? —preguntó Emmet.

No hubo respuesta.

Más tarde, Kit llevó a la sala una taza de cereales y dos tostadas con mantequilla. Ella y Rita habían pensado que al menos aquello podría tragarlo.

—Por favor, papá —insistió—. Por favor. ¿Qué voy a hacer si enfermas? Entonces no habrá nadie que nos cuide.

El padre, obediente, trató de tomarse unas cucharadas.

—¿Crees que habría sido mejor si mamá hubiera dejado una nota?

—Oh, un millón de veces mejor —dijo él—. Así sabríamos por qué... y qué... hizo.

—¿Pudo haber sido un accidente, algo que ella no previó...?

—Sí, sí, pudo ser.

—Pero aunque no lo fuera... ¿preferirías saber...?

—Cualquier cosa sería mejor que esto, Kit. Hasta encontrar el cuerpo y rezar junto a su tumba sería mejor que esto.

Ella se arrodilló a su lado, con la manita en la suya.

—La encontrarán, ¿no es cierto?, aunque esté en el lago.

—Es un lago profundo, traicionero. Tal vez tarde mucho en aparecer. Y van a suspender la búsqueda. Me lo dijo el sargento.

—Papá, tú no podías hacer más. Sé que no pudiste hacer nada más. Me lo dijo mamá. Me dijo que te amaba y que jamás te haría sufrir.

—Tu madre era una santa, un ángel. No lo olvides jamás, Kit.

—No lo olvidaré —prometió ella.

Pasó otra noche de sueño interrumpido, de despertares sobresaltados oyendo la voz de su madre: «La carta no era para ti. Deberías haberla dejado allí donde estaba...». Luego veía, con tanta claridad como si estuviera en su cuarto, una imagen de la tumba con una sencilla cruz de madera, fuera del cementerio. Y las cabras y las ovejas pisando la sepultura de aquella mujer a la que no se le había concedido un entierro cristiano.

—Han suspendido el dragado. —La madre de Philip O'Brien rara vez salía del hotel, pero estaba enterada de cuanto ocurría en el pueblo.

—¿Significa eso que la madre de Kit podría no haberse ahogado? —preguntó él, con cierta esperanza.

—No. Solo significa que está muy abajo. —Mildred O'Brien hablaba sin mucha emoción. No había mantenido una relación muy estrecha con Helen McMahon, aquella mujer distante y difícil de entender.

—¿Y cómo se harán los funerales, si no aparece? —preguntó Philip.

—De cualquier modo, es probable que no haya funerales —intervino el padre.

—¿Por qué no? Si encontraran el cuerpo...

—Oh, bueno, no se debe hablar mal de los muertos —dijo Dan O'Brien, en su tono más pío—. Pero si hubiera ciertas dudas sobre cómo se ahogó, la Iglesia tendría que andarse con mucho cuidado. —Viendo que Philip iba a decir algo más, lo interrumpió—: No hay ninguna necesidad de mencionar estas cosas a los pobres chicos de McMahon. Ellos no tienen nada que ver.

Y el asunto quedó cerrado.

Clio se estaba portando como una buena amiga. No hacía preguntas que ella no pudiera responder, como en otros tiempos. No ofrecía soluciones descabelladas. Simplemente estaba allí. A veces ni siquiera hablaba. Era muy reconfortante. En otros tiempos era ella quien proponía algo que hacer. En aquel momento esperaba a que Kit sugiriera algo.

—Me gustaría ir a caminar junto al lago —dijo Kit.

—¿Quieres que te acompañe?

—Si tienes tiempo...

—Tengo tiempo —aseguró Clio.

Kit quiso pasar por su casa para dejar los libros e informar a Rita de que llegaría tarde. Desde la desaparición de su madre, ni ella ni Emmet llegaban medio minuto más tarde de lo debido. Conocían demasiado bien el tormento de la espera.

En el taller vieron a Michael Sullivan con su amigo Kevin Wall. Eran dos de los alumnos más terribles de la escuela masculina. Normalmente habrían saludado a las niñas con gritos y burlas, pero los tiempos que corrían no eran normales; nadie se metía con los McMahon, después de lo que les había pasado.

—Hola —dijo Michael sin convicción.

Stevie, el mayor, levantó la cabeza, que tenía metida bajo el capó de un coche.

—Entra en la casa y deja a esas niñas en paz —gritó.

Era guapo, en cierto modo, aunque costaba darse cuenta, porque siempre estaba con un traje de mecánico mugriento y el pelo lleno de grasa, ya fuera aceite para motores o gomina. Pero tenía una sonrisa preciosa.

—No ha hecho nada —anunció Kit—. Solo ha dicho «hola».

—Debe de ser la primera vez que dice una palabra amable a alguien. —Y Stevie volvió a meterse bajo el capó del coche.

Kit y Clio se miraron, encogiéndose de hombros. Era agradable verse defendidas y protegidas por un grandullón de dieciséis años, pero no cuando no había necesidad.

Al pasar frente al hotel saludaron con la cabeza al padre de Philip, que estaba en la puerta. Continuaron caminando, como buenas amigas, por la calle que la madre de Kit debía de haber recorrido todos los días o todas las noches de su vida.

—Me gustaría saber qué venía a hacer aquí —dijo Kit, cuando llegaron al muelle de madera donde se amarraban los botes.

—Aquí era feliz. Tú misma lo dijiste —replicó Clio.

Kit le dirigió una mirada de gratitud. Aquella simpatía era inesperada; por entonces Clio decía siempre lo adecuado en vez de echarlo todo a perder. Era como si alguien le hubiera indicado cómo debía comportarse. De pronto dijo en tono vacilante:

—Kit... ¿Sabes que mi tía Maura...?

—¿Sí?

—Bueno, ha vuelto a Dublín, ya lo sabes.

—Sí, lo sé.

—Y antes de irse me dio un poco de dinero para que te comprara algo bonito. Dijo que yo sabría qué comprar. Pero no lo sé, Kit. No lo sé.

—Qué amable, tu tía.

—Dijo que eso no curaba nada, pero que serviría para distraernos. Golosinas, medias nuevas, un disco... Algo que pudiera gustarte.

—Un disco me gustaría —dijo Kit súbitamente.

—Bueno, estupendo. El sábado podemos ir a la ciudad para comprarlo.

—¿Tienes suficiente dinero?

—Sí, bastante. Me dio tres libras.

—¡Tres libras!

Se detuvieron en medio del viento, sobrecogidas por la importancia de esa cantidad. A Kit se le llenaron los ojos de lágrimas. La tía de Clio debía de pensar que las cosas estaban realmente mal, si había dejado tanto dinero para distraerlas.

—¿Stevie?

—¿Qué pasa?

—Quiero decirte algo, Stevie.

—Estoy ocupado.

—Siempre estás ocupado. No tienes tiempo para nada, como no sea para los coches.

—Bueno, eso es lo que debo hacer. Para que nadie piense que si da dinero a los Sullivan, lo gastarán en emborracharse en vez de en comprar repuestos.

—¿Me prometes que no vas a arrancarme la cabeza?

—No te prometo nada, por si acaso.

—Entonces no te lo digo. —Michael estaba decidido.

—Gracias a Dios.

Stevie tenía demasiado en que pensar. Debía bañarse y vestirse; por primera vez en su vida iba a salir con una chica. Deirdre Hanley le había aceptado una invitación al cine. Tenía diecisiete años, uno más que él, y estaría esperando que le hiciera alguna proposición. Stevie Sullivan estaba deseoso de comportarse como correspondía.

—¿A qué hora volverás? —La señora Hanley, de la tienda, tenía la sensación de que había algo turbio en aquella salida.

—Oh, mamá, ¿cuántas veces quieres que te lo diga? ¿No tengo que regresar en el autobús?

—Sí, y estaré atenta para ver si te bajas de él —advirtió la madre, en tono de amenaza.

Deirdre asintió tranquilamente. No era ningún problema. Stevie la llevaría en su coche para cortejarla un poco, suponía, y ella subiría al autobús a un kilómetro y medio de Lough Glass. Su madre podía sospechar todo lo que quisiera, pero no se enteraría de nada. Deirdre se limpió el carmín que había estado probando. Si la veían salir demasiado arreglada, pensarían que tenía un compromiso diferente del que había anunciado.

Encontrarse con un grupo de chicas en el cine de la ciudad.

—¿Me acompañas al bar de Paddles?

—No, Peter.

—Ella no va a regresar, Martin. No va a entrar por esa puerta. Tú lo sabes y yo lo sé.

—Tengo que estar aquí.

—¿Eternamente, Martin? Durante el resto de tu vida? ¿Es eso lo que Helen hubiera querido?

—Tú no la conocías —protestó nerviosamente Martin.

—La conocía lo suficiente para saber que ella querría que te comportaras como un hombre normal, en vez de convertirte en un ermitaño. —Hubo un silencio—. Lough Glass ya tiene su ermitaña. No hay lugar para dos.

La recompensa de Peter Kelly fue una sonrisa insípida.

—Me equivoqué, Peter. La conocías, sí. ¿Alguna vez... de algún modo...?

—Nunca me dijo nada. Nunca me pidió nada que tú debas saber. Lo juro. Hace veintiocho días que te lo repito. Me lo preguntas todos los días y todos los días te respondo lo mismo.

—No iré al bar hasta que hayan encontrado el cuerpo, Peter.

—Entonces tendré que beber solo mucho tiempo, ¿no? —El médico parecía resignado.

—¿Por qué lo dices? —Las palabras parecían desconsoladas, llenas de horror.

Peter Kelly se enjugó la frente.

—Por Dios, Martin, es solo su cuerpo. Su alma, su espíritu, se fue hace tiempo, volando sobre nosotros. Bien lo sabes, hombre. ¿Por qué no lo admites?

Los sollozos sacudieron los hombros de Martin. Peter se quedó junto a él hasta que cesaron.

Martin levantó la vista, con la cara enrojecida y surcada de lágrimas.

—Supongo que no quiero admitirlo porque conservo la esperanza... Vamos al bar de Paddles.

Emmet dijo a la hermana Madeleine que no podía concentrarse en los poemas. Todo parecía hacerle pensar en... en... bueno, en lo que había pasado.

—Bueno, eso está bien, ¿no? —dijo la ermitaña—. Nadie pretende que olvides a tu madre.

—Pero no puedo recitarlos ni sentirlos como antes... —Tartamudeaba más que nunca.

—Bueno, pues no los recites. —Con la hermana Madeleine todo era sencillo.

—¿No estoy obligado? ¿Esto no es una lección?

—Una lección de verdad, no. Más bien, una charla. Vienes a leerme porque mis viejos ojos ya no ven mucho a la luz de la vela y el fuego.

—¿Usted es muy vieja, hermana Madeleine?

—No, no tanto. Solo mucho más vieja que tú, mucho más vieja que tu madre.

La hermana Madeleine era la única persona que hablaba de Helen; los demás evitaban mencionarla.

—¿Usted sabe qué pasó con mamá? —preguntó él, vacilando.

—No, hijo, no lo sé.

—Pero está siempre sentada aquí, mirando el lago... Pudo haberla visto caer del bote, ¿no?

—No, Emmet, no la vi. Nadie la vio. Recuerda que estaba oscuro.

—Debió de ser terrible... como atragantarse... —No podía comentarlo con nadie más. Todos habrían tratado de hacerle callar o de consolarle.

La hermana Madeleine pareció reflexionar.

—No, creo que debió de ser muy apacible, ¿sabes? Un masa de agua oscura cayendo sobre una, como seda o terciopelo, arrastrándote... No creo que fuera muy espantoso.

—¿Y se habrá entristecido...?

—No creo. Puede que se haya preocupado por ti y por Kit. Las madres siempre se preocupan por cosas tontas: si sus hijos se pondrán calcetines de lana, si harán los deberes y comerán lo suficiente. Todas las madres que conozco se preocupan por esas cosas. Pero cuando se estuviera ahogando, seguramente no. —Si la monja notó que el tartamudeo había desaparecido, no dio señales de enterarse—. No, desde luego que no; solo debe de haber deseado que su familia estuviera bien, que siguiera adelante. Cosas así, imagino.

La hermana Madeleine miró al niño como si esperara que él dijera algo positivo. Y en el momento justo, Emmet McMahon dijo:

—Bueno, no tenía por qué preocuparse. Claro que podemos seguir adelante.

El domingo, al ver a los McMahon en misa, el padre Baily apretó los dientes. Se le estaban acabando las palabras de consuelo para aquella familia. ¿De cuántas maneras podía uno explicar a una familia dolida que ciertas cosas eran la voluntad de Dios?

Y cuanto más sabía, menos podía aceptar que hubiera sido voluntad de Dios. Más bien parecía voluntad de aquella pobre perturbada, Helen McMahon, la que se confesaba con él, arrodillada en la oscuridad, diciéndole que llevaba un peso en el corazón. ¿Qué modo de confesarse era aquel? El padre Baily tenía la sensación de haberle dado muchas veces una absolución que ella no buscaba en realidad, sin que hubiera contrición ni firme propósito de enmienda.

Ya no recordaba qué cosas había dicho ella.

¡Si la gente supiera lo similares y poco interesantes que eran sus pecados para un confesor! Lo que sí llamaba la atención era que ella parecía pensar que no tenía control alguno sobre su vida. Se acusaba de indiferencia y desapego, de permanecer ajena en vez de participar. Pero no había escuchado sus consejos de unirse a la cofradía.

Después de la misa fue saludando a cada uno de los feligreses por su nombre.

—¿Cómo está, Dan? Qué frío hace, ¿no?

—Cierto, padre. ¿No quiere venir al hotel, a tomar algo para entrar en calor?

—Bueno, me encantaría, pero después del desayuno debo visitar a algunos enfermos.

Dondequiera que fuera, la gente le preguntaba qué sucedería cuando apareciera el cadáver de Helen McMahon. Él siempre daba una respuesta vaga y esperanzada, sin comprometerse, diciendo que todos debían incluir a aquella pobre mujer en sus plegarias.

Fue muy efusivo al estrechar la mano de Martin McMahon.

—El bueno de Martin. ¡Qué fortaleza la suya! Rezo todos los días para que usted reciba la gracia que necesita.

Estaba pálido y angustiado. El padre Baily se preguntaba si sus plegarias estarían sirviendo de algo.

—Gracias, padre.

—Ah, Kit y Emmet. Bien, bien.

Las palabras no tenían sentido y él lo sabía. Pero ¿qué podía ofrecer él que les sirviera de consuelo? Gracias a Dios, la mujer no había dejado ninguna nota. Cuando apareciera el cuerpo, el forense hablaría discretamente de accidentes y percances. Así podrían sepultar a Helen McMahon en el cementerio de la iglesia, como correspondía.

También la hermana Madeleine estaba en misa, silenciosa en el fondo de la iglesia, con un manto gris envolviéndole sus huesudos hombros.

—¿Por qué no viene a almorzar con nosotros? —le propuso Kit de repente.

—Gracias, hija, pero no. No sirvo para la vida social.

—La necesitamos, hermana —dijo Kit, escueta.

—Os tenéis unos a otros.

—Sí, pero últimamente eso no basta.

—Podrías invitar a algún amigo. A Clio... o al joven Philip O'Brien, el del hotel.

—Usted es amiga mía. Venga, por favor.

—Gracias. Será un placer —dijo la hermana Madeleine.

Rita trinchó la carne, un gran trozo comprado en la tienda de Hickey.

—Nunca había visto tanta carne. —La ermitaña estaba maravillada.

—No es derroche. Hoy la servimos así; mañana, fría; el martes, picada. Y a veces sobra para hacer albóndigas el miércoles. —Rita estaba orgullosa de su administración.

La hermana Madeleine recorrió la cocina con la mirada. Sobre aquel hogar flotaba una tragedia tan grande que casi era posible verla en el aire.

—Los gitanos siguen buscando, ¿saben? —comentó.

Todos parecieron dar un respingo, horrorizados de que la visitante mencionara lo que todos los demás querían evitar.

—Caminan alrededor de todo el lago. Si hay algo que ver, ellos lo verán.

—Qué amables son... por tomarse tanto interés —dijo Martin, al fin.

La hermana Madeleine pareció no reparar en su intranquilidad.

—Helen los trataba con mucha cortesía, cuando salía a pasear; conocía a cada uno por su nombre y también a los niños. A menudo se interesaba por sus costumbres y su idioma.

Kit la miraba con asombro. Nunca había sabido eso de su madre. Sin embargo, la monja hablaba con sinceridad; no era algo inventado para consolarlos.

—Ellos comprenden la necesidad de un funeral —continuó la hermana Madeleine—. Sus funerales son maravillosos. Viajan desde todo el país para asistir a ellos.

—Eso, siempre que... —empezó a decir Kit.

—Siempre que la encuentren —la interrumpió la ermitaña—. Pero ya aparecerá. Si no la hallan los gitanos lo hará otra persona. Entonces podrán rezar junto a su tumba...

La madre Bernard tuvo que salir de clase porque la llamaron.

En el aula, las conversaciones subieron de tono. De cualquier modo ya había mucha agitación porque Deirdre Hanley, una de las chicas mayores, había sido vista en un seto con Stevie Sullivan, medio abrazada a él, y lo que hacían era muchísimo más que besarse. En su entusiasmo por conocer más detalles, no vieron regresar a la madre Bernard, que las sobresaltó haciendo estallar su voz como un látigo en toda la clase.

—Os suponía lo bastante mayores, a vuestra edad, para continuar con el trabajo. Pero veo que me he equivocado. Me he equivocado del todo. —Todas volvieron silenciosamente a sus sitios, avergonzadas—. Pero esta vez os exigiré vuestra palabra de honor. Sacad el cuaderno de composiciones y escribid una página completa sobre el Adviento. El tiempo de espera, la preparación para la Navidad. —Las niñas se miraron con desesperación—. No quiero borrones ni espacios grandes entre palabras. Debe ser una obra de la que todas podamos sentirnos orgullosas. —La madre Bernard hablaba en tono amenazante.

Ellas tomaron la pluma, sabiendo que esta vez iba en serio. No habría más noticias sobre Deirdre Hanley.

—Katherine McMahon, ¿quieres acompañarme un momento? —añadió la madre Bernard, dirigiéndose a Kit.

El hermano Healy había dicho a Kevin Wall que podría dar gracias a Dios si terminaba el día sin recibir un azote con la vara en ambas manos. El niño parecía asustado, pero no lo suficiente. Se dedicó a hacer bolitas de papel secante empapadas en tinta.

Llamaron al hermano Healy desde la puerta.

—Volveré en cinco minutos. ¿Entendido? —bramó ante la clase.

Luego fue en busca del joven Emmet McMahon para decirle lo que debía saber.

No había práctica que preparara para aquella clase de trabajos. El hermano Healy suspiró para sí mientras su casulla susurraba por los corredores, rumbo al aula de segundo curso donde escuchaban al hermano Doyle, sin saber lo que se avecinaba.

Hacia el anochecer lo sabía todo Lough Glass.

Habían hallado un cuerpo en los juncales. Ya estaba muy descompuesto. No había modo de identificarlo.

El doctor Kelly estaba con su amigo Martin McMahon. Todo el mundo lo dijo y lo oyó decir: nadie podía obligarlo a mirar algo tan diferente de lo que había sido su esposa. El patólogo estatal, que había acudido desde Dublín, estaba de acuerdo. Se dijo que aquello requeriría algunos días.

Kathleen Sullivan, la del taller, dijo que las luces de la casa estuvieron encendidas toda la noche. Al parecer allí nadie se había acostado. Clio Kelly comentó que allí habían cambiado las cosas, que eran más normales. Todos dejaron de hablar con voz tensa y extraña. La señora Hanley, la de la tienda, dijo que había ido a dar el pésame y que aquella prepotente de la criada no la había dejado pasar, diciendo que la familia sufría agotamiento nervioso.

La señora Dillon, la del puesto de periódicos, aseguraba tener una gran demanda de tarjetas de misa, pues como había aparecido el cuerpo y tendría su funeral, todo el mundo quería expresar su respeto haciendo decir una misa por el eterno descanso de Helen McMahon.

Philip O'Brien fue a casa de los McMahon para preguntar a Kit si quería que la acompañara un rato.

—Como la noche en que ella se perdió, ¿sabes?

A Kit se le llenaron los ojos de lágrimas. Era una dulce manera de decirlo: su madre se había perdido.

—Muchísimas gracias, Philip —respondió, alargando una mano para acariciarle la mejilla—. Eres muy bueno. Pero creo que deberíamos...

Él la interrumpió.

—Ya sé. Solo quería recordarte que estoy siempre aquí, a un paso.

Después de bajar la escalera, se tocó en donde Kit McMahon le había acariciado.

La casa estaba extrañamente apacible, como no lo había estado en todo un mes. Se necesitaban algunos días para cumplir con las formalidades, pero el entierro sería el fin de semana. Por fin había algo que podían hacer por su madre: podían brindarle una buena despedida.

—¿Te apena que la hayan encontrado, papá? ¿Tenías la esperanza de que estuviera viva en alguna parte? ¿Secuestrada, tal vez? —preguntó Kit.

—No, no. Estaba seguro de que no.

—Entonces, ¿es mejor que haya aparecido?

—Mucho mejor, sí. Bastante malo era ya que hubiera muerto para tener que dejarla en el lago para siempre. Ahora podremos visitar su tumba. —Hubo un largo silencio—. Fue un terrible accidente, Kit; tú lo sabes.

—Lo sé —dijo ella. Y se quedó mirando las llamas, grandes llamas rojas y doradas que daban lengüetazos hacia arriba.

El día del funeral Clio fue a la casa.

—Te he traído una mantilla.

—¿Qué es eso?

—Es como un velo de encaje negro, parecido a un pañuelo. Es lo que usan las españolas y las católicas ricas para cubrirse la cabeza, en vez de sombreros o chales.

—¿Es para que la lleve en la iglesia?

—Si quieres. Te la envía de regalo tía Maura.

—Qué amable, ¿no? —Normalmente, Kit encontraba siempre algo que criticar a la tía de su amiga.

Clio pareció complacida.

—Sí. Siempre sabe qué hacer.

Kit asintió. Sin embargo, tuvo la sensación de que elogiar a la tía Maura era una deslealtad, porque a su madre no le gustaba. Nunca lo había dicho, pero Kit estaba segura.

¿Habría gustado a Helen que Kit usara la mantilla? Inmóvil, la niña se preguntaba si habría pensado siquiera en su funeral antes de hacer lo que hizo. Mientras escribía la carta, ¿se habría detenido a pensar en cómo la enterraría Lough Glass?

La atravesó una oleada de cólera.

—¿Estás bien? —Clio parecía preocupada.

—Estoy bien, sí.

—Tía Maura me dijo que no te estuviera atosigando, por si preferías estar sola. —Parecía insegura, con aquellos grandes ojos azules llenos de preocupación.

Kit se sintió culpable. ¿Por qué se ponía siempre quisquillosa y a la defensiva con Clio, que era su mejor amiga y había hecho por ella todo lo posible?

—Me encantaría que te quedaras —le dijo—. Te necesito. Sería estupendo tenerte aquí. —La sonrisa de Clio iluminó la habitación—. ¿Tú también tienes una mantilla?

—No. Tía Maura dijo que era solo para ti. —Kit se la puso—. Te queda estupenda. Tu madre se habría sentido orgullosa.

Entonces, por primera vez delante de su amiga, Kit se dejó llevar y rompió a llorar.

Los himnos de los entierros siempre eran tristes, pero al padre Baily nunca le habían parecido tan tristes como en aquella húmeda tarde de invierno, con el viento azotando el lago y la iglesia llena de corrientes de aire.

Tal vez era por la cara redonda y sencilla de Martin McMahon, desconcertado e incrédulo. Tal vez por los dos hijos: la niña, con su mantilla española, y el niño, al que le habían curado el tartamudeo solo para que le volviera en aquel momento y más acentuado que nunca.

El padre Baily echó un vistazo alrededor.

El coro cantaba «Entonemos un himno a María», con los ojos anegados de lágrimas por la mujer que había muerto en el lago.

La noche anterior, mientras rezaba el oficio, el padre Baily había estado pensando en la muerte de Helen McMahon. ¿Y si se hubiera quitado la vida? Pero se dijo con firmeza que Dios no le exigía hacer de juez, jurado o verdugo. Él era solo el sacerdote encargado de leer el oficio de difuntos y entregar el cuerpo a su última morada. Estaban en 1952, no en la Edad Media. Que la pobre descansara en paz.

Los Sullivan se mantenían juntos: Kathleen y sus dos hijos. Stevie no hacía más que cruzar miradas con Deirdre Hanley, la de la tienda. La madre lo fulminó con los ojos. La iglesia no era lugar para andar mirándose con una chica. ¡Y en un funeral! Michael movía la punta del zapato, tratando de desprender algunos de los trozos sueltos. Ella le dio un codazo.

Últimamente Michael la tenía preocupada. Se pasaba el día cazando moscas y haciéndole preguntas extrañas para las que no había respuesta, como: «Si sabes algo que los demás ignoran, ¿qué debes hacer?». O: «Supón que todo el mundo piensa una cosa y tú sabes que no es así; ¿tienes que decir cómo es?». Kathleen Sullivan no tenía mucha paciencia para aquellas cuestiones. El fin de semana anterior había respondido a Michael que no tenía idea de lo que estaba diciendo y que por favor consultara con su hermano mayor. Estaba segura de que se trataba de sexo; de un modo u otro, Stevie le daría la información básica necesaria. Lo cierto es que en aquel momento parecía menos agitado. Era de esperar que Stevie le hubiera hablado con cierta autoridad. No le gustaban en absoluto las miradas que estaba echando a aquella buscona descarada que era la muchacha Hanley, demasiado mayor para él; una cualquiera, realmente.

Kevin Wall pensaba en lo espantoso que sería ver a la propia madre comida por los peces. Eso era lo que le había sucedido a la madre de Emmet McMahon, aquella noche en que él y Michael Sullivan salieron al lago. Seguramente estaban cerca cuando sucedió. Michael se afligió mucho; quería decir a la gente que eran ellos los que habían salido con el bote aquella noche. Kevin se opuso; dijo que los molerían a palos. Michael, como no tenía padre que le pegara, observó que no estaba bien tener a los guardias y a todo el mundo buscando a la madre de Emmet McMahon si ella no se había acercado al bote.

Ellos lo habían usado para jugar, remando muelle abajo y muelle arriba, hasta que se les escapó y no pudieron alcanzarlo. El viento lo llevó hasta el centro del lago, donde las olas lo hicieron volcar. Kevin decía que daba igual, pero Michael estaba muy asustado, porque intervenían los guardias y todos podían terminar en la cárcel. De cualquier manera, todo había salido bien. Él había acertado, a fin de cuentas. Michael Sullivan estaba medio loco. Claro que su padre había muerto en un manicomio. Eso sí: Kevin no pensaba mencionarlo.

Maura Hayes y su hermana Lilian lucían finos abrigos oscuros y sobrios sombreros de pana. Peter se sonó ruidosamente la nariz durante la misa de réquiem, varias veces. Clio y Anna se pusieron de pie junto a ellos para el último himno.

—Kit está resistiendo muy bien —comentó Lilian a su hija, con tono de aprobación—. Demuestra mucha entereza al no llorar.

—Ha llorado muchísimo. Tal vez se ha quedado sin lágrimas —dijo Clio.

Lilian la miró, extrañada ante aquella muestra de sensibilidad. Quizá su hija tenía más sentimientos de los que ella suponía.

Cuando la gente salió y se internó en el viento penetrante, Stevie Sullivan se las arregló para acercarse a Deirdre Hanley.

—¿Vendrás a mi casa? Después de esto, digo.

—¿A tu casa? ¿Estás loco? —protestó ella.

—Mi madre estará enfrente, en casa de los McMahon.

—Sí, la mía también.

—Puedes correr hasta mi casa en cuanto las veamos salir.

—¿Desde dónde las veremos? —Ella se pasó la lengua por los labios.

—Desde mi dormitorio, por la ventana.

—¡Estás bromeando!

—Una cama es igual que un sofá, ¿no?

—Y mejor que el asiento de un coche —reconoció Deirdre.

Ante la tumba, Kit preguntó a la hermana Madeleine:

—¿Ahora su alma está en paz?

—Su alma siempre estuvo en paz —aseguró la ermitaña—. Somos nosotros los que podremos tener paz, ahora que la hemos puesto a descansar.

Kit vio mentalmente el sobre blanco que decía «Martin». La hermana Madeleine la tomó con fuerza del brazo.

—Te ruego que pienses solo en lo que tu madre querría: que fueras una joven fuerte que mira siempre al futuro, no al pasado.

Kit observó con asombro a la monja. Aquello era lo que su madre había querido para ella; lo había dicho casi con las mismas palabras.

—Ahora solo debes pensar en eso. Así la harás sentirse en paz, porque sabrá que haces lo que ella deseaba.

Kit miró a su alrededor, a toda la gente de Lough Glass, que se preparaba para rezar un misterio del rosario por Helen

McMahon. Kit lo había hecho posible al quemar la carta; de lo contrario, su madre estaría en una tumba sin lápida, fuera del sitio donde debían reposar los cristianos.

Se puso derecha.

—Hago lo que puedo, hermana —dijo.

Luego cogió la manaza fría de su padre y la de Emmet, pequeña y temblorosa; todos bajo la lluvia, ante la sepultura.

3

Helen McMahon encendió otro cigarrillo. Necesitaba calmarse. Necesitaba pensar.

Le parecía imposible que Martin pudiera reaccionar de ese modo, mientras ella estaba cumpliendo con todas las promesas que le había hecho. Le había dicho que no podría amarlo plenamente, porque tenía la certeza de no olvidar a Louis Gray. Se había comprometido a serle fiel, a vivir con él, a ser tan buena esposa como le fuera posible, mientras él le concediera libertad para salir a caminar, pensar y huir del asfixiante aburrimiento del pueblo.

Había jurado no abandonarlo sin explicarle exactamente el porqué. Lo escribió todo en una carta, concienzudamente. Y se la puso en la cama antes de partir. Allí le contaba lo del hijo. Le decía que había vuelto a encontrarse con Louis y que él estaba arrepentido de haberla abandonado. Que debían darse la oportunidad de ser felices. No se llevaría nada. Nada de lo que Martin le hubiera regalado.

Le llevó una semana entera escribir aquella carta: toda la semana anterior a su partida. Se comprometía a confirmar lo que él quisiera decir. Que se había ido con Louis. Que estaba visitando a unos parientes. Que se encontraba enferma y necesitaba un tratamiento. Era todo lo que podía darle: la posibilidad de cubrir su desaparición con la excusa que él deseara.

Le había dado la dirección y el número de telefóno de

una organización londinense dedicada a rescatar a muchachas irlandesas con problemas. La triste ironía del asunto era que ella misma, en muchos sentidos, era una muchacha irlandesa con problemas. Había dicho que estaría allí todos los días, de cuatro a seis de la tarde. Que esperaría lo que él tuviera que decirle.

Llegaron el 30 de octubre por la tarde, mojados y cansados; ella, todavía con las náuseas del embarazo. Por cuatro días se sentó junto al teléfono, tal como había prometido. No hubo ninguna llamada.

Ella le había escrito que no se pondría en contacto con él, que esperaría a que él decidiera qué hacer. Su carta era muy firme en ese punto. Quería darle tiempo, todo el tiempo necesario para digerir la noticia y reaccionar como le pareciera adecuado. Veinte veces había tratado de decírselo; en cada ocasión él se había limitado a responder con su tonta sonrisa amorosa o a hacer un chiste infantil.

Solo había un modo de comunicarle la gravedad de su decisión: escribirle. En aquel momento, pese a su impaciencia por enterarse de su reacción y de lo que pensaba decir a los niños, seguía esperando allí, atormentada. Pero lo justo era que cumpliese con su palabra: no podía telefonearle ni volver a escribir.

Los días de su nueva vida, la vida a la que había escapado con Louis Gray, el hombre a quien amaba desde siempre, eran una pesadilla.

Había fortalecido el corazón para enfrentarse a una llamada lacrimosa, si Martin le imploraba que volviera.

Había preparado explicaciones por si él la acusaba de ser un monstruo al abandonar a sus hijos. En aquel momento iba a tener otro hijo y su responsabilidad era para con el futuro.

Había ensayado el modo de hacerle ver que la gente acabaría por olvidar. Después de algunas semanas se apagaría el interés. Él no sería blanco del escándalo ni de la piedad o el desprecio.

Y esperó cuatro días y cuatro noches sin saber nada de él.

—Llámalo —la apremió Louis.

—No. —Helen era inflexible.

—Pero mujer, te fuiste el miércoles y ya es lunes por la noche. Con esta táctica acabará por enviarnos al manicomio.

—No es una táctica, Louis. Martin no es así.

Lo observó. Su hermosa cara estaba pálida de preocupación. Era el hombre más guapo que había conocido en su vida. Después de haberlo visto, ningún otro contó para ella.

Aún le parecía imposible que hubiera vuelto a buscarla. Le creyó cuando dijo que todo había sido un error, el ambicioso error de huir con una mujer rica. Helen sabía que era verdad.

—No te merezco —le había dicho Louis mil veces desde su vuelta—. Si me rechazaras, no podría reprochártelo.

¿Rechazarlo? ¿A Louis Gray, el hombre al que deseaba desde los veintitrés años? ¿El que aún quería al casarse con Martin McMahon a los veinticinco? ¿El hombre en quien pensaba con los ojos cerrados, cada vez que Martin le hacía el amor?

¿Rechazarlo?

Habría recorrido el mundo entero en su busca, si hubiera existido la posibilidad de recuperarlo.

Pero él mismo volvió por ella. Fue en secreto a Lough Glass para suplicarle que le creyera: al fin había abierto los ojos. Le dijo que en el mundo solo había un amor para cada cual. Se había equivocado mucho al pensar que podría tenerlo con otra mujer.

Al parecer, Helen también se había equivocado al querer tenerlo con Martin McMahon, el bondadoso, honrado y aburrido farmacéutico de Lough Glass. Para ambos estaba claro que debían coger al vuelo la oportunidad. Aquellas horas robadas en los bosques de Lough Glass, durante la primavera y el verano, fueron prueba de que la magia estaba allí. El descubrimiento de que Helen estaba embarazada fue el detonante necesario.

Parecían dos adolescentes, por el entusiasmo con que afrontaban la aventura: irresponsables, despreocupándose del mundo que los rodeaba, se ocultaban de las miradas inquisitivas de la pequeña ciudad. ¿Cómo se disfrazarían para ir a Londres? Reían como niños ante toda aquella locura, pero cuando llegó el momento Helen fue inmediatamente a la peluquería para cortarse el pelo. Era más que un esfuerzo por cambiar su apariencia: era también el comienzo de una vida nueva.

Cuando vio que sus largos rizos oscuros caían al suelo sintió que desaparecían los años malgastados. En aquel momento parecía más joven, más fuerte. Y a Louis le encantó; era lo más importante.

Habían tenido mucha suerte al conseguir aquel apartamento. En realidad, era un cuarto en una casa alta; la propietaria la estaba arreglando, pero hasta el momento solo había podido remodelar un piso; cuando llegara a incluir aquella habitación en sus planes, Helen y Louis ya estarían lejos, en una casa más adecuada para una familia.

Era un cuarto realmente pequeño, con un sofá que se convertía en cama y poco más: un par de fotos de Alice Springs, abandonadas por los ocupantes anteriores, que eran australianos; una mesa pequeña y dos sillas de madera. La alfombra estaba raída; el papel que cubría el fondo de los cajones, sucio y con olor a moho. El fregadero tenía una marca de óxido donde goteaba el grifo; el estante de al lado, que servía de consola y escurridero, estaba cubierto con un hule roto. Pero era el hogar en que ella siempre había querido vivir con Louis Gray.

Cuatro días después de abandonar su vida anterior, Helen ya no recordaba los muebles tallados de su dormitorio; eran parte de algo que había quedado muy atrás. Al menos, así debería haber sido si Martin hubiera cumplido con su parte del trato.

Louis estaba muy seguro de que la estaba cumpliendo.

—No puedo criticar a ese hombre, de veras. Nosotros lo hicimos sufrir y ahora él nos hace sudar. Yo también haría lo mismo si alguien te arrancara de mi lado.

Helen no quería hablar más de ello. Había pasado trece años junto a Martin McMahon. Hacer sufrir a la gente no era propio de su carácter.

—¿Y si no ha recibido la carta? —dijo de pronto.

—¿No dices que la pusiste donde sería imposible que no la viera? Y no pudo cogerla nadie más porque... ¿estaba a su nombre?

—No pudo cogerla nadie más. —Helen ya había repasado todo aquello. No servía de nada hacerlo y comenzaba a irritar a Louis, así que se obligó a quitárselo de la cabeza—. Te quiero, Louis.

—Te quiero, Elena.

Siempre la había llamado así. Era algo especial entre ambos. Ella recordó la ocasión en que había ayudado a Kit con sus deberes de historia: la isla a la que Napoleón había sido desterrado. «Santa Elena. Como mi nombre», había apuntado. «Tú te llamas Helen», había sido la áspera respuesta de Kit, como si fuera peligroso que su madre tuviera un nombre diferente; parecía que lo supiese.

—¿Paseamos? —preguntó Helen, sonriendo.

—Así se habla —contestó él, alcanzándole la gabardina—. Eres tan hermosa...

Bajaron la escalera.

Ivy miró hacia fuera desde la puerta de su piso. Era una mujer menuda y con nervio, de pelo corto y canoso. Tenía la cara arrugada, pero con una sonrisa brillante. Costaba determinar si estaba más cerca de los cuarenta que de los cincuenta.

—¿A divertirse? —preguntó.

A Helen no le molestaban las preguntas de Ivy Brown. No eran como las que le hacían en Lough Glass. «¿A pasear junto al lago, señora McMahon?» «¿Otra vez paseando sola, Helen?» «¿Por dónde ha estado usted esta tarde?» Detestaba todos los saludos que recibía de la señora Hanley, la tendera; de Dan O'Brien, del Hotel Central; de Lilian Kelly, la esposa del médico, cuyos ojos sabían demasiado.

Ivy Brown era distinta.

—Quiere enseñarme parte de Londres, señora Brown. —Helen echó la cabeza atrás y rió entusiasmada.

—Tuteémonos, querida. Tanto «señora» por aquí y «señora» por allá es un poco deprimente. —Ivy también rió.

Louis dio un paso adelante para estrecharle la mano, marcando la transición de conocidos a amigos.

—Louis y Elena Gray.

Helen se emocionó al oírlo. Como una chica de dieciséis años. No como una mujer madura que acababa de abandonar a su marido porque esperaba un hijo de otro.

—Lena Gray —musitó Ivy Brown pensativamente—. ¡Qué nombre tan encantador! Suena a estrella de cine. Podrías ser una estrella de cine y todo, querida.

Pasearon cogidos de la mano hasta Earl's Court Road.

—Aquí seremos muy felices —dijo ella, sonriente, mientras apretaba el brazo de Louis.

—No lo dudo. —Un tendero estaba entrando la fruta y las hortalizas sin vender que tenía en la acera. Louis recogió una flor que había caído al suelo—. ¿La necesita usted? —preguntó al hombre—. ¿O puedo dársela a mi bella esposa?

Su sonrisa era contagiosa.

—Esa mujer no es su esposa, amigo —dijo el hombre. Su rostro fatigado se transformó en una sonrisa.

—Oh, claro que sí. Es Lena Gray, mi esposa. —Louis parecía indignado.

—No, no puede ser. Dele ese clavel, si quiere, pero ella no es su esposa. Parecen pasarlo demasiado bien...

Riendo como niños, corrieron calle arriba hasta encontrar un restaurante italiano. Cuando se sentaron a la mesa, Louis le cogió una mano.

—¿Me prometes una cosa?

—Lo que quieras, ya lo sabes.

—Prométeme que jamás seremos como esas parejas que ya no tienen nada que decirse. ¿Vale? —Sus ojos parecían preocupados.

—Siempre tendré algo que decirte, aunque tal vez no siempre quieras oírlo.

En otra ocasión, cansado de escucharla, la había abandonado en Dublín, sola y llorando; eso era lo que decían los ojos de Helen.

—Eres mi Lena. Lena Gray, como dijo Ivy. Nombre de estrella de cine. Desprendes belleza y encanto, amor mío. Desde ahora te llamas Lena... Es tan excitante como vivir de nuevo.

Los ojos de Louis ardían; ella comprendió que, si quería conservarlo, no debía volver a hablar como una provinciana. Se convertiría realmente en Lena Gray, una mujer capaz de retener a un hombre como Louis, sin temor alguno de volverse vieja y aburrida.

Decidieron que pasarían toda aquella semana de luna de miel. Nada de buscar trabajo ni de enfrentarse a la dura realidad de tener que ganarse la vida. Aquello podía esperar hasta el lunes siguiente, el 10 de noviembre.

Había tiempo de sobra para ello.

Louis era vendedor. No había nada en el mundo que no pudiera vender. Claro que no podría dar referencias. Bueno, en Irlanda había trabajado para una empresa donde lo estimaban mucho. Lo habían apreciado mucho hasta el día en que se fugó con la hija del dueño. Habían ido a España. Los detalles eran confusos, pero Lena Gray no iba a pedir explicaciones.

Louis había recibido una oferta de dinero para que abandonara a la muchacha, que era hija única. Naturalmente, lo rechazó. Y cuando se apagó el fuego de aquella relación, cuando comprendió el error cometido, lo aceptó para poder iniciar otra vida. De aquel nuevo comienzo tampoco se hablaba mucho.

Tenía algo que ver con un viaje a Norteamérica, donde había trabajado sin visado. Después pasó un tiempo en Grecia. Habría querido volver por Helen, la muchacha a la que amaba de verdad, pero no le parecía justo. Ella tenía hijos pequeños y estaba tratando de rehacer su vida. Louis decidió ir por ella solo cuando pudiera demostrarle que la amaba y que la quería para él durante el resto de su vida.

Sabía que ella estaba en Lough Glass, claro. Al parecer, había ido hasta allí una o dos veces, solo para mirarla desde lejos. Tampoco le habría hablado aquel año, de no ser porque la vio muy desdichada. Fue en un día de pleno invierno, mientras ella caminaba por la orilla del lago con lágrimas o gotas de lluvia en la cara, apartando a golpes los espinos. Entonces la abordó.

Helen lo miró con ojos espantados, como si hubiera salido directamente de un sueño; luego se echó en sus brazos. Él se acusó de locura por haber esperado tanto. Pero Lena dijo que no, que era el momento perfecto. Antes no habría podido acompañarlo.

En aquel momento los niños eran suficientemente mayores, si no para comprender, sí al menos para hacer su propia vida. A decir verdad, sin ella estarían mejor. ¿Qué vida era esa, con una madre que no tenía alegría en el corazón, ni esperanzas, ni voluntad de ver un nuevo amanecer?

Martin sobreviviría. Se había casado con ella sabiéndola enamorada de otro. Helen le había prometido no abandonarlo sin una explicación completa. Sí, debería habérsela dado cara a cara, por supuesto. Pero él era tan emotivo que se habría echado a llorar. Habría hecho algo totalmente ridículo, como arrodillarse para suplicarle que no se fuera o amenazar con el suicidio.

O quizá no: era demasiado sensato. Lo aceptaría, porque era realista y sabía que aquel final estaba previsto. Lo extraño era que no hubiera respondido.

Louis le estaba contando sus planes para el día siguiente. Tomarían un tren hasta la costa. No había nada tan maravilloso como caminar en invierno por la playa, donde estarían solos. Tal vez fueran a Brighton, a ver aquellos dos grandes muelles que se adentraban en el mar. Se le animaba la cara al hablarle de aquellos lugares.

—No los olvidarás jamás —aseguró.

—Jamás olvido lo que hago contigo —puntualizó ella.

Lena Gray jamás se olvidó de Brighton. Fue allí donde comenzó a perder a su hijo. La sensación era de peso, un dolor descendente parecido al menstrual. Decidió no prestarle atención. Habían estado caminando de la mano, tal como él había prometido, riéndose de las nubes grises y huyendo de las oscuras aguas moteadas de espuma blanca.

Dijeron que cuando el niño tuviera cuatro años, viajarían de nuevo hasta allí en el verano, para jugar con él (o con ella) en la arena. Se hospedarían en el mismo hotel. Serían ricos y felices; al niño no le faltaría de nada.

Lena no prestó atención a los retortijones en el vientre.

En la estación de Brighton, cuando estaban a punto de volver, sintió algo húmedo, pero no quiso ir al cuarto de baño para investigar. Era supersticiosa y no quería darse por enterada allí, en Brighton, donde habían sido tan felices; quizá el dolor desapareciera...

Cuando llegaron a la estación Victoria ya no le quedaban dudas.

—Algo va mal —dijo a Louis.

—¿Podrás llegar a casa? —preguntó él, con miedo en los ojos.

—No lo sé.

—Faltan solo unas cuantas estaciones.

Todo pasó como en la niebla de una pesadilla. Recordaba que la habían acostado. Y la cara de Ivy, muy próxima a la suya.

—Estás bien, tesoro. Aguanta. Aguanta. Procura no moverte. —Louis estaba junto a la ventana, mordiéndose la mano—. Ya viene el médico. No tardará ni un minuto. Dame la mano.

—Iba a decírtelo. —Lena lloraba. Les habían dicho de modo que no cupieran dudas que en la casa no se permitían niños.

El dolor era agudo. El trayecto hasta el cuarto de baño,

intolerable. Parecía haber sangre por todas partes, hasta en el delantal floreado de Ivy.

Luego, la cara del médico, un hombre anciano y bondadoso, cansado. Lena lo confundía con el verdulero que les había dado una flor la semana anterior, alguna otra semana. A lo mejor en Inglaterra todos tenían el mismo aspecto.

Preguntas sobre el tiempo de gestación, sobre cualquier complicación anterior, sobre qué había dicho su médico.

—No me vio ningún médico —dijo Lena.

—Ella viene de Irlanda, ¿sabe usted? —explicó Ivy.

—Allí también hay médicos —dijo el hombre de la cara cansada.

—Por favor, no se lo diga a Peter —dijo ella—. Ni a Peter ni a Lilian, por favor. —Apretó la mano del médico. Lo miraba con espanto.

—No, no —la tranquilizó él. Y se dirigió a Louis, que seguía junto a la ventana—: ¿Quiénes son Peter y Lilian?

—No sé. Conocidos de... de la ciudad donde vivía.

—Su esposa ha perdido mucha sangre... —observó el médico.

—¿Se pondrá bien?

—Sí. No hace falta hospitalizarla. Ya hemos hecho todo lo necesario. Le daré un sedante. ¿Tienen más hijos?

—No —dijo Louis.

—Sí —dijo Lena.

Hubo un silencio.

—Ella sí, de un matrimonio anterior —aclaró Louis.

—Pobre criatura —musitó Ivy.

—Por la mañana enviaré a una enfermera. Volveré mañana, al salir del quirófano.

—Gracias, doctor —dijo Lena con voz débil.

El médico le sostuvo la cabeza para hacerle beber el sedante.

—Ya pasó lo peor, señora Gray —dijo amablemente.

—¿Cómo me ha llamado? —Estaba soñolienta.

—Ahora debe dormir.

Él salió con Ivy, hablándole en voz baja de asuntos prácticos.

Louis se acercó para tomarle la mano. Le corrían lágrimas por la cara.

—Lo siento mucho, Lena... Oh, Lena, lamento mucho que haya sucedido esto.

—¿Todavía me quieres? ¿Quieres seguir conmigo, a pesar de que ya no vamos a tener familia? —Ella estaba pálida y nerviosa.

—Oh, amor mío, por supuesto que sí. Más que nunca. Ahora seremos solo tú y yo; nos necesitamos más que nunca. Nada nos separará. Nada.

Las arrugas de la cara de Lena parecieron desdibujarse. Se quedó dormida sujetando la mano de Louis bajo su mejilla.

Durante un par de días el mundo le pareció extraño. Esperaba que Rita entrara llevando el té con bollos, pero siempre era Ivy con cereales o bizcochos. Cuando esperaba que los niños volvieran de la escuela, era Louis quien abría la puerta, sonriente, llevándole algún pequeño regalo.

—Este es de los buenos —comentó sabiamente Ivy refiriéndose a Louis, que había salido a hacer otro recado.

—Sí, lo sé. —Las mejillas de Lena estaban recuperando el color.

—El otro era un bruto, ¿no? —preguntó la casera con aire comprensivo.

—¿Qué otro? —Lena estaba confundida.

—Tu primer marido. Por lo que dijiste la noche que vino el médico...

—Oh, no. No, Ivy, no era un bruto. Al contrario.

Ivy pensó que había metido la pata.

—Bueno, nunca se sabe. ¿Hace mucho que te separaste de él?

—No, no mucho. —Lena cortaba las posibilidades de conversación.

¿Cómo iba a decir a aquella mujer que había abandonado a Martin McMahon hacía solo nueve días?

El domingo, Lena tenía color en las mejillas.

—¿Cuánto tiempo llevo en cama? —preguntó a Ivy.

—Sucedió el jueves, querida. Todavía no estás en condiciones de levantarte.

—Debo hacerlo. Mañana es cuando tenemos que salir a buscar trabajo.

—Ni pensarlo, al menos durante otra semana.

—No comprendes...

—Eres tú quien no comprende. Prometí al médico que te cuidaría. Y dejarte ir a la oficina de empleo no sería cuidarte.

—Tengo que ir, Ivy. De veras. Es posible que Louis no consiga trabajo de inmediato. Yo puedo hacer cualquier cosa...

—No lo dudo. Pero no será esta semana, créeme.

—Necesito hacerlo. Por el alquiler. Tenemos que pagarte el alquiler.

Ivy se mordió el labio.

—Por una semana no vamos a pelearnos.

—Nada de eso. —Lena era inflexible.

—Bueno, deja que lo gane Louis, querida. Si te levantas de la cama para trabajar, no voy a aceptar un centavo de ese dinero. Te lo aseguro.

Se oyeron pisadas en la escalera. Lena levantó la vista, alarmada.

—Ni una palabra, Ivy, por favor.

—Mientras reconozcas mi autoridad. —El ceño de la casera inspiraba terror, pero las dos rieron juntas.

—¿Qué estáis tramando, vosotras? —Louis entró con los brazos cargados de periódicos.

—¡Louis! ¿Has comprado todo el puesto? —exclamó Lena, espantada.

—Era necesario, querida. Esto no es por gusto, sino para investigar. Mañana tengo que conseguir empleo. ¿Lo habías olvidado? Debo atender a mi bella esposa enferma y pagar a mi perversa casera. —Las miró a ambas con aire travieso.

Ivy fue la primera en hablar.

—Las circunstancias han cambiado. No tengo inconveniente en retrasaros el alquiler un par de semanas.

Louis se inclinó para darle unas palmaditas en la mano.

—Te estás portando como una gran amiga, aunque nos conocemos desde hace solo unos días. Pero no quiero que nos tomes por gente de poco fiar. Por irlandeses que llegan y se aprovechan de tu hospitalidad. Te pagaremos, Ivy. Queremos quedarnos aquí por mucho tiempo.

Ivy abandonó la silla puesta junto a la cama.

—Bueno, os dejo. Eres una mujer con suerte, Lena. Has encontrado a un hombre de verdad. Y si necesitáis referencias o cualquier cosa... será un placer.

—Qué buena eres. —Los ojos de Louis irradiaban gratitud—. La gente es muy buena —añadió, mientras esparcía los periódicos por la cama.

Lena le acarició el pelo oscuro.

—Es tan bondadosa que te parte el corazón. Imagínate, se cree que podría dar referencias de ti, la pobre.

—Pues yo pienso tomarle la palabra —aseguró él, muy serio.

—¿A Ivy? ¿A la propietaria de una casa de huéspedes? —exclamó ella, atónita.

—¿Y qué otra persona puede decir que soy de confianza?

—¡Pero Louis...! En una empresa, una compañía... no puedes decir que te recomienda ella.

Él suspiró.

—No serán grandes empresas, querida. No es cuestión de hablar con jefes de ventas o de marketing. Bien lo sabes. Aceptaré lo que pueda conseguir. Ivy me será muy útil si entro de conserje en un hotel o de vigilante en un bar. Puede decir que me conoce desde hace cinco años.

Lena lo miró estupefacta.

—No puedes aceptar un empleo de ese tipo, Louis. No puedo permitirlo. Esto no tenía que suceder así.

—Siempre debió ser así —dijo él, tomándole las dos manos—. Yo fui el tonto que no lo entendió. Y tú me diste una segunda oportunidad.

Lena pasó un buen rato llorando.

Lloró por el bebé perdido. Y por los sueños de Louis, que deseaba vivir bien: sueños basados en nada. Lloró porque oía sonar campanas de iglesia en algún lugar de Londres y pensaba en sus hijos, que estarían yendo a misa, y porque no tenía la menor idea de lo que Martin les habría dicho sobre ella. Lloró porque se sabía mala madre, la peor de todas. Una madre capaz de abandonar a sus hijos. No era de extrañar que Dios le hubiera quitado a aquel bebé tan deseado.

—Yo lo arreglaré todo, créeme. —Louis también tenía lágrimas en los ojos.

—Dime una cosa, Louis.

—Lo que quieras, amor mío. Lo que quieras.

—¿Está Dios muy enfadado con nosotros? ¿Por eso sucedió? —Se tocó el vientre—. ¿Es un castigo, una advertencia?

—Por supuesto que no. —La seguridad de Louis era absoluta.

—Pero tú tampoco estás en muy buena relación con Dios. En todo este tiempo no has ido a misa.

—No, pero sé que está allí y que es el Dios del amor.

—Sí, pero tal vez quiso decirnos que deberíamos...

—Tal vez quiso, tal vez quiso... Vamos, vamos, ¿qué es esto? Cuando estás alegre piensas que Él nos tiene reservadas grandes cosas. Cuando estás deprimida piensas que quiere castigarnos y nos envía toda esta desgracia... —Inclinó la cabeza a un lado, sonriéndole—. ¿Qué clase de fe es la tuya si empiezas a atribuir malas intenciones a todo el mundo? Aquello fue un accidente. Lo dijo el médico. Provocado por la tensión, tal vez... y él no tenía idea de la tensión que... Escucha, amor mío, no puedes ponerte a pensar que Dios está conspirando contra nosotros. Se suponía que Él estaba de nuestra parte.

—Lo sé. —Lena se sintió mejor. Él la reconfortaba mucho—. Bueno, no volveré a achacarle todo esto.

—Excelente. Ahora suénate bien la nariz, con fuerza, y ayúdame a buscar trabajo.

Después de sonarse la nariz y limpiarse los ojos, ella se dedicó a buscar entre los anuncios de ofertas de empleo con el corazón mucho más aliviado.

—El domingo iré a misa —dijo Louis en un murmullo—. Así Dios sabrá que no he renegado de Él.

—Ya lo sabe —dijo Louis—. Si no renegaste de mí, que te traté tan mal, ¿cómo ibas a renegar de Dios?

Fue una semana extrañamente interminable.

El lunes Louis volvió abatido. Había muchísimos trabajos en la construcción, pero él no tenía físico, experiencia ni vocación para coger el pico o cargar un capacho. Había perdido el día.

Pero estaba decidido a parecer animado.

—Bueno, no pongas esa cara de afligida. No te muevas de la cama y escúchame. Este es solo el primer día. El segundo será mejor. Si te amargas así lo empeorarás todo, porque no podré decirte la verdad cuando llegue a casa. Tendré que inventar mentiras.

Ella comprendió que tenía razón. Pasó en vela el lunes por la noche, mientras él dormía a su lado, pero no dejó que notara lo nerviosa que estaba.

El segundo día fue magnífico. Louis llegó contento: había conseguido entrar de conserje en un gran hotel. Comenzaría a las ocho de la mañana siguiente. Las dos primeras semanas debía trabajar durante el día, pero era posible que después lo hiciera por la noche. Lo cual era estupendo.

—¿Por qué es estupendo? —quiso saber Lena.

Porque de ese modo él podría dedicar algunos días a presentarse a entrevistas para otra clase de trabajo, para el que fuera más apto. Mientras tanto, ¿no era estupendo tener asegurado el alquiler? Solo había tardado veinticuatro horas en encontrar un empleo honrado.

Lena no pudo sonreír.

—No soporto que tengas que hacer esto.

—¡Por Dios! Demasiado me cuesta hacerlo para que encima tú te pongas tan negativa —estalló él.

Lena le clavó la mirada, dolida. Pero él se apresuró a pedir disculpas.

—Perdóname, perdóname. No tenía intención de tratarte así. Es que ha sido un día muy largo.

La reconciliación fue tan dulce como siempre.

Sabían desde un principio que, a lo largo del camino, tropezarían con contrariedades como aquella. Lo principal era reconocerlas y admitirlas. Los dos estaban muy arrepentidos.

El miércoles por la noche Louis le contó muchas cosas divertidas sobre el hotel. El conserje principal era un pillo; el gerente no servía para nada; la recepcionista tenía bigote; los huéspedes con los que había hablado eran, en su mayoría, soldados norteamericanos de servicio en las diversas bases de Gran Bretaña, buena gente; niños, muchos de ellos. El día se le había hecho largo, pero interesante.

El jueves por la noche, Louis le dijo que el conserje principal había tratado de quedarse con una propina que le correspondía a él, pero la señora escocesa insistió: «Es para el simpático hombrecillo de ojos azules». El conserje principal sonrió con afabilidad delante de la escocesa, pero torció la boca para murmurarle a Louis: «Te tengo echado el ojo».

—Y tú ¿qué le dijiste? —Lena manifestaba mucho entusiasmo.

—Que yo le tenía echado el ojo a su puesto. Esto le cerró la boca.

Lena lanzó una carcajada.

Louis estaría fuera de allí, en un puesto digno de él, en cuestión de días; de semanas, en el peor de los casos.

El viernes Louis llegó cansado, pero con dinero. Les pagaban todos los viernes y aquellos tres días de trabajo alcanzaron para pagar el alquiler. Se lo entregaron a Ivy dentro de un sobre.

—Creo que ya estás en condiciones de salir a celebrarlo —dijo ella—. Invito yo. Un par de cervezas en el bar de un amigo mío.

Viajaron en un autobús rojo.

Ivy les enseñó una gran oficina en la que había trabajado durante la guerra. Louis señalaba restaurantes, hoteles y teatros; conocía todos sus nombres. Formaban parte de su pasado: sitios por los que Lena no preguntaba; sin embargo, agradeció que él se los enseñara.

Llegaron a un bar enorme y ruidoso donde Ivy conocía a gran parte de la clientela.

—Vives muy lejos para ser clienta habitual —observó Louis.

—Ah, querido, es que antes trabajaba aquí. Pero no vamos a hablar de eso.

Se sentaron los tres a una mesa. Se acercó mucha gente que Ivy fue presentando: Doris, Henry, Nobby y Steve. Y el propietario, que se llamaba Ernest: un hombre menudo, con un montón de tatuajes en el brazo, que se acercó varias veces a la mesa.

Durante la velada, Lena notó que Ivy seguía con los ojos al arrugado hombrecillo, que se movía detrás del mostrador, saludando a los clientes; de vez en cuando su mirada buscaba la de Ivy y le sonreía.

Algunos clientes preguntaban: «Oye, ¿cómo está Charlotte?», y Ernest siempre decía: «Visitando a su madre, como todos los viernes».

Lena comprendió entonces por qué Ivy iba al bar solo los viernes. ¿Desde cuándo duraría aquello? Tal vez su amiga se lo dijera alguna vez, tal vez no. No estaban en Lough Glass, donde la vida de cada uno era tema de conversación.

Aquella noche, en el bar de Paddles, estarían comentando...

De pronto cayó en la cuenta de que ignoraba lo que estarían comentando. ¿Martin habría dicho que ella estaba visitando a alguien? ¿Que había caído enferma? Eso no, sin duda, porque requeriría la participación de Peter Kelly.

Pero ¿qué habría dicho a los niños? Sintió que enrojecía de cólera por ignorar qué cuento habría inventado él para Kit y Emmet. Ella lo había instado a decirles la verdad, si podía soportarlo, y a permitir que le escribieran. Era evidente que no lo había hecho.

Ivy se había sentado junto a Ernest; ambos estaban conversando como una pareja con muchos años de casados, mientras ella le quitaba pelusas de la manga.

Lena sintió que Louis la observaba. Sonrió, y rehuyó los recuerdos de Lough Glass.

—¿En qué estás pensando? —preguntó él.

—En que ya estoy en condiciones de buscar trabajo. La semana que viene seré yo quien os invite.

—No me gusta que tengas que trabajar.

—A mí tampoco me gusta que lo hagas tú, pero es solo por un tiempo. Después los dos tendremos una carrera y un hogar, como la gente de verdad. —Sonrió con alegría.

Era una de las tantas mentiras que inventaba para él.

El sábado, Lena se vistió con esmero para ir a la Agencia de Empleo Millar. Se detuvo ante la puerta para tomar aire, profundamente. Aquella podía ser la primera de muchas entrevistas infructuosas. ¿Para qué podían quererla? Una mujer sin conocimientos de taquigrafía. Sin velocidad para escribir a máquina. Sin referencias. Ya no estaba en edad de ser una aprendiz y estaba demasiado mal preparada para ocupar un puesto de más categoría.

Ocupaba el escritorio una mujer con una rebeca que chupeteaba un lápiz. Tenía una sonrisa simpática y era amable. Le acercó un formulario que Lena rellenó con mano temblorosa. En casi todas las categorías encajaba mal. Ten fe en ti misma, se dijo. Sonrió con aire alentador a la mujer, a fin de disimular su propio miedo.

—Bueno, creo que eso es todo —dijo con una sonrisa luminosa. Y se clavó las uñas en las palmas de las manos mientras la mujer leía lentamente el formulario con sus datos.

—Es un poco difícil saber... bueno, saber exactamente para qué... dónde podríamos...

Lena exhibió una expresión de gran confianza.

—Oh, sé que no soy la candidata habitual para secretaria u oficinista —dijo, sorprendida por el tono de su propia voz—, pero tenía la esperanza de que hubiera algún sitio donde poder aportar mis condiciones personales, mi... eh... madurez.

—¿Dónde, por ejemplo? —La mujer del escritorio parecía más abochornada que ella.

—Disculpe. ¿Cuál es su nombre? —preguntó Lena.

—Soy la señorita Park, Jessica Park.

—Verá usted, señorita Park, quizá alguna empresa necesite a alguien dispuesta a probar cualquier cosa, en vez de una joven decidida a escalar posiciones. Un sitio donde yo pueda echar una mano en todo un poco: atender el teléfono, archivar papeles, preparar el té, adecentar el local, presentar ideas nuevas...

—Ya sé a qué se refiere. Todas las oficinas buscan a alguien como usted —comentó la señorita Park con resignación.

En aquel momento sonó el teléfono. Inmediatamente después entraron dos muchachas diciendo que solo querían folletos; luego hubo otra llamada.

Aquello dio a Lena tiempo para pensar. Cuando Jessica Park quedó libre otra vez, decidió expresar lo que había pensado.

—Esta misma oficina, por ejemplo —dijo—. Veo que usted está muy atareada. Quizá podría resultar útil precisamente en un sitio como este.

Jessica Park no era una mujer muy decidida. Pareció alarmarse.

—Oh, no, no creo...

—¿Por qué no? Usted parece muy ocupada. Yo podría encargarme de las tareas más rutinarias. Los archivos, por ejemplo.

—Es que no sé nada de usted.

—Lo sabe todo de mí. —Ella señaló el formulario.

—No soy yo quien dirige esto. El señor Millar tendrá que...

—¿Qué le parece si comienzo ahora? De ese modo usted verá si sirvo o no y luego podrá consultar con el señor Millar.

—No sé, estoy segura de que...

Lena hizo una pausa. No era fácil calcular la edad de Jessica Park. Podía tener cuarenta, cuarenta y cinco años. Pero también podía ser una mujer de treinta y cinco que, por no saber cuidarse, hubiera envejecido demasiado. Se decidió por esta posibilidad.

—Bueno, Jessica... Como soy mayor que tú, voy a tutearte... ¿Por qué no hacemos la prueba? Si no funciona, no hay nada que perder.

—En realidad, me llaman Jessie. Y soy un poco mayor que tú —admitió Jessie—. Pero está bien. Siempre que no haya problemas.

—¿Qué problemas podría haber? Mira, voy a traer una silla para sentarme a tu lado.

Antes de que Jessica pudiera cambiar de idea, Lena ya estaba instalada. Sacó punta a los lápices, ordenó el escritorio y colocó los formularios de inscripción, de modo que cada uno tuviera su papel carbón y otra hoja debajo.

—No se me había ocurrido —dijo Jessie, maravillada.

—Seguramente lo pensaste —objetó Lena—, pero con tanto trabajo no tienes tiempo para estas cosas. —Atendió el teléfono con un alegre—: Agencia de Empleo Millar. ¿En qué podemos serle útil? —Lo cual era mucho mejor que el vacilante «hola» de Jessie.

Aseguró que le gustaría familiarizarse con el sistema de archivos, de ese modo sería de mayor utilidad. Jessie le dio algunas indicaciones vagas y la dejó hacer. Lena recorrió con la vista los listados hasta hallar lo que deseaba.

Los puestos vacantes en ventas y comercio. Los empleos que Louis Gray podía solicitar.

—¡No me digas que entraste, así sin más, y les dijiste que te necesitaban! —Louis estaba asombrado.

—Más o menos. —Lena rió; casi no se atrevía a creer que le hubiera dado resultado.

El señor Millar había dicho que la señorita Park era muy inteligente por haber escogido a una mujer madura entre tanta gente y sugerir que se la empleara. Jessie quedó encantada con el inesperado elogio. Lena comenzaría el lunes.

No mencionó a Louis el verdadero motivo por el que había aceptado aquel empleo, que bien podía ser una mina de oro para ambos. Primero llamaría a aquellas empresas, en su carácter de agente de empleo, para conseguir la información.

Después Louis podría presentarse por cuenta propia.

Todo estaba saliendo muy bien. Lena se dijo que, en la misa del día siguiente, podría hablar con Dios sin rencores.

Junto a la iglesia había un quiosco que vendía periódicos.

—Son todos religiosos o de provincias irlandesas —dijo Louis—. Voy a comprar un periódico de verdad a aquel hombre y luego iremos a tomar una copa, por ser domingo. ¿De acuerdo?

Lena asintió con la cabeza, pero aun así leyó los titulares. Eran todos periódicos de su tierra. Y entre ellos, el que llegaba todos los viernes a la farmacia.

Cuando estaba a punto de apartar la vista, la vio en primera plana: una foto del lago de Lough Glass, con algunos botes. El pie de foto decía: «Se suspende la búsqueda de la mujer desaparecida en Lough Glass».

Con los ojos dilatados por la incredulidad, leyó que Helen McMahon, esposa de Martin McMahon, conocido farmacéutico de Lough Glass, había sido vista por última vez el miércoles, 20 de octubre, caminando junto a las traicioneras aguas del lago. Desde entonces había buzos y voluntarios buscando en las aguas infestadas de juncos que daban su nombre a la población, pero no se había hallado nada. La aparición de un bote en posición invertida hacía pensar que la señora McMahon, tras salir en la embarcación, no había podido resistir las inesperadas corrientes que soplaban en aquella región.

—¿Lo va a comprar? —preguntó el hombre que vendía los periódicos.

Helen le entregó media corona y echó a andar, aferrada al periódico.

—Oiga usted, son caros, pero no tanto —advirtió él, tendiéndole el cambio.

Pero ella no escuchaba.

—¡Louis! —exclamó, asustándose de su propia voz—. Louis, oh, Dios mío...

La pusieron de pie; cada uno sugería algo diferente: aire, brandy, whisky, agua, té, andar, sentarse.

El hombre que había tratado de entregarle el cambio insistía para que se lo guardaran en el bolso.

Por fin los brazos de Louis la sostuvieron a lo largo de la calle. En un bar donde predominaban los acentos irlandeses, ambos leyeron, incrédulos, el relato de la búsqueda de Helen McMahon.

—No puede haber alborotado a todo el pueblo, a los guardias, a los detectives de Dublin Castle. —Louis meneaba la cabeza.

—No ha leído la nota —dijo Helen—. Debe de haber pensado que yo estaba realmente en el lago. ¡Oh, Dios mío, Dios mío, qué hice!

—Pero ya hemos hablado cien veces de esta cuestión. ¿Dónde pusiste la nota?

—¡En su dormitorio!

—¿Y cómo es posible que Martin no la haya leído? ¿Cómo, dime?

—Supón que no entró.

—Usa la cabeza, Lena: tiene que haber entrado. Llamaron a los guardias, mujer. Aunque él no entrara, ellos deben de haberlo hecho.

—Martin no es capaz de obrar así, de causar a los niños ese horror, haciéndoles pensar que yo estaba muerta en el fondo del lago, como la pobre Bridie Daly.

—¿Y esa quién es?

—No tiene importancia... Martin no habría hecho semejante cosa a los niños.

—Dime entonces cómo es posible que no encontrara esa nota. —Louis parecía angustiado; no dejaba de volver la mirada hacia el periódico, como si el artículo pudiera desaparecer—. La criada. ¿Dices que ella no se la habría quedado?

—No, jamás.

—¿Ni para extorsionarte o algo así?

—Estamos hablando de Rita. Eso no es posible.

—Los niños, entonces. Supón que alguno de ellos la abrió y no quiso creer que te habías fugado. Ya sabes lo extraños que son los niños. Pudieron esconder la nota para fingir que nada de eso era cierto.

—No —se limitó a responder Lena.

—¿Por qué estás tan segura?

—Porque los conozco, Louis. Son mis hijos. En primer lugar, no abrirían una carta dirigida a Martin. Y aun si lo hicieran... si lo hicieran...

—Supongamos que lo hicieron. Solo como suposición.

—Si Emmet la hubiera abierto, se la habría dado a su padre. Y Kit me habría telefoneado a Londres para exigirme que volviera a casa.

Se hizo el silencio.

Pareció prolongarse una eternidad hasta que Louis tomó la palabra:

—¿Aceptas que él la leyó?

—Me cuesta creer que pudiera organizar todo esto... —Señaló el periódico.

—Quizá no tenía otra manera de resistir, ¿comprendes?

Hubo otro silencio.

—Tengo que saberlo, Louis.

—¿A qué te refieres?

—Debo llamarlo.

—¿Para decirle qué? ¿Qué le dirías?

—Que dejen de buscar en el lago. Que comunique a mis hijos que estoy viva.

—Pero no vas a volver junto a ellos. ¿O sí?

El anhelo de su mirada era casi insoportable.

—Bien sabes que no volveré allí, Louis.

—Piensa, entonces. Piensa un momento.

—¿Qué debo pensar? Tú mismo lo has leído. Soy una persona desaparecida. Creen que estoy en el lago. —Su voz se tornó casi histérica—. Hasta podrían celebrar un funeral.

—Sin un cadáver no se puede.

—Pero me darán por muerta. No puedo permitirlo. Por mis hijos, no puedo. Ellos deben saber que su madre está sana y salva, que es feliz, que no está en el lodo o en los juncales, ni en el fondo del lago de Lough Glass.

—Si piensan eso no es por culpa tuya.

—¿Cómo que no es por culpa mía? Yo los abandoné.

—Es por culpa suya —apuntó Louis, lentamente.

—¿Cómo puedes decir eso?

—Eso es lo que él les dijo. Tú le permitiste elegir lo que diría. Y esto es lo que dijo.

—¡Pero no puede! Es absurdo. No puede decir a los niños que su madre ha muerto. Quiero verlos. Quiero encontrarme con ellos, verlos crecer.

Louis la miró con tristeza.

—¿Acaso pensabas que él te lo iba a permitir?

—Por supuesto.

—¿Que te perdonaría y te diría: «Bueno, bueno, que lo pases bien con Louis en Londres; de vez en cuando ven a visitarnos y mataremos el ternero más gordo»?

—No, eso no.

—¿Qué, entonces? Piensa, Lena, piensa. Esto es lo que ha decidido Martin. Tal vez sea lo mejor.

Ella se levantó de un salto.

—¿Decir a dos criaturas inocentes que he muerto, solo porque no es capaz de explicarles que lo abandoné?

—Quizá piense que es lo mejor para ellos. Tú misma dices siempre que ese lugar es un nido de rumores. Tal vez sea mejor la condolencia por haber perdido a la madre que los chismes sobre la madre que se fugó.

—No puedo creer una palabra de todo esto. Voy a llamarlo, Louis.

—Qué injusta eres. Dijiste a ese pobre individuo que solo podías hacer una cosa por él: dejar que resolviera el asunto a su modo, que le concederías esa dignidad. ¿No fue eso lo que le escribiste?

—No recuerdo las palabras textuales.

—¿Se lo escribiste o no? Lo repasamos varias veces.

—Sí, sí, se lo dije —asintió ella—. Pero necesito saber.

—Supón que te creen muerta, Lena. Piensa, te lo ruego. ¿No será mejor para esos niños? Si los llamas, tendrás que volver a tu casa y explicarlo todo. Martin tendrá un grave problema. Empeorarás mucho las cosas para él. Piensa en todo el daño que podrías hacerle.

—Necesito saber —repitió ella, con lágrimas cayéndole por la cara.

—De acuerdo. Llamaremos.

—¿Qué?

—Llamaré yo —dijo él—. Preguntaré por ti para ver qué me dicen.

—No puedes hacer eso.

—Voy a buscar cambio. —Con cara ceñuda, Louis se acercó al mostrador.

Lena bebió todo el brandy de un solo trago. Fue como tragar ortigas.

No telefonearon desde el bar, porque había demasiado ruido, pero calle abajo encontraron una cabina.

—¿Qué vas a decir? —preguntó Lena por décima vez.

Louis no había dicho gran cosa, pero mientras el teléfono sonaba le cogió la cara con una mano.

—Diré lo que corresponda. Confía en mí. Antes quiero ver qué dice él.

Ella le cogió la mano con fuerza, acercándose mucho para oír.

—Lough Glass tres doble nueve. —Era la voz de Kit.

—Hola. —Louis habló cambiando un poco la voz—. ¿Es la casa de los McMahon?

—Sí, la casa de McMahon en Lough Glass.

—¿Está el señor McMahon, por favor?

—No, lo siento, en este momento ha salido.

Los ojos de Lena se abrieron. Martin tenía que haber vuelto de misa hacía un buen rato. A aquella hora deberían estar almorzando. La casa estaría hecha un desastre desde su partida. Entonces recordó que la familia estaba de duelo; allí todos pensaban que ella se había ahogado.

—¿A qué hora regresará?

—¿Puedo preguntar quién lo llama, por favor?

Lena sonrió con orgullo. A los doce años, su hija era ya práctica y eficiente.

—Me llamo Smith. Soy representante comercial. He estado en la farmacia de tus padres por asuntos de negocios.

—Esto no es la farmacia, sino la casa particular —explicó Kit.

—Lo sé y me disculpo por molestar. ¿Me permitirías hablar con tu madre?

Lena le estrechó la mano con tanta fuerza que le hizo daño. Tenía los ojos muy dilatados. ¿Qué diría la criatura?

Pareció tardar un siglo en responder.

—¿Usted está en Londres? —preguntó Kit.

—Sí, en efecto.

—Por eso no se ha enterado. Hubo un terrible accidente. Mi madre se ahogó.

Louis no dijo nada. Estaba pálido.

—Lo siento mucho —murmuró al fin, con voz sofocada.

—Sí, ya lo esperaba. —La voz era muy débil.

—¿Y dónde está tu padre ahora? —preguntó Louis.

—Almorzando con unos amigos. Están tratando de distraerlo un poco.

Debía de estar con los Kelly, se dijo Lena.

—¿Y tú por qué no has ido?

—Me pareció mejor que hubiera alguien en casa. Por si se presentaba alguna novedad, ¿no?

—¿Qué novedad?

—Bueno, es que no han encontrado... Por si aparecía el cuerpo de mamá —dijo Kit. Louis gesticuló, pero no pudo decir palabra—. ¿Sigue usted ahí? —preguntó la niña.

—Sí... sí.

—¿Quiere que mi padre lo llame, señor?

—No, no. Lamento mucho haberte molestado... en un momento así.

—Fue un accidente —dijo Kit—. Hoy en misa se rezó por el descanso de su alma.

—Sí, no lo dudo, no lo dudo.

—Para que ella esté en paz —explicó Kit—. Bueno, ¿no le digo a papá que usted ha llamado?

—No, no. ¿Y tu hermanito lo está llevando bien?

—¿Cómo sabe usted que tengo un hermanito?

—Creo que me lo dijeron tus padres, cuando estuve en la farmacia.

—Debió de decírselo ella. Siempre estaba hablando de nosotros. —Por la voz, Kit estaba conteniendo el llanto—. Fue por el viento, ¿sabe? No habría sucedido nada de no ser por el viento.

Se hizo el silencio.

Y a través de la distancia, en aquel húmedo domingo de noviembre, oyeron la voz de Kit.

—Adiós.

Después de colgar, se abrazaron con fuerza dentro de la cabina telefónica, mientras la lluvia golpeaba los cristales.

No pudieron dormir, aunque lo necesitaban. Los dos tenían que trabajar por la mañana.

—¿Habrá temido que la gente no le comprara esos condenados jarabes para la tos si pensaban que su mujer lo había abandonado? —preguntó Louis en una ocasión, con voz muy despierta.

—No me lo preguntes a mí. No lo conozco en absoluto.

—Pasaste trece años de tu vida viviendo con él.

Ella guardó silencio.

—¿Qué dijo Kit del viento? ¿Qué viento? —preguntó una hora después.

—El de la noche en que nos fuimos, supongo.

—No recuerdo que hubiera viento.

—Yo tampoco, pero...

No necesitaba decir más. La noche en que ambos iniciaron la nueva vida, ninguno de los dos habría reparado en nevadas ni en tormentas eléctricas.

Ella había cruzado hacia la otra orilla del lago, delante del campamento gitano; allí la esperaba Louis con el coche de un amigo. Viajaron en coche hasta Dublín y luego tomaron el tranvía a Dun Laoghaire. Fueron los primeros en abordar el barco. Y conversaron desde Holyhead hasta Euston, y rieron mientras desayunaban en la cantina del cruce con Lyon Street.

Y durante todo aquel tiempo, todos los días y todas las noches, la gente de Lough Glass suponía que Helen McMahon estaba en el fondo del lago.

Louis tenía razón. El rencor de Martin debía de ser mayor de lo que nadie habría imaginado.

La madre de Jessie no estaba bien de salud desde hacía mucho tiempo. Lena lo supo el primer lunes.

—¿Por qué no aprovechas la hora del almuerzo para ir a verla? —le sugirió.

—Oh, no podría. —Jessie era muy tímida.

—¿Por qué no? ¿Acaso no estoy yo aquí para controlar las cosas?

—No, no me gustaría.

—No voy a quitarte el puesto, Jessie. Soy tu ayudante. No tengo intención de escapar dejando el local abierto al público. Si surge algo que no pueda resolver, pediré a quien sea que vuelva más tarde, cuando esté la señorita Park. ¿Qué sentido tiene que estemos las dos sentadas aquí, mientras tú te preocupas por tu madre?

—¿Y si viene el señor Millar?

—Puedo decirle que has ido a averiguar dónde venden papel de carta de calidad. Podrías hacerlo de paso. En la esquina hay una papelería grande.

—Sí, podría hacerlo. —Jessie era un mar de dudas.

—Ve, por favor —insistió Lena—. ¿Acaso no se me contrató para eso? ¿No soy una mujer madura y sensata, capaz de mantener las cosas en marcha? Deja que me gane el sueldo.

—¿Puedes arreglártelas bien?

—Seguro. Tengo mucho que hacer.

Mientras fingía desempeñar con eficiencia su empleo real, Lena Gray tenía que decidir si telefonearía o no a Lough Glass, para informar de que Helen McMahon estaba sana y salva. Sus horas de conversación con Louis no la habían convencido. No podía escribir su propio obituario y abandonar la vida de Kit y Emmet.

Necesitaba tiempo para pensar. Tiempo a solas, con acceso a un teléfono.

Por eso era tan importante hacer salir de la oficina a la pobre Jessie.

Jessie se fue y, con ella, su cháchara incesante. Lena esperaba tener un poco de tiempo libre, pero la hora del almuerzo era una de las más activas en la Agencia de Empleo Millar: todos los que deseaban cambiar de empleo aprovechaban aquel rato para pedir detalles e inscribirse en otros puestos.

Lena tuvo que moverse deprisa. Tal vez es mejor así, pensó, mientras las bandejas se llenaban de formularios y señas personales. Quizá no habría podido decidir nada, aun si hubiera tenido tiempo libre. Por dos veces tuvo el auricular del teléfono en la mano, y las dos veces volvió a colgarlo. Si llamaba a Martin a la farmacia no podría dominar su cólera. Tal vez era preferible esperar a que los niños volvieran de la escuela.

¿O debía comunicarse con otra persona? ¿Con quién?

Con los Kelly, no. Los Kelly, jamás. Si la hermana Madeleine hubiera tenido teléfono... Lena sonrió al imaginar un instrumento tan moderno en la pequeña vivienda de la monja.

—Estás sonriendo. Eso es bueno —le dijo Jessie.

—¿Significa que no siempre sonrío? —preguntó Lena, dominándose.

—Hoy no pareces la misma mujer que vino el sábado. Supuse que te había sucedido algo durante el fin de semana. —Jessie se mostraba deseosa de enterarse.

Pero Lena sabía cómo hacerle frente.

—No, afortunadamente. Dime, ¿cómo estaba tu madre? ¿Se alegró de verte?

—Bueno, hice bien en ir a casa. —Jessie inició otro largo relato sobre los problemas digestivos de su madre.

No fue difícil expresar cierto interés por el aparato digestivo de la señora Park. Lena mantenía las manos ocupadas en poner etiquetas más claras a las carpetas de archivo; su mente estaba a cientos de kilómetros de allí, junto a un lago invernal de Irlanda.

Al ver la cara de Louis, comprendió que aquella noche no

hablarían del asunto. Estaba fatigado y ojeroso tras la larga jornada de trabajo. Ella sintió tal arrebato de amor protector que casi perdió el aliento. Estaba dispuesta a trabajar desde el amanecer hasta el ocaso y desde el ocaso hasta el amanecer para cuidar de él y borrar su cansancio.

Y estaba segura de que él habría hecho lo mismo por ella.

¿No había estado a punto de morir de angustia por el aborto? ¿No se había sentado junto a ella para sostenerle la mano y acariciarle la frente, saliendo solo para volver con alguna sorpresa? Los ojos se le llenaron de lágrimas. Ese era su hombre, su gran amor.

¡Qué suerte tenía! Eran muy pocos los que podían estar con el amor de su vida. Casi todos languidecían por las oportunidades perdidas. Sería una estúpida la mujer que malgastara un solo instante de aquel tiempo en afligirse y atormentarse tratando de reconstruir el pasado.

Lena despertó a las cinco de la mañana y no pudo volver a conciliar el sueño. Tal vez ahora podamos hablar. Tal vez sea el momento adecuado, se dijo. Pero mientras lo pensaba sabía que se estaba engañando. En lo que a Louis Gray concernía, la vida de Lena en Lough Glass había terminado para siempre. En cierto sentido, esa parecía la mejor solución. Él se encargaba de planear una vida nueva para ambos; no quería verse arrastrado hacia atrás.

Las caras de Kit y Emmet se le presentaban con tanta claridad como si estuvieran proyectadas en la pared, frente a la cama: Kit junto al lago, apartándose el pelo de los ojos, con la cara húmeda de lluvia y lágrimas, con la expresión mohína y ceñuda; Emmet, con los ojos desorbitados, llevándose la mano a la garganta como solía hacer cuando tartamudeaba, en un esfuerzo por desatascar las palabras.

No podía permitir que la creyeran muerta. Ya hallaría el modo de hacerles saber que no era así.

El martes no pudo hacerlo. El señor Millar se presentó en la agencia.

Sus visitas siempre ponían muy nerviosa a Jessie.

—No entiendo por qué tiene que venir a espiar —susurró a Lena.

—Solo quiere asegurarse de que todo marcha bien —explicó Lena con suavidad.

Su compañera seguía dudando.

—Si creyera que todo marcha bien, que estamos llevando la agencia como corresponde, no tendría por qué venir —apuntó, mordiéndose el labio.

Lena se obligó a reír, aunque tenía la mente muy lejos.

—Mirémosle el lado positivo, Jessie. Como todo marcha bien, a él le gusta estar aquí y formar parte de ello. ¿Nunca lo habías pensado de ese modo?

A Jessie nunca se le había ocurrido.

—Supongo que es por estar casada y todo eso que tienes tanta seguridad en ti misma, Lena —comentó.

Lena tragó saliva. Menuda ocurrencia, segura de sí misma... ¡Si supieran que era más débil que un gatito...!

—Hoy, cuando venga, lo recibiremos muy bien y le pediremos su opinión, en vez de esperar a que él se vaya para trazar nuestros planes.

—No sé... —Jessie no quería tener problemas.

—Hagamos la prueba, de todos modos.

—Estaba pensando, señor Millar... ¿Le parecería bien que pusiéramos algunas sillas y una mesita, para que los clientes puedan sentarse mientras esperan?

—No sé —dijo él. Era un hombre alto y calvo, con cabeza de huevo y expresión de sorpresa permanente.

—Verá usted: si les hiciéramos sentir que este es un lugar al que pueden venir casi como de visita, en vez de hacerles formar cola, como en correos o en el banco...

—Pero ¿en qué nos beneficiaría eso?

Jessie empezaba a acobardarse, pero Lena comprendió que el hombre no estaba rechazando la sugerencia; solo quería saber.

—Lo que la señorita Park quiere decir es que si se atiende bien a los clientes la primera vez, habrá quienes vuelvan.

—Sí, pero poner sillones...

—Oh, no tiene por qué ser algo muy lujoso, señor Millar. Me parece que la señorita Park estaba pensando en dar la sensación de que Millar es un lugar de confianza, donde uno puede sentirse a gusto. —La sonrisa de Lena era amplia y confiada.

Y él asintió con la cabeza.

—Es una buena idea, señorita Park. Sí, realmente. ¿Dónde podríamos conseguir esa clase de muebles?

—No haría falta gastar mucho, señor Millar; bastaría con buscar un poco. —Él parecía desconcertado—. La persona más apta para eso es la señorita Park, por supuesto. Es estupenda para encontrar lo más adecuado.

Jessie levantó la vista. Daba la impresión de haber sido siempre incapaz de hallar nada adecuado, ya fuera un abrigo, un peinado o una expresión para su cara. Pero Lena no hizo caso.

—Ya sabe, esos lugares donde se venden objetos de segunda mano —continuó Lena—. Apuesto a que, buscando un poco, se pueden obtener grandes gangas. Supongo que después del almuerzo... ¿Qué le parece?

Jessie, aunque corta de entendederas, recibió el mensaje. Lena estaba tratando de que ella pudiera pasar un rato más con su madre.

—Si puedo disponer de un poco de tiempo... —empezó, como un perro que mendigara unos azotes.

—Creo que sería tiempo muy bien aprovechado —concluyó Lena por ella.

—Bueno, si a usted no le molesta, señorita Park. —Aquel hombre dudaba de todo.

—Supongo que podría... —balbuceó ella.

Entonces el señor Millar se entusiasmó.

—Podríamos poner un par de ceniceros —aventuró—. Y hasta un paragüero viejo, para días como este.

—Y una mesa con todo nuestro material informativo, en vez de hacer que lo lean ante el mostrador, robándonos tiempo.

El señor Millar se fue muy contento, realmente encantado con su visita.

Jessie miró a Lena como si se hubiera enfrentado a un león en su guarida.

—No sé cómo se te ocurren estas cosas, en serio. Y siempre me haces quedar tan bien... —Su gratitud parecía la de un perro fiel.

—Pero si lo mereces —dijo Lena—. Fuiste muy buena al permitir que trabajara aquí.

—Fue lo mejor que he hecho en mi vida —aseguró Jessie con alegría.

Lena le dio una palmada en la mano.

—De acuerdo. Ahora bien, no te des demasiada prisa para encontrar los muebles. Tómate un par de semanas. Así tendrás más tiempo para ir a tu casa sin precipitarte.

Lena cayó en la cuenta de que se había pasado el día actuando.

Había actuado al levantarse y decir a Louis que había dormido muy bien entre sus brazos. Y al explicar a Ivy que solo limpiaba la oficina y preparaba el té porque no deseaba que su empleo fuera mejor que el de Louis. También había estado representando una serie de pequeñas farsas ante los clientes que telefoneaban y ante los que iban a la oficina a buscar trabajo, prometiendo a todos fantásticas oportunidades.

¿Así serían las cosas a partir de ese momento?

Ya había pasado muchos años actuando en Lough Glass. Fingiendo interesarse por las camisas de leñador de la señora Hanley, obligándose a sonreír a Lilian Kelly, elogiando el solomillo de los Hickey. Actuaba en su casa cuando sentía los ojos de Martin fijos en ella, sabiendo que iba a preguntar, como siempre: «¿Eres feliz? ¿Va todo bien?». Y cuando trataba de no responderle con un grito.

Solo con sus hijos no actuaba. Sin embargo, había sido capaz de ponerse el abrigo y abandonarlos. De abandonarlos para seguir a Louis Gray.

Había pensado que todo resultaría muy diferente. Una vida nueva, la vida que deseaba desde siempre. Otro bebé, suyo y de Louis. Pero había perdido el bebé, la familia la creía muerta y ella seguía actuando.

Ansiaba estar en la pequeña y austera cabaña de la hermana Madeleine. Poder hablar como lo hacía con ella, sin que hubiera consejos ni críticas; el solo hecho de hablar la ayudaba. Si hubiera podido hablar de todo aquello con la vieja ermitaña, de algún modo las cosas se habrían aclarado.

Pero todo era una fantasía peligrosa.

Con un suspiro, Lena impuso a su cara un gesto aceptable al dirigirse a una joven llamada Dawn, que buscaba trabajo como recepcionista de hotel.

—Me he presentado a muchísimas entrevistas, pero al primer vistazo dicen que no sirvo —dijo con aire contrariado.

Dawn parecía una prostituta. Su pelo rubio estaba oscuro en las raíces; tenía las uñas sucias y sus labios pintados eran un gran tajo carmín en la cara.

—Eres demasiado llamativa —le dijo Lena—. Das una impresión equivocada. En los hoteles prefieren a la gente de aspecto tranquilo. ¿Por qué no cambias un poco tu aspecto? Vamos, valdría la pena.

La chica escuchaba con fascinación. Nadie se había interesado tanto por ella.

—¿Cambiar mi aspecto en qué sentido, señora Gray? —preguntó, con ojos brillantes y ansiosos.

Lena la observó reflexivamente y le dio sus consejos.

Cuando ya se retiraba para encargarse de uñas, peinado y atuendo, prometiendo volver al día siguiente para un ensayo general, Dawn le dirigió una mirada de gratitud.

—Esta agencia es estupenda —dijo desde la puerta—. En realidad, es más que una agencia: es un sitio al que una quiere volver.

Lena, Jessie y el señor Millar intercambiaron una mirada de complacencia.

Funcionaba.

Louis subió corriendo la escalera, muy excitado.

—Quieren que esta noche me encargue de la recepción —anunció.

—¿De la recepción?

—Sí. Alguien llamó para decir que estaba enfermo y no tienen a nadie. Así que me ascienden de conserje a portero nocturno.

—¿Tendrás que trabajar toda la noche?

—Claro. Es lo que hacemos los porteros nocturnos. Oye, no está mal esta manera de escalar posiciones, ¿verdad?

Era como un bonito cachorro que buscara elogios. Lena lo observó tan objetivamente como pudo. No le extrañaba que sus superiores vieran en él a una persona capaz de estar tras un mostrador, para dar la bienvenida a los pasajeros tardíos y solucionar cualquier problema que se presentara. Lo asombroso era que le hubiesen permitido usar el uniforme de conserje, cuando era evidente que estaba destinado a un puesto mejor.

—Quedarás exhausto.

—Ah, pero mañana tendré el día libre —dijo él—. Se me ocurrió que podrías pillar una gripe casual para quedarte a hacerme compañía.

—Tendrás que dormir.

—Dormiré mejor si te tengo en mis brazos.

—Ya veremos. —Lena sonrió.

No era buen momento para decirle que estaba desolada porque aquella noche no podría hablar con él sobre lo que tenía que hacer: cómo dar a sus hijos la buena noticia. Tampoco era buen momento para informarle de que no tenía intención de tomarse el día libre.

A pesar de ello, sonrió, y lo ayudó a buscar una camisa acorde con su nuevo puesto.

—¿Me echarás de menos? ¿Te sentirás sola?

—Sí al principio, no después. Me tomaré un descanso; tal vez salga a explorar el vecindario.

—¿Y no harás nada que...? Ya me entiendes. No irás a tomar ninguna decisión, ¿verdad?

Le estaba pidiendo que no telefoneara a su casa; ella lo entendió.

—Ni una sola decisión —aseguró—, mientras no haya hablado contigo para que podamos tomarla juntos.

Él pareció aliviado. Acto seguido se marchó; sus pasos ligeros corrían escaleras abajo, muy poco después de haberlas subido.

Lena encendió un cigarrillo y aspiró profundamente. Por primera vez en todo el día estaba sola, con tiempo para pensar y mano sobre mano. Pero parecía que algo iba mal, como si las paredes de la habitación se cerraran sobre ella.

Al acabar el cigarrillo supo que no podría pasar allí ni un minuto más.

—No vayas a pensar que voy dejándome caer por ahí continuamente.

—No, querida, no digas eso. Siempre me viene bien un poco de compañía.

Ivy había estado haciendo la quiniela de fútbol. Todas las semanas le dedicaba mucho tiempo. Cuando ganara, compraría un hotel frente al mar, instalaría allí a un director a tiempo completo y viviría como una gran señora, en un piso propio en la última planta.

—¿Verdad, Felpudo? —preguntó al viejo gato, que ronroneó alegremente, expectante.

Lena le acarició la cabeza encanecida.

—Son un gran consuelo los gatos. Yo estaba muy encariñada con Farouk, aunque en realidad era un solitario. —Sus ojos parecían muy lejanos.

—¿Cuando eras pequeña?

—No, no, en casa —respuso Lena. Era la primera vez que bajaba la guardia. Comprendió que Ivy se había dado cuenta.

La casera, sin decir nada, se dedicó a preparar el té. No había necesidad de explicaciones. Lena se sintió tan a sus anchas como en la cabaña de la hermana Madeleine, aunque habría sido difícil encontrar dos lugares más diferentes.

Con mucha sencillez, como si todo estuviera planeado, Lena Gray comenzó a explicar su caso a Ivy Brown, que le sirvió el té y abrió el paquete de galletitas. Cuando llegaron a lo sucedido el domingo, el descubrimiento del periódico y la llamada a casa, Ivy se levantó y, sin decir nada, sacó dos vasos pequeños y una botella de brandy. Lena abrió el bolso para enseñarle el recorte. En ningún momento vio en la cara pequeña y burlona de su amiga otra cosa que no fuera solidaridad. No se escandalizó ni se mostró incrédula.

—Bueno, querida —dijo después de una larga pausa—. Ya estás decidida, ¿no?

—No —respondió Lena, sorprendida. Nunca se había sentido tan desconcertada.

—Estás decidida, Lena. —Ivy no dudaba.

—¿Por qué lo dices? ¿Qué es lo que he decidido?

—No les vas a telefonear, tesoro. ¿No es así? No vas a hacer nada. Dejarás que te crean muerta.

Pasaron horas enteras conversando.

Lena le contó que Louis la había abandonado después de amarla. Le habló de su regreso. De aquella vida con la que ella había soñado. Pintó de Martin McMahon un retrato que creía justo; hasta el domingo habría hablado de él con admiración y profundo afecto, pero su reacción había matado en ella cualquier sentimiento que pudiera haberle despertado. Aquel hombre era un monstruo, una víctima de la respetabilidad provinciana. Lo repasaron todo, paso a paso: la posibilidad de que la carta no hubiera llegado a manos de Martin, la conclusión de que no era razonable suponerlo.

Louis Gray era el amor de su vida. Lena lo había esperado durante trece años y en aquel momento, por fin, estaban juntos.

—Pero ¿y mis hijos? —Su voz sonaba temblorosa.

—¿Qué puedes darles si regresas? —le preguntó Ivy.

El silencio entre ellas no era hostil. Lena trató de pensar. Podría abrazarlos, acariciarlos. Pero aquello no habría sido dar, sino tomar. Tal vez se avergonzaran de ella. Y luego volvería a abandonarlos, de todas formas.

—¿Para qué dejarlos dos veces? —apuntó Ivy—. ¿No bastó con una?

—Si dragan el lago y no aparece un cadáver sabrán que no he muerto. Comenzarán a buscarme.

—Dices que el lago es profundo.

—Sí, sí.

—Bien puede haber allí ahogados que jamás aparecieron.

—Sí, es cierto.

—Lo amas, Lena. Hazle saber que no volverás a tu otra vida. Que esté bien seguro. Él no te quiere vacilante e indecisa.

—Pues me dejó vacilante e indecisa la mitad de mi vida.

—Sí, pero ya lo perdonaste. Te fugaste con él. No vayas a terminar perdiéndolos a todos.

—Quizá no hago sino correr tras un sueño.

—Parece un sueño muy consistente. Y no vayas a perderle a él, Lena. Debe de haber demasiadas mujeres esperando para atraparlo si tú lo sueltas. —Parecía hablar con gran autoridad.

—¿Sabes todo esto porque lo hiciste?

—No, tesoro. Lo sé porque no lo hice.

Lena la miró sin entender.

—Ernest, el del bar. Tal vez no sea un buen mozo como tu Louis, pero es el hombre al que yo amaba y todavía amo.

—¿Ernest, al que visitamos el viernes?

—Ernest, al que visito todos los viernes desde hace años.

—¿Por qué vas los viernes?

—Porque es lo que da a mi semana un poco de sentido. Y porque los viernes la bruja de su mujer va a visitar a su madre.

—¿Qué sucedió con él?

—No tuve agallas. Me faltó el valor suficiente. —Una vez más, el silencio se hizo cómodo. Ivy volvió a llenar los vasos de brandy—. Yo trabajaba con él en el bar desde que estalló la guerra. A Ron, que era mi marido, lo enrolaron. Aquella fue una buena época. Parece absurdo decir que todos disfrutábamos de la guerra, pero ya sabes a qué me refiero. Había mucha camaradería. Una no sabía si el otro iba a estar allí a la semana siguiente, y aquello acortaba caminos. De no haber sido por la guerra, no habría conocido a Ernest. Ya sabes: sonaba la alarma antiaérea y todos bajábamos a los refugios, y escuchábamos la radio en el bar. Estábamos muy unidos, como los pasajeros de un barco después del naufragio.

El recuerdo de todo aquello hizo sonreír a Ivy.

—Él tenía dos hijos. Y Charlotte era toda ojos, por supuesto; sospechaba aun antes de que lo nuestro comenzara. Se pasaba el día hablando de nuestros valientes muchachos, que estaban peleando en el frente, mientras las busconas de sus esposas se daban la gran vida aquí. Todo el mundo captaba lo que quería decir y eso lo hacía más desagradable.

—Y a Ron, ¿no lo amabas?

—No. No era como el amor que sentí al conocer a Ernest. En aquella época una tenía que casarse, ¿entiendes? Y yo nunca fui una belleza deslumbrante, como ves. No tenía muchos pretendientes, así que me alegré de aceptar a Ron. Cuando nos casamos ya tenía veintinueve años, casi treinta. Él, diez más. Y lo quería todo perfecto: Una casa limpia y bonita y una buena comida en la mesa. Nunca le apetecía salir. Los hijos no venían, pero eso a él no le molestaba. Probablemente pensaba que solo servirían para ensuciar la casa. Yo fui a hacerme los análisis y todo eso, pero él no quiso. Cuando le propuse que adoptáramos, dijo que no quería criar a un hijo de otro hombre.

—Oh, Ivy, lo siento mucho.

—Sí. Bueno, otros han tenido peor suerte. El caso es que tuve la misma oportunidad que tú y no la aproveché. Por eso sé lo que digo.

—¿Con Ernest? —preguntó Lena.

—Sí. Me propuso que nos fugáramos juntos. Pero yo me sentía culpable, mortalmente culpable. Mi marido estaba combatiendo por la patria. Ernest tenía una familia. Tuve miedo. Tuve miedo de que se arrepintiera, de no ser suficiente para él. De que Ron sufriera un ataque... Y no acepté, ¿comprendes?

—¿Qué pasó en el bar?

—El bar, sí. Allí había más acción que en el frente, te lo aseguro. Charlotte parecía saberlo todo como por radar. Cuando me propuso que nos fugáramos, ella se enteró, y también cuando le dije que no. Eligió el momento a la perfección. Me ordenó que me fuera y que no volviera a pisar el local mientras ella estuviera allí. Ese día renuncié.

—¿Y qué hiciste?

—Volví al apartamento y lo limpié hasta dejarlo brillante. Ron, al volver de la guerra, hablaba aún menos que antes. Estaba muy descontento. Decía que el país no era agradecido con los soldados. No había manera de complacerlo. Fue entonces cuando la encantadora Charlotte le escribió para informarle de lo que, en su opinión, él tenía que saber. Lo sacó de quicio. Dijo que yo era una basura, que le daba asco y que no quería saber nada más. Ahí tienes una bonita historia, y muy deprimente, ¿no?

—¿Qué me estás diciendo?

—Te estoy diciendo que tengo mis viernes por la noche.

—¿Y Ron?

—Se fue. Algo extraño, realmente. Dijo que no quería saber nada más y se mudó la misma semana.

—¿Y tú querías que se quedara?

—En aquel momento, supongo que sí. Estaba asustada. No tenía a nadie, nada que justificara mi vida. Pero él tenía que irse, claro, porque me odiaba. Y yo ni siquiera lo conocía. Me mudé aquí, a este apartamento. Como puedes imaginar, un sitio totalmente diferente del que tenía con él. Limpié mi casa y también casas ajenas. Así reuní dinero, y cuando la casa se puso en venta, pedí una hipoteca y la compré.

—Qué maravilla. —A Lena le brillaban los ojos de admiración.

—Triste consuelo, como dicen. Muy triste, Lena, créeme. Cuando pienso en lo que pude haber tenido...

—¿Y pensaste que...? ¿Ella...? Supón que ella...

—Ya es demasiado tarde, tesoro. Tomé una decisión y dejé pasar mi oportunidad.

Se hizo el silencio.

—Comprendo lo que quieres decirme —musitó Lena, al fin.

—Tú tienes a Louis, lo amas, lo has amado siempre. Si llamas a tu casa lo perderás todo.

—¿Así que debo fingirme muerta?

—Nunca te has fingido muerta. Dejaste una carta explicando lo que ibas a hacer. Nadie puede culparte por lo que ellos piensen.

—¿Y Kit y Emmet...? —Lena estaba pálida.

—Así te recordarán con amor, no con odio.

—No me creo capaz.

—Lo harás. He visto cómo le miras —dijo Ivy.

A las siete y media de la mañana volvió Louis, de buen humor.

—¿Así que vas a tomarte el día libre para mimarme? —preguntó, con la cabeza inclinada a un lado, mirándola con la media sonrisa que a ella le gustaba tanto.

—Mejor aún —le dijo Lena—. Voy a arrastrarte a la cama ahora mismo, para que hagamos el amor hasta morir. Y luego te dejaré dormir apaciblemente todo el día.

Él iba a quejarse, pero Lena ya se había quitado la blusa con lentitud, como a él le gustaba.

—Eres una mujer muy autoritaria.

Ella empezó a desabrocharle la camisa.

Se quedó dormido antes de que ella saliera del apartamento.

—Siempre se la ve alegre y animada, señora Gray —comentó el señor Millar, con agrado.

Ella levantó la vista desde su escritorio, complacida.

Se había levantado sigilosamente, para no despertar a Louis. Después de vestirse en el cuarto de baño, corrió por las calles mojadas, abarrotadas de gente en la hora punta. Su mente volaba ante la idea de que sus hijos la creyeran, para siempre, ahogada en el lago. Había perdido a su bebé.

Sin embargo, aquel hombre la veía alegre y animada.

Allá, en Lough Glass, los del pueblo siempre comentaban que tenía aspecto de cansada. Allí, en medio de la terrible confusión, pero junto al hombre al que amaba, todos decían que estaba lozana y contenta. Debía de ser la prueba de algo.

—Es muy agradable trabajar aquí, señor Millar, y me parece estupendo iniciar estos grandes cambios con usted y la señorita Park.

Lena Gray les había iluminado la oficina y la vida. Se les leía en la cara. La experiencia la hizo sentirse mejor que nunca.

Pasaron los días. A veces, volando. Ella recorría las tiendas de segunda mano y las subastas de Londres; encontró magníficos tapices y cubrecamas indios para los muebles del apartamento. Compró un maletín de cuero para Louis, con cierres de bronce. Lo lustró hasta que le sacó brillo.

En poco tiempo Louis estaba trabajando en el despacho de noche tres veces a la semana.

Una noche Lena lo acompañó para conocer su lugar de trabajo.

El señor Williams, el gerente, quedó impresionado por la bella morena que le presentaba el irlandés.

—Ahora me explico por qué la tenía escondida, señora.

Lena encontró la respuesta correcta.

—Ah, qué halagador es usted, señor Williams. Pero todo es culpa mía. Aún no estoy familiarizada con Londres.

El gerente, hombre corpulento y campechano, se tornó protector y galante.

—Espero que a los dos les haya gustado la ciudad. Louis es un empleado muy valioso.

—Oh, tenemos intenciones de vivir muy bien aquí, se lo aseguro. Londres tiene mucho que ofrecer.

—Lo que me sorprende, Gray, es que usted pueda dejar a esta atractiva esposa para trabajar por la noche.

Lena intervino deprisa.

—No es lo que yo querría, señor Williams. Pero sé que, si Louis quiere ocupar este puesto durante el día, tiene que pasar primero por los horarios más duros.

Todos sonrieron. Aquella pareja no era dada a protestas ni a quejas. Ambos estaban decididos a progresar.

No pasó mucho tiempo antes de que ascendieran a Louis Gray a ayudante del encargado.

En Londres se estaban encendiendo las luces navideñas. Lena intentó no pensar en el pavo que solía encargar a los Hickey. Aquel año no habría adornos en el piso alto de la farmacia de McMahon.

Tal como ella esperaba, Ivy no volvió a mencionar la conversación que habían mantenido aquella húmeda noche del martes, cuando Lena decidió no llamar a Lough Glass. Solo tenía con ella pequeños detalles de amistad: un frasco de mermelada casera que alguien le había regalado, un par de discos que ya no ponía. Lena sabía que se los regalaba porque había oído a Louis comentar lo mucho que le gustaba *Cantando bajo la lluvia*.

Ivy tampoco mencionaba la Navidad. Seguramente sabía que sería un momento de tensiones y dramatismo para la pareja del segundo piso. A veces Lena se preguntaba qué clase de navidades habría pasado Louis durante los largos años de su separación. Pero como parte del plan, se habían prometido no hablar del pasado.

Funcionaba muy bien. Cada uno tenía su pequeño mundo. A veces él la acompañaba a misa, a veces no. Resultaba más fácil cuando la dejaba ir sola. Entonces ella podía comprar el periódico y enterarse de lo que pasaba en Lough Glass.

El domingo 21 de diciembre Lena fue a la gran iglesia de Quex Road Kilburn para rezar y pedirle a Dios que les ayudara a tener una feliz Navidad. Entonces hizo un trato con Él. Le recordó que Él amaba a los pecadores y les brindaba misericordia; puesto que su único pecado había sido fugarse con Louis, quizá Dios aceptara juzgarla con ojos compasivos.

—No engaño, no robo, no miento —dijo—, descontando la gran mentira de que somos marido y mujer. No calumnio a nadie, no blasfemo y no falto a misa.

No podía saber si Dios había aceptado el trato o no. Pero tampoco sabría si Él lo había aceptado, aunque no estuviera viviendo en pecado mortal. Era preciso interpretar sus respuestas en el corazón. A veces resultaba difícil. Sobre todo en una gran iglesia desconocida, entre muchas toses y estornudos. Hacía frío.

Lena fue al puesto de periódicos para comprar el periódico que hablaba de su pueblo. Allí leyó que habían hallado su cadáver en el lago. Su muerte se había clasificado como «accidental». Y una gran multitud había asistido a sus funerales.

Así que unos huesos ajenos habían sido identificados como suyos.

De pronto, Lena supo, sin saber cómo, que Dios había obrado en su nombre. Tal vez era la respuesta a sus plegarias. Ya no tenía que tomar ninguna decisión.

Ya no podría volver jamás a casa.

4

Lilian Kelly sacó otra vez el asunto a colación.

—Me gustaría que se lo explicaras a Martin con más claridad, Peter. Dile que los esperamos a todos para la cena de Navidad.

—Ya se lo sugerí.

—Ya, solo se lo sugeriste. Dile que sería lo mejor. Y también a esa muchacha que tienen en la cocina, si le preocupa dejarla. Lizzie se alegrará de tener ayuda. Después de lo que les ha pasado, no conviene que se queden sentados en esa casa, mirándose las caras.

Lilian apeló a su hermana, que había ido a pasar las Navidades con ellos.

—Vamos, Maura, dile que no pueden quedarse allí, mirándose...

—Pero tarde o temprano tendrán que hacerlo —dijo Maura—. Tal vez sea mejor que se acostumbren.

Peter, sorprendido, levantó la vista.

—Eso es lo que dijo el propio Martin.

—Bueno, pues ya está.

En el hotel, Dan O'Brien preguntó a Mildred si deberían invitar a los McMahon para la cena de Navidad.

—No es cuestión de obligarlos.

—No sería obligarlos, sería una invitación.

A Dan no le gustaba la perspectiva de otra aburrida celebración con su esposa y su hijo, sin apenas hablar. Al menos, la presencia de los McMahon podía forzar alguna conversación en la mesa.

—Creo que van a celebrarlo a su modo, para que las cosas parezcan normales —sugirió Philip. A él también le habría encantado tener a Kit sentada a su mesa y levantarse para servirla, pero sabía que eso no ocurriría.

—Bueno, no se hable más —dijo Mildred O'Brien. Nunca le había gustado aquella presumida de Helen McMahon. Y nadie ignoraba que en su muerte había algo sospechoso. Lo confesaran o no, en Lough Glass eran muchos los que pensaban que había puesto fin a su vida.

La señora Hanley, en la tienda, tenía problemas con su hija Deirdre.

—¿Que quieres ir adónde en Navidad?

—A pasear, a visitar tumbas, ¿entiendes?

—No, no entiendo. ¿Qué tumbas?

—Las de personas que hayan muerto, mamá. Es lo que se hace en Navidad. Uno va a rezar por sus difuntos.

—Tú no tienes ningún difunto cercano, por ahora. Aunque lo serás tú misma si no te andas con cuidado.

—Eres una persona egoísta e insensible.

—Dime, ¿por quién rezarías si salieras en Navidad? Uno solo, dime.

—Bueno, podría rezar en el cementerio por el padre de Stevie Sullivan.

—No está sepultado allí, sino en un manicomio, a cuarenta y cinco kilómetros de aquí. —La madre miró a Deirdre con aire triunfal.

—Bueno, por la madre de Kit McMahon.

—Apenas acaban de enterrarla. Déjate de tonterías, Deirdre. Si quieres salir es para hacer... cosas sucias con alguien.

Y cuando me entere de quién es tendrás problemas, te lo aseguro.

—¿Quién podría hacer «cosas sucias» en este pueblo? —preguntó Deirdre suspirando.

—Tú. Mira que te estoy vigilando. ¿Es ese muchacho, el hijo de Dan O'Brien?

—¿Philip O'Brien? —En la voz de Deirdre Hanley, el horror y la repugnancia eran patentes.

La señora Hanley comprendió que debía buscar otro sospechoso.

—¡Hermano Healy! ¡Cuánto me alegro de verlo! Dicen que el nacimiento que han puesto en St. John es algo digno de verse. —La madre Bernard era amable pese a su altanería.

—Todo es obra de ese joven granuja de Kevin Wall. Al parecer, la ermitaña le dio musgo, heno y muchas otras cosas. El Señor obra de manera misteriosa, madre Bernard.

—¿No es una bendición que el Señor los haya guiado para que hallaran el cuerpo de la pobre Helen McMahon y pudiéramos sepultarla en suelo consagrado antes de Navidad?

El hermano Healy comprendió lo que quería decir.

—El Señor se ha apiadado de ella, realmente —Los maestros suelen oír más de lo que deben. Y él había oído muchas especulaciones, sobre todo en el patio de la escuela.

Circulaba una historia muy complicada sobre el joven Wall, que había salido con el bote de los McMahon; aquello significaba que la madre de Emmet no se habría ahogado. También se rumoreaba que ella tenía un romance con uno de los gitanos; tal vez había huido con él. O la escondían en uno de los carromatos.

La madre Bernard tenía razón: era una bendición que el Señor los hubiera guiado hasta el cuerpo de Helen McMahon, para finalizar su atormentada existencia como debe acabar toda existencia: entre himnos y con el padre Baily acompañando el ataúd hasta el cementerio de la iglesia.

—¿Qué piensa Emmet de Santa Claus? —preguntó Clio, en la víspera de Navidad.

—Lo que todos pensamos.

—No, pregunto si espera recibir algo. Tal vez tu padre no se acuerde.

—Siempre era mamá quien se encargaba de eso. —Kit siempre defendía las buenas acciones de su madre.

—¡Oh! —Para Clio fue una sorpresa.

—No importa. Él lo sabe. De todas formas, me ocuparé yo. Puedo ponerle algo junto a la chimenea.

—¿Y quién te pondrá algo a ti?

—Puede que papá me deje algún jabón de la farmacia. —Kit parecía dudarlo.

Eran muchísimas las cosas que mamá solía hacer y todos daban por seguras. En Navidad llenaba todo con ramas de acebo; papá reía, diciendo que era como vivir en el bosque. Jamás volvería a decirlo. Mamá iba a la ciudad a comprar regalos mucho antes de Navidad, y nunca se veían rastros de ellos en la casa. Kit aún no había podido entender qué había hecho para esconder las bicicletas aquel año, ni dónde había ocultado el tocadiscos la última vez. ¿Era posible que hacía solo un año todo marchara bien?

Helen siempre colgaba quirnaldas de papel en la cocina. Kit se preguntaba si debía buscarlas; tal vez estuvieran en el cuarto de su madre. Claro que estaban de duelo. Tal vez no pondrían ni siquiera el árbol. Kit suspiró con pesar.

Clio pensó que suspiraba por los regalos navideños.

—Nosotros podríamos encargarnos de eso. Para mis padres sería un placer —dijo con los ojos llenos de lágrimas.

Kit negó con la cabeza.

—No, ya me las arreglaré. Muchísimas gracias de todas formas. Si quieres que te diga la verdad, lo de Santa Claus no es lo peor.

—¿Qué es lo peor?

—Que voy a crecer sin que ella vea cómo lo hago. No lo verá jamás.

—Lo verá desde el cielo.

—Sí —dijo Kit.

El silencio se interpuso entre ellas. Pese a las frases consoladoras que el padre Baily había entonado junto al ataúd, Kit sabía que los ángeles no habían salido al encuentro de su madre para llevarla al paraíso. Había cometido el gran pecado contra la esperanza, para el cual no existía perdón.

La madre de Kit estaba en el infierno.

—La víspera de Navidad suele ser el infierno en la tierra —comentó Ivy a Lena—. Todo el mundo corre de un lado a otro, haciendo las compras de última hora. Es como si la fecha llegara por sorpresa, como si la gente no la esperara desde hace varias semanas.

—Nosotros vamos a trabajar hasta la hora del almuerzo, aunque no sé para qué. Nadie viene a buscar empleo en la víspera de Navidad.

—Probablemente el señor Millar y Jessie Park no tengan a donde ir —observó Ivy con astucia.

—Creo que tienes razón —dijo Lena.

Para algunos la vida giraba alrededor del trabajo. El hotel que empleaba a Louis permanecería abierto en Navidad, principalmente porque el personal no tenía otro sitio al que ir. El señor Williams les había dicho que a las cuatro habría una gran comida para el personal. Sería un honor que Lena los acompañara. Para ella fue, en realidad, la solución de todos sus problemas: no tendría que recrear falsamente una escena navideña para los dos. El apartamento estaba agradablemente decorado, pero le facilitaría mucho las cosas tener que asistir a una cena de compromiso.

—¿Y tú qué vas a hacer? —Lena, que observaba a Ivy, notó que su amiga estaba mintiendo.

—Oh, ni me lo preguntes. Tengo que ir de un lado para

otro. En Navidad soy como los médicos: demasiadas obligaciones acumuladas.

Lena asintió con lástima. Así era mejor.

—¿No es una barbaridad que los bares no abran en Navidad? —comentó Peter Kelly al padre de Kit, mientras volvían de misa.

—¿No eres tú el que dice siempre que esta nación está como está por la cantidad de bares que tiene?

—Ah, sí, pero esa es otra cuestión.

—¿Quieres pasar a tomar algo? —A Kit le pareció que su padre estaba hecho una ruina. Le había afectado pasarse la mañana recibiendo pésames otra vez.

El doctor Kelly también pareció darse cuenta.

—No, por favor. Ya hemos charlado bastante. Ahora quédate con tu familia.

—Sí.

La palabra quedó flotando en el aire, vacía y triste.

Se quitaron los abrigos, soplándose los dedos.

—Huele muy bien, Rita.

—Gracias, señor.

Los cuatro ocuparon sus asientos como lo hacían desde la desaparición de Helen, hacía dos meses.

Martin estaba demacrado; tenía grandes ojeras oscuras. Seguramente no había dormido en toda la noche, recordando, como todos, otras vísperas de Navidad en que habían tenido tanto que hacer. Esta les resultaba insoportablemente larga.

—Bueno, comenzaremos por el pomelo —dijo Rita—. La señora me enseñó a cortarlos con los bordes en pico y a poner una cereza dulce encima de cada uno, dividida en cuatro, como si fuera una flor. Decía que no venía mal dar un buen aspecto a la comida. Presentación, decía.

Todos estudiaron los pomelos, buscando algo que decir.

Kit tenía un nudo en la garganta.

—No hay nadie en Lough Glass ni en el mundo entero que tenga en su mesa algo tan bonito como esto. —Incluso a ella misma le pareció que su voz sonaba antinatural, como si estuviera leyendo los párrafos de una obra de teatro.

—Oh, es cierto, es cierto —dijo el padre—. Quién pudiera tener una cena como esta, siempre lo hemos dicho...

No llegó a terminar la frase, porque era obvio que nadie más vivía aquellas circunstancias. Tras las cortinas corridas de Lough Glass, la gente comía y bebía, trazaba planes para la tarde, reía, discutía o dormía junto al fuego. Nadie estaba rígidamente sentado, intentando tragar pedazos de un pomelo tan amargo que se le atascaba en la lengua y lo hacía lagrimear una y otra vez.

Cuando llegó el pavo todos apartaron la vista para no mirar al padre. Helen solía decir que había hecho bien en dedicarse a farmacéutico y no a cirujano; de lo contrario habría aniquilado a toda la población. Ella había aprendido sola a trinchar y lo hacía con destreza. Y Rita no quería usurpar su puesto.

—¿No es maravilloso? —comentó él, con una sonrisa cadavérica destinada a animarlos—. Nunca hemos comido un pavo como este.

Eso también lo decía todos los años. Se hizo el silencio.

—¿No es maravilloso, Emmet? —El pobre padre hacía ademanes con el cuchillo de trinchar, como si fuera el asesino de alguna película.

Emmet lo miró sin decir nada.

—Di algo, hijo. A tu madre no le habría gustado que estuvierais todos así, tan callados. A ella le gustaba que se hablara un poco. Es Navidad, estamos juntos y tenéis el recuerdo de una madre estupenda, que conservaréis durante el resto de vuestra vida. ¿No es extraordinario?

Emmet seguía mirando la cara enrojecida de su padre.

—No, no es extraordinario, papá. Es te-te-te-terrible.

Tartamudeaba más que nunca.

—Pero debemos fingir que todo va bien, Emmet —aseveró él—. ¿Verdad, Kit? ¿Verdad, Rita?

Lo miraron sin decir nada.

—Mamá no fingiría, creo —respondió Kit por fin—. Ella no habría dicho que todo es maravilloso si no fuera verdad.

Martin tenía una cara lúgubre, sombría y gris. Kit lo observó con angustia. Seguramente se pasaba la noche dando vueltas en su cama, tratando de imaginar por qué su esposa había salido aquella noche, por qué se había ahogado.

Por enésima vez, Kit se preguntó si había hecho lo correcto al quemar aquella carta. Y una vez más pensó que sí. De lo contrario, ¿qué habría sucedido al aparecer el cadáver? Y su padre también tenía que haber oído lo que contaba aquel tonto de Kevin Wall: que él había salido con el bote de los McMahon aquella noche. ¡Como si alguien pudiera creerle!

Martin habló otra vez.

—Comenzaré por deciros la verdad, como hacía vuestra madre... —Se le quebró la voz—. Y la verdad es que de maravilloso nada —añadió entre lágrimas—. Es terrible. La echo tanto de menos que no me consuela pensar que la veré en el paraíso, más adelante. Me siento tan solo sin ella...

Le temblaban los hombros. La situación cambió. Kit y Emmet se levantaron para abrazarlo.

Y de pronto fue como si una tormenta hubiera aclarado el ambiente. Hablaron con voces más ligeras. Había desaparecido la tensión de la farsa.

En medio de todo aquello se oyó un sonido agudo: era el teléfono. En Navidad, un día en el que nadie llamaba, salvo por una emergencia.

En el hotel Dryden hicieron un gran esfuerzo para que la Navidad fuera alegre para el personal. Muchos empleados llevaban tiempo allí. Casi todos habían afrontado con lealtad los años de la guerra y, como James Williams bien sabía, muchos no tenían un hogar al que regresar.

El árbol navideño que habían puesto en el vestíbulo, a fin de crear un ambiente festivo para los huéspedes, estaba en aquel momento en el comedor. Todo el mundo tenía un papel que desempeñar, incluidos los cónyuges. El de Lena era hacer las tarjetas para indicar el sitio de cada uno.

Louis le dio la lista.

—Quieren una letra artística —explicó—. Es una idea absurda, pero tú te ofreciste.

—No, a mí me parece buena idea. Servirá como recuerdo de la fiesta.

Le indicó que le llevara papel con el membrete del hotel, para poner el nombre en la parte superior de cada tarjeta, con dibujos de muérdago y bayas rojas.

Al principio todos se mostraban tímidos; les resultaba raro ocupar las mesas en vez de atenderlas o barrer debajo de ellas. Pero James Williams hizo circular las poncheras y pronto desaparecieron las inhibiciones.

Lena se deslizó hasta el lavabo de señoras. Junto a la puerta estaba la pequeña cabina telefónica. Eran las cinco y media de la tarde. El año anterior, a aquella hora había bajado con los niños a caminar junto al lago, para que les bajara un poco la cena. Eso fue lo que dijo, aunque en realidad lo que deseaba era escapar de aquellas paredes agobiantes. Martin la había mirado entusiasmado, pero ella le aconsejó que echara una cabezadita junto al fuego. Por entonces se había sentido culpable al negar a su marido el sencillo placer de caminar con su esposa en el día de Navidad.

En aquel momento ya no sentía piedad alguna: solo ira contra el hombre que, pese a sus súplicas, no había jugado limpio. A no ser por Martin, ella habría podido hablar con Kit y Emmet, enviarles regalos navideños, decirles que los quería, planear con ellos que fueran a visitarla durante las fiestas.

La cólera le oprimía la garganta. Sin darse cuenta de lo que hacía, entró en la cabina y marcó el número del operador. Indicó el número al que deseaba llamar y esperó.

El operador volvió a la línea.

—Parece que Lough Glass es un pueblo pequeño, con una centralita manual, señora. A menos que se trate de una emergencia, no puedo establecer la comunicación, por ser Navidad.

—Es una emergencia —dijo ella, con voz tensa.

Oyó chasquidos y ecos, el largo pitido del teléfono que sonaba en correos, en el cruce de Lakeview Road con la calle Mayor. Parecía sonar eternamente. Pero al fin los lentos pies de Mona Fitz debieron de acercarse al teléfono. Lena percibió su voz entrecortada y su indignación por haberla despertado.

El operador dio el número de la casa.

—En Navidad solo se atienden llamadas de emergencia —dijo Mona.

Lena apretó los puños, llena de impaciencia.

—La abonada dijo que era una emergencia.

—Muy bien.

Después de unas cuantas llamadas, oyó la voz de Martin.

—¿Hola? —Sonaba vacilante y dubitativa. ¿Sabía que ella telefonearía en Navidad? ¿Que no podía mantenerla eternamente alejada de sus hijos haciéndola pasar por muerta? ¿Estaría asustado? ¿Se atormentaba preguntándose cómo explicar la terrible confusión que había provocado?— Hola —repitió Martin—. ¿Quién es?

La terrible confusión se podría deshacer en segundos. Pero también la vida de Lena. La vida que apenas acababa de comenzar. Sin decir nada, puso la mano sobre la barra de la horquilla del teléfono. Se oyó la voz del operador londinense.

—¿Está ahí, señora? La he comunicado con su número...

—¿Qué clase de emergencia es esta, si no hay nadie en la línea? —saltó Mona Filz.

Oyó a Martin, que repetía:

—Hola. Hola. ¿Quién es? —repetía Martin.

—No habría permitido esto por nada del mundo, Martin —se justificó Mona—, pero es un hombre que llama desde Londres, Inglaterra. Dijeron que se trataba de una emergencia.

—¿Un hombre? —Martin parecía sorprendido, pero no culpable. No hablaba como si estuviera tratando de ocultarlo todo. Claro que Helen no lo conocía en absoluto.

—No, Martin, creo que era solo la operadora. Espera a que averigüe si todavía está allí.

—No importa; tengo registrado el número desde el cual se hizo la llamada. Volveré a comunicar —dijo el hombre.

Lena colgó, temblando de pies a cabeza. ¿Por qué había cometido aquella estupidez? En aquel momento llamarían al hotel para preguntar quién había llamado a Lough Glass, Irlanda. Louis se pondría furioso.

Entonces sonó el teléfono, tal como ella esperaba. Levantó el auricular a la primera llamada.

—¿Usted quería comunicarse con Lough Glass, República de Irlanda?

—No —mintió Lena, tratando de dar a su voz el acento de los barrios bajos.

—Pero alguien pidió comunicación con Lough Glass desde ese número.

—No, yo dije Loughrea...

—Localidad equivocada — explicó el operador.

—No sé cómo pudo usted confundir Lough Glass con Loughrea —gruñó Mona.

—Bueno, está bien —dijo Martin.

—Señora, ¿quiere darme el número de Loughrea? —Al operador no le hacía gracia tener que trabajar en Navidad.

Lena no dijo nada. A lo lejos oyó la voz de su hija, preguntando quién llamaba.

—¿Señora? —El operador se estaba impacientando.

—Oiga, he cambiado de idea. Es demasiado tarde —dijo Lena.

—Un millón de gracias —ironizó el joven.

—Bueno, voy a colgar. —Lena deseaba que no se volviera a verificar el número.

—Bien, señora.

Se sentía mareada. Apenas una semana después de su entierro, su hija ya podía reírse de cualquier cosa. Respiró hondo varias veces hasta que pudo volver a la fiesta.

—¿Se encuentra bien? —Era James Williams quien lo preguntaba—. Su ausencia ha durado un buen rato.

—Estoy bien. ¿Me he perdido algo interesante?

Louis era el centro de un grupo donde todos reían. Gladys Wood, cuyo nombre había escrito Lena con mucho cuidado, tenía un gorro de papel puesto con mucho estilo y le había echado el brazo al cuello.

—Vuelve a leerme la suerte —exclamó con alegría.

—Aquí dice que conocerás a un apuesto moreno. —Leyó Louis obedientemente en el papel que Gladys había encontrado en su galletita navideña.

—Ya lo he conocido —gritó Gladys.

—Oh, cielos —susurró James Williams.

—Está un poco sobreexcitada. —Lena se sorprendió de poder hablar. Tras el incidente del teléfono, había temido no ser capaz de articular palabra.

—Esa mujer pasa trescientos sesenta y cuatro días al año trabajando en la despensa, callada como un ratón. En Navidad se emborracha con la regularidad de un reloj. Y se pasa el resto del año disculpándose.

—¿Se desmaya? —preguntó Lena, con mucha profesionalidad, como si estuviera averiguando el horario de un tren.

—Me temo que es muy probable.

—¿No sería mejor que alguien la condujera al exterior, por si acaso? —Lena observaba la chaqueta de Louis. Era su regalo de Navidad y le había costado mucho dinero. No quería verla estropeada.

—Si usted fuera tan amable...

—Bueno, no creo ser la persona más adecuada para hacerme cargo de ella. Después de todo, está maltratando a mi marido. Se podría pensar que soy la más interesada en sacarla de aquí.

—Es usted maravillosa, señora Gray. —Williams chascó los dedos para llamar a Eric, el conserje principal.

—Lena —corrigió ella.

—Lena —repitió él sonriendo.

Y dio órdenes a Eric: que una de las muchachas llevara a la señorita Wood al lavabo de señoras y se quedara allí con ella. Enseguida.

Louis se pasó un dedo bajo el cuello de la camisa, sonriéndoles con tristeza.

Habría podido escapar antes, pensó Lena, con un destello de cólera. Claro que las mujeres siempre se arrojaban sobre Louis; él estaba acostumbrado. Le hacía sonreír. Y ella debía acordarse de sonreír también.

—¿Cuáles son tus planes para el año nuevo? —Clio estaba deseosa de enterarse.

—Con todo esto no lo he pensado.

Clio sí.

—Yo voy a ser bonita, pero bonita de verdad, ¿me entiendes?

—Pero ya eres bonita, ¿no?

—No. Soy como los dibujos de los libros infantiles.

—Oh, no seas tonta, Clio.

—Todos tienen expresiones tontas, sin personalidad, caras de luna.

—¿Y cómo vas a hacer para tener personalidad?

—Voy a leer libros y a estudiar cómo se arregla la gente guapa.

—¿Te refieres a la ropa? No tenemos dinero para ropa.

—No. Solo la cara.

—Pero a nosotras no nos permiten maquillarnos.

—Deja de buscar peros. Este es mi deseo. Cuando cumpla los trece voy a ser una belleza deslumbrante.

—De acuerdo, sé bonita. ¿Quién te lo impide?

—Tú, Kit. Eres siempre tan... No sé, tan indiferente.

Kit puso cara de arrepentimiento.

—¿Y cómo vas a aprender? Tal vez yo también pueda.

—Ya sé lo de ponerse vaselina en las pestañas. Las hace crecer. Y creo que podríamos encoger un poco las mejillas, para dar una forma interesante a la cara —sugirió Clio.

Las dos hundieron las mejillas y se echaron a reír ante el resultado.

—Tiene que haber algo más —dijo Kit.

—Ya aprenderemos. —Clio estaba decidida.

—Parece que vayamos a besar a alguien.

—Deberíamos practicar también eso. Con cualquiera que se presente.

—Estás bromeando.

—¡Claro que no! ¿De qué otro modo podemos saber si lo estamos haciendo bien?

—¿Con quién, por ejemplo? —Kit era práctica.

—Tú podrías besar a Philip O'Brien; se pasa el día comiéndote con los ojos.

—¿Y tú? ¿A quién besarías?

—A Stevie Sullivan, quizá. —Clio sonrió maliciosamente.

—¿No está siempre besando a Deirdre Hanley?

—Ella es vieja. Ya perderá el atractivo. Los hombres suelen buscar mujeres más jóvenes.

—Pero apenas tiene dieciséis años.

—Bueno, sí, pero en 1953 cumplirá los diecisiete y seguirá envejeciendo.

—¿Te gusta Stevie?

—No, pero es guapo.

—¿Y Philip O'Brien es guapo?

—No, pero le gustas tú.

Clio lo tenía todo solucionado.

En enero nevó. Anna Kelly arrojó una bola de nieve a Emmet McMahon. Siguiendo el antiguo rito, él recogió un puñado de nieve y se lo metió por el cuello, haciéndola gritar de entusiasmo. Él también reía.

—¿Ya se te ha pasado? —preguntó Anna.

—¿El qué?

—Lo de la muerte de tu mamá.

—No, no se me ha pasado. Supongo que me estoy acostumbrando.

—¿Puedo jugar contigo y con Kevin Wall?

—No, Anna. Lo siento, pero eres una niña.

—Pero eso no es justo.

—Así son las cosas. —Emmet estaba filosófico.

—Kit y Clio también son niñas y no me dejan jugar con ellas.

—Porque son niñas mayores.

—¿Contigo se portan tan mal como conmigo? —preguntó Anna, con la esperanza de que también Emmet fuera una víctima.

—No, no se portan mal.

—Me gustaría ser muy, muy mayor. Como de veinte años. Así sabría qué hacer.

—¿Y qué harías? —Emmet estaba interesado.

—Llevaría a Clio y a Kit lago adentro y les metería la cabeza bajo el agua hasta que se ahogaran —dijo ella con aire triunfal. De inmediato se acordó—. ¡Oh..., Emmet...!

El chico no dijo nada.

—Lo siento mucho, Emmet.

Él se estaba alejando. Anna corrió tras él.

—Soy una estúpida. Por eso nadie quiere jugar conmigo. Me olvidé, eso es todo.

Emmet se volvió.

—Bueno, sí. Era mi madre; por eso yo no me olvido.

Tartamudeó en las palabras «bueno» y «madre». A Anna le caían lágrimas por la cara.

En aquel momento Stevie Sullivan salió de su taller.

—Eh, déjala en paz, Emmet. Es pequeña. No la hagas llorar.

Emmet giró sobre sus talones y entró en su casa.

Anna volvió hacia Stevie su cara manchada de lágrimas.

—No tengo ningún amigo.

—Sí, ese es el problema —dijo Stevie, mirando ociosamente calle abajo, hacia la tienda de Hanley, por si aparecía su entusiasta amiga Deirdre.

James Williams se encargó personalmente de preparar a Louis Gray para que fuera el primero que atendiera a la mayoría de los huéspedes recién llegados al Dryden.

—Me permiten llevar mis camisas a la lavandería del hotel —dijo Louis a Lena, orgulloso—. Así te ahorraré el trabajo de lavarlas y plancharlas.

Era un verdadero ahorro de tiempo y espacio, pero en cierto modo a ella le gustaba hacerlo; era parte de la comedia conyugal. En Lough Glass nunca se había ocupado de planchar. Rita lo hacía sin consultarla. A veces se preguntaba cómo había hecho para pasar los días en aquel hogar donde no tenía un papel asignado.

Sabía que Louis no exageraba al decir que su despacho era el corazón del hotel. En el Dryden todo el mundo debía consultarle sobre la marcha de las cosas. Nadie lo llamaba encargado: era el señor Gray. Se aconsejaba a todos que le consultaran por cualquier cosa y él nunca fallaba.

—Jamás conseguiré otro empleo tan bueno como este. Debo hacerme tan indispensable como sea posible.

Y Lena comprendió que tenía razón.

Mes tras mes aumentaba su sueldo y su valía, en gran parte gracias a Lena. Ella había visto que, detrás del escritorio principal, había un pequeño almacén. Poco a poco, aquel lugar se fue transformando. Se tiraron los trastos almacenados y, en su lugar, se pusieron viejas mesas retiradas de los cuartos o los salones, porque ya se les notaba el desgaste. Louis consiguió un paragüero y un perchero de caoba con colgadores de bronce. Ya no tenía que colgar su abrigo en la atestada zona donde se amontonaban la ropa del personal. Y nadie podía oponerse, pues no era por darse aires de gran señor, sino por dar utilidad a un cuarto en desuso. De hecho, el lugar estaba más ordenado que nunca.

Louis notó complacido que los empleados de más jerarquía lo tomaban muy en serio, pero obraba con cautela.

—No puedo entrar en esa habitación y cerrar la puerta cuando se supone que estoy atendiendo el mostrador —dijo a Lena.

—¿Tienes algún amigo en mantenimiento, alguien que pueda poner un cristal en esa puerta? Como lo tiene la de Ivy. Hasta podrías poner una cortina de red. De ese modo verías si se te necesita fuera.

Funcionó.

James Williams, si reparó en las tendencias expansivas del nuevo empleado, debió de aprobarlas, porque no dijo nada. Y nadie entraba en el territorio de Louis Gray sin llamar a la puerta.

Pasaron los meses. Entre ambos, el amor se fortalecía. Lena estaba segura. No había asunto que no se pudiera tocar. Hablaban de sus hijos y de que ella había hecho lo que era mejor para los niños. Él alababa su valor. «Eres como una heroína, una heroína de la vida real», le decía. Y era sincero. Le acariciaba el pelo y le tomaba la cara entre las manos, diciéndole que era como una leona, capaz de cualquier cosa.

A veces Lena se preguntaba si habría en Londres otras personas que también estuvieran viviendo una nueva existencia. Tal vez eran cientos de miles: gente que abandonaba un modo de vida para iniciar otro. No era tan difícil como parecía. Después de todo, allí estaba ella, con un nuevo marido (al menos a los ojos de todo el mundo), otro hogar, un empleo y un nuevo aspecto. Pocos de los habitantes de Lough Glass habrían reconocido, en aquella silueta esbelta y bien vestida que caminaba deprisa por las calles de Londres, a Helen McMahon, la esposa de Martin, el alegre farmacéutico del pueblo.

Cuando recordaba su vida allí, los trece años pasados en la pequeña comunidad junto al lago, Lena comprendía que habría podido hacer muchas cosas. Podría haber trabajado con la señora Hanley para embellecer aquella tienda deslucida. Podría haber sugerido que una de las hijas aprendiera corte y confección, para hacer los arreglos de las prendas.

O ayudar a Mildred O'Brien a sacar al Hotel Central del siglo anterior.

Si hubiera persuadido a Martin para que la dejara trabajar en la farmacia, habría podido poner escaparates atractivos. ¡Cuántas cosas habría podido hacer con todos aquellos jabones y cosméticos! Pero Martin no quería oír hablar del asunto. «Mi esposa no tiene por qué salir a trabajar»; solía decirlo henchido de orgullo, como si pasarse tantas horas solo en aquel aburrido local la convirtiera en una reina, alguien que no necesitaba mover un dedo.

Durante mucho tiempo, ella le había estado agradecida; Martin era un marido sin exigencias y la llevó a un lugar apacible, junto a un lago grande y bello, cuando ella tenía el corazón destrozado y languidecía por Louis. Sin embargo, lo que sentía ahora era muy distinto: veía en él una inseguridad profunda y destructiva, el deseo de encerrarla en una jaula. En su incapacidad de enfrentarse al hecho de que su esposa lo había abandonado por otro, había armado una patraña, hasta el punto de hacer que su amigo Peter identificara un cadáver totalmente distinto como si fuera el suyo.

¿Qué clase de gente era esa? Bárbaros. Lena había dado vida a dos hijos en una tierra de bárbaros.

Lena sufría por sus hijos; ellos ocupaban gran parte de su mente, pero no podía permitir que Louis lo supiera. En muchos sentidos, él también era un niño; no quería compartirla con Kit y con Emmet. Ella lo amaba, lo necesitaba tanto que habría sido una locura sollozar, aferrarse a él, contarle lo mucho que echaba de menos a sus hijos. Habría sido como decirle que no le bastaba con él, que la decisión de acompañarlo le había costado un sacrificio excesivo. Y no era verdad.

La vieja hermana Madeleine le había dicho, en cierta ocasión, que en último término la gente siempre hace lo que desea hacer. Hasta no hacer nada es una decisión. Ella había decidido abandonar a sus hijos. Debía recordarlo y afrontar el hecho, aun cuando no hubiera podido prever que Martin inventase aquella grotesca parodia de hacerla pasar por muerta. Ella había decidido abandonar a su familia. Sin duda prefería estar con Louis a estar con ellos.

Era un hecho duro de aceptar, pero Lena se sintió más fuerte después de haberlo admitido. Debía entregarse de lleno a su nueva existencia y vivirla sin arrepentimientos, hacer todas las cosas para las que siempre había tenido aptitud pero nunca oportunidad. Los de Lough Glass se habrían sorprendido al ver todo lo que estaba haciendo: prácticamente manejaba la Agencia de Empleo Millar por sí sola.

Ni el señor Millar ni Jessie Park habían aportado una sola idea a todo su programa de reorganización. Pero eran fáciles de guiar y estaban bien dispuestos a admitir que las ventas se habían duplicado. Empresas más importantes y más conocidas iban a echarles un vistazo. Hasta se había publicado un artículo sobre el nuevo aspecto de sus oficinas en un periódico local. Lena se mantuvo siempre al margen.

Después de todo, se la suponía muerta. No convenía que su foto apareciera en un periódico. A saber quién podría verla...

—Estás pálida —comentó Ivy un día.

—No sé qué me pasa, pero no me siento demasiado bien —aseguró Lena.

—¿Estás embarazada?

—No, no es eso. —La respuesta fue áspera.

Lena vio que Ivy la miraba con aire reflexivo. Aquellos ojillos como botones lo entendían todo. Probablemente entendían que Louis y Lena no tendrían ningún hijo. Habían hablado de la cuestión: los dos estaban iniciando muy buenas carreras, tal vez no convenía pensar en eso por el momento.

Lena sonrió con ironía ante la idea de retrasar el asunto «por el momento». Tenía treinta y nueve años. Seguro que el momento ya había pasado. El hijo que había comenzado a perder en Brighton era el último. Y los que dejó en Irlanda estaban fuera de su alcance. Era una mujer sin hijos. Una mujer con carrera, como comenzaba a decirse en el Londres de 1953.

—Supón que yo te enviara muchas clientas. ¿Podríamos hacer un trato? —preguntó Lena a Grace, en la peluquería.

Grace se había presentado en la agencia buscando un empleo de secretaria. Por lo elegante que era y por su buen trato, Lena comprendió que en una oficina estaría desaprovechada. Su simpática personalidad era mucho más apta para atender al público. Grace West, una joven alta y bonita, cuya madre provenía de Trinidad, estaba deseosa de conseguir un trabajo administrativo: sería un gran paso adelante. Al principio tuvo sus dudas sobre la peluquería. Muchas jóvenes caribeñas se dedicaban a eso. Nadie lo consideraría un gran triunfo.

—Sí, pero cuando seas tú quien lleve el negocio, serás una triunfadora —observó Lena.

Grace no se encargaba de los peinados, sino de dar la vez, cobrar y pasearse por el local, elegantemente vestida, para asesorar y admirar. Daba a las clientas la sensación de que estaban recibiendo una atención especial. Eso les encantaba.

—¿Qué trato? —Grace se fingió resignada.

Estaba tras el sillón, mientras Lena se hacía lavar la cabeza y peinar, como todos los viernes. Solo la mejor peluquera del salón podía tocar el pelo oscuro y ondulado de la señora Gray.

Las otras no sabían que no se le cobraba. Grace era de las que pagan las deudas. Lena Gray le había conseguido aquel puesto aconsejándola en cada momento. Prácticamente habían ensayado la entrevista, frase por frase.

—Muchas de las chicas que recurren a nosotros no tienen idea de cómo arreglarse.

—¡A quién se lo vas a decir! —Grace recordaba lo humilde y desaliñada que era antes de que Lena le enseñara a sacar provecho de su estatura, su color y su llamativa elegancia.

—Tú siempre fuiste una belleza. No, las otras vienen con cara de susto y sin maquillaje o, por el contrario, parecen salidas de un teatro de revista. Supón que te enviara al menos diez chicas a la semana. ¿Les darías una lección gratuita de maquillaje?

—¿Diez por semana? No creo que las reúnas. —Grace dilató los ojos con incredulidad.

—El trato sería ese. Si te envío menos, no habrá descuento.

—¿Qué clase de lección quieres? ¿En un aula?

—No. Basta con que les digas qué les sienta bien y les enseñes a maquillarse, sin venderles nada. ¿Qué te parece? ¿Vale la pena?

—Por supuesto. Algún día, cuando seas famosa, diré que yo te ayudé en tu carrera, como tú a mí.

—Famosa. Lo dudo.

—Yo no. Imagino al señor Millar dejando todo en tus manos. Grandes entrevistas en los diarios... —Grace estaba entusiasmada.

—No, yo no imagino eso —dijo Lena en voz baja.

Pasara lo que pasase, jamás se dejaría entrevistar por la prensa. Ya no.

Como Clio era un mes mayor que Kit, durante todo el mes de mayo tuvo trece años y su amiga no.

—En muchos países ya podría casarme —dijo con arrogancia.

—Ah, de cualquier modo sería una gran tontería —observó la hermana Madeleine. Estaba repartiendo en varios frascos las flores que le habían llevado las niñas, para ponerlas en el alféizar de la ventana.

—¿No es bueno casarse joven? —preguntó Clio.

—No, no es bueno en absoluto. —La monja era inflexible.

—Pero si es lo que una va a hacer tarde o temprano, ¿por qué no hacerlo temprano?

—Porque podrías casarte con quien no debes, idiota —intervino Kit.

—Eso puedes hacerlo a cualquier edad —objetó Clio.

Buscaron otra opinión en la hermana Madeleine.

—De cualquier manera, todo es cuestión de suerte —dijo la monja.

—Claro, para usted era distinto —dijo Clio—, porque tenía vocación. No se trataba de suerte, sino de la llamada de Dios.

Se hizo el silencio.

—¿Le habría gustado casarse, hermana Madeleine? —preguntó Kit.

—Oh, he estado casada. —La ermitaña desvió hacia ellas sus claros ojos azules, sonriendo como si ellas tuvieran que saberlo.

Las niñas la miraron boquiabiertas.

—¿Estuvo casada? —preguntó Kit.

—¿Con un hombre? —inquirió Clio.

—Fue hace mucho tiempo —dijo la hermana Madeleine, como si eso lo explicara todo. En aquel momento la gansa apareció en la puerta, mirando de un lado a otro con aire estúpido—. Bueno, aquí tenemos a Bernadette. —La cara de la monja se arrugó en una sonrisa, como si alguna amiga llegara a tomar el té—. Puedes pasar, Bernadette. Las niñas van a servirte unos cereales en un plato precioso.

Clio y Kit no volvieron a saber del matrimonio de la hermana Madeleine.

—¿Que se casó, dijo?

—Sí, es lo que oí.

—Con un hombre. No con Cristo o algo así.

—No. Lo confirmó. Dijo que fue hace mucho tiempo.

Se sentaron junto al lago, en una piedra cubierta de musgo.

—No puede haberse casado. Ni dormir con un hombre y todo eso...

—Bueno, es lo que dijo, ¿no?

—¿Habrá alguien más que lo sepa? —musitó Clio.

—Yo no voy a decírselo a nadie. ¿Y tú? —preguntó Kit de repente.

Su amiga parecía desencantada. Habría sido estupendo contar algo así.

—No pidió que le guardáramos el secreto.

—No, pero es como si confiara en nosotras, ¿no?

Clio se quedó pensativa. De ese modo, la información recibida adquiría cierta importancia.

—Supongo que sí.

En Londres todo el mundo se estaba preparando para la coronación. Se pondrían banderas en todas las casas de la calle. Ivy estaba preparando la suya.

—Será un día estupendo —dijo a Lena.

—Supongo que sí.

—Disculpa. Siempre olvido que a ti, siendo irlandesa, no te interesa mucho.

—No es eso. Claro que me interesa. Es que me había olvidado del asunto. Últimamente trabajo tanto...

—¿Crees que no lo sé? Cada noche llegas a casa más tarde.

—Bueno, Louis también.

—No trabajes demasiado, tesoro. —Ivy parecía preocupada.

Y tenía razón, como siempre. Lena se quedaba en la agencia cada vez hasta más tarde, escribiendo cartas a las grandes empresas para explicar las técnicas de selección que empleaban. Las operaciones aumentaban a un ritmo acelerado. En seis meses, el señor Millar le había duplicado el sueldo. Lena insistió en que Jessie Park debía recibir un aumento similar.

—Formamos un equipo, señor Millar. Yo no podría trabajar sin Jessie.

El señor Millar tenía buena vista. Había detectado los cambios de imagen y la nueva seguridad de la señorita Park, que antes era la más tímida de las empleadas. Si Lena Gray era capaz de lograr aquello con una mujer a la que aventajaba tanto, sin dejar de ser leal y solidaria, era realmente un tesoro y convenía complacerla. De todas maneras, las ganancias eran muy buenas. Podía darse el lujo de aumentar también el sueldo de Jessie.

—Señor Millar —dijo Lena—, la señorita Park y yo estábamos pensando... ¿No deberíamos preparar un escaparate especial para la coronación?

—Pero ¿qué podríamos poner en nuestro escaparate?

Jessie los miró con ansiedad. Últimamente no parecía tan sosa; lucía una blusa elegante, cerrada con un moderno camafeo que decía «Millar», en la combinación de azul y dorado que se había convertido en el distintivo de la agencia.

Los almohadones de las sillas nuevas tenían los mismos colores, al igual que el logotipo de la agencia, la pintura de la fachada y los marcos de los cuadros que decoraban las paredes. Jessie solía usar blusas sueltas de cuello abierto, hasta que Lena ideó aquel elegante uniforme para las dos: blusa blanca, falda azul y una bufanda en tono dorado. Con su nuevo peinado y un poco de maquillaje, Jessie parecía otra.

La Jessie de antes se habría mostrado tan indecisa como el señor Millar. En aquel momento, en cambio, dijo:

—En cierto modo, señor Millar, hasta nuestros colores son regios, ¿verdad? Una buena decoración en azul y oro, con un retrato de la nueva reina...

—Sí, es una idea estupenda —dijo Lena—. Podríamos poner un rótulo que dijera, por ejemplo: «Bienvenidos a la nueva era isabelina... os desea Millar, que ansía un gran futuro para todos».

Les encantó. Ante el entusiasmo de aquellos dos, a Lena se le hizo un nudo en la garganta. ¿Acaso los ingleses eran mucho más sencillos y menos críticos que los irlandeses? ¿O a ella se lo parecía solo porque se había marchitado en aquel pueblo durante trece años, sin poder desempeñar papel alguno?

—¿Crees que deberían poner un televisor en el hotel para ver la coronación? —preguntó Louis.

—¡No me digas que todavía no tienen un televisor en ese hotel!

—No. En cierto modo, el establecimiento se enorgullece de ser tranquilo.

—Dentro de poco tendrá que enorgullecerse de estar vacío.

Él levantó la vista, sorprendido. Esa manera de hablar no era habitual en Lena; resultaba demasiado antipática.

—No me pasa nada —aclaró ella—. Será el cansancio.

—Muy bien. Lo tendré en cuenta para no preguntar en el futuro —dijo Louis. Tenía una expresión curiosamente rígida en los labios.

—¡Louis! —exclamó ella, alarmada—. Oh, Louis, por favor, no te enfades.

—¿Enfadarme yo? No estoy enfadado. Eres tú quien contesta mal. —Estaba realmente dolido.

—Perdona. Es culpa mía. —Hubo un silencio—. He tenido un día horrible, Louis.

—El mío tampoco ha sido una maravilla.

Lena quiso tocarlo, pero él se apartó.

—Por favor, Louis, háblame de ese televisor. Me interesa mucho, de veras.

—No, Elena, está bien. Por una vez el hotel Dryden tendrá que arreglárselas sin tus consejos.

—Lo dije sin pensar. Perdona. Tú también lo haces cuando estás cansado. No tiene ninguna importancia. Entre nosotros no... ¿o sí?

—Naturalmente que no. —Su tono era glacial.

Ella se mordió el labio. Habría hecho cualquier cosa para que él recuperara el talante que tenía antes de su estúpido comentario. ¿Tendría que seguir disculpándose o era preferible cambiar de tema? Se decidió por lo último.

—Nosotros también nos hemos pasado el día hablando sobre la manera de celebrarlo —comentó alegremente.

—Qué interesante —dijo Louis, con deliberada sorna. Ella nunca le había visto contraer la cara de aquel modo.

—¿Sí? —Sintió que enrojecía.

—No, no, continúa. Cuéntame más del señor Millar y de Jessie Park. Esa sí que es gente interesante, no como los pobres tontos que tratan de ganarse la vida en el hotel Dryden.

—Debo de haber sido más brusca de lo que pensaba. No sé cómo pedirte perdón. —Lena bajó la cabeza.

Esperaba que él se acercara a abrazarla y a decirle que no tenía importancia, que los dos estaban muy cansados. Tal vez la invitara a cenar en el pequeño restaurante italiano y eso los acercaría más. Pero como él tardaba mucho en aproximarse, Lena comenzó a dudar de que lo hiciera.

Al oír el pomo de la puerta levantó la vista.

—¿Adónde vas, Louis?

—Salgo.

—Pero ¿adónde?

—Según me has dicho, Elena, lo que más te desesperaba en Lough Glass era que la gente estuviera siempre preguntándote adónde ibas. Salgo, simplemente. ¿No basta con eso?

—No, no basta. Nos queremos. No te vayas.

—No conviene que nos agobiemos mutuamente.

—No voy a agobiarte. Por favor. —Lena ya estaba rogando.

¿Martin le habría rogado así? Louis se acercó para cogerle ambas manos.

—Escucha, amor mío. Estamos enfadados. Vamos a serenarnos.

—Deja que te acompañe, si quieres salir. Eso es lo que hacen los adultos. Y recuerda que somos adultos.

La sonrisa de Louis era tan amorosa, tan parte de él que casi dolía verla. Se sintió paralizada. ¿Se enfadaría también? ¿Podía suplicarle una vez más? No dijo nada. Ni una palabra. Él le soltó las manos y se fue. Lena oyó que cerraba la puerta.

No lloraría. No bajaría a buscar consuelo en Ivy. Pero decidió salir.

En la esquina compró una manzana y un trozo de queso; luego siguió caminando hasta la Agencia de Empleo Millar. Al entrar miró satisfecha a su alrededor. Eso, al menos, había sido un logro, algo con que justificar los meses pasados en Londres.

Se sentó ante su escritorio para sacar las carpetas del archivo. Exactamente lo que necesitaba: un buen rato sola para resolver las cosas.

Louis. No quería pensar en él, porque tanta injusticia la hacía estremecer de ira.

El tiempo pasó volando. Cuando vio que eran las once, el corazón le dio un vuelco. Era más tarde de lo que pensaba. Louis habría vuelto a casa haría un buen rato; tal vez volverían a discutir si ella explicaba que había estado en la agencia. Pero no era posible fingir que había pasado todo aquel tiempo vagando sola por la ciudad.

Mientras subía precipitadamente la escalera ensayó lo que le diría. Pero antes debía ver la actitud de Louis. Ese era el secreto: responder a él en vez de disparar por su cuenta. Al abrir la puerta encontró el apartamento vacío. Louis aún no había regresado.

Cuando él entró, Lena tenía los ojos cerrados pero estaba bien despierta. Eran las tres y veinte. Louis se deslizó sin hacer ruido a su lado, pero no alargó los brazos hacia ella, como hacía automáticamente cuando se acostaba.

¿Dónde podía haber estado hasta aquellas horas? Era demasiado orgulloso para volver al trabajo y poner las cosas al día, como ella. Por lo tanto, debía de haber estado en casa de alguien. Alguien que lo conocía bastante bien, para entretenerlo hasta aquellas horas de la madrugada. Intentó respirar rítmicamente, como si estuviera dormida.

Tenía la cabeza llena de imágenes, pero no de sueños. Veía a su hija Kit, que cumpliría los trece años en junio, el mismo día de la coronación. Trece años y su madre estaba muerta. Si al menos hubiera podido escribirle. Martin habría podido hacerles creer que Lena estaba lejos y no volvería jamás, pero que podía escribirles.

Cuando se hizo la luz en Londres, cuando las persianas amarillas empezaron a palidecer, Lena supo lo que debía hacer: escribiría a su hija fingiendo ser otra persona. La idea era estimulante. Quien la hubiera visto levantarse y vestirse no habría podido creer que aquella mujer no había dormido en toda la noche. Louis se sorprendió visiblemente.

—¿Ya no estás tan enfadada con el mundo? —preguntó, con la cabeza hacia un lado, esperando que ella volviera a disculparse.

Pero no fue así.

—¿Verdad que anoche nos comportamos como un par de gatos furiosos? —dijo Lena encantada.

Louis hizo una pausa. Eso no era lo que esperaba.

—¿Qué puede habernos puesto así?

—Como tú dijiste: al estar tan juntos...

Ella quería irse de una vez; lo tenía escrito en la cara. Y claro, él quiso retenerla.

—No quise decir que estar tan juntos fuera malo —Era lo más parecido a una retirada que se podía esperar de él.

—No, no, por supuesto. Hasta la noche.

—¿No te desperté al entrar?

—No, por Dios. Estaba dormida. Fuera del mundo. —Le dio un rápido beso en la frente.

Él la sentó en su regazo.

—Nosotros no nos besamos así. Eso es para los viejos.

—Es verdad —dijo Lena riendo. Respondió a su beso, pero se apartó con firmeza—. No comencemos nada que no podamos terminar. Nos vemos esta noche, ¿vale? —Y rió de un modo sugerente.

—Qué irresistible provocación —dijo Louis.

Estaban contentos otra vez. Pero no era eso lo que predominaba en la mente de Lena. Su cerebro buscaba a la carrera un modo de escribir a su hija.

Cuando llegó a la oficina, el señor Millar ya estaba allí.

—Usted me recuerda un cuento sobre los duendes —dijo a Lena.

—¿Qué duendes?

—No sé. Unos que venían por la noche para hacer el trabajo de un bello príncipe: hilaban y tejían, o algo así. ¿Lo conoce?

—Creo que me lo contaron, sí, pero ¿por qué se lo recuerdo?

—Parece que anoche vino alguien a hacer todo su trabajo, señora Gray. La bandeja está llena de notas y cartas escritas.

—Anoche estuve aquí un par de horas, sí.

—No sé cuál fue el hada buena que nos la envió. —Él se quitó las gafas para limpiarlas—. Mi hermano solía reírse de mí, diciendo que yo no tenía aptitudes de empresario. Ahora, después de unos meses, quiere entrar en el negocio. ¿Qué opina usted?

—¿Qué opina usted, señor Millar? —Lena sabía que no había mucho amor entre los hermanos.

—En realidad, prefiero arreglármelas sin su ayuda, señora Gray. Siempre que usted se quede con nosotros.

Durante la mañana, sus pensamientos volvieron a las conversaciones que había mantenido con Kit durante su vida anterior. Por necesidad habían sido escasas; no se puede decir a una hija que una solo se casó porque la habían abandonado y que los recuerdos de otro hombre le llenaban la mente. ¿Le había dicho algo sobre las amigas que tenía cuando estudiaba? Posiblemente. Le costaba mucho recordar. Pero si ella no lo recordaba, quizá tampoco Kit.

Decidió escribir la carta para ver cómo quedaba.

Querida Kit:

Te parecerá extraño recibir una carta de alguien a quien no conoces, pero hace unos días me enteré de la muerte de tu madre por un periódico irlandés y quiero manifestarte cuánto la he sentido.

No conozco a tu padre, porque tu mamá y yo fuimos amigas de pequeñas, mucho antes de que ellos se conocieran. Solía escribirme hablándome de todos vosotros y de la vida que llevabais en Lough Glass. Hasta recuerdo la fecha en que naciste; sé que muy pronto vas a cumplir los trece años.

Tu madre estaba tan contenta con su pequeña que me hablaba de tu abundante pelo oscuro y de la fuerza de tus manitas. No quiero enviarte esta carta a tu casa, para evitar que entristezca a tu padre. Tu madre me dijo que en Lough Glass había una especie de sistema postal paralelo y que la gente solía enviar su correspondencia por medio de cierta ermitaña.

Si quieres escribirme y saber cómo era tu madre cuando teníamos apenas cuatro o cinco años más que tú, házmelo saber.

Me gustaría tener noticias tuyas, pero si no escribes, sabré comprenderlo; a tu edad tendrás cosas más importantes que hacer que escribir a una desconocida de Londres.

Te deseo calurosamente un feliz cumpleaños.

Una vieja amiga de tu madre,

LENA GRAY

Cuando metió la carta en el buzón rojo de la esquina, Lena dejó un buen rato la mano en la ranura por donde se introducían los sobres. Era como alargar los dedos para tocar a su hija.

Tommy Bennet ayudaba a clasificar las cartas. A Mona Fitz, el origen de muchas de ellas le despertaba un gran interés. Podía hacer comentarios cuando los Hanley recibían algunos dólares en un sobre gordo, despachado en Norteamérica. A veces examinaba la correspondencia que llegaba para la hermana Madeleine. Considerando que aquella mujer se había retirado del mundo, todavía utilizaba muchos de sus servicios; el sistema postal, por ejemplo.

Tommy Bennet eludía cualquier comentario. En lo que a él concernía, la hermana Madeleine era una santa. Había hecho lo imposible para arreglarlo todo cuando su hija, a los quince años, llegó a su casa con la novedad más temida en cualquier aldea irlandesa: un embarazo inesperado. Él había llorado junto al hogar de la monja. Y de algún modo la ermitaña lo arregló todo. Encontró una amiga con la que su hija podría ir a vivir. Otra amiga consiguió a alguien que adoptara al bebé. Y una tercera amiga de la hermana Madeleine dio trabajo a la muchacha. En Lough Glass nadie conocía el secreto. Ni siquiera se sospechaba que hubiera algo anormal en aquella larga ausencia.

Una mañana cálida y soleada, a finales de mayo, Tommy llevó tres cartas a la cabaña de la monja. Una contenía un billete de cinco libras para que se invirtiera en una buena causa. Ella se lo entregó a Tommy.

—Dáselo a quien corresponda.

—No me gusta que usted confíe en mí para distribuir todo ese dinero. Bien podría dárselo a quien no corresponde.

—¿Y qué puedo hacer yo con él? Tú sabes dónde hace falta —insistió ella.

Ante aquello, Tommy siempre se sentía orgulloso; la hermana Madeleine lo consideraba un hombre responsable. Era más o menos la única. Para su esposa él era un holgazán; para Mona Fitz, la encargada de correos, un pusilánime. Su propia hija, a quien le había salvado la vida, lo consideraba anticuado y estricto; la chica no sabía nada del papel que había desempeñado el padre en su buena suerte.

—La dejaré para que lea en paz sus otras cartas, hermana.

—Pon a hervir agua para los dos. Da mucha sed subir y bajar por esa calle. —Espantó a los diversos animales que tenía frente a sí y se sentó en el banquillo de tres patas, para leer la carta que estaba dirigida a ella.

Querida hermana:

Soy amiga de la difunta Helen McMahon y me gustaría mantener correspondencia con su hija Kit.

Por varios motivos no deseo escribirle a su casa. He dicho a la niña que es por no entristecer a Martin McMahon con recuerdos de su difunta esposa, pero la verdad es que formé parte de la vida de Helen cuando ella estaba enamorada de otro. No sería adecuado que le despertara esos recuerdos.

No voy a escribir nada que pueda turbar a la niña; tiene usted libertad para leer mis cartas si cree que pueden causarle algún daño. Envío a nombre de usted la primera, con la esperanza de que le sigan muchas otras; las iniciales KM en una esquina del sobre indicarán que son para ella. Tal vez usted quiera enviarme algún mensaje para hacerme saber si esto le parece aceptable.

Sinceramente,

LENA GRAY

Estaba mecanografiada con pulcritud. Daba una dirección en el oeste de Londres. Y decía, en mayúsculas: POR FAVOR, ESCRIBIR A SRA. IVY BROWN. La hermana Madeleine contempló un buen rato el lago. Cuando Tommy le llevó el té, se quedó observando a aquella mujer menuda, completamente absorta en sus pensamientos.

—Clío, tú que eres estupenda con los perros, ¿quieres ir a ver si puedes encontrarme a Ambrose? —dijo la hermana Madeleine aquel mismo día, algo más tarde.

—¿Adónde ha ido, hermana?

—Francamente, no lo sé, pero está escondido en algún sitio y tú siempre consigues que los perros acudan.

Clio salió, complacida de que la halagaran. Kit la siguió con la vista, celosa.

—Yo me entiendo mejor con los gatos.

—Bien lo sé —dijo la hermana Madeleine—. Los gatos

casi te hablan, Kit McMahon. Hasta los que son medio salvajes.

Y entregó la carta a Kit.

Hubo muy pocas palabras, pero la niña comprendió que debía abrirla en su casa, a solas. Y no compartirla con Clio. Tampoco con su padre, puesto que había sido enviada a casa de la hermana Madeleine.

Debió de leerla cuarenta veces. La sabía de memoria, línea por línea. Su madre había escrito a aquella mujer hablándole de ella: de sus manitas, de su pelo oscuro. Tal vez le habría dicho algo más.

Parecía simpática, pero también un poco reservada. ¿Sería señora o señorita? ¿Sería bueno saber más? La tranquilizaba que la hermana Madeleine recordara haber oído a su madre mencionar a aquella amiga.

—No sabía que mamá tuviera amigas —había dicho Kit.

—Tu madre era amiga de todos.

—Sí, lo sé. —A la niña le brillaban los ojos—. La gente la quería mucho, ¿no?

—Muchísimo —dijo la anciana.

—Pero usted no la conocía bien, porque ella no venía muy a menudo, ¿verdad? —Kit estaba deseosa de oír hablar bien de su madre—. Claro que no hace falta tratar mucho a alguien para conocerlo. —Eso era verdad. Uno sabía inmediatamente quién le gustaba y quién no—. ¿De qué conversaban, usted y mamá, cuando ella venía?

—Oh, de esto y aquello. —Las conversaciones con la hermana Madeleine tenían siempre el sello de una confesión.

—¿Pero mencionaba a esa tal Lena Gray? —Kit estaba preocupada.

—Generalmente hablaba de vosotros, de ti y de Emmet. —Por el amor con que Helen McMahon hablaba de sus hijos en sus infrecuentes visitas, resultaba inconcebible que los hubiera abandonado para arrojarse al lago.

La hermana Madeleine estaba convencida de ello.

Kit pasó dos semanas pensando qué contestar. Comenzó la carta una o dos veces, pero siempre le salía mal; o bien parecía una composición escolar, o bien era demasiado amistosa para enviarla a una desconocida. Se preguntaba qué habría hecho su madre. Helen lo habría pensado un tiempo, sin precipitarse.

Eso haría ella también.

—He dado tu dirección, Ivy, por si recibo alguna carta —dijo Lena.

—Bueno, también es tu dirección, ¿no? —observó Ivy desconcertada.

—No, me refiero a tu apartamento.

—Comprendo.

—No, no comprendes.

—¿Y no vas a explicármelo?

—Es que puedo recibir alguna carta de Irlanda, de vez en cuando, y preferiría que Louis no se enterara.

—Ten mucho cuidado, Lena.

—No, no son cartas de amor.

Se hizo el silencio entre ellas.

—Pero ¿viene de Irlanda?

—Sí. Es una especie de contacto con mi hija.

—Que te cree muerta.

—Sí, pero le escribo haciéndome pasar por otra persona.

—Yo no lo haría, tesoro. De veras.

—Ya lo he hecho.

—¿No sigues enfadada por lo del televisor del hotel? —preguntó Louis.

—No, por supuesto. En realidad, no me enfadé; solo estaba de mal humor. Quien se enfadó fuiste tú. Aclaremos bien las cosas. —Los ojos de Lena reían. Entre ambos solo había confianza y placer.

—Bueno, ¿vendrás a ver la coronación allí?

—De ningún modo. Ya que estoy en Londres en una gran ocasión histórica, quiero verla desde la calle.

—Tendrás que hacer cola toda la noche, con mantas y termos.

—Por supuesto que no. Ivy y Jessie han conseguido una esquina.

—¿Y yo? ¿Y el señor Millar, la madre de Jessie y el resto del grupo?

—Tú tienes que trabajar; me lo has dicho diez veces. Ivy no quiere ir al bar de Ernest porque allí estará esa bruja de Charlotte. La señora Park lo verá por televisión en la casa de una vecina, sentada en su bacinilla. El señor Millar estará con su hermano, al que odia... ¿Eso responde a tu pregunta? —bromeó ella.

—Te quiero —dijo Louis de pronto.

—Eso espero. ¿Acaso no me fugué contigo?

—¿Y no me fugué yo también contigo?

Pero no había sido la misma fuga.

—Por supuesto —dijo Lena con suavidad—. Huimos como dos peces plateados que cruzaran el mar.

—¿Mamá tenía una amiga íntima, como yo tengo a Clio? —preguntó Kit.

—Bueno, tenía a la mamá de Clio, claro. —Pero los dos sabían que eso no era verdad. A Helen no le gustaba Lilian Kelly.

—Antes, quiero decir. Antes de conocerte.

—Estaban las chicas del alojamiento para estudiantes. A veces hablaba de ellas.

—¿Cómo se llamaban, papá?

—No recuerdo, querida; hace tanto tiempo... Había una tal Dorothy, creo... y otra era Kathleen.

—¿A esa podían llamarla Lena?

—No sé. ¿Por qué?

—Estaba pensando en los apodos. ¿Lena podría derivar de Kathleen? —Se había ruborizado y parecía ansiosa.

Martin McMahon lo pensó un poco. Su hija parecía desear que así fuera.

—Creo que puede ser, sí. Es una manera de abreviar el nombre —dijo el padre.

Kit asintió satisfecha. Como tantas otras veces, a Martin le habría gustado saber qué pasaba por la mente de su hija. Los chicos eran mucho más sencillos. A Emmet lo llevaba a pescar al lago; al principio el niño no quería ni tocar el bote, pero Martin había insistido.

—No tenemos idea de lo que sucedió esa noche, pero de una cosa estamos seguros: tu madre habría querido que tú formaras parte de este lago al que amaba tanto. No le gustaría que te mantuvieras lejos de él.

—Pero el bote, papá...

—El bote es parte del lago, hijo. Jamás sabremos qué pasó en él ni cómo cayó tu madre. Pero ella querría que tú y yo navegáramos en él y amáramos este lugar como lo amaba ella.

Había acertado al decir eso: su hijo lo acompañaba con gusto. Y nunca se dio cuenta de que, al remar, su padre tenía la mirada perdida.

—No me han llegado cartas para ti, Lena.

—¿No? Bueno, eso es lo que hay.

—Se te están pegando muchas expresiones de Londres —observó Ivy.

—Si voy a vivir en Londres es mejor que aprenda a hablar como los londinenses —dijo Lena.

—Se me ocurrió que tal vez estabas pensando en volver a cruzar el mar.

—No, eso no es posible.

—Pero ese contacto... —insistió Ivy.

—Probablemente tenías razón. Muy peligroso. Muy insensato.

—No pongas esa cara tan seria, Lena Gray. Somos amigas. Yo nunca dije que fuera peligroso ni insensato; solo te aconsejé que tuvieras cuidado.

—Eres una gran amiga, Ivy.

—Cuando me dan la oportunidad. Pero como ahora no me la dan... Dejemos las cosas así.

Ivy volvió a su habitación de la planta baja sin proponer a Lena que pasara. Sabía que no era buen momento para la intimidad.

A Jessie Park la preocupaba que, durante la coronación, su madre tuviera que usar el cuarto de baño de la vecina.

—Cuando las cosas son emotivas se inquieta mucho, ¿sabes? Oh, Lena, sé que siempre te estoy hablando de mis problemas, pero no sé qué hacer. Y tú eres tan tranquila, tan práctica...

Lena la miró con cariño. Era un enorme cumplido que la consideraran tranquila y práctica, teniendo en cuenta que se había fugado para vivir con un hombre que bien podía abandonarla otra vez; y que estaba destrozada por no tener noticias de Kit y por el miedo a que su carta hubiera asustado a la niña.

—Veamos. ¿No me dijiste que el apartamento está todo en un mismo nivel? No hay escaleras.

—Lo sé, Lena, pero ella camina tan despacio... ¿Y si le pasara algo? —Jessie se mordió el labio.

—La semana pasada vi unas almohadillas en la farmacia. Podría ponerse una y así no tendría problemas. —Lena era alegre y positiva.

Jessie se lo agradeció con tanta efusión que Lena estuvo a punto de echarse a llorar. Era muy fácil resolver los problemas ajenos; en cambio, los propios resultaban tan difíciles...

En el hotel Dryden todo estaba dispuesto para el día de la coronación. Se colocaron las sillas en la sala, en semicírculo, tal como Lena había sugerido a Louis y él a la dirección.

—¿Tu encantadora esposa no estará con nosotros? —preguntó James Williams, desilusionado.

—Por desgracia no. La necesitan en su oficina.

—No me sorprende. Estoy seguro de que es excelente para esa agencia. Podría enviarnos personal para los puestos que quedan vacantes.

—Ah, sí. Naturalmente, siempre está buscando el cargo perfecto para su marido —bromeó Louis.

—Para mí sería una pena perderte, Louis. No vayas a aceptar nada sin darnos la oportunidad de hablar de tu sueldo y tus pretensiones.

—Por favor, señor Williams, no piense usted que hablaba en serio.

—Y nunca me tuteas, aunque te lo he pedido cien veces.

—Aquí estoy muy a gusto.

—¿Y tu esposa es feliz en Londres? ¿No echa de menos algún otro lugar?

—¿Por qué pregunta eso, señor Williams? —Louis había entornado los ojos.

—No sé. Por algo que dijo en Navidad: que todo el mundo debería tener la obligación de trabajar en Londres un tiempo. Me pareció que en esas palabras había algún mensaje.

—Estoy casado con ella y nunca he oído ningún comentario de esa clase.

Las palabras eran totalmente amables, pero James Williams prefirió no insistir.

—¿No sería estupendo ir a Inglaterra para la coronación? —preguntó Clio.

—¿Y dónde nos hospedaríamos?

—Tía Maura tiene amigos allí. Ella piensa ir.

—¿Nos llevaría si se lo pidiéramos? —le preguntó Kit.

—No, no creo. Todavía no habrán terminado las clases. Y nos diría que somos demasiado pequeñas.

—De cualquier modo me encantaría ir —dijo Kit.

—Sí, también a mí. Cuando nos den permiso seremos ya demasiado mayores. —Clio estaba molesta, pero resignada.

—Philip O'Brien se va a Belfast con su madre —dijo Kit.

—Sí, pero imagínate, hacer un viaje con la madre de Philip.

—Pero él es buena gente. Me gusta.

—Vas a casarte con él. Lo estoy viendo. —Clio estaba muy segura.

—Te pasas el día diciendo eso y no sé por qué.

—Porque le gustas.

—¿Y qué?

—No importa que él no te guste. Siempre acabas casándote con aquel a quien gustas.

—Eso no funcionaría —se resistió Kit.

—Las mujeres lo hacen.

—¿Por qué? ¿No somos nosotras las que elegimos, rechazamos y todo eso?

—No, eso sucede solo en los libros y en las películas. En la vida real nos casamos con quien nos lo propone.

—¿Todas las mujeres hacen eso?

—Sí. De veras.

Kit lo pensó.

—¿Tu madre? ¿La mía?

—Sí. Definitivamente, sí.

—¿Y tu tía Maura? ¿No ha gustado a nadie?

—Eso es diferente. Me dijo que había perdido el tiempo con un hombre que no la quería. Ese fue su error.

—Pero ¿fue un error? —quiso saber Kit—. Siempre dices que es muy feliz, más feliz que nadie.

—Sí, ya sé que lo digo, pero es lo que pensamos nosotros. Tal vez en el fondo sea muy desdichada.

—¿Y qué me dices de la hermana Madeleine, que estuvo casada y es monja?

—Eso es algo que jamás entenderé —dijo Clio—. Ni que me maten.

—¿En qué estás pensando? —preguntó Lena.

Louis le sonrió perezosamente.

—En lo hermosa que eres.

—No, no es cierto.

—Entonces, ¿por qué me lo preguntas?

—No sé. Supongo que a veces quiero saber qué pasa dentro de tu bonita cabeza. En casa teníamos un gato que se llamaba Farouk. Yo solía observarlo y preguntarme qué estaría pasando por su mente.

—¿Y yo soy como Farouk... un gato?

—No tan guapo, me temo.

—No me gusta que digas «en casa». Lough Glass no es tu hogar. Tu hogar está conmigo. Siempre ha estado conmigo, en cierto modo.

Ella lo observó un momento. Unas semanas antes se habría apresurado a decirle que era solo una forma de hablar. Pero todo había cambiado la noche que él se había ido, mohíno y caprichoso, la noche que ella reconoció la necesidad de escribir a su hija. Lena no quería atarlo a ella con humildes palabras de disculpa; si había que pagar semejante precio, no sería amor.

—Bueno, dime, ¿estás de acuerdo? —la desafió.

—No, amor mío. Aunque no fuera el lugar donde quería estar, allí estuve durante trece años, los otros decían que era mi casa y allí vivía. Así que si de pasada menciono a un gato que tuve allí, un hermoso gato llamado Farouk que vivía en casa conmigo... no me parece un lapsus que pueda ser nuestra perdición.

Él la miró con admiración.

Con un súbito ramalazo de pena, ella comprendió que si se hubiera comportado de ese modo años atrás, tal vez Louis no la habría abandonado. Pero en ese caso... ¿qué habría sido de Kit y Emmet? ¿Serían en aquel momento los mismos? ¿Serían diferentes? ¿O acaso ni siquiera existirían?

No había nada que compensara el no haberlos tenido.

—Para la coronación voy a hacerme una permanente —dijo Jessie Park.

—Estupenda idea —dijo Lena.

—El señor Millar nos ha invitado a las dos a casa de su hermano, esta noche. —Jessie hablaba con respeto.

—Oh, espero que vayas y me lo cuentes. Yo tengo que reunirme con Louis; está un poco deprimido porque no me verá en todo el día...

Jessie frunció el ceño.

—Oh, Lena, ¿no puedes venir a casa del señor Millar? Louis te tiene todas las noches. Esto es algo especial.

Lena la miró con cariño. Aunque todavía llamaba «señor Millar» al jefe, Jessie pensaba en él con mucho afecto. Lena la había visto mirarlo de un modo que no guardaba ninguna relación con las cuestiones laborales.

—No, de veras. Si pudiera iría, pero esto es algo que debo hacer. De cualquier modo, os divertiréis más sin mí. Yo solo os aguaría la fiesta.

—A él no le intereso en ese sentido —dijo Jessie con cara triste.

—¿Cómo podemos saber lo que piensan los hombres? Se necesitaría todo un equipo de intérpretes. Pero es mejor que vayas sola. Podrás conocerlo mejor que si estuvieras conmigo.

—¿Tú crees? ¿No quedará mal?

—Por supuesto que no. No se trata de un hombre desconocido al que te hayan presentado en alguna fiesta o algo así. Tú y él ya tenéis mucho en común. —Lena siempre la alentaba.

—Pero cuando tú no estás yo no sé qué decir. —Jessie parecía nerviosa.

—Puede que haya llegado el momento de lanzarse.

—Quiero estar bien. ¿Crees que merece la pena hacerme la permanente?

—Oh, claro que sí. Además, te saldrá baratísimo. Grace está en deuda con nosotros. Le estoy enviando tanto trabajo que prácticamente la peluquería funciona con las clientas que nosotras recomendamos.

Jessie partió hacia el salón de belleza alegre y llena de planes. Lena cogió el teléfono.

—¿Grace? Hazme un favor. Cuando Jessie te pida hora, hazle el tratamiento completo: uñas, masaje facial, tinte... Todo lo que se te ocurra.

—¡No me digas que va a buscar otro empleo!

—Mejor aún —dijo Lena—. Va a buscar pareja.

Deirdre Hanley entró en la farmacia.

—Vengo a ver si usted necesita una asistente o algo así, señor McMahon —dijo.

—¿Vas a estudiar farmacia, Deirdre? —Martin estaba sorprendido.

—No, pero para trabajar aquí no es necesario, ¿o sí?

—En realidad, para serme de ayuda sería necesario, sí —dijo él con suavidad.

La hija de la señora Hanley era una muchacha inquieta. Siempre había expresado en voz alta su impaciencia por abandonar Lough Glass. A veces se lo decía a Helen, en quien encontraba una oyente demasiado solidaria, según temía Martin.

—Pero ¿no es cuestión de convencer a la gente de que compre maquillaje y esas cosas? —preguntó ella.

—Creo que hay mucho más, Deirdre. ¿Quieres ser experta en belleza? ¿Es eso lo que vas a estudiar?

—Para eso no se necesita estudiar mucho, señor McMahon. Cualquier empresa de cosméticos puede darte un curso.

Luego basta con ofrecer sus productos y asegurar que son fantásticos. Ya se sabe.

—¿Y te gustaría hacer eso en Lough Glass?

—Sí, ¿por qué no?

—Pero ¿crees que...? Supón que te consiguiéramos un puesto aquí, aunque no lo creo posible. ¿Crees que te gustaría hacer eso?

—Verá, señor McMahon, una tiene que hacer algo desde que amanece hasta que oscurece para justificar su existencia. Eso es todo —dijo Deirdre Hanley.

—¿Y te gustaría vivir aquí, en Lough Glass? —Aquella muchacha nunca había sentido más que desesperación por su pueblo natal. ¿A qué se debía aquel cambio?

Deirdre miró hacia el taller de Sullivan, al otro lado de la calle. Fue solo un vistazo, pero Martin McMahon recordó haberla visto unas cuantas veces con Stevie Sullivan: por lo general, junto al lago o lejos de las miradas ajenas.

—¿Y a tu madre qué le gustaría que hicieras? —preguntó súbitamente.

—Lo que le gustaría es verme lejos de aquí. Dice que sería lo mejor para mí, aunque no sabe por qué.

—Vete, Deirdre. Serás mucho más interesante para él si vives fuera del pueblo.

—¡Señor McMahon, quién podría imaginar que usted supiera tanto de mujeres, de la vida y esas cosas! —exclamó ella, asombrada.

—¿Verdad que es extraordinario? —dijo Martin amablemente.

—¿Pensáis trabajar en la farmacia conmigo, vosotros dos? —preguntó aquella noche a sus hijos.

—¿Ahora? —preguntó Emmet, sorprendido. La puerta ya estaba cerrada y su padre rara vez volvía a abrirla, a menos que se presentara alguna emergencia.

—No, en el futuro.

—¿A ti te gustaría? —preguntó Kit.

—Solo si vosotros queréis... o alguno de los dos. Son muchas horas de trabajo. Es preciso que os guste.

—Yo pensaba ser actriz —dijo Kit.

—Y a mí me gustaría ser sacerdote misionero —añadió Emmet.

—Oh, bueno, entonces todo está arreglado. —Martin los miró a ambos—. Tendré que visitar al padre Emmet, que estará en Nigeria, salvando almas con su larga sotana blanca. Y después regresar a tiempo para el debut de Katherina McMahon en el Abbey Theatre. ¡Qué vida tan ajetreada me espera! Será mejor que tome a Deirdre Hanley para que me ayude.

—¿Deirdre Hanley? —exclamaron Emmet y Kit con incredulidad.

—Hoy vino a pedirme trabajo.

—No te conviene, papá —aseguró Kit.

—No tengo por qué meterme a cura. Era solo una idea —añadió precipitadamente su hermano.

—Y yo tal vez no tenga madera de actriz, pensándolo bien.

—Así que es posible que volváis a la farmacia, si lo demás falla.

—Exactamente —dijo Kit.

—Los hijos son maravillosos —comentó Martin McMahon al aire que lo rodeaba—. Qué haría uno sin ellos.

En la mañana del 2 de junio Lena despertó con ansiedad. Su hija cumplía trece años. Ojalá Martin consiguiera que aquel día fuera alegre y especial.

Sentía la necesidad de llamarlo por teléfono para susurrarle frases de aliento. Habría querido llorar, decirle que era muy difícil vivir sin sus hijos, pero sabía que era una fantasía caprichosa. Tenía que vivir su vida. Su propia vida. Y allí estaba, en Londres, el día de la coronación.

Todos habían encendido la radio cuando se levantaron, como si temieran que la coronación fuera a cancelarse. Querían conocer hasta el último detalle. Los periódicos hablaban de la brillantez del día y ofrecían un itinerario de la procesión hasta la abadía de Westminster, minuto a minuto, y una guía de la ceremonia.

Lena observaba con deleite a las masas de gente, decididas a disfrutar del gran día. Apenas hacía diez años que habían estado en medio de una guerra espantosa. Trece años antes nacía su hija y Martin lloraba de júbilo junto a su cama, mientras en las calles de Londres reinaba el pánico.

Llegó hasta el lugar que Ivy había conseguido porque conocía a los propietarios de la pequeña tienda de la esquina. Los niños estaban en la calle desde antes del amanecer, guardándoles los sitios. Había bancos de madera, cestas de comida, banderas y jaleo.

Una vez instaladas allí oyeron la noticia de que Gran Bretaña había conquistado el Everest, la montaña más alta del mundo; el entusiasmo no tenía límites. El rugido se hizo más potente cuando aparecieron los carruajes, tirados por lustrosos caballos y decorados con magníficos adornos. Luego la cara sonriente aunque algo nerviosa de la princesa Isabel (como aún la llamaban), agitando la mano enguantada en respuesta al cariño que le expresaban desde las aceras.

Parecía mirarlos directamente, dijeron todos, Ivy, Jessie, y cuantos estaban allí. También Lena tuvo esa impresión; le sostuvo la mirada y agitó la mano hacia la mujer que iba a ser coronada. Una mujer que aún tenía a sus hijos, un niño y una niña. Sintió el escozor de las lágrimas en los ojos.

Un hombre le apretó el brazo.

—Es un gran día, ¿verdad, preciosa? ¡Imagina cuando se lo cuentes a tus hijos!

Lena también le apretó el brazo.

—Un gran día, un gran día —tartamudeó.

—¿Usted siempre sabe qué hacer, hermana Madeleine?

—No, Kit, casi nunca sé qué debo hacer.

—Pero eso no le preocupa.

—No, eso es cierto.

—¿Por eso no servía para esposa?

—Nunca dije que yo no sirviera para esposa.

—No, pero seguramente no servía. De lo contrario, aún estaría casada, ¿no?, en vez de ser monja.

—Ah, tú piensas que rompí mi matrimonio para ingresar en el convento, ¿no?

—¿Y no es eso lo que usted nos dijo, a Clio y a mí? ¿O fue solo una impresión nuestra?

—Es cierto que tuve marido, pero me abandonó. Se fue al otro lado del mundo.

—¿Porque se pelearon? —Kit se mostraba solidaria.

—No, en absoluto. Yo creía que todo estaba bien. Pero él dijo que no era feliz. —La hermana Madeleine contemplaba el lago, recordando.

—¿Y las monjas la aceptaron porque él no regresaría?

—Oh, no. Eso fue mucho después. Yo me quedé en la casa, limpiando, abrillantando, cultivando flores en el jardín. Y decía a todos que él volvería pronto.

—¿Dónde sucedió todo eso?

—Oh, muy lejos de aquí. El caso es que pasaron las semanas y los meses. Un día me pregunté qué estaba haciendo, y Dios creó una vocecita dentro de mí. Esa voz me dijo que, en realidad, no hacía sino cuidar de las posesiones: mantener la plata brillante y los cristales limpios. Y que debía dedicarme a otra cosa.

—¿Y qué hizo usted?

—Lo vendí todo y deposité el dinero en el banco, a nombre de mi marido. Luego escribí a un amigo suyo para decirle que entraría en un convento y que, si él regresaba, todo estaría a su disposición.

—¿Y él volvió, hermana Madeleine?

—No lo sé, Kit. Creo que no. —La monja parecía muy serena, ni triste ni confundida.

—¿Y entonces usted se hizo monja?

—Durante un tiempo. Hasta que un día me pregunté qué estaba haciendo en el convento, limpiando las mesas de la sala, los bancos de la iglesia y el mármol del altar. Y oí otra vez la vocecita de Dios.

—¿Qué le dijo esa vez?

—Me dijo lo mismo: que estaba dedicando el tiempo a sacar brillo y limpiar posesiones. Ya no eran mías sino del convento, pero aun así no parecía digno.

—¿Y entonces vino aquí?

—Sí, más o menos.

—Y aquí ninguna voz vino a decirle que estaba dedicada a las posesiones, porque usted no posee nada. —Kit contempló la austera vivienda, maravillándose del modo en que habían ocurrido las cosas.

—Sí, creo que fue lo correcto. Eso espero.

—Pero era Dios el que hablaba, ¿no?

—Claro que sí, Dios siempre nos está hablando. La cuestión es saber entender lo que desea decirnos.

—¿Y es una voz de verdad, como cuando hablamos usted y yo?

—No. Más bien es una sensación.

—Entonces, si yo no supiera si he de hacer algo o no... debería esperar hasta ver cuál de las dos sensaciones es más fuerte.

—Generalmente da resultado. —Kit cerró los ojos—. Pero no debes forzarlo, hija. No se trata de un hada que venga a concederte tres deseos ni nada de eso.

Kit contempló el lago. Estaba muy sereno, sin una ola. Un perfecto día de junio.

—Escríbele, Kit —dijo la hermana Madeleine.

—¿Qué? —La niña dio un respingo de sorpresa.

—Te preguntas si debes escribir o no a la amiga de tu madre. No hay daño alguno en hacerlo. Escríbele.

—¿Lena?

—Ivy...

Ivy cayó en la cuenta de que Louis también estaba entrando con ella.

—¿Queréis venir el viernes al bar? Ernest me preguntó por vosotros, el otro día.

—Ah, estupendo —dijo él—. Pero ¿por qué no nos deja pagar ni una copa? Eso es lo único que me molesta. Díselo a Ernest. Él lo entenderá.

—Eso es lo único que Ernest puede hacer por mí, Louis: pagar unas cuantas cervezas a mis amigos. Dale ese gusto, que le encanta.

—Bueno, no tengo inconveniente en ser un mantenido —dijo Louis, reanudando el ascenso por la escalera.

—Aquí tengo ese folleto que te interesaba, Lena —añadió Ivi, levantando la voz tras ellos—. El de esas clases nocturnas.

—¡No me digas que quiere apuntarse a más actividades! —gruñó Louis—. Por favor, no la alientes, Ivy. Si me quieres, no la alientes.

—No son para mí, tonto, sino para los clientes. Gracias, Ivy. Después bajaré a echarles un vistazo. —Lena hablaba con calma, como si no pasara nada.

Por dentro estaba como un flan.

Una carta de su hija.

Ivy la estaba esperando con la carta en la mano.

—La letra es infantil, Lena. Escribiste a tus hijos.

—Ya lo sabías.

—Pero no esperaba que contestaran. Tengo miedo por ti, francamente.

—Yo también. —Se miraron durante un buen rato.

Por fin Ivy acercó una silla.

—Siéntate y lee. Voy a traer unas copas.

Lena comenzó a leer.

Estimada señorita Gray:

O a lo mejor es señora, usted no me lo dijo. He tardado mucho en contestar porque estaba pensando. Casi tenía miedo. No sé de qué. Creo que me preocupa que usted me diga algo triste de mi madre, como que le escribió diciendo que no nos amaba o que era infeliz en Lough Glass.

Por eso quería decirle que ella lo pasó muy bien aquí, realmente bien. Teníamos un hogar estupendo, y papá era muy bueno con todo el mundo, sobre todo con mamá, porque no la molestaba. Sabía que a ella le gustaba pasear sola y la dejaba salir, aunque él se sintiera solo. A veces se acercaba a la ventana de la cocina, desde donde se ve el lago, y decía: «Mirad, allí va vuestra madre, caminando junto al lago, le encanta el lago de Lough Glass». Y ella tenía muchos amigos aquí, los Kelly eran muy amigos de todos nosotros, y mi madre conocía a todos en el pueblo y todos hablan todavía de ella. Por eso quise decirle esto, por si usted nos decía a Emmet y a mí que mi madre no lo pasaba bien o que se quejaba. Para que usted sepa cómo eran las cosas.

No le dije a Emmet lo de su carta porque es muy pequeño y no entiende mucho de nada. Esta carta no es gran cosa, pero quería aclarárselo.

Atentamente,

KIT McMAHON

Lena miró a Ivy. Su rostro estaba vacío, como si alguien le hubiera robado todo rastro de vida y sentimiento. Su amiga temió que se desmayara.

—Oh, Ivy. Dios mío, Dios mío, ¿qué he hecho? Oh, Ivy, ¿qué he hecho?

—Está bien, está bien —la tranquilizó Ivy.

—He destruido tantas vidas... Oh, preferiría estar en el fondo del lago, como todos creen. Allí merecería estar.

—¡Basta! —dijo la casera, con una voz que Lena nunca le había oído—. Basta ya. No soporto esa autocompasión. ¡Piensa! Arriba hay un hombre que te ama y que es el amor de tu vida. Y ahora tienes la posibilidad de ajustar cuentas, de arreglar las cosas con esa criatura.

—¿Cómo puedo arreglar las cosas? ¿Cómo deshacer todo esto?

—Dile que Helen McMahon era feliz como los pájaros. Dile un montón de mentiras. Que piense bien de su madre.

—Sería todo falso. No puedo escribir mentiras a mi hija.

—Bueno, tampoco puedes escribirle la verdad, qué diablos —aseguró Ivy, mientras volvía a llenar los vasos.

La tía Maura llevó tazas de la coronación para las niñas. Dijo que en Londres lo había pasado estupendamente. Todo muy excitante. La gente estaba de muy buen humor.

Era siempre muy amable con Kit y se las arreglaba para decir lo que hiciera falta, mucho más a menudo que la señora Kelly.

—Estás preciosa, Kit, tan alta y fuerte. Tu madre estaría orgullosa. —La señora Kelly siempre decía «tu pobre madre», como si mamá fuera digna de lástima—. Ella amaba este lugar; conocía cada uno de los helechos y los juncos que crecen junto al lago —decía la tía Maura. Y Kit estaba de acuerdo.

Y era cierto: su madre conocía todas las plantas. Así lo decía Lena Gray, la amiga de Londres. Había pedido a Kit que no la llamara señora ni señorita, sino Lena, simplemente. La mujer escribía largas cartas sobre su madre, tan interesantes que a Kit le habría encantado enseñárselas a su padre. Sin duda habría sido una alegría para su triste corazón saber que mamá amaba tanto el pueblo, los atardeceres sobre el lago, las matas de prímulas y rosas silvestres en la primavera. Pero Lena Gray tenía razón: eran pensamientos que, de algún modo, no concernían a nadie más.

Y a Kit se le llenaba el corazón al pensar que su madre la había amado tanto, que escribía todas aquellas cosas a una mujer de Inglaterra. Parecía extraño que nunca la hubiera mencionado. Qué reservada había sido su madre al mantener en secreto aquella gran amistad.

Lena guardaba todas las cartas de Kit en el apartamento de Ivy.

—No es que no confíe en Louis.

—Lo sé, querida. —Ivy lo sabía, sí.

—Para mí es un consuelo tan grande...

—Lo sé, querida, lo sé.

—Pero quieres hacerme alguna otra advertencia, ¿no?

—No le cuentes demasiado. No intimes demasiado con ella.

—¿Hermana Madeleine?

—Sí, Kit.

—¿Hago demasiadas preguntas?

—En absoluto. Hacer preguntas es bueno. Nadie tiene por qué responder más de lo que desea.

—Bueno, me preguntaba... —Hizo una pausa. Era como si prefiriera no obtener respuesta—. ¿Mi madre también la utilizaba a usted como buzón?

—¿Por qué lo preguntas, hija?

—Bueno, porque su amiga, Lena... Dice que ella y mamá se escribían siempre, pero a casa nunca llegaban cartas de Inglaterra. Nos habrían llamado la atención, ¿no?

—Claro, claro. —La hermana Madeleine estaba pensativa, pero no había dicho que sí ni que no.

—¿Le parece que sí?

—¿Que sí qué, Kit?

—¿Recibía esas cartas a través de usted?

—Bueno, pudo hacerlo de muchas maneras. Cada uno hace las cosas a su modo. —La hermana Madeleine intentaba eludir la respuesta.

—¿Por ejemplo? —Kit estaba haciendo lo imposible por saber más.

—De las diferentes maneras de hacer las cosas? Podrías pasarte la vida entera pensando en esas diferencias. Piensa en tu madre, por ejemplo. Ella conocía por su nombre a cada uno de los niños del campamento gitano. Y todos ellos la conocían, aunque llevaban una vida muy distinta. Habrían sido capaces de cualquier cosa por tu madre.

—¿O sea que pudo hacerse enviar las cartas al campamento?

—Ni tú ni yo iríamos a preguntar, ¿verdad, Kit? Como siempre hemos dicho, cada uno es especial y tiene su propia vida. Y yo no sería capaz de repetir a nadie nuestras conversaciones ni quién escribe a quién. Tú tampoco hablarías con Clio sobre lo que te he dicho, sobre las cosas que limpiaba, pues ambas sabemos que no es necesario mencionarlo. Y eso no significa que tengamos secretos ni nada de eso; lo que pasa es que no hay necesidad de contarlo.

—Lo sé. —Kit sabía que la hermana Madeleine jamás le confirmaría si era el buzón de Lena Gray y su madre. Pero Kit estaba segura de que lo era.

Solo había un problema: si Lena era tan buena amiga, ¿por qué su padre no sabía nada de ella?

La madre Bernard recibió de buen grado a Rita en el convento.

—¿Estás segura de que quieres hacerlo, Rita? Nos encanta el trabajo que haces aquí, por supuesto, pero me parece que nos estamos aprovechando de ti.

—No, madre, es un placer. Me encanta limpiar estas cosas tan bonitas. Y tengo un alojamiento que hasta la reina lo envidiaría.

—Realmente no la imagino alojándose en un convento de Lough Glass durante sus viajes. —A la madre Bernard no le gustaba, por supuesto, que la nueva reina de Inglaterra se considerara cabeza de la Iglesia. De ninguna Iglesia.

—Bueno, ella se lo pierde, madre. Y no quiero volver con

mi familia. Allí no me necesitan y no hacen más que ponerme nerviosa. Además... —Se interrumpió.

—¿Tienes algún pretendiente en Lough Glass, quizá? —La madre Bernard era astuta.

—No, madre, ni de broma. Lo que iba a decir es que no quiero estar demasiado lejos de Emmet y Kit. Sufro por ellos.

—Kit parece arreglárselas muy bien, mejor de lo que yo había pensado.

—Sí. De los tres, ella es quien parece haber encontrado algo de paz. Como si tuviera un secreto. Tal vez le reza a su madre, ¿no?

La madre Bernard no quiso llegar tan lejos. Aunque habría sido una falta de caridad repetirlo, era una de los muchos que estaban convencidos de que Helen McMahon podía haberse quitado la vida y, por lo tanto, no debía de estar en un sitio donde alguien pudiera rezarle con la esperanza de recibir respuesta.

5

Maura intentaba consolar a su hermana, Lilian Kelly.

—Entre los trece y los dieciséis, todas son terribles. Es una cuestión de glándulas... cosas de la naturaleza.

—Pero como Clio, nadie. Te juro que esta niña será mi muerte antes de que esto pase.

—No, no. Es igual en todas partes. Así es el cuerpo, ¿entiendes? Ya están listas para engendrar y formar una familia, pero la sociedad no lo permite. Por eso es un período tan confuso.

—Solo faltaría que se pusieran a tener niños al tuntún. Es lo único que esta niña todavía no ha hecho. —Lilian Kelly tenía un gesto duro.

Lo extraño era que Kit, la niña sin madre, siempre inquieta y rebelde, en aquel momento parecía haber encontrado su sitio.

Clio, sin embargo, era un problema. Con su rubia hermosura, había llamado la atención de muchos chicos, pero sus padres eran estrictos: ni hablar de salir hasta que terminaran las clases. Las lecciones eran importantes. La diversión podía esperar.

Maura los visitaba casi todos los fines de semana. Según decía, Dublín estaba muy cerca y le encantaba verlos a todos. Con el paso de los meses y de los años, aquellos fines de semana habían terminado por ser una costumbre. El viernes por la noche cenaban en casa de los Kelly. Al día siguiente iban a jugar al golf. Martin McMahon sabía, por su amigo el médico, que el ejercicio era esencial para los hombres que ya habían cumplido los cuarenta. El sábado por la noche cenaban en el club.

Fue preciso persuadir a Martin de que, de vez en cuando, a sus hijos les convenía ir a su aire.

—Sin duda Helen querría que fomentaras su independencia —había dicho Maura.

Eso solucionó las cosas. A Martin le gustaba la desenvoltura con que ella mencionaba a su difunta esposa. Mucha gente bajaba la voz al mencionarla... si acaso la mencionaba.

Mientras las otras adolescentes peleaban con sus madres, Kit McMahon desarrollaba una amistad cada vez más íntima con Lena, la amiga de su madre. Semana tras semana llegaban a la cabaña de la hermana Madeleine las cartas mecanografiadas de Lena: páginas y páginas de conversación, recuerdos y reacciones a las cosas que Kit le escribía.

La hermana Madeleine mencionó aquellas cartas solo una vez.

—¿Te escribe mucho la amiga de tu madre?

Kit lo pensó antes de responder.

—Le enseñaría las cartas, hermana Madeleine, pero... No sé cómo decirlo... Es como si... No es que sea un secreto, exactamente, pero se diría que ella solo escribe para mí.

—Oh, hija, no vayas a pensar que quiero leerlas. Ella te cuenta cosas buenas de tu madre...

—Cosas estupendas. Deben de haberse conocido muy a fondo. Claro que se escribían con mucha frecuencia. Usted debe de saberlo, porque seguramente les servía de intermediaria. —La hermana Madeleine miró el fuego sin decir nada—. Me siento mucho mejor con respecto a mamá. La conozco bien: cómo era de niña y todo eso. Es como haber encontrado su diario o algo así.

—Toda una bendición para ti —comentó la monja, contemplando la pequeña llama que prendía en el leño.

Lena tenía un rito para leer las cartas.

Lo hacía en la cocina de Ivy, sentada a la mesa y rodeada de todos aquellos estantes repletos. En las paredes no quedaba un centímetro libre, debido al montón de tarjetas postales, pañuelos, adornos y pósters.

Mientras se tomaba el brandy, se dejaba transportar a un mundo de brisas en el lago, exámenes finales y retrasos del padre Baily, quien olvidaba que los relojes seguían su curso.

Se enteró de que a su hijo le habían extirpado las amígdalas y solo podía comer gelatina y helado. De que Rita había hecho un curso de secretariado, pero afortunadamente no se iría a Dublín en busca de un buen empleo: estaba trabajando enfrente, en la oficina del taller Sullivan.

Lena leía noticias sobre personas que durante trece años le habían resultado antipáticas; en aquel momento las encontraba fascinantes. De Philip O'Brien, que era tan bueno, y su madre tan horrible. De Clio, que también se peleaba con su madre. De Deirdre Hanley, que reñía con la suya en cuanto cruzaba la puerta de la tienda.

> A veces pienso que si mi madre estuviera viva, también discutiríamos. De lo contrario no seríamos normales.

A Lena le temblaron las manos al leerlo. Sobre aquel asunto escribió página tras página.

> Tu madre siempre hablaba de ti con mucho amor; decía que eras muy fuerte y valiente. Vosotras no habríais peleado nunca. Tú la habrías visto tal como era, hasta con sus debilidades...

Luego lo rompió. No debía descubrirse. Después de haber puesto tanto cuidado en aquellos años, no podía echarlo todo a perder.

Rita llevaba la contabilidad de Stevie Sullivan.

Su madre, una mujer siniestra, opinaba que eso no era del todo correcto. No estaba bien que aquella criada de los McMahon se diera tantos aires. Decidió poner la relación en su sitio justo.

—Me alegra que vengas aquí por la mañana, Rita.

—Gracias, señora Sullivan.

—Se me ocurrió que podría dejarte algunas cosas para planchar, un par de días a la semana.

Rita la miró con educación, pero no dijo nada.

—Para que lo hagas en tu tiempo libre, claro.

—¿Cómo dice usted, señora Sullivan?

Kathleen sabía reconocer una derrota. Inició la retirada.

—Si te queda tiempo, naturalmente.

—Ese es siempre el problema, ¿no? Su hijo me paga por tres horas de la mañana. Espero que ese tiempo sea suficiente para atender todos sus libros y su correspondencia. Va a ser todo un desafío, ¿verdad?

—¿Y después volverás allí enfrente a hacer las tareas domésticas?

Era un comentario mordaz, pero Rita fingió no captarlo.

—En muchos sentidos, en casa de los McMahon he estado siempre como en mi propia casa. No se me ocurriría dejarlos hasta que los chicos estén criados.

En el bar de Paddles, Peter Kelly preguntó a Martin cómo iba el nuevo empleo de Rita.

—Parece desenvolverse muy bien. —Martin estaba orgulloso de la muchacha—. Para empezar, ha arreglado todo.

—Sí, ya lo he visto. Una mano de pintura, estanterías, armarios de archivo. ¡En el taller del viejo Sullivan! ¡Quién lo hubiera pensado!

—Pero me parece que tiene problemas con Kathleen.

—Todo el mundo tiene problemas con Kathleen —dijo Peter Kelly—. La verdad es que ella no ha tenido mucha suerte. Y ahora tiene que lidiar con esos dos muchachos.

—Stevie es ya todo un hombre, ¿no?

—Tendremos que encerrar a nuestras hijas, Martin. Stevie Sullivan sabe mucho más que lo que sabíamos tú y yo a los diecinueve años.

—Y el menor, Michael, es un gamberro. La otra noche lo encontraron con el pequeño Wall detrás del local de Shea, bebiéndose los restos de las botellas vacías. ¡Esos críos...!

Pero Peter Kelly no estaba tan indignado como parecía. Era muy tolerante con lo que el resto de Lough Glass consideraba el lado criminal de los jóvenes. A él no le parecía tan malo que Clio hubiera ido al cine con la falda de raso negro de su madre, aunque a Lilian todavía le durara la indignación.

—Es una bendición que Maura venga con tanta regularidad —confesó el médico a Martin—. Si no fuera porque estamos obligados a portarnos bien delante de la visita, Lilian se lanzaría continuamente al cuello de Clio.

A Martin se le iluminó la cara.

—Es muy buena compañía, Maura. No sé cómo consigue tener tanto tiempo para venir, pero me alegra verla.

Peter Kelly bebió pensativamente su cerveza. Sabía muy bien por qué Maura dedicaba tanto tiempo a aquellas visitas. Se preguntaba si Martin se percataría algún día de que él era el interés principal.

Rita sí se percataba, y lo habló con la hermana Madeleine.

Kit ya le había mencionado que la tía de Clio hacía reír a su padre y que se había acostumbrado a jugar al golf durante el fin de semana. Cuando Emmet iba a leer poesía con ella, también solía mencionar a la tía de Anna Kelly, a quien también parecían gustarle los poemas.

—¿Y es una buena mujer? —preguntó la hermana Madeleine.

—Muy buena, creo.

—Bueno, entonces él debería invitarla a cenar, ¿no te parece?

... y para la semana que viene hemos invitado a cenar a los Kelly y a Maura, la tía de Clio. La verdad es que es una idea disparatada, pero Rita dice que papá cena siempre en su casa y no les devuelve nunca la invitación. Yo dije que él pagaba muchas comidas en el hotel de los O'Brien o en el club de golf, pero Rita dijo que tiene su propia casa para recibir a los amigos. Así que los invitó. Sin nosotros: ni Emmett ni yo, ni Clio ni Anna; solo los mayores. Habrá sopa, cordero asado y crema inglesa. Y vino. Papá está encantado. Yo no estoy segura. Será una tontería, pero me parece una deslealtad. Porque cuando mamá estaba aquí habría podido preparar una cena para los Kelly y la tía Maura, porque era una cocinera estupenda. Me parece absurdo que nos esforcemos tanto en preparar una cena cuando ella podría haberlo hecho con tanta facilidad. Pero no lo hizo. Tal vez los Kelly no le gustaban. Es tan difícil saberlo... Tengo la sensación de que si le hubieran gustado, los habría invitado a cenar...

Lena sintió que se le nublaban los ojos. ¡Qué poco se escapa a la mente rápida de un niño! Los Kelly no le gustaban ni le dejaban de gustar; representaban todo lo que era seguro y aburrido en Lough Glass. Ella había evitado deliberadamente intimar con aquella familia, por el deseo de mantenerse aparte y libre, como si supiera que algún día Louis volvería a buscarla.

Y en aquel momento había dejado su indiferencia como legado a aquella niña inocente, que tenía tan buena opinión de su madre que, aun después de su muerte, se resistía a comprometer su memoria.

Lena le escribió de inmediato.

No sé si tienes razón con respecto a los Kelly. En sus cartas, Helen siempre hablaba de ellos como de buenas personas. Decía que tú y Clio teníais una amistad tormentosa, que a veces erais amigas inseparables y a veces enemigas irreconciliables. Sé que no le gustaba jugar con ellos al golf, pero a veces se sentía culpable por privar de eso a tu padre. Al parecer lo instaba a ir solo, pero él decía que sin ella no iría.

Así que me alegro de saber que en este momento juega.

Espero que la cena salga bien. Me encantaría ser una mosca para ver desde la pared.

—¿Qué pasará si él vuelve a casarse? —preguntó Ivy un día.

—¿Quién?

—Tu ex. Martin.

—Oh, no se casará. —La pregunta había tomado a Lena por sorpresa.

—Por lo que me cuentas, conozco a estos personajes como si fueran los de una novela. Esa Maura está apareciendo mucho.

—Martin no se casaría con Maura. —La idea hizo sonreír a Lena.

—¿Por qué no? Todo el mundo te cree muerta. Él es libre y puede casarse. ¿No sería sensato?

—Tratándose de amor, Martin no era sensato. De lo contrario se habría casado con Maura desde un principio y nada de esto habría ocurrido.

—Y Kit y Emmet no existirían.

—Tal vez sería mejor así. Para mí solo existen en una especie de limbo.

—¿Pasa algo malo, tesoro?

—No lo sé, Ivy. No lo sé.

Pero pasaba algo malo y Lena lo sabía.

Louis estaba inquieto. Llevaba casi cinco años en un mismo lugar y pensaba que era hora de reiniciar la marcha. Proponía que se mudaran a algún lugar cálido, como el sur de España.

—¿Y mi trabajo? —había preguntado Lena.

—Es solo un trabajo, querida. Entraste el primer día y te quedaste allí.

—Igual que tú —contraatacó ella—. Nos quedamos porque nos fue bien, porque aprovechamos esos empleos.

—Hay millones de empleos, Lena.

—Pero estos son los nuestros, nuestra carrera. Tú controlas el Dryden, prácticamente. Y prácticamente yo controlo la agencia Millar.

—¿Y qué? No estamos casados con el Dryden ni con Millar.

—Tampoco estamos casados tú y yo —replicó ella.

Lo del matrimonio era un problema. Técnicamente, Helen McMahon había muerto. Si quisiera obtener una partida de nacimiento, se presentaría la correspondiente acta de defunción. Era mejor no arriesgarse a desenterrar Dios sabe qué dificultades.

Eso era lo que ambos habían dicho. Pero una parte de Lena pensaba que Louis se había tomado el asunto con demasiada calma. Si de verdad sentía por ella el profundo amor que profesaba, ¿no tendría que haber hecho un mayor esfuerzo por casarse con ella?

Jessie Park y el señor Millar mantenían un largo romance, ayudados desde un principio por los mejores esfuerzos de Lena Gray. Los sábados solían almorzar los tres juntos. Ella se disculpaba temprano y los dejaba solos para que conversaran.

En aquellas reuniones se tomaban las grandes decisiones sobre la agencia. Los negocios prosperaban como nunca y necesitaban contratar a otra persona.

—¿Qué os parece Dawn Jones? —sugirió Lena—. Está buscando otro empleo. No podríamos conseguir a nadie con su encanto.

Dawn Jones era uno de sus primeros éxitos. Se había presentado a la primera entrevista como una prostituta a punto de partir hacia la zona del puerto: maquillaje excesivo, suéter muy escotado y manchas de nicotina en los dedos.

—Ninguna de mis hermanas ha trabajado nunca en una oficina. Me encantaría decir que soy oficinista —pidió.

Jessie y Lena se dejaron conquistar por su inocente entusiasmo. Con tacto, le aconsejaron que se vistiera de otra manera y la enviaron al salón de Grace West para que le cambiaran el peinado. Como era una mecanógrafa pasable, no fue difícil instalar a la encantadora Dawn en una oficina. Lo difícil fue persuadir a sus jefes y colegas de que mantuvieran las manos quietas. Aun vestida con falda y chaqueta azul marino, algo en Dawn sugería excitación y aventura. Por todas partes se repetía la historia: era demasiado sexy para que la tomaran en serio.

Lena se preguntaba si eso podría ser una ventaja para la agencia. A las chicas les encantaba tener a alguien a quien poder imitar, un modelo con quien identificarse. Ella y Jessie eran demasiado mayores y estaban bien situadas; si veían a Dawn en Millar, tal vez pensaran que el trabajo de secretaria era mucho más estimulante de lo que parecía.

Jim Millar dijo que sí, que tenía razón. Jessie opinó que Jim estaba en lo cierto. Así que hablaron con Dawn.

—Francamente, señora Gray, no sé. No estoy segura. Cree usted que yo sirvo para estar aquí? —Dawn paseó una mirada incrédula por la oficina.

—Estamos progresando, Dawn. Vendrán periodistas, fotógrafos y todo eso.

Lena comprendió que había ganado la batalla. Despachó un comunicado de prensa a los periódicos de la zona y a las revistas especializadas. Y junto con el comunicado, una descripción de Dawn Jones, que había abandonado su trabajo en una agencia de modelos para incorporarse a la de Millar. La agencia de modelos en cuestión había sido un breve interludio y la chica no había querido quedarse allí; al parecer, la expresión «ser modelo» admitía demasiadas interpretaciones. Aun así le daba el encanto necesario para despertar el interés de los periodistas.

Y si ellos iban a hacer fotografías de Dawn, también tendrían que mencionar a Millar, la agencia donde se prestaba tanta atención al aspecto personal y a la presentación como a la velocidad en mecanografía y taquigrafía. El enfoque resultó acertado y, como consecuencia, fueron muchos los que recurrieron a la agencia.

Jessie y Jim estaban encantados.

—Esto marcha tan bien que me cuesta creerlo —comentó Jessie jadeando.

—¿Qué haría yo sin mis dos chicas? —manifestó Jim Millar, observándolas con orgullo.

—¿Te parece que le gusto, Lena? —susurró Jessie cuando él hubo salido.

—Por supuesto, por supuesto que sí —la tranquilizó Lena.

—Me gustaría saber qué hacer. Tengo tan poca experiencia en estas cosas... Tú lo sabrías, Lena.

—No, yo también soy una inútil en esto —dijo Lena con sinceridad. No tenía idea de cómo arreglárselas con la pasión que Louis sentía últimamente por ella. Habría dado cualquier cosa por saberlo.

—Pero tú eres tan... bueno, eres hermosa y estás casada con un hombre muy atractivo. ¿No has captado alguna señal...? —Los grandes ojos claros de Jessie estaban llenos de inocencia y esperanza.

—Creo que el señor Millar es de los que se toman su tiempo para todo, pero acaban por decidir lo más acertado.

—¿Y si aparece otra?

—No habrá otra para él, créeme.

Y Jessie la creyó, porque Lena parecía toda una autoridad. Si supiera —pensó Lena—, si supiera a quién está pidiendo consejos sobre el amor y el matrimonio.

Dawn quedó encantada con tanta publicidad.

—Realmente me ha hecho un gran favor, señora Gray, y la verdad es que me gusta trabajar aquí, con mujeres. Nunca lo habría creído. En cierto modo, son más sensatas que los hombres, ¿no?

Lena estaba orgullosa de todo lo que habían logrado y no podía evitar comentárselo a Louis. Él seguía decaído, pero al menos ya no mencionaba lo de España.

—Estás poniendo mucho interés en esa agencia.

—También tú en el Dryden. Somos así. —Lena se sentó en el suelo, con la cabeza en el regazo de Louis. Le encantaba compartir los anocheceres con él; aquel pobre apartamento no le parecía pequeño ni triste.

—¿Y para qué? —dijo él, moviendo la mano en un gesto amplio—. Nos matamos a trabajar, y total para vivir en esta pocilga.

—No es una pocilga —se indignó Lena.

—Bueno, no puedes decir que sea el Camino Real.

—¿Qué es el Camino Real?

—El nombre que suelen tener los hoteles en España... donde podríamos conseguir buenos trabajos. —Ella guardó silencio—. Con facilidad —añadió él con implorantes ojos oscuros.

Lena sintió que el pánico le subía a la garganta. Era preciso mantener la conversación lejos de España. Habría renunciado a muchas cosas más, a cosas muy importantes. Podía hacer que Kit le escribiera a cualquier otro sitio; ese no era el problema. El problema era que si Louis se mudaba a España, se mudaría solo. Ella no podría obtener un pasaporte. Lena Gray no existía.

—¿No te parece que deberíamos emborracharnos? —preguntó Clio a Kit.

—¿Ahora? —Iban caminando hacia la escuela; eran las últimas semanas de repasos frenéticos antes de los exámenes.

—Bueno, ahora mismo no, pero dentro de poco. Es una experiencia que aún no hemos tenido.

—¿Más o menos cuándo? ¿Quieres que demos media vuelta para ir al bar de Paddles? ¿O pedimos al matrimonio O'Brien que nos prepare unos cuantos combinados antes de ir a clase?

—Tú te lo tomas todo a broma —se quejó Clio.

—No es cierto. —Kit se indignó—. Estoy dispuesta a todo, como bien sabes. Pero no me parece que sea buen momento para ponernos como una cuba, ahora que se acercan los exámenes. Supón que nos afecta como a esos viejos de ojos rojos y narices chorreantes que esperan a que abra la taberna.

Clio soltó una risita aguda. A veces Kit era muy divertida. Pero otras veces, sin motivo alguno, perdía los estribos y se ofendía por nada. Con ciertos asuntos era muy quisquillosa. Clio se moría por saber si pensaba que tía Maura podía comprometerse con su padre, si le gustaba la idea de tener madrastra y de ser prima suya. Pero ese era un territorio por el que no debía aventurarse.

Le habría encantado saber si tía Maura y el señor McMahon... bueno... estaban medio saliendo. Y si se casaban, ¿lo harían en la cama, como todo el mundo? Normalmente esas eran cosas de las que una chica podía hablar con su mejor amiga, pero tratándose de Kit McMahon había muchos terrenos que no se podían pisar.

—¿Alguna vez te has emborrachado, pero con una buena borrachera? —preguntó Kit a Stevie Sullivan.

—¿Por qué lo preguntas? —Stevie era guapo aun cubierto de grasa y con aquel mono mugriento, pero poco serio; eso lo sabía todo el mundo.

—Porque tú has hecho casi de todo. Clio y yo pensamos emborracharnos cuando terminemos los exámenes. Por eso estoy buscando sugerencias. Por ejemplo: ¿hay algo barato y rápido, que no nos siente demasiado mal?

—Estás preguntando al menos indicado. No lo sé.

—Vamos, seguro que sí —insistió Kit.

—No, de veras. Demasiadas borracheras hubo en esta casa cuando yo era pequeño.

Kit lo había olvidado. Sintió vergüenza por no haber tenido en cuenta al padre alcohólico, que veía animales y seres extraños en las paredes cuando le atacaba el delirio. Pero decidió no pedir disculpas. No le gustaba que la gente, después de haber dicho sin querer algo sobre ahogados o desaparecidos, se sintiera confusa. El bochorno y las disculpas le parecían más desagradables que la equivocación original.

—Sí, supongo que es lógico —reconoció sin darle importancia al asunto.

La madre Bernard y el hermano Healy siempre habían mantenido una marcada rivalidad por los resultados de los exámenes finales. Como los publicaba el periódico de la zona, todos podían verlos y comparar. El hermano Healy siempre decía que las probabilidades se inclinaban a favor de la madre Bernard. Las niñas cursaban materias fáciles, como arte y labores del hogar. Para la superiora no era difícil acumular un enorme montón de exámenes aprobados y buenas notas entre sus discípulas.

Sin embargo, las monjas aseguraban que su camino era el más difícil, porque los pequeños agricultores, en su mayoría, solo querían que sus hijas aprendieran ciertas cosas básicas que las convirtieran en granjeras aceptables; llegado el momento, las clases de francés y de latín les resultaban peligrosas. ¿Para qué aumentar las expectativas de una muchacha que abandonaría la casa paterna para mudarse a otra parecida, en una comarca próxima?

—¿Y ha tenido usted una cosecha muy brillante este año, hermano Healy? —preguntó la madre Bernard.

—Todos zoquetes, madre Bernard. Cabezas huecas y perezosas. Y usted... usted tuvo esta vez *la crème de la crème*, supongo.

—Me temo que son mucho ruido y pocas nueces, hermano. Lo único que les interesa es la música jazz.

—Ese jazz los distrae mucho a todos, sí —afirmó el hermano Healy.

Por mucho que conocieran a la juventud de Lough Glass, no estaban muy enterados de sus gustos musicales. El sonido que tintineaba en los corazones tiernos de Lough Glass era el primer rock and roll.

—¿Vas a hablar con Clio, Peter?

—No, Lilian. Si quieres que te sea franco, no.

—Qué bonito, ¿eh? No quieres hablar con tu propia hija.

—Ella es mi hija, mi propia hija, y solo se me pide que hable con ella cuando ha sucedido algo espantoso y debo imponerle un castigo terrible. Casualmente... casualmente, Lilian, he tenido un día horrible. Y no voy a hablar con ninguna de mis hijas, ni siquiera con mi esposa. Iré al bar de Paddles a tomarme unas cervezas con mi amigo Martin. ¿De acuerdo?

—Bueno, perdóname por existir, por atender tu casa y por encargarme de tus hijas, que se están convirtiendo en dos delincuentes juveniles.

—Deja que prueben. Ya se echarán atrás cuando vean que en eso no hay futuro.

Peter Kelly ya había cruzado la puerta. Sabía que el delito de Anna tenía algo que ver con cosméticos y perfume. El de Clio, según sospechaba, consistía en haberse hecho perforar las orejas como una gitana sin pedir permiso. Era demasiado trivial. Salió dando un portazo y se fue hacia la apacible intimidad del bar.

Al llegar a casa, Kit encontró a Rita encalando el patio.

—¿Te ayudo? ¿Hay otra brocha?

—¿No tienes que ponerte a estudiar? —preguntó Rita.

—Oh, por Dios, ¿tú también? Mira, yo pintaré desde este extremo.

—Antes que nada, quítate el uniforme de la escuela.

Kit lo hizo de inmediato; se quedó en sujetador y bragas.

—Así no —dijo Rita riendo—. Ve a ponerte ropa vieja.

—¿Para qué? Mientras subo a cambiarme y vuelvo a bajar, tú ya habrás terminado. Y de cualquier modo, ¿quién puede verme aparte de Farouk?

El viejo gato las miró con indiferencia, somnoliento. Era difícil conseguir que Farouk se interesara por algo.

Los muros manchados de gris se transformaban ante sus propios ojos.

—A veces no sé para qué nos molestamos —dijo Kit—. Enseguida vuelve a ensuciarse. Y nadie lo ve, salvo nosotros.

—Tu madre siempre decía que una debe cuidar de su casa para sí misma, no para que los vecinos la vean bien.

—A ella le gustaban los ambientes bonitos, ¿no?

—Sí.

—¿No es triste que no haya tenido un jardín como el de los Kelly?

—Ella decía que su jardín era el lago.

—Eso no lo heredé de ella. A mí me importa muy poco el ambiente que me rodea —apuntó Kit.

—Ya te importará, cuando vivas en casa propia —respondió Rita—. Ahora ve a ponerte algo, antes de que el sargento O'Connor se asome por encima de la tapia y te detenga por exhibicionismo.

Lena contempló su pequeño hogar, tratando de ser objetiva. ¿Por qué decía Louis que era una pocilga? ¿Por qué opinaba que no habían conseguido nada en aquellos años de duro trabajo?

Ivy había mejorado considerablemente su casa desde que ellos la conocían. Había hecho pintar la fachada y reparar las verjas. En aquel momento, el vestíbulo tenía alfombra, y la escalera, pasamanos nuevo. De hecho, el único apartamento que no había sido redecorado era el que ocupaban ella y Louis.

Pero ellos mismo lo habían adornado con cuadros, alfombras y tapices. Para Lena era un refugio, el lugar donde hacía apasionadamente el amor con el hombre que constituía el centro de su vida, donde le preparaba frugales comidas y conversaba con él, el lugar desde donde contemplaba el cielo de Londres. Dondequiera que mirase, sentía la libertad de aquel alojamiento. Era reducido, sí, pero ellos no recibían a nadie; no tenían ganas de tener visitas. Louis llegaba siempre muy tarde; sus horarios eran cada vez peores. Lo mismo sucedía en todas partes; una vez que aceptabas alguna responsabilidad, la vida dejaba de pertenecerte.

Pero a Lena le encantaba vivir allí. Disfrutaba con la amistad sin exigencias de Ivy Brown y le gustaba que la agencia estuviera a la vuelta de la esquina.

A Louis también le gustaba aquel apartamento y se entendía bien con Ivy. Tenía la estación del metro a un paso. ¿Por qué había dicho que era un basurero, una pocilga? Tal vez porque pensaba que ellos tenía que vivir de una manera más elegante. ¡Un apartamento sin cuarto de baño! Pero si se desocupara alguna habitación dentro de la misma casa...

Era una tontería pensarlo. Casi todos los inquilinos estaban bien situados. Sería mejor no dejar volar la imaginación...

Sin embargo, Dios existía, o el destino, o algo así. Tres días después, Ivy le dijo que se iban los neozelandeses del segundo piso.

—Tienen nostalgia, dicen. —Ivy meneó la cabeza, dudando—. Podrías ayudarme a elegir inquilinos nuevos. Después de todo serán vecinos tuyos. Conviene que sea gente con la que puedas llevarte bien.

—¿Cómo ha quedado el piso? —preguntó Lena.

—Ven a echar un vistazo. —Ivy descolgó la llave de su tablero y ambas subieron.

Tenía techos altos y grandes ventanas. Aquel no era un alojamiento que Louis Gray pudiera despreciar.

—¿Cuánto pides? —preguntó Lena.

—No se me ocurrió ofrecértelo. Supuse que estaríais ahorrando para comprar una casa propia —comentó Ivy.

—No, nada de eso. —Lena prefería ocultarle que tenían muy poco dinero ahorrado. Lo que tenían, lo gastaban. Para alquilar aquel piso tendrían que hacer economías, pero valdría la pena.

—¿Él lo sabe? —preguntó la casera.

—No, por supuesto. Se me ha ocurrido hace apenas diez segundos.

—Deja que lo adecente un poco antes de enseñárselo.

—¿Qué vas a hacer?

—¿Qué sugieres?

Se quedaron allí de pie observándolo, con la mente llena de ideas.

—Un ropero grande en el dormitorio, podría ser.

—Para colgar todas las chaquetas de Louis Gray y colocar sus bonitos zapatos —la provocó Ivy.

—No se te ocurra decir nada contra él.

—No se me ocurriría. Oye, dame una semana. Después os lo enseñaré para ver qué os parece. Si cambias de opinión, no importa. De cualquier modo podré alquilarlo.

—Creo que a él le encantará —dijo Lena, con renovadas esperanzas. Aquello podía quitarle de la cabeza la idea de trasladarse a España. Durante un tiempo, al menos.

Y a él le encantó. Le entusiasmó el tamaño de los cuartos; era mejor que el Dryden, dijo a Ivy. Compró una botella de champán y los tres bebieron a la salud del nuevo hogar.

En Scarborough había un congreso de hoteleros.

—Ese es un lugar que siempre he querido conocer —comentó Lena.

—Ya te contaré cómo es.

—¿No puedo ir contigo? —Lena había pensado tomarse algunos días libres en la agencia.

—Me temo que no vamos con los cónyuges.

—Bueno, ya me contarás —dijo ella con una gran sonrisa.

Mientras Lena escogía tela para las cortinas del piso nuevo, en Selfridges, tropezó con James Williams.

—¿Más azul y oro para tu agencia? —preguntó él. Se acordaba de aquel detalle.

—No. Curioseaba, nada más.

—Estás muy bien. —Siempre la miraba con mucho aprecio.

—Gracias, James. —Ella recibió el cumplido con la sonrisa de costumbre.

—Espero que Scarborough te guste —dijo él.

—¿Tú también irás? —preguntó Lena, tratando de sacar la voz por entre el hielo que le cubría la garganta.

—No. Por desgracia no tengo excusa. Van a trabajar un poco, pero es mayormente una manera de dar las gracias a esos muchachos que trabajan tanto en horarios tan incómodos. Así pueden agasajar debidamente a sus esposas sin tener que mirar el dinero.

—¿Y van todas las esposas?

—Sí. Ninguna quiere perderse un viaje así. Bueno, que lo disfrutes.

—Gracias —dijo ella. Y se sujetó al mostrador para no perder el equilibrio.

Carta de Kit:

> Probablemente es solo idea mía, pero tengo la sensación de que papá está flirteando con Maura, la tía de Clio. Sé que es una expresión muy anticuada, pero no sé de qué otra manera decirlo. Y no tengo a quien decírselo. Han comido un par de veces en el hotel de los O'Brien. Philip me dijo que estaban muy cariñosos, pero Philip siempre dice lo mismo; no piensa en otra cosa.
>
> ¿Te parece que, a su edad, puedan estar pensando seriamente en casarse? Sé que papá no va a decidir nada sin hablar antes con nosotros, pero tengo mucho interés por saber qué piensas tú.

En aquella ocasión la respuesta llegó muy pronto. Debía de haber sido despachada a vuelta de correo. Era una carta muy breve.

> Cuéntame, Kit. ¿Crees que Maura haría feliz a tu padre? Él ha llevado una vida difícil. Merece ser feliz. Dime también

si a ti y a Emmet os gustaría o si os haría daño ver a otra mujer ocupando el cuarto de vuestra madre. Cuando me hayas respondido a todo eso, te escribiré para decirte qué pienso.

Kit escribió:

¿Cómo sabes que mamá tenía cuarto aparte? Nunca te lo he dicho. No puedo creer que ella te lo haya contado. Respóndeme, por favor.

Lena se paseaba por su oficina. No volvería a escribir con tanta precipitación. Así se producían los errores. Pero no había problema. Podía disimular.

Qué observadora eres, Kit. La verdad es que tu madre me dijo que tenía una habitación aparte porque no dormía bien con otra persona en el mismo cuarto. No necesitaba pedirme que no se lo repitiera a nadie, pues nunca hablé de ella con nadie. Nuestra correspondencia era una especie de vida secreta, más o menos como la que tengo contigo. A otros podría parecerle triste y hasta patético. A mí no. Y espero que a ti tampoco. Tu madre nunca pensó así. No tienes idea de lo sola que me sentí cuando sus cartas dejaron de llegar. Dime que lo comprendes.

Kit escribió:

Comprendo, pero no me explico por qué dices que cuando mamá murió, te enteraste de ello por un periódico. Debías de haberlo sabido de inmediato si ella dejó de escribirte.

Esta fue la explicación de Lena:

Lo dije solo en la primera carta, para poder presentarme a ti. Se me ocurrió que quizá no quisieras escribir ni mantener el contacto por lealtad a tu madre. No quería hablarte de nuestras cartas.

Respuesta de Kit:

Todo es muy confuso. Eres una mujer muy misteriosa.
No sé absolutamente nada de ti. En cambio, tú lo sabes
todo de mí. ¿A mi madre le contabas tus cosas? ¿Ella destruía tus cartas? Cuando desapareció, no encontramos
nada. Nada en absoluto que nos permitiera estar enterados
de tu existencia.

Respuesta de Lena:

Te contaré lo que quieras. Puedes hacer una lista de preguntas, que yo trataré de responderlas.

Sabía que era arriesgado. Se estaba metiendo en arenas
movedizas. Tendría que inventar una historia para Lena, un
pasado que nunca había existido. Y tenía miedo de las preguntas que Kit pudiera hacer.

De hecho, no fueron inquisitivas. Al parecer, Kit había
decidido no ser descortés. Pero había algo mucho más dolo-
roso, algo que Lena no podía prever aunque era, por supuesto, la respuesta normal de una amiga: Kit quería que ella viajara a Irlanda.

¿No puedes venir a visitarnos? Tienes dinero de sobra.
Y si quieres conservar el secreto, podrías hospedarte en el hotel de los O'Brien.

Por algún motivo, Kit esperaba que aquella mujer no
apareciera. Bien podía resultar una desilusión. Tal vez no era
tan simpática personalmente como por carta.

Pero eso era una tontería. Si Lena tenía la edad de su madre, debía de rondar los cuarenta y cinco años, demasiados
para pasarse el tiempo escribiendo a una adolescente irlandesa sobre cosas que habían sucedido hacía mucho tiempo.
Lena parecía muy normal. Su marido era hotelero. Ella traba-

jaba en una gran agencia de empleo. Y vivía en la casa de una tal señora Brown.

Querida hermana Madeleine:
Desde hace años usted me sirve de correo. Quiero agradecerle su discreción y su nula curiosidad. Como Kit McMahon habla de usted con tanta devoción, me atrevo a pedirle un gran favor. Kit me ha sugerido que vaya a Lough Glass. Por muchos motivos no quiero hacerlo. No sería conveniente para ella ni para nadie. Pero en este caso no pienso en mí, sino en otros. Por lo que ella me dice, a usted siempre se le ocurren soluciones para problemas que parecen imposibles de resolver. Le estaré eternamente agradecida si encuentra el modo de hacerle comprender que no nos beneficiaría conocernos en persona, en Lough Glass ni en ningún otro lugar.
No quiero inventar una sarta de mentiras. Sé que usted me creerá si le digo que no es conveniente.
Suya con desesperación, querida hermana Madeleine,

LENA GRAY

Mi querida hija:
Siempre he pensado que existe una vida en la imaginación, y esa vida sufre cuando se la mezcla con la realidad. Es posible mantener dos mundos separados. Es posible llevar existencias paralelas que no se encuentren jamás. Te deseo paz y felicidad; ten la certeza de que cuentas con amigos y de que aquí los tuviste siempre.
Tuya sinceramente en Jesucristo,

MADELEINE

—Ella lo sabe, ¿verdad? —Lena entregó la carta a Ivy.
—Creo que sí —confirmó Ivy—. ¿Y ahora?
—No dirá nada. De eso estoy segura.

—¿Tienes un lío con Philip O'Brien? —preguntó Clio.

—Por Dios, Clio. ¿Por qué no me habré buscado otra amiga? Te lo he dicho mil veces: entre Philip O'Brien y yo no hay nada de nada.

—Él se pasa el día rondando por aquí. O eres tú quien va a su casa.

—Bueno, es que vive al lado.

—¿Te ha besado?

—Cállate.

—Juramos que nos lo diríamos todo. Yo te conté lo del juego de la botella en la fiesta.

—Te lo he contado todo. No hay nada más que contar, eso es todo.

—Así que te besó, pero como estáis enamorados no me lo puedes decir. ¿A que sí?

Kit no pudo contener la risa.

—Pues no, ¿entendido? Él quiso besarme, pero falló porque yo no me di cuenta y miré hacia otro lado, así que me dio en la barbilla. Él dijo «perdón», yo dije «perdón» y probamos otra vez. Fue un poco embarazoso. Ahora ya sabes todos los detalles. ¿Quieres dejarme en paz?

—¿Cuándo sucedió todo eso? —Clio no estaba satisfecha.

—Vamos, Clio. Fue un día de la semana pasada.

—Y no me lo habías contado.

—Tengo algo que contarte, si quieres. Stevie Sullivan tiene otra novia.

—¡No! —Aquello sí despertó interés en Clio. Y también cierta desilusión.

—Sí. Es una chica norteamericana que se hospeda en el hotel de los O'Brien. Sus padres han venido en busca de sus raíces. Están siempre entre las viñas. Y ella cruzó la calle y estuvo conversando con Stevie.

—¿Ah, sí?

—Dice Philip que es preciosa. El caso es que Stevie fue al hotel y ella dijo a sus padres que la llevaría a la otra orilla del lago, para presentarla a su grupo de amigos, y ellos dijeron que les parecía bien. Y no había ningún grupo de amigos, claro. Típica mentira de Stevie.

—Bueno, ella se irá pronto —dijo Clio con expresión ceñuda—. Cuando sus padres hayan encontrado sus raíces saldrán de aquí como huyendo de la peste. Y el señor Stevie se quedará sin su nuevo ligue.

—Esta tarde tenemos otra charla de orientación de los estudios —gruñó Kit.

—Sí, qué rollo. Supongo que están obligados a decirnos qué carreras podemos seguir.

—No hay más que enfermería y magisterio, siempre que te atraigan.

—Y a mí no me gusta ninguna de las dos —dijo Clio.

—La madre Bernard está desesperada por que estudies medicina —dijo Kit.

—Para poder decir que de su convento salió una doctora. Y porque quiere que tenga la cabeza metida en los libros durante otros siete años.

—¿Y qué piensas hacer?

—Quiero estudiar bellas artes. Tía Maura dice que es una base estupenda.

—¿Una base estupenda para llegar adónde?

—A los brazos de un marido rico, espero.

—¿Eso quieres?

—No. También quiero que sea atractivo y experto. Que no me clave la nariz en la barbilla en vez de besarme en la boca.

—¿Y todavía te extraña que nadie quiera contarte nada, Clio?

—Es que tú estás siempre guardando secretos —observó esta entornando los ojos.

—¿Qué pasa ahora?

—Para empezar, cuando no estoy contigo bajas a la cabaña de la hermana Madeleine.

—Sí.

—Y todo ese asunto con Philip. Y para estudiar te apartas misteriosamente.

—Para estudiar, pues claro que sí. Por si no te acuerdas, dentro de tres meses tendremos los exámenes finales.

—¿Y ahora estás estudiando?

—Sí.

—No tienes ningún libro. Solo papeles.

—Estoy tomando notas.

—A ver. —Clio le arrebató la carpeta. Dentro había un sobre con un sello y una carta a medio escribir—. No estás estudiando. Estás escribiendo cartas.

—Dame eso —Kit estaba pálida de ira.

—Déjame leer.

—¡Dame eso, Clio!

—«Queridísimo...» ¿Queridísimo quién? No entiendo el nombre.

Kit lanzó un grito y se lanzó contra ella.

—¡Eres una egoísta y una malcriada! ¡No tienes educación, ni decencia!

—«No tienes educación, ni decencia» —repitió Clio poniendo la carta fuera de su alcance.

Pero Kit la dejó sin aliento con un inesperado golpe en el estómago. Luego le quitó la carta y salió del aula a toda prisa.

En el pasillo se encontró con la madre Bernard.

—Las señoritas no corren, Mary Katherine.

—Perdone, madre. Corría a la biblioteca para seguir repasando.

—Bien, pero limítate a caminar deprisa. ¿Te sientes bien? Pareces acalorada.

—Estoy bien, madre. —Kit escapó antes de que se descubriera la mentira y se le exigieran más explicaciones.

—¿Cariño? —Era Louis, que llamaba a Lena a la agencia.

—La misma que viste y calza —dijo ella. La sonrisa era perceptible en su voz.

—¿Te acuerdas de ese congreso?

—Ah, sí. —¿Sonaba realmente despreocupada?, se preguntó.

—Han cambiado las reglas.

—¿En qué sentido?

—Podemos llevar a las esposas, las amigas, lo que sea. —Un gran silencio—. Así que...

—¿Qué, Louis?

—¿No te parece estupendo? Empaqueta tus galas e iremos al baile.

—No puedo.

—¿Qué dices?

—Que no puedo, amor. Ya lo sabes. Me comprometí a cuidar de la señora Park y a mantener la oficina abierta. No, no puedo echarme atrás.

—No tendremos otra oportunidad como esta. No puedes rechazarla.

—Si lo hubiera sabido antes, no me habría comprometido.

—Bueno, antes yo tampoco lo sabía, mujer.

Oh, cuánto le habría gustado viajar en tren a Yorkshire, con todos los gastos pagados. Por primera vez desde aquella terrible visita a Brighton, habrían podido alojarse juntos en un hotel, disponer de tiempo libre para conversar y descansar.

El silencio se prolongaba entre los dos. Lo oyó gruñir.

—¿Estás tratando de decidirte? ¿O ya no hay opción?

—¿Por qué no me lo has dicho antes? —preguntó ella.

—Porque no lo sabía.

—James Williams sí lo sabía.

—¿Qué quieres decir?

—El otro día me encontré con él y me preguntó si te acompañaría. Le recordé que las esposas no iríamos, pero él dijo que sí.

—Y tenía razón —exclamó Louis, triunfal. Fue él quien dijo, desde un principio, que así tenía que ser.

Lena se sentía muy cansada. ¿Qué habría hecho cualquier

otra en su lugar? Una mujer más astuta, ¿habría abandonado todo para acompañarlo, para invadir de nuevo su corazón? ¿O se habría dejado convencer lentamente, fingiéndose difícil?

—No puedo ir, Louis. —Había planeado muchas actividades para aquel fin de semana, pensando que estaría sola. Comprendió que, paradójicamente, ya no podía echarse atrás; eran demasiados los que dependían de ella. Decidió que lo mejor era no pedir disculpas ni dar muchas explicaciones. Bastaba con hacerle saber que le habría gustado acompañarlo—. Pero podemos almorzar juntos. Invito yo —sugirió.

—No sé. Si tienes tiempo para almorzar con hombres como yo, ¿por qué no tienes tiempo para venir a Scarborough?

—Porque supuse que no podías llevarme, grandísimo tonto. Anda, vamos a almorzar como hacen en las películas.

Lo había convencido.

Pero mientras se miraba en el espejo de la polvera, sentada en la oficina, notó con alarma que parecía muchos años mayor. Tenía una expresión tensa y demacrada, el ceño fruncido, los ojos y el pelo sin vida. Era comprensible que él hubiera invitado a otra para el viaje a Scarborough. Alguien que lo habría plantado en el último momento.

—Jessie —dijo, levantándose súbitamente—, tengo que salir por asuntos de trabajo. Nos vemos después del almuerzo.

Sabía que su voz sonaba áspera y dura. Notó que Dawn y las otras dos asistentes levantaban la cabeza, sorprendidas. La señora Gray siempre hablaba con amabilidad y se movía suavemente. Nunca cogía de ese modo el bolso para salir corriendo.

—Grace, ¿puedes atenderme ahora?

—Por supuesto. Vamos al último asiento. —Grace alargó la mano hacia el champú.

—Tú misma no... Eres la encargada. Cualquiera de las chicas.

—Están todas ocupadas y me alegra decirlo. —La voz cantarina de Grace siempre sonaba alegre, pero Lena sabía que su vida no era fácil. El hombre a quien amaba tenía dos hijos con otra mujer. Nunca se los mencionaba.

—Me siento horrible. Me veo vieja, triste e inútil.

—¿Cansada, tal vez? —sugirió Grace.

—Ya se sabe lo que es el cansancio. —Las dos rieron. Era una manera cortés de expresar que se estaban notando los años.

—¿Es por el trabajo? —preguntó Grace, mientras le masajeaba con dedos firmes el cuero cabelludo.

—No. Él tiene otra mujer. —Lena se miró en el espejo, con su toalla de turbante.

—No puede ser. No lo creo.

—Estoy segura.

—Te voy a aplicar un baño de aceite caliente, para dar brillo a ese pelo, y buscaremos un buen maquillaje.

—Con eso no voy a recuperarlo.

—Es posible que no lo hayas perdido.

Grace la masajeó con aceite de oliva caliente y reemplazó la toalla por otra.

—¿Te lo ha dicho él? —preguntó.

—No, claro.

—Bueno, entonces...

—No se lo he preguntado —reconoció Lena—. Pero no puedo dejar de pensar en ello. En todo momento, en todo lugar: en casa, en el trabajo, en la cama, aquí mismo. Tengo que averiguarlo, en serio. No podré dormir hasta que lo sepa.

—Piensa en algo agradable. Algo realmente valioso...

—Mi hija —dijo Lena.

Su amiga levantó la vista, sobresaltada. Nunca habían hablado de su vida anterior. Solo Ivy conocía la verdadera historia.

—¿Qué edad tiene? —preguntó con delicadeza.

—Pronto cumplirá los diecisiete.

—A esa edad son encantadoras. ¿Puedes hablar con ella?

—No, personalmente no.

—¿Por qué?

—Porque me cree muerta.

—Bueno, bueno, estás preciosa —dijo él en el restaurante. Era cierto. Grace había hecho milagros.

—Quiero que te lleves un buen recuerdo de mí —explicó ella, sonriendo.

—Ojalá no fuera solo el recuerdo.

—Ojalá. Pero es solo un fin de semana. Habrá otros. —Lena estaba decidida a poner al mal tiempo buena cara. Sentía la mirada de Louis fija en ella, sin necesidad de levantar la cabeza.

—Pareces llena de vida —dijo él.

—Gracias.

—Tomemos una copa de vino y vayamos a casa, ¿quieres?

—¿Cómo? ¡Si acabamos de llegar!

—En pocos minutos estaríamos en casa. No quiero irme dejando asuntos sin atender. —En aquel momento la deseaba. Ella aún podía excitarlo.

Lena sonrió.

—Bueno, yo te había invitado a almorzar como en las películas, pero esto es todavía mejor —dijo. Y salió del restaurante seguida por él.

Corrieron calle abajo como dos adolescentes. Cuando llegaron al piso él la abrazó con mucha fuerza.

—Para mí no hay otra mujer en el mundo entero, Lena. Oh, Dios mío, cuánto te necesito. Ni te imaginas cuánto te necesito.

Después ella lo ayudó a preparar el equipaje.

—Soy un hombre muy comprensivo —dijo Louis, mientras ella doblaba sus camisas.

—¿A qué viene eso, Louis Gray? —Estaba decidida a reír, a ser feliz con él. No quería que se llevara el recuerdo de una esposa malhumorada y seria.

—Mi esposa no cumple con sus deberes conyugales. No me acompaña en mis viajes de trabajo.

—Ah, pero yo no soy tu esposa, Louis.

—¿Por culpa de quién? Debo de ser el único hombre del mundo que convive con una mujer oficialmente muerta. Si pudiera, me casaría contigo mañana mismo. Bien lo sabes.

—¿Lo sé? —No pudo evitar la pregunta.

—Bueno, si no lo sabes es porque no quieres. —Louis metió la mano en el cajón donde guardaba su ropa interior. Sacó calzoncillos y calcetines, dejando deliberadamente en el cajón dos cajas de condones.

—No tiene sentido llevarlos, si tú no vienes.

—Cierto —dijo Lena riendo.

Pero su risa sonaba hueca. En Scarborough habría muchas farmacias donde comprar aquellas cosas.

Tal vez porque trabajo en una agencia de empleo, me interesa mucho saber qué vas a hacer cuando termines la secundaria. Las muchachas comienzan mal porque nadie las asesora bien con respecto a las carreras. Tú no hablas mucho del futuro, pero a mí me gustaría saber a qué has decidido dedicarte.

No me has dicho si quieres trabajar en la farmacia o si quieres ir a la universidad.

No esperaba una respuesta tan pronto.

Es curioso que me hagas esta pregunta precisamente ahora, pero he estado pensando y me encantaría estudiar hostelería. Hay cosas a favor y en contra. El primer inconveniente es ese muchacho, Philip O'Brien, sobre quien ya te he hablado bastante. Es muy buena persona, pero le gusto más de lo que yo quisiera. Como no soy de las chicas que despiertan mucho entusiasmo, eso me halaga... pero no quiero darle la impresión de que me inscribo en la Escuela de Hostelería solo para seguirlo o para estar con él.

Muchas veces me ha dicho que podríamos administrar

juntos el hotel de Lough Glass. Francamente, Lena, si vieras cómo es ese hotel preferirías asociarte con la familia Drácula para administrar su castillo.

Lo conozco —pensó Lena, horrorizada— y no se me ocurre mejor descripción. La carta continuaba:

> Tu marido trabaja en un hotel. Tal vez yo podría ir a trabajar allí durante el verano, como experiencia... si tú le dijeras algo.

Lena pasó un rato reflexionando, con la carta en la mano. Era paradójico pensar que Louis pudiera, sin saberlo, iniciar una relación con su hija. Una hermosa morena de ojos brillantes, que estaba a punto de cumplir los diecisiete años: todo un trofeo para cualquier hombre que temiera envejecer. Qué cruel era que madre e hija pudieran enamorarse del mismo hombre.

Kit no podía ir a Londres. No podía conocer a Lena. Solo sabía la dirección de Ivy y su nombre. En los timbres no había apellidos que le permitieran identificar su piso, si acaso llegara hasta la casa. Kit no sabía cómo se llamaba la agencia de empleo ni el hotel donde trabajaba Louis.

Conocía el nombre de Louis, por supuesto, pero eso era todo.

Lena escribió:

> El problema es que aquí ha cambiado todo, Kit. Ha cambiado la industria hotelera. Louis no tiene estudios especializados, así que va a cambiar de actividad. Piensa dedicarse al comercio. Todo el mundo parece pensar que eso tiene mucho futuro. En este momento está en Scarborough, tratando de resolver su futuro. De modo que no te sería de ninguna utilidad. Le echo muchísimo de menos, te lo aseguro. El fin de semana me parece muy largo...

Kit leyó la carta una y otra vez. Era evidente que Lena y Louis habían reñido. Tal vez se separarían; hasta podía haber divorcio. Después de todo, en Inglaterra pasaban esas cosas.

Habría querido tener un número de teléfono para llamarla y decirle algo reconfortante. Pero ¿qué podía decir Kit McMahon, de diecisiete años, que estaba estudiando para los exámenes finales? Kit no sabía nada de hombres, salvo que, en realidad, no quería seguir besándose con Philip O'Brien. ¿Qué podía decir a Lena Gray, una mujer tan segura de sí misma, que llevaba una gran agencia y estaba casada con un hombre muy guapo?

Por muchas cosas que decían sus cartas, Kit sabía que Louis era guapo. Comentaba lo bien que le sentaba la chaqueta nueva, lo elegante que resultaba al volante de aquel coche prestado o cuando se ponía el esmoquin para una fiesta de gala. Sin duda, Lena Gray también sería hermosa. Era evidente que Louis Gray debía de estar casado con una mujer hermosa.

El sábado, Lena jugó al *gin rummy* con la señora Park.

—Ojalá tuviera con quién jugar a las cartas durante la semana. Los días se me hacen tan largos —dijo la anciana.

—¿Por qué no se muda a ese pequeño lugar del que le hablé? Allí tienen un salón donde comen todos juntos; después, por la noche, cada uno vuelve a su propio apartamento. Tendría muchos compañeros para jugar a las cartas durante toda la tarde.

¿Era imaginación suya o la señora Park parecía interesada?

—Oh, bueno, ya se verá —dijo la anciana.

—Me extraña eso en usted, señora Park. Una mujer tan resuelta, capaz de tomar sus propias decisiones.

—No me comprendes, Lena, porque no tienes hijos. Jessie depende mucho de mí. Le gusta venir a casa a prepararme el almuerzo. Su día entero gira alrededor de eso. Si llegara a pensar que ya no la necesito...

—Oh, no sé, señora Park —dijo Lena—. Por lo que Jessie me dice, le encantaría que usted viviera más su propia vida.

—Pero... ¿y la de ella?

—Yo podría invitarla a salir más a menudo, si usted estuviera en condiciones de bastarse sola. Pero no me gusta llevarla por ahí cuando ella se siente obligada a volver a casa con usted.

—No sé si tienes razón. —La señora Park vacilaba.

—Creo que sí, pero puedo equivocarme. ¿Por qué no hace la prueba? Podría sugerírselo a Jessie cuando vuelva.

—¿Y tú la sacarías a pasear un poco, para que conociera a más gente?

—Se lo aseguro, señora Park.

—Eres muy amable, Lena Gray, pero no entiendes cómo son las cosas entre madre e hija. Una quiere lo mejor para su niña, desde el momento en que nace. No hay nada más importante.

—No lo dudo, señora Park —dijo Lena Gray, forzando una sonrisa.

Ivy movió la cortina. Lena se detuvo en la puerta.

—Bueno, Florence Nightingale, ¿no piensas venir a conversar un rato?

—No necesito que me animen.

—No, grandísima egoísta. Pero tal vez yo sí lo necesite.

—¿Tú? —Lena elevó los ojos al cielo.

—Yo, sí. —La boca de Ivy formaba una línea tensa.

Era posible que, por una vez en la vida, estuviera deprimida. Lena entró y tomó asiento.

—Es por Charlotte —dijo su amiga—. Tiene cáncer.

—¡No!

—Sí. Eso es lo que él me ha dicho. Se fue hace una hora. Volvía al hospital. Ella no saldrá de allí, Lena.

Lena la miró inexpresivamente. Era una de aquellas rarísimas ocasiones en que no sabía qué decir. En parte, le alegraba que aquella desconocida dejara de interponerse entre Ivy y su felicidad. Pero no podía alegrarse por el hecho de que una mujer estuviera enferma de cáncer.

—¿Dónde lo tiene, Ivy?

—En todas partes.

—¿Y una operación...?

—No serviría de nada.

—¿Cómo se lo ha tomado Ernest?

—No sabría decirte. Estaba muy callado. Solo quiso estarse sentado aquí. Apenas hablamos. —Ivy la miró con pena y con los ojos enrojecidos por el llanto—. He estado pensando mucho, ¿sabes? Tal vez no haya nada que decir.

Lena parecía desconcertada. No comprendía lo que Ivy trataba de decirle.

—Esperamos demasiado. Ya es muy tarde.

—Pero siempre estuvisteis juntos. Todos los viernes... más o menos...

—Probablemente no hacíamos más que engañarnos. Cuando Charlotte se vaya desaparecerá todo. Recuerda lo que te digo.

—No, no quiero recordarlo. ¡Qué idea más tonta! —Lena suavizó la voz—. ¿Qué quieres decir?

—Que esto solo duró porque era imposible, supongo. Ahora que esta maldita enfermedad nos posibilita las cosas, él sale huyendo despavorido.

Lena vio el dolor en la cara de su amiga.

—Bueno, es lógico que esté preocupado. Se siente culpable y aliviado, culpable por sentirse aliviado. Es un mar de sentimientos confusos. ¿Por qué elegir el peor para torturarte?

—Cuando amas a alguien durante tanto tiempo, puedes leer en él como si fuera un libro.

—A veces te equivocas al leer —observó Lena.

Ella también podía haberse equivocado con respecto a Louis, imaginando todo aquello de que él se interesaba por otra. Quizá el exceso de trabajo le hacía ver peligros donde no existían. Quizá una persona ajena a la situación podía ver mejor las cosas. Grace, por ejemplo.

—¿No has pensado que él podría estar diciéndote la verdad? —Le había sugerido Grace—. ¿Y si creía sinceramente que las esposas no estaban invitadas?

—No, no lo había pensado —reconoció Lena—. Ya ves lo profunda que es mi desconfianza... —Y Grace había tratado de darle una esperanza que ella había descartado.

Lo mismo que intentaba ahora con Ivy: tratar de convencerla de que no había malgastado el amor de toda su vida.

—¿Sabes, Ivy? Las mujeres somos estupendas. Lástima que el mundo no esté gobernado por nosotras.

—¿Quién te ha dicho que no? —replicó Ivy, recuperando un poco de su antiguo humor.

El domingo por la mañana, Lena despertó con dolor de cabeza. Le habría encantado despertar en Scarborough, en los brazos de Louis.

Tenía que estar loca para haberse cargado con un millón de obligaciones: cuidar de la señora Park, supervisar a los carpinteros que estaban dando los últimos toques al nuevo piso de Ivy, pagar horas extras a aquellas chicas para que fueran a limpiar en domingo.

El día se le hizo muy largo. No dejaba de pensar en otras cosas. ¿Qué estarían haciendo en Lough Glass? En aquel momento conocía el pueblo mucho mejor que cuando vivía allí. Habría podido escribir un libro sobre aquella pequeña comunidad del lago, basándose solo en las cartas de Kit. ¿Qué estaría pasando con Jessie y Jim Millar? Bien podía ser ese el fin de semana en que tomaran la gran decisión. Mejor dicho, era Jim quien debía tomarla; Jessie ya estaba decidida. Pensó en Ivy y en su amor por Ernest, aquel hombre agrio y extraño. Pensó en Charlotte, a quien no conocía, postrada en una cama de hospital de la que jamás se levantaría. Aquella mujer ¿creería en Dios?, ¿estaría segura de que él se la llevaría al cielo?

Al fin y al cabo, ¿creía alguien en Dios?

¿Cómo era posible que Martin McMahon, con su firme fe en un Dios todopoderoso, pensara en contraer un matrimonio bígamo con Maura Hayes? Él sabía que su esposa estaba viva.

Lena sacudió la cabeza con incredulidad al imaginarlo con Maura en la iglesia de Lough Glass, frente al padre Baily, que los declaraba marido y mujer tras haber preguntado si alguien conocía algún motivo por el que no pudieran unirse.

Tal vez Kit lo estaba imaginando todo. La chica a lo mejor se sentía sola. Bueno, seguro que se sentía sola; de lo contrario no habría volcado el corazón en aquellas cartas. Quizá deseaba reemplazar con una madrastra plácida y sencilla a la madre que tanto había amado. A la madre que le había sido robada por la arrogancia y la vanidad de su padre.

Y mientras todos aquellos pensamientos le rondaban por la cabeza, Lena seguía trabajando.

A las tres y media todas se sentaron a almorzar. Lena dijo que habían hecho un trabajo estupendo.

—Ya que nos pagas hasta las seis, será mejor que comamos deprisa —dijo Dawn.

La hermosa Dawn, con su cutis impecable y su cabellera brillante, habría podido ser una modelo cotizada. Parecía mucho más joven de lo que era.

—No, habéis trabajado como esclavas. Se os pagará hasta las seis, pero ahora vamos a descansar y a disfrutar de lo magnífica que ha quedado la oficina. —Lena alzó su taza de café.

Cuando se acabaron los bocadillos entregó a cada una un sobre.

—Salid a disfrutar lo que queda del fin de semana.

Las chicas salieron corriendo, como niños al terminar las clases. Las dos jóvenes eran poco más que eso. Dawn se detuvo un momento.

—Ha sido divertido, señora Gray. Me lo he pasado muy bien. Nunca habría imaginado que me gustaría trabajar en domingo, pero así ha sido.

—No te menosprecies, Dawn. Si quisieras podrías ser una ejecutiva —dijo Lena riendo.

—No, no tengo pasta para eso. Lo que debo hacer es buscar pronto un marido simpático y rico.

—El matrimonio no es el único objetivo.

—¿Cómo puede decir eso justamente usted, que está casada con un hombre tan atractivo?

—¿Cómo? —Lena recordó que Dawn había trabajado en el Dryden durante una temporada; era lógico que conociera a Louis—. Eso es verdad, Dawn. He tenido mucha suerte.

—Él también —aseveró Dawn. Parecía a punto de añadir algo, pero cambió de idea. Lena aguardó—. Él también tiene mucha suerte —repitió la muchacha. Y salió al aire cálido de Londres.

Lena, sentada frente a su escritorio, se preguntó si Louis habría tenido alguna aventura con Dawn Jones. Hasta era posible que la hubiera invitado a acompañarlo en aquel congreso y ella hubiera cambiado de idea.

Dawn Jones, nacida en 1932, debía de ser una niña de pelo dorado cuando Lena contrajo su matrimonio sin amor. No era posible. Aspiró hondo. No, no era posible. Así acabaría por volverse loca. Ese era el modo más seguro de terminar en un manicomio.

Louis la amaba, se lo había dicho. Aquella noche volvería a casa. Y Dawn era una criatura sin cerebro. Lo más probable era que apenas hubiera visto a Louis durante su época en el Dryden, porque trabajaba con James Williams. Lo que pasaba era que ella estaba muy cansada y tenía demasiadas cosas en la cabeza.

Sonó el teléfono a su lado, demasiado agudo en la oficina desierta. Era Jessie.

—Ah, Jessie... Bueno, todo salió muy bien. Dile a Jim que esto ha quedado fantástico. Los carpinteros recogieron toda la basura; no se nota que ha habido gente trabajando. —Estaba deseosa de dar las buenas noticias.

—Lena, Lena, vamos a casarnos —exclamó Jessie—. Jim

me pidió que le hiciera el honor de ser su esposa. Esas fueron sus palabras. ¿No es maravilloso?

Inexplicablemente, por la cara de Lena descendieron dos lágrimas.

—Es una noticia estupenda, Jessie. Me alegro mucho por ti.

—Esta noche se lo diremos a mamá, pero quería que tú fueras la primera en saberlo.

Después de colgar, Lena pasó un buen rato inmóvil. Sentía un impulso casi incontrolable de llamar a su hija.

Afortunadamente logró dominarse.

Después de un siglo, abandonó el asiento, limpió el cenicero y cerró la oficina. Caminó lentamente por la calle hasta su casa y se tendió en la cama, a esperar a Louis.

A las once de la noche entró él en el piso.

—Oh, Dios mío, cómo te he echado de menos, Lena. Te amo. —Y se lanzó sobre ella como un cachorro demasiado cariñoso—. Te he traído una rosa.

La flor estaba preparada con un helecho y un alfiler de seguridad, como para prenderla en el escote. Poco importaba si la había encontrado en cualquier parte o si había esperado horas enteras a que la prepararan. Tal vez alguien la había dejado en el tren.

Pero la traía para ella. Olía a mar y ella le quería. Nada más tenía importancia.

—Kit, esa amiga tuya y de Clio, esa madre Madeleine... —dijo la tía Maura, vacilando.

—La hermana Madeleine, sí, señorita Hayes.

—Estaba pensando... Dime, ¿te molestaría que yo fuera a verla?

—¿Por nosotras, dice usted?

Kit y Clio no se hablaban desde hacía veinte días. Nunca habían estado tanto tiempo en silencio. Casi todo el pueblo parecía haberse percatado.

Pero la tía de Clio se echó a reír.

—No, no tiene nada que ver con vosotras. Es por mí. Tengo entendido que es muy buena para resolver los problemas.

—Sí, pero hay cosas que no se pueden solucionar. —Kit fue inflexible al respecto. Y la hermana Madeleine era, prácticamente, la única de la población que no la había instado a arreglar su relación con Clio.

—Mira, no quiero recurrir a ella si piensas que es tu territorio...

Kit la miró con renovado respeto.

—No, no. Todo el mundo va a hablar con la hermana Madeleine. Y ella no cuenta nada; es como si guardara un secreto de confesión.

—Entonces, si yo fuera a verla, ¿sería como cualquiera que entrara de paso a visitarla?

—Usted es muy amable, señorita Hayes. Por preguntar, digo.

—No quisiera molestarte. Oye, ¿te importaría tutearme?

—Sería un placer —dijo Kit. Y en verdad lo era. Le parecía estupendo.

Se imaginó tuteándola delante de la señora Kelly. Mejor aún: delante de Clio.

—Soy Maura Hayes, hermana Madeleine.

—Ya lo sé. Te he visto muchas veces en misa, con el doctor Kelly.

—Todo el mundo habla muy bien de usted, hermana.

—Es una bendición vivir en un lugar tan amable, Maura. ¿Me acompañas con una taza de té y algunos dulces? Rita, la chica de los McMahon, es una gran cocinera; a menudo me deja una fuente por si viene alguien.

—Y muy buena persona, hermana. Le convendría progresar.

—Lo sé, lo sé. Es un problema.

Ambas sabían de qué se trataba. Rita no abandonaría a los

McMahon hasta que la situación se hubiera arreglado. Quedaba por ver cuál de las dos sacaba a colación que había solución a la vista.

La ermitaña decidió facilitar las cosas.

—Claro que tú también vienes con frecuencia.

—Es cierto. Mi hermana tiene un hogar muy feliz aquí.

—Y algún día tú también podrías formar un hogar feliz.

—Muchos creerán que ya soy demasiado mayor para pensar en eso.

—Yo no lo diría, Maura. Por mi parte, nunca he sido muy partidaria de casarse joven. Son matrimonios que, de algún modo, no acaban de funcionar. Naturalmente, el peligro de esperar demasiado es que puedes tener dificultades para reemplazar lo que ha habido antes. Pero eso sería peligroso tan solo si trataras de reemplazarlo con algo igual. No creo que tú lo intentaras.

—No, claro. No dudo que sería algo muy distinto.

—Bueno, en ese caso... tengo la total seguridad de que funcionaría muy bien. —La tetera, que había sido colocada en el centro del fuego, comenzó a silbar y escupir. La anciana la retiró con habilidad.

Cuando acabaron el té se habían aclarado muchas cosas. Sin que se traicionaran confidencias ni se mencionara a nadie por su nombre, Maura había comprendido que, para que Martin McMahon se entusiasmara con una unión, no debía encontrar oposición en la casa. Kit, la hija, iría a Dublín a estudiar hostelería. Emmet, como todos los chicos, apenas prestaba atención a lo que sucedía a su alrededor. Rita, la criada, solo esperaba una excusa para dejar a la familia en buenas manos e irse a Dublín. Tenía posibilidades de conseguir empleo en una empresa de coches de alquiler; con la calurosa recomendación de los Sullivan de Lough Glass, podría obtener el puesto e iniciar una vida más interesante.

—Yo jamás sería alguien tan especial como Helen —dijo Maura con voz débil.

—No, claro.

Maura se moría por preguntar cómo era realmente aquella mujer, de qué hablaba, si alguna vez había mencionado lo que le atormentaba el alma y por qué se paseaba a lo largo de Lough Glass. Pero no serviría de nada. La monja se limitaría a contemplar el lago, aquel lago en el que Helen había encontrado la muerte, y a hablar en un tono distante. Tal vez dijera: «No es fácil saber cómo es una persona». Maura optó por no preguntar

—Si esto funcionara —dijo en cambio—, si Martin y yo compartiéramos nuestras vidas, ¿cree usted que Helen estaría más complacida que preocupada?

Los ojos de la monja parecían estar muy lejos, como si pensara en algo mucho más remoto que el lago. Se hizo un largo silencio.

—Sí, creo que eso la complacería mucho —dijo al rato lentamente.

Dos semanas después del viaje a Scarborough, cambiaron de apartamento. Louis estaba encantado y entusiasmado; ya no hablaba de ir a España. Se parecía tanto al Louis de antes que los días y las noches de desolación desaparecieron casi por completo.

Casi, pero no del todo. Porque seguía regresando muy tarde. Y se molestaba mucho si Lena le preguntaba por qué.

Naturalmente, ella se había equivocado con respecto a aquel fin de semana. Todo fue solo una reunión inocente; mucha gente le decía que era una lástima que ella no hubiera ido. También había sido una locura imaginar que él pudiera tener algo con Dawn Jones. Dawn trabajaba junto a ella día tras día, alargando los horarios a medida que se acercaba la inauguración oficial del nuevo local. Cuando Louis telefoneaba, la muchacha decía: «Oh, buenos días, señor Gray; enseguida le paso». A menos que hubiera estudiado arte dramático en la mejor academia, no habría podido hacer eso y disimular una relación clandestina. Lena se sentía estúpida por sospechar.

Sin embargo, Louis no era el mismo que había huido con ella a Londres, tan ansioso y despreocupado. Era evidente que no se sentía ligado exclusivamente a ella.

En mayo se inauguró el local nuevo, con la publicidad esperada. Dawn fue fotografiada una vez más y Lena se las arregló para mantenerse lejos de los focos, pero en aquella ocasión pudo ofrecer algo a cambio.

—El señor Millar, nuestro director gerente, y la señorita Park, principal ejecutiva, van a casarse este mismo año —informó a los periodistas que asistieron a la inauguración.

Nadie, excepto sus propias compañeras de trabajo, repararía en que a ella no se le concedía el debido reconocimiento. Y algunos clientes, quizá. Louis sabía por qué. Ivy también.

Grace quiso enterarse.

—¿Eres una fugitiva por casualidad? —preguntó cuando los periódicos publicaron la vida de cada uno, salvo la de Lena, y dieron a conocer todas las caras, menos la de aquella mujer que había hecho de la agencia lo que era.

—En cierto modo sí —respondió ella—. Pero no huyo de la ley; en ese aspecto no tengo problemas, creo.

—De un hombre, entonces.

—Bueno, sí. Aunque no huí de uno, sino con uno.

—Pero había un hombre y una hija.

—Sí, y un hermoso niño.

—Espero que valga la pena... tu Louis.

—Bien sabes que no la vale, Grace. Olvida esas necias esperanzas, ¿quieres?

Y las dos se echaron a reír.

Clio escribió:

Lo que más echo de menos son las risas. No extraño los secretos y los planes. De cualquier modo, los hacemos por separado y diferentes. Hice mal en quitarte la carta y la verdad es que no vi para quién era. Pero hice mal en cogerla. Quería saber si era para Philip y si me estabas ocultando algo. Si volvemos a ser amigas, juro que siempre consideraré las cartas como algo sagrado. Además, no quiero perder más tiempo insistiendo para que vengas a la universidad conmigo. Sé que no quieres y es tu vida.

No soy una buena amiga, lo reconozco; siempre quiero mandar, y me avergüenza mucho lo de aquella carta. Pero me siento sola y te echo de menos, y no puedo estudiar como es debido. ¿No crees que valdría la pena que nos reconciliáramos?

Con cariño,

CLIO

Querida Clio:
Está bien. Pero recuerda esto: no estamos obligadas a ser amigas. No hay ley que nos imponga caminar siempre juntas, en este pueblo ni en ningún otro lugar. Me alegro de que hayas escrito. Estoy harta de Lonny Donegan. ¿Tienes algún disco mejor?

Con cariño,

KIT

Emmet llevó la carta a casa de los Kelly.

—Están locas, ¿no crees? —le dijo Anna Kelly.

—Locas como cabras —afirmó él.

—Van a la misma escuela, se sientan en la misma clase y nos usan como carteros.

—Debe de haber sido una pelea muy seria —se extrañó Emmet.

—¿No estás enterado?

—No. Kit no ha dicho nada.

—Clio no habla de otra cosa. Parece que a Kit se le cayó una carta y Clio, al recogerla para dársela, miró por casualidad a quién le estaba escribiendo. Y Kit perdió la cabeza por completo.

—¿Y a quién podía estar escribiéndole que fuera tan secreto? —preguntó Emmet.

—A un hombre llamado Len —dijo Anna, orgullosa de ser la portadora de noticias tan importantes.

—Gracias, Emmet, eres un gran chico.

—No —dijo él—. Soy un idiota.

—¿Por qué?

—Porque me siento idiota. No sabía que tuvieras un novio llamado Len. Me tuve que enterar por Anna Kelly.

—¿Qué novio llamado Len? —Kit estaba desconcertada.

—El de la carta que se te cayó.

Kit lo miró con calma.

—¿Clio estaba en su casa cuando fuiste?

—No, solo Anna.

—Te daré lo que quieras si vas a buscar esa nota.

—No, Kit. Esto es una tontería. Te has vuelto loca.

—Puede ser, pero te daré seis peniques.

—No tienes seis peniques.

—Te daré los seis peniques que guardamos al pie de la estatuilla y los repondré cuando reciba mi paga.

—¿Por qué quieres que vaya a buscarla?

—Por favor, Emmet. Por favor. Haré lo que me pidas. Durante el resto de tu vida, cuando necesites algo... lo haré.

—¿De veras? —Él parecía dudar.

—Jamás me olvidaré de este día y de lo que hiciste por mí.

—¿Y harías cualquier cosa? —Emmet estaba sopesando la cuestión.

—Sí. Date prisa.

—¿Y si ella ya ha vuelto?

—Entonces no hay trato. Así que más vale que te des prisa.

—¿No se está aprovechando de ti? —preguntó Anna Kelly a Emmet.

—No. He hecho un trato estupendo —replicó él.

—¿Cuál?

—Ella va a hacerme cualquier favor que yo quiera durante toda la vida.

—No lo cumplirá. —Anna rió.

—Claro que sí. Kit es muy formal. —Y Emmet volvió a su casa con la carta en el bolsillo.

Durante el recreo, Clio habló con Kit.

—Me contaron que me enviaste una carta y que después lo pensaste mejor.

—Tu servicio de información sigue siendo muy bueno.

—¿Por qué, Kit? ¿Por qué cambiaste de idea?

—No sabes lo que te decía.

—Sí, lo sé. Anna la abrió al vapor y me lo dijo. Te traje «Qué será, será» como señal de paz.

—Qué mentirosa eres, Clio. Te pasas el día mintiendo.

Clio enrojeció.

—No, de veras. Lo tengo en la cartera.

—Me decías que no habías visto para quién era la carta y lo viste.

—Solo el nombre.

—Dijiste que se me había caído, no que me la habías quitado.

—Esa cerda de Anna...

Y por primera vez Kit sonrió.

—Muy bien, vieja culpable y mentirosa, dame el disco y ven a casa al anochecer, para que salgamos a caminar.

—¡Pero si tenemos que estudiar! —Clio apenas podía creer que aquella larga pelea hubiera terminado.

—Bueno, quédate estudiando. Yo iré a pasear.

—Y me contarás todo.

—No te contaré nada —dijo Kit.

Martin no había pedido a Maura Hayes que se casara con él. No podía pronunciar aquellas palabras. Era como un párrafo sacado de una obra de teatro. Sabía que toda mujer merece recibir aquella propuesta, pero tenía miedo de que le saliera mal. Temía que el eco de años atrás se filtrara, sin intención suya, en lo que debía decir.

Tenía la esperanza de poder acordarlo y organizarlo todo sin tener que declararse. Ella era tan comprensiva y tan poco exigente. Lo animaba, lo hacía reír. Le encantaba salir a caminar con él, pero no escogía los senderos que Helen había recorrido continuamente junto al lago, sino que buscaba sitios nuevos que visitar. A veces preparaba un termo con café y un trozo de pastel comprado en Dublín. Era algo grato y entrañable, algo de lo que Martin nunca había disfrutado en su matrimonio.

Habló con sus dos hijos por separado, para decirles que su amistad con Maura Hayes era especial. Los dos estaban entusiasmados. Kit, en particular.

—No necesitas explicarnos que ella no es mamá, papi. Lo sabemos. Y es muy simpática. Siempre me ha gustado, mucho más que la madre de Clio.

Todas las noches, Peter Kelly bebía una cerveza con él en el bar de Paddles. La camaradería era grande, pero nunca se abordaba el asunto. Los dos sabían que cuando hubiera algo que decir, lo dirían.

Sin embargo, algo en su corazón, un asunto no liquidado, impedía a Martin McMahon hacer lo que sabía que era honrado y correcto. Le deprimía dar esa impresión de hombre débil, inseguro y vacilante, cuando en muchos otros aspectos de su vida estaba seguro de sí mismo: en la farmacia, como padre y hasta como amigo, posiblemente.

Pero no como pretendiente de aquella buena mujer, que merecía algo mejor.

—No sé si estarás perdiendo el tiempo conmigo, Maura.

—No creo que el tiempo que te dedico sea tiempo perdido. —Estaba serena e impasible.

—No soy lo que esperabas.

—Eres lo que eres.

Él la miró con cariño. Era la noche anterior al primero de los exámenes finales. Ella había ayudado mucho a Kit, explicándole que aquellos exámenes consistían en demostrar lo que sabías, no en temer que se descubriera lo que ignorabas.

Martin estaba sentado junto a Maura en el sofá. Con Helen nunca se había sentado allí. Ella se encaramaba en el asiento de la ventana o leía en una silla estrecha, de respaldo alto, que con los años fueron desplazando a un lugar apartado. Su dormitorio se había convertido en trastero. Pero aunque las señales de su presencia disminuían, su espíritu seguía allí.

Alargó la mano hacia la de Maura.

—Esto no es justo para ti. No estoy listo, ¿comprendes?

—¿Te he exigido que estuvieras listo para algo?

Se inclinó para darle uno de los típicos besos que se daban, suaves y prolongados. En aquel aspecto no podía compararla con Helen. Helen nunca se había acercado para darle un beso; se limitaba a aceptar su amor, sin que él supiera si la complacía o no. Ella no daba señales de placer; tampoco de repugnancia. Pero era algo pasivo. Nunca le había acercado la mano, ni siquiera para acariciarle la mejilla.

Se aferró a Maura.

—¿Es justo pedirte que me des un poco más de tiempo? —murmuró contra su cuello.

Maura olía a talco y a jabón de hierbas. Se sintió excitado, con deseos de abrazarla más, de conocer mejor su cuerpo. Pero eso habría sido la traición final. Si quería gozar de Maura Hayes, debía hacerla su esposa y compañera para toda la vida, no aprovecharse furtivamente en el sofá.

Ella pareció darse cuenta y se apartó con suavidad.

—Tienes todo el tiempo que quieras, Martin.

En aquel momento se oyeron pisadas en la escalera y Kit llamó a la puerta.

—Solo quería deciros que no puedo dormir.

—¿Quieres que hablemos? —Maura no era autoritaria, sino amable.

—Bueno, lo que me gustaría es salir media hora para hablar con la hermana Madeleine. —Kit siempre decía adónde iba.

—No sé. ¿No es un poco tarde? —Martin parecía preocupado.

—Probablemente, lo mejor que puede hacer es visitar a la hermana Madeleine —aseguró Maura—. Esa mujer logra que todo parezca razonable.

Kit le lanzó una mirada agradecida y bajó corriendo a la calle.

—Ojalá yo encontrara en esa monja tanto consuelo como todo el mundo. —Martin nunca había podido confesarse con aquella anciana marchita, por quien la mayoría de la población sentía tanto respeto.

—Tal vez sea porque Helen la visitaba a menudo. Tienes miedo de que ella sepa demasiado y piense que solo buscas información.

—Eso es cierto. —Martin estaba sorprendido.

—Bueno, yo no me preocuparía por eso. Lo que sepa o lo que no sepa parece ser máximo secreto. —Maura recogió el bolso y la chaqueta—. Me voy, Martin. No quiero que Lilian y Peter piensen mal de mí.

Sonreía abiertamente. Si la hería en lo más hondo que Martin no se decidiera, no tenía por qué darlo a entender.

—Cuéntame por qué esos exámenes son tan importantes para ti —dijo la hermana Madeleine.

—Oh, hermana, usted debe de ser la única persona en Irlanda que no sabe por qué los exámenes finales son la salvación o la perdición de una. Toda mi vida depende de ellos.

—No lo creo.

—Pero es así. Si apruebo, ingreso en el colegio de Cathal

Brugha Street, estudio dos años enteros y luego me dedico a mi carrera. De lo contrario estoy acabada.

—Siempre podrías volver a la escuela y estudiar un año más. —La sugerencia era simple.

—Un año más en la escuela con la madre Bernard, con esas horribles chicas de quinto año riéndose y burlándose de mí. Y mientras tanto, Clio en Dublín, en la universidad. Me moriría, hermana Madeleine, me moriría. Y lo cierto es que quiero ser alguien. No solo por mí.

—¿Por quién?

—Bueno, por papá. No quiero que parezca un tonto cuando vaya al bar con el doctor Kelly. Y... bueno, en realidad, por mi madre.

—Lo sé. —La monja lo sabía.

—Hace mucho... le prometí que llegaría a ser alguien.

—Lo has hecho y lo harás.

—Pero estos exámenes son como peldaños, como marcas en el camino.

—¿Eso te lo dijo tu madre?

—No. Me lo dijo Lena, su amiga, la que me escribe aquí.

—¿Y das mucho crédito a esa amiga de ella?

—Sí. Porque conocía muy bien a mamá, ¿sabe, hermana? Es casi como si...

—Seguro que sí.

—Ojalá pudiera visitarnos. En realidad, se lo sugerí —dijo Kit.

—Quizá prefiera vivir en su propio mundo.

—Entonces no la conoceré hasta que viaje yo.

—Sí, pero eso puede tardar un tiempo. Mientras tanto puedes mantener la amistad mediante las cartas.

—Tal vez no tarde tanto, hermana Madeleine. Creo que iré a Londres después de los exámenes.

—¿De veras? —La monja parecía sorprendida.

—Sí. Papá dijo que puedo tomarme unas vacaciones.

—Pero ¿en Londres? ¿Sola?

—No estaría sola, sino con Clio y otras de mi clase. La

madre Bernard va a arreglar todo para que podamos hospedarnos en un convento de Londres. Así nuestros padres no se asustarán pensando que acabaremos en un burdel.

—Caramba... ¿Y qué vas a hacer?

—Bueno, quiero visitar a Lena.

—¿Y le avisarás de que vas a visitarla?

—No. Pienso darle una sorpresa.

Los ojos de la hermana Madeleine parecían más lejanos que nunca al contemplar el lago sereno.

—Bueno, entonces tendremos que asegurarnos de que apruebes esos exámenes —dijo al fin—. Esta noche rezaré una oración especial por ti.

—¿Se arrodillará a rezar un rosario? —Kit estaba ansiosa por saber con cuánto respaldo podía contar.

—Anda, Kit, ya eres toda una mujer de diecisiete años. Sabes que Dios solo quiere escuchar peticiones y conocer los motivos por los que debería acceder a otorgarlas. No quiere un gran número de avemarías. No es así como funciona el sistema.

Kit sabía que la hermana Madeleine tenía toda la razón, pero tuvo la certeza de que eran aquellas expresiones suyas las que provocaban la suspicacia del padre Baily, el hermano Healy y la madre Bernard. En otros tiempos, por decir cosas parecidas podrían haberla quemado en la hoguera.

Mientras Kit volvía a su casa, la hermana Madeleine sacó su papel de carta.

Querida Lena Gray:

Te escribo para hacerte saber que Kit McMahon piensa ir a Londres cuando acaben sus exámenes. Quiere hacerte una visita por sorpresa. En mi opinión, después de cierta edad las sorpresas pierden su encanto; por eso se me ocurrió que tal vez quisieras estar preparada para esa eventualidad.

Si hay algo que yo pueda hacer por ti, no dejes de comunicármelo. He tratado de sugerir a la niña una relación puramente epistolar, pero me temo que se siente demasiado atraída hacia ti (por la memoria de su madre y porque tú sabes aclararle el futuro), como para dejar las cosas así.

Es una joven muy decidida... igual que su madre.

Sinceramente tuya en Jesucristo,

MADELEINE

—No sabe en qué piso vivo —dijo Lena a Ivy.

—No, pero puede preguntárselo a cualquiera en la escalera.

—Te lo preguntará a ti. Y tú le dirás que hemos salido.

—Sí, pero volverá cuando le parezca que puede encontrarte.

—Le escribiré para decirle que pasaremos el verano fuera.

—No puedes pasarte la vida huyendo de ella.

—Lo que no puedo es recibirla. Eso lo sabemos.

—¿Y si te tiñeras el pelo y te pusieras gafas oscuras? —Ivy hablaba en serio.

—Por el amor de Dios, soy su madre.

—Solo trato de ayudar —dijo Ivy, dolida.

Las cosas se le estaban poniendo difíciles. Ernest pasaba casi todas las tardes en el hospital, donde Charlotte empeoraba rápidamente. Por la noche, al regresar a su casa, pasaba por el apartamento de Ivy para tomar una copa. Y le hablabla largo y tendido de la culpa que sentía por lo mal que había tratado a su esposa. Cada vez le resultaba más difícil soportar aquello.

Lena se sintió muy avergonzada por haber hablado con tanta dureza.

—Estoy aterrorizada. Por eso te contesto tan mal. Eres mi única amiga en el mundo.

—Eso no es cierto. Tienes amigos por docenas. Tienes a Louis. Y todos los que trabajan contigo te adoran y dependen de ti. Tienes una hija que te ama, aun sin saber quién eres. ¡A mí vas a hablarme de tener pocos amigos!

—Oh, Ivy. ¿Sabes qué me gustaría hacer por ti? Me encantaría llevarte de vacaciones a Irlanda.

—Pues llévame —la desafió Ivy.

—Ya sabes que no puedo. Me verían. Se descubriría todo.

—Sí. Supongo que hay guardias armados en todos los aeropuertos y embarcaderos, esperándote —se burló la casera—. Al fin y al cabo, eso es lo que se hace cuando alguien se ahoga en un lago, después de enterrar el cadáver. —Hablaba con amargura.

—Tal vez vayamos algún día. Ahora no. Me siento demasiado frágil. Todo se me está viniendo abajo —dijo Lena.

—No me falles, Lena. A Charlotte solo le queda una semana, a lo sumo.

—¿Yo también puedo ir a Londres? —preguntó Anna Kelly.

—No dejes que lo piense siquiera, papá —protestó Clio.

—Cállate, Clio. Por supuesto que podrás ir a Londres, Anna, cuando apruebes tus exámenes finales. Dentro de tres años.

—Pero papá, ¿no sería esta una oportunidad inigualable? Tendría a mi hermana mayor para que me cuidara, el viaje me abriría la mente y no correría ningún peligro.

—No malgastes saliva, Anna —advirtió su hermana.

—A las otras no les molesta. Ya pregunté a Kit McMahon, a Jane Wall y a Eileen Hickey. Todas ellas van y dicen que no les importa.

—Por supuesto que no. Porque ellas no tienen que aguantarte. —Clio estaba irritada.

Tía Maura intervino inesperadamente.

—Sería una lástima que fueras, Anna.

—¿Por qué? —preguntó la chica con suspicacia.

—Porque pienso participar en el torneo de golf y necesitamos cadis, pero todos los del club están reservados. Martin McMahon y yo pensábamos recurrir a ti y a Emmet.

—No, no creo...

—Se paga muy bien —dijo tía Maura—. Y es mucho más

divertido que vagar por Londres con este calor, con un montón de chicas que no son amigas tuyas. Reconozco que solo quiero convencerte porque a Martin y a mí nos encantaría contar con el apoyo de nuestras familias, pero además habrá una fiesta y un baile, con mucha gente joven.

—Cuando yo tenía su edad no me permitían ir a los bailes. —Clio estaba ofendida.

—El mundo ha cambiado desde que tú eras joven —aseguró Anna.

Durante una fracción de segundo los ojos de Clio se encontraron con los de su tía. Disimuló una sonrisa. La muchacha comprendió que Maura había triunfado allí donde nadie podría haberlo hecho. Aunque Anna Kelly solo tenía catorce años, ya mostraba una alarmante tendencia a salirse siempre con la suya.

—¿Qué crees? ¿Se decidirán alguna vez o van a pasarse la vida en la luna? —preguntó Lilian a su marido.

—No sé —respondió Peter Kelly tranquilamente.

—Bueno, pues deberías saberlo. Él es tu amigo.

—Y ella es tu hermana —contraatacó él.

—Hay cosas que una no puede decir a su hermana si es una solterona —explicó Lilian.

—Sí, y hay cosas que uno no puede decir a su amigo si es mayor y ha sufrido demasiado.

—Me alegra verte por aquí con tanta regularidad, Maura —dijo la hermana Madeleine.

—Bueno, hermana, mientras crea que a él le gusta verme, seguiré viniendo.

—A él le gusta verte.

—¿Está segura? No quiero ser grosera, pero ¿usted está segura?

—Creo que sí, Maura. Por lo que la gente dice.

Maura cayó en la cuenta de que la gente decía muchas cosas y la monja oía muchas más. Probablemente estaba bien informada.

—Usted es tan amable que me gustaría serle útil.

La hermana Madeleine la observó con aire reflexivo.

—Hay algo que necesitaría, pero es muy complicado y no podría explicarte por qué.

—No necesito saber por qué.

—No, Dios te bendiga, creo que no. Bueno, voy a pedírtelo. Quizá no sea posible, pero si pudieras...

—Pídamelo, hermana, por favor. Sería un gran placer serle útil en algo, en lo que sea.

—Como sabes, Clio, Kit y otras muchachas del sexto año piensan ir a Londres después de los exámenes.

—¿Cómo no iba a saberlo? Prácticamente no hablan de otra cosa.

—Sí, claro. ¿Y tú no podrías persuadir a Kit y a Clio de que no fueran?

—Pero ¿por qué...? Perdone. Me olvidé. —Maura hizo una pausa. Después de un rato confesó—: Creo que sería muy, pero que muy difícil.

—Eso me temía.

—¿Y existen buenos motivos?

—Un motivo muy bueno.

—No se me ocurre qué hacer. No puedo decirles que en Londres hay epidemia de tifus. No puedo ofrecerme a llevarlas a Francia ni nada de eso. Apenas he logrado evitar que Anna exija ir ofreciéndole trabajo como cadi en el torneo de golf. —Se hizo el silencio—. ¿No puede recurrir a nadie más?

—A nadie —dijo la ermitaña.

Maura sintió una oleada de orgullo al pensar que era una de las escasas personas a las que se podía recurrir.

—Creo que la madre Bernard se está encargando de organizarlo. Tal vez si ella se enterara...

—No. Por desgracia, necesitaría conocer todos los detalles. Y me es imposible revelarlos.

Hubo otro silencio.

—Lo estoy pensando, pero no se me ocurre nada con que distraerlas. A estas alturas, ya no.

—Gracias por intentarlo, de todas maneras.

—¿Y qué piensa hacer, hermana?

—Rezar para que el Señor lo arregle todo, supongo, y para que esta extraña petición no te intrigue demasiado.

—Me olvidaré inmediatamente de que usted lo ha mencionado —dijo Maura Hayes sonriendo.

La hermana Madeleine le cogió la mano. Aquella mujer era buena de verdad. Sería una esposa y una compañera excelente para Martin McMahon si... si... Bueno, en otras circunstancias.

Charlotte murió un jueves por la mañana.

Ivy quiso ir al hospital para estar con Ernest, pero él se negó.

—Me quedaré en la sala de espera, lejos de todos, por si me necesitas —había dicho ella.

—No, querida. De veras. No armes jaleo. Quédate en tu casa. Vendré más tarde.

Pasó el jueves y Ernest no apareció. Ivy llamó al bar, ya cercana la hora de cerrar, y habló con un camarero que conocía.

—Está en el funeral con su familia, Ivy. Será mejor que no le diga que has llamado.

—Claro... —dijo Ivy.

Pasó la noche despierta, sentada en su pequeña sala. Estaba segura de que él se presentaría en algún momento, cuando los demás se hubieran marchado.

A las tres de la mañana oyó que un taxi se detenía ante la puerta. Apartó las cortinas para mirar, pero no era Ernest, sino una mujer con falda blanca, pelo muy rubio, labios muy rojos y tacones muy altos. Había bajado del taxi para despedirse de Louis Gray con un beso de los buenos, acompañado de muchos gemidos y levantando una pierna. Ni siquiera prestó atención a los gestos con que él trataba de acallarla, mientras pagaba el servicio y pedía al conductor que se la llevara lo antes posible.

—¿Quieres que te acompañe al entierro? —preguntó Lena.

—¿Qué?

—Tienes que ir con alguien. No puedes presentarte allí con toda la familia. Una amiga te serviría de coartada.

—Eres estupenda, Lena.

—Bueno, iré contigo. ¿Cuándo será?

—No iremos, tesoro. Tal como ha dicho Ernest, no sería decoroso. ¿Te imaginas a Ernest usando una palabra tan fina como «decoroso»?

—¡Claro que podemos ir! Cualquiera puede ir a un entierro.

—En Irlanda, tal vez. Aquí no.

—¿Acaso hay que pagar entrada? Iremos.

—Él no nos quiere allí. ¿Para qué insistir?

—Bueno, bueno. Puede que ella tenga familiares o que sea algo íntimo. Quizá él tiene razón al no quererte allí.

—No me quiere allí ni en ninguna parte. Por eso estoy de duelo, no por esa bruja de Charlotte —dijo Ivy.

—¿Estás segura de que quieres estudiar hostelería? —preguntó Philip O'Brien.

—Estoy segura, Philip. Lo sabes de sobra.

—Así que en Dublín estaremos juntos.

—Juntos exactamente no. Solo en clase. Yo voy a hospedarme en la pensión de Mountjoy Square, que está a la vuelta de la esquina. Me parece horrible.

—Yo voy a vivir con mis tíos, y eso sí que es horrible.

Últimamente Philip estaba siempre triste. Contra su voluntad, había cedido cuando Kit le dijo que no quería seguir con los besos y todo lo demás. «Por los exámenes. No quiero nada que me distraiga.» Había mentido.

El día que terminaron los exámenes, Philip quiso recomenzar. Entonces ella tuvo que darle una excusa diferente.

—Tener diecisiete años es difícil para una chica. Sé comprensivo, por favor. Te aseguro que no me interesa ningún otro, pero la verdad es que, por ahora, no quiero ningún compromiso.

—Pero ¿no te gusto? —preguntó Philip.

—Me gustas mucho.

—¿Y entonces? —Era el eterno esperanzado.

—Entonces sabrás comprender.

—Pero ¿nos vamos a esperar, tú a mí y yo a ti? Dime —había rogado Philip.

—Digamos que ninguno de los dos está a la búsqueda de otra persona, pero si conocieras a alguna chica, yo no me consideraría traicionada ni nada de eso. Lo comprendería perfectamente.

—¿Y en tu caso, Kit?

—No voy a tener tiempo para esas cosas. Estoy muy ocupada.

—No es cierto. Estás de vacaciones.

—Me voy a Londres. ¿A quién puedo conocer en Londres?

—Solo estarás allí diez días.

—Y luego regresaré. Por favor, Philip.

Y él no insistió, porque no quería ser molesto. A veces iban al cine solos; otras veces, con Emmet o con Clio.

Querida Kit:

Estoy ansiosa por conocer el resultado de tus exámenes. Será muy estimulante planificar tu curso de hostelería. Cuéntame más sobre eso, por favor. ¿Y qué vas a hacer durante las vacaciones? Yo tendré que viajar mucho, pero puedo hacer que me envíen tus cartas, para contestarte desde donde esté. Me apena no estar en Londres durante el verano porque, a diferencia de todo el mundo, disfruto mucho de la ciudad cuando vienen los turistas. Si cuentas con los rezos de la hermana Madeleine y con el apoyo de esa buena amiga de tu padre, Maura Hayes, no vas a necesitar mi ayuda, sobre todo si has trabajado tanto como dices. De cualquier modo, mantengo los dedos cruzados por ti.

Con el cariño de siempre,

LENA

—Londres suele estar abarrotado de gente durante el verano —comentó Maura Hayes a Kit, un día después de que llegara la carta de Lena.

—Supongo que es bonito cuando está lleno de turistas, como si fuera un día festivo —dijo Kit.

—Pero no es el mejor momento para visitarlo.

—Oh, no te sumes a todos los que nos aconsejan no ir, por favor, Maura.

—No te digo que no vayas.

—¿Y qué es lo que dices? —preguntó Kit.

—No sé —respondió Maura con expresión sincera.

Por algún motivo, eso las hizo reír como locas. Martin McMahon entró en la cocina y quiso saber qué les provocaba tanta risa.

—Si te repitiera toda la conversación no tendría ninguna gracia —aseguró Maura secándose los ojos.

—Nos pondrían la camisa de fuerza —añadió Kit.

Rita, que estaba terminando con la plancha, había oído todo el diálogo. Solo entendía una cosa: ya era hora de que el señor McMahon se decidiera. La señorita Hayes era muy buena persona. Jamás encontraría a otra que se entendiera tan bien con sus hijos.

La madre Bernard recibió una llamada telefónica desde Londres. Una señora quería saber cuándo se conocerían los resultados de los exámenes finales.

—Llegaron hoy. —La superiora parecía complacida. Aquellos resultados eran excelentes, por lo que a ella concernían.

La señora preguntó quiénes habían aprobado y quiénes no.

—¿Con quién tengo el gusto de hablar? —La madre Bernard no estaba dispuesta a revelar a cualquier desconocida que a la chica Wall y al joven Hickey les había ido muy mal.

—Soy de la familia de Cliona Kelly.

Aunque a la madre Bernard le pareció extraño que aquella mujer no hubiera llamado directamente a la familia Kelly, no dijo nada. Por el contrario, enumeró con orgullo la cantidad de sobresalientes que Cliona había obtenido en sus exámenes.

—¿Y su amiga, Kit McMahon?

—Mary Katherine McMahon también obtuvo muy buenas notas. En general, el promedio ha sido muy alto.

—Tengo entendido que las niñas viajarán a Londres y se hospedarán en un convento de la orden, ¿verdad?

—Así es, pero...

—Pensaba enviar una carta allí, a quien usted me sugiriera, para ver si es posible encontrarme con Cliona. ¿Puede decirme en qué fecha vendrán?

—Nuestra casa de Londres está a cargo de la madre Lucy, que se encargará de nuestras niñas mientras dure su estancia allí. Llegarán el nueve de agosto y se quedarán allí nueve días completos. ¿Cuál es su nombre?

—Muchísimas gracias, madre Bernard.

La comunicación se cortó. La superiora se quedó mirando el auricular. ¿Cómo sabía aquella mujer que ella era la madre Bernard?

El domingo, después de misa, la madre Bernard se acercó a los Kelly.

—Ha llamado su familiar de Inglaterra, para preguntar por los exámenes de Cliona.

—¿De Inglaterra? —dijo Peter.

—¿Qué familiar? —preguntó Lilian.

—Eso fue lo que ella dijo. —La madre Bernard se puso a la defensiva.

Mientras volvían a casa, la pareja se preguntaba qué habría querido decir.

—Tal vez está chocheando —sugirió Lilian.

—Pues parece muy despierta. —Peter estaba pensativo.

—Esperemos que aguante hasta que Anna termine. —Su mujer siempre era muy práctica.

... así que el 8 de agosto salgo de viaje. Como te he dicho, estaré fuera de Londres dos semanas, pero es una gran oportunidad para mí. Espero que tus planes para este verano marchen bien y que tengas todo preparado para iniciar tu nueva vida en Dublín.

Quiero decirte, una vez más, lo mucho que me alegró recibir noticias tuyas tan pronto. Muchísimas gracias por escribirme el mismo día en que se conocieron tus notas. Estuve trabajando con los dedos cruzados. Anoche brindé por ti con mi amiga Ivy Brown.

Me entusiasma saber que por fin seguirás adelante.

—¿Qué hago si viene Louis? —preguntó Ivy.

—No vendrá. —Lena estaba seria—. Y tú lo sabes muy bien. Últimamente viene poco.

—Pero nunca pasa toda la noche fuera. —Ivy estaba asustada.

—No, pero si Kit viene a buscarme no lo hará por la noche. No se encontrarán.

—¿Y qué me dices de ti? Supón que te encuentra por la calle.

—En esta ciudad hay ocho millones de personas.

—Pero en esta calle no.

—Ella no sabe que me escondo. Tampoco sabe que soy yo. Quédate tranquila, Ivy.

—Pero tú no estás tranquila.

—Bueno, porque mi hija viene a la ciudad y quiero verla.

—La verdad es que tengo un mal presentimiento.

—Tonterías, Ivy. Basta con que me dejes pasar las tardes en tu cocina.

—¿Cómo sabes que vendrá a verte?

—Lo sé.

El viaje en barco fue divertidísimo. Conocieron a un montón de albañiles irlandeses que habían pasado las vacaciones en casa. En aquel momento sentían cierto alivio al regresar a la libertad de Inglaterra.

—¡Imagínate! Estamos en el extranjero —dijo Kit.

—Casi. —Clio se mostraba altanera.

—Estamos en medio del mar de Irlanda. Eso es el extranjero. Ya hemos dejado atrás el límite de las tres millas.

—Vamos a Londres —susurró Clio—. Vamos a ver cafeterías de verdad, policías de verdad, todo.

—Lo sé, lo sé. —Kit se preguntaba cómo encontrar a Lena, la amiga de su madre. Iría a su casa para preguntar a la señora Brown dónde estaba. Y entonces iría a darle una sorpresa.

Si la madre Bernard les parecía estricta, pronto comprendieron que, comparada con la madre Lucy, era un alma libre y salvaje. La madre Lucy daba por sentado que solo querrían conocer los sitios culturales y que pasarían las tardes jugando al ping-pong y preparando chocolate, después de rezar el rosario en la capilla del convento.

—Podríamos escaparnos —dijo Jane Wall.

—¿Vale la pena meterse en líos? —preguntó Clio—. Se armaría un escándalo terrible. En casa pensarían que hemos hecho quién sabe qué barbaridades. Y todo por tomar un café en el Soho.

—Llamó otra vez tu tía, Cliona —dijo la madre Lucy, la tercera noche.

—¿Mi tía? —Clio estaba alarmada—. ¿Pasa algo malo?

—No, solo quería saber adónde irías y si dispones de tiempo libre.

La chica miró a Kit encogiéndose de hombros.

—¿Para qué querrá saberlo?

—No sé. Tal vez quiera llevarte a algún sitio.

Era un misterio. ¿Tía Maura en Londres?

—¿Volverá a llamar? —preguntó Clio.

—No sé. Pero si quiere llevarte a pasear, supongo que no habrá problemas.

Los ojos de Clio se encontraron con los de Kit.

—Si vuelve a llamar —dijo con voz halagadora—, será un placer verla.

—Claro, por supuesto.

—Maura no está en Londres —susurró Kit más tarde—. Está en Lough Glass, jugando al golf.

—Ya lo sé, pero esto debe de ser un glorioso error que nos envían Dios, san Patricio y san Judas, el santo patrono de los casos imposibles. Ve a la calle, telefonea y déjame un mensaje.

—¿Desde dónde?

—Desde cualquier cabina telefónica. Diremos que estás en el baño. Kit buscó una cabina y metió la moneda.

—¿Puedo hablar con Cliona Kelly? Habla su tía —pidió a la joven hermana portera.

Un momento después Clio, que estaba en la sala de recreo, se puso al teléfono.

—Hola —susurró, aterrorizada por la posibilidad de que se descubriera todo.

—Oh, tía Maura, qué amable eres al llamar. Mamá y papá tenían la esperanza de que pudiéramos vernos.

Kit escuchó, sin decir palabra, el fácil torrente de mentiras. Sería un placer encontrarse con tía Maura el día siguiente a las cinco. No, no, la madre Lucy no tendría ningún problema en dejarlas salir, a ella y a Kit, durante unas horas.

—Menuda suerte tienes —comentó Jane Wall—. Mira que tener a tu tía en Londres.

—Es como para creer en el destino, ¿verdad? —respondió Clio. Después preguntó a Kit—: ¿Qué hacemos? ¿Adónde podemos ir?

—Tú ve a donde quieras. Yo salgo por mi cuenta.

—Oh, no, Kit. Podemos salir solas, pero juntas.

—¿No eres tú quien dijo que era ridículo tenernos amarradas a un convento, cuando somos mujeres adultas?

—Sí, por supuesto, pero no por eso tienes que ponerte rara y dejarme sola. Después de todo, yo te conseguí este paseo. Es mi tía la que está en Londres.

—Sabes perfectamente que no tienes ninguna tía en Londres. Esto es por algún error que cometió esa pobre hermana portera.

—¿Y adónde piensas ir? —Quiso saber Clio.

—No te lo diré. Y no voy a ninguna parte. Solo quiero un poco de libertad.

—Podemos aprovecharla juntas y divertirnos un poco.

—No, no podemos. Deja de gimotear, Clio. Haz lo que quieras. Nos encontraremos a las diez. Entonces podrás contarme todo.

—A veces te odio.

—Ya lo sé. Yo también te odio a veces, pero en general nos llevamos bastante bien —dijo Kit.

—No me explico por qué —gruñó su amiga.

Kit tenía un mapa y sabía dónde coger el metro hacia Earl's Court, pero antes debía deshacerse de Clio.

—Desde que teníamos quince años te oigo hablar del Soho. ¿Por qué no subes a un autobús y vas a...?

—Vas a encontrarte con alguien. Estoy segura.

—Clio, estás malgastando el poco tiempo libre que tenemos. ¿Vas a coger el autobús o no?

Cuando el autobús se perdió de vista, llevando a Clio a bordo, Kit bajó corriendo las escaleras de la estación y cogió el metro. Al menos quería ver la casa donde vivían Lena y Louis Gray. Le dejaría una nota; quizá conversara con esa tal señora Brown. Una o dos veces, en sus cartas, había preguntado quién era, pero Lena nunca se lo había explicado del todo. Kit sintió tal oleada de entusiasmo que se le hizo un nudo en la garganta. En veinte minutos estaría allí.

Esperaba encontrarse con una calle más elegante. Siempre había imaginado casas grandes, con entradas para coches que llegaran hasta la puerta. Suponía que la señora Brown podía ser una tía o algo así, una mujer rica a la que ellos cuidaban de algún modo. Pero la calle era aquella, decididamente. Y el número 27 era la dirección a la que ella enviaba sus cartas desde hacía casi cuatro años.

Lena nunca había dicho que fuera un sitio elegante, pero tampoco que fuera tan vulgar. Varias puertas tenían la pintura desconchada y las barandillas estaban oxidadas. No era el tipo de vivienda que debería ocupar aquella amiga de mamá.

Con un nerviosismo cercano al miedo, algo que no llegaba a comprender, Kit McMahon golpeó con los nudillos la puerta del número 27.

A la hora del almuerzo Louis había ido a la agencia.

—¿Tomamos una cerveza? —invitó a Lena.

A Jessie Park le gustaba ver a Louis Gray, hombre de tanta distinción y buena percha. Lo miró agitando un dedo con burlona severidad.

—Usted viene muy poco a visitarnos.

—Hoy está encantadora, Jessie —dijo él.

El rubor y la sonrisa eran previsibles. Lena había visto la misma reacción en la cara de muchas mujeres desde que vivía con Louis. Era una respuesta al halago. El inocente placer de saberse apreciadas y admiradas.

Lena se disculpó con los clientes. Aquello era importante. Louis nunca iba a verla al trabajo. Sintió un súbito miedo. ¿Sería por Kit? ¿Se habría encontrado con Louis? Luego se dijo que era imposible. Ella había llamado al convento donde se alojaban las chicas. No había ninguna posibilidad de que Kit se viera libre durante las horas del día; el programa educativo era demasiado intenso.

Caminaron juntos hasta el bar más próximo; ella se sentó a la mesa mientras Louis iba a buscar la bebida.

—¿Recuerdas que trataste de convencerme de que me tomara esta semana libre? —dijo Louis.

—Sí.

Ella se lo había rogado, dispuesta a ir a donde él quisiera. Pero Louis decía que era imposible, que lo necesitaban en el hotel; acabó por enfadarse, diciendo que él también tenía sus responsabilidades de trabajo, aunque Lena no lo reconociera. Entonces ella había cambiado de tema.

«Ve tú sola, si tanto necesitas vacaciones», había dicho él.

Pero Lena no podía abandonar el número 27 sabiendo que Kit McMahon pensaba presentarse por sorpresa. No podía arriesgarse a que Kit se encontrara con él y lo descubriera todo.

La sonrisa de Louis era más cordial que nunca.

—Amor mío, ¿no ha sido una suerte que no me permitieras ceder y tomarme esas pequeñas vacaciones?

—¿Por qué? —Ella intentó hablar con aire alegre.

—Me envían a París —dijo él en tono triunfal.

—¿A París? —Su corazón era como una piedra.

—No será para siempre. Solo durante diez días, para ver cómo funciona ese hotel francés. Es un intercambio. Hay un francés que viene aquí. ¡Cómo va a acelerar los corazones en el Dryden!

—No tanto como tú. —Era una respuesta automática, pero no salió bien. Sonaba amarga, como una acusación.

—Entonces me voy.

—¿Te vas?

—Bueno, no puedes venir conmigo, ¿o sí?

—Supongo que podría tomarme unos días...

—No tienes pasaporte —señaló Louis, con una mirada muy serena. Claro que Lena no tenía pasaporte. ¿Cómo iba a tenerlo, si estaba muerta? Él podía irse sin ella al extranjero y no volver jamás.

—¿Cuándo te vas?

—Creo que hoy.

Lena lo miró a los ojos.

—¿Me quieres al menos, Louis?

—Te quiero muchísimo. —Hubo un silencio—. ¿Me crees?

—No sé. —Su voz sonaba triste. Vio la impaciencia en su rostro. Eso era lo que él más odiaba, pero Lena estaba demasiado cansada para pensarlo. Él se iría de todos modos; poco importaba que ella estuviera alegre y animada o triste y seria.

—Pues deberías saberlo —dijo Louis—. ¿Estaría contigo si no te amara? Y estoy aquí, ¿no?

—Cierto —reconoció ella, resignada.

—No hagas que me vaya con esta sensación de culpa, Lena. Es una oportunidad, es lo que deseamos. Estás quejándote como cualquier esposa. Eso no es normal en ti.

—No, tienes razón. Lo normal es que responda con alegría, toda sonrisas, y haga la vista gorda a lo que sucede.

—¿Y qué es lo que sucede? —preguntó él fríamente.

—Sucede que me estás tratando como a un trapo. Vuelves a cualquier hora de la noche.

—Oh, Dios mío, no. ¿Una escena en público? —Apoyó la cabeza en las manos.

—Sucede que estás seguro de poder hacer lo que te dé la real gana. No tienes que casarte conmigo porque estoy muerta. No tienes que llevarme al extranjero porque ya estoy muerta y sepultada. ¿Lo habías pensado?, dime. —Su risa tenía un tinte de histeria.

—Contrólate, Lena, por Dios. —Él miró a su alrededor, alarmado.

—Me controlo perfectamente. Al que no puedo controlar en absoluto es a ti.

En aquel momento Louis estaba enfadado.

—Ni tienes por qué. No nos gustan las ataduras. Ya hemos hablado de ello. El amor no consiste en prohibiciones: «No hagas esto... no hagas lo otro...».

—Tampoco consiste en que te vayas a Francia con la fulana con quien te estés acostando actualmente.

—No seas desagradable, Lena. Llama al Dryden y pregúntales si voy o no en plan de intercambio. Pregúntales.

—Reconóceme algún mérito, alguna dignidad. ¿Me crees capaz de rebajarme a hacer una llamada así para vigilarte?

—¿Ves? Quieres pruebas, te doy pruebas y no las aceptas.

—Vete a París. Estoy harta de ti, Louis. Ve y quédate allí.

—Tal vez lo haga —dijo él—. Y si lo hago... tú lo habrás querido.

La tarde era sofocante. Jessie la miró varias veces, pero Lena siempre rehuía con un gesto cualquier pregunta, cualquier muestra de solidaridad.

—No pasa nada, ¿verdad? —preguntó Dawn.

—No, en absoluto. Louis viaja a Francia. Quizá me reúna con él durante el fin de semana.

—Qué pareja tan afortunada —dijo Dawn, con auténtica admiración.

A las seis en punto, con gran sensación de alivio, Lena enfundó la máquina de escribir, guardó las carpetas bajo llave y abandonó la oficina. Louis ya habría salido. Seguramente había ido directamente a casa para recoger sus cosas. Quedaba por ver qué se había llevado: lo suficiente para diez días en Francia o como para ausentarse por más tiempo. Y además era ella quien se lo había sugerido.

Para retrasar el mal momento de la llegada, fue a un bar.

—Eres demasiado bonita para beber sola —dijo el camarero cuando Lena le pidió un gin-tonic.

—No te busques problemas —replicó ella.

El hombre se echó a reír, pero se apartó de inmediato. Algo en su mirada le dijo que ella no estaba bromeando.

Ivy preparó el té para la atractiva muchacha irlandesa de fresca blusa azul y falda de tartán. Era una versión más joven de Lena, con su mismo pelo rizado y brillante, con sus grandes ojos oscuros.

—La imaginaba diferente, señora Brown. Hace años que envío cartas a su casa. No esperaba que fuera tan... —Hizo una pausa.

—¿Tan cómo? —Ivy fingió una expresión amenazadora.

—Bueno, joven y divertida. Tenía la impresión de que sería una de esas ancianas que quieren silencio alrededor.

—¿Eso es lo que Lena te escribió sobre mí?

—No. Ella no habla de usted en sus cartas; solo escribe sobre mí. Casi no conozco la vida que lleva, pero sé mucho de los tiempos en que estaba con mi madre. Y como se interesa tanto por todo lo que hago, acabo siendo algo egoísta.

—Le encanta tener noticias tuyas, te lo aseguro.

—Lástima que no esté aquí.

Kit parecía tan apenada que Ivy tragó saliva.

—Bueno... Seguramente no esperaba que vinieras. De lo contrario se habría quedado.

—Yo quería darle una sorpresa.

—¿No sabías que iba a viajar? ¿No te lo dijo?

—Me lo dijo, sí, pero... Es muy extraño, ¿sabe? Tuve la sensación de que no viajaría, de que eso no era definitivo. Pensé que aún estaría aquí.

—Y ahora has hecho el viaje en balde.

—No. La he conocido a usted y he visto la casa donde ella vive. Es la única persona que parece haber entendido bien a mi madre. Eran grandes amigas. Y se comprende. Lena escribe tan bien que sus cartas son como una conversación.

—Sí, no lo dudo —dijo Ivy.

—¿Me permitiría ver su apartamento? No creo que a ella le molestara.

—No, querida, prefiero no hacer eso. La gente me alquila las habitaciones y quiere una intimidad absoluta. No estaría bien.

—Pero usted tiene todas las llaves colgadas en esa pared.

—Sí, pero solo para emergencias.

—¿Yo no soy una emergencia?

—No, querida. Eres solo una visita que ella lamentará muchísimo haberse perdido. Cuando se entere...

Ivy se interrumpió. Detrás de Kit, alguien llamaba violentamente a la puerta.

—Perdona, tesoro. Un momento. —La casera corrió a la puerta con una rapidez de la que Kit no la habría creído capaz. Un instante antes de que se cerrara la puerta, ella vio allí a un hombre muy guapo; vestía una camisa blanca de cuello abierto y pantalones de franela gris. Parecía un actor de cine.

—Ivy...

—Hablemos en el pasillo, si no te importa.

—Eh, ¿dónde está el incendio?

Kit vio que se lo llevaba a rastras.

Echó un vistazo a la asombrosa habitación de Ivy. Cada centímetro de pared estaba cubierto de fotos y pósters, programas, posavasos y recortes de revistas. En aquel cuarto sería imposible aburrirse; estar allí era agradable. Pero no debía abusar de tanta hospitalidad. En cuanto terminara su té, tendría que marcharse. Podía escribir una carta para Lena y dejarla allí.

Fuera, las voces estaban subiendo de tono. El guapo, fuera quien fuese, no parecía merecer la aprobación de Ivy.

—Escucha, permíteme dejar la caja aquí, donde no estorbe. ¿O quieres que alguien tropiece, se rompa el cuello y te ponga una denuncia?

—Yo la entraré más tarde. Está bien, te digo.

Pero él no quiso saber nada. Empujó un gran baúl de madera hasta dentro. Al levantar la vista, el hombre vio a Kit.

—¡Vaya!

—¡Hola! —Ella sonrió.

Ivy parecía desesperada por hacerle salir de allí.

—Bueno, si no necesitas nada más...

—Te dejo mi llave, Ivy. Cuélgala con las otras. Más tarde mandaré por el baúl.

—Bueno, de acuerdo. —Ivy se le puso delante—. Entendido, sí. Buen viaje.

—¿Y la señorita es...? —Su sonrisa era muy cálida.

—Una amiga mía. Se llama Mary Katherine...

Kit abrió la boca, sorprendida.

—Encantado de conocerla, Mary —dijo él.

—¿Y usted...? —inquirió ella, dando a las palabras un tono ascendente.

En la calle sonó un pitido.

—Ese taxi no te va a esperar toda la vida —indicó Ivy.

Él se fue. Los oyó hablar en el vestíbulo. Por el cristal de la puerta, Kit vio que el hombre trataba de dar a Ivy un beso en la mejilla y que ella se echaba hacia atrás.

—¿Quién es ese hombre tan guapo?

—Alguien que solo trae problemas, Kit.

—¿Y cómo sabe usted que me llamo Mary Katherine?

—Tu madre... —comenzó Ivy, pero logró cambiar la frase—. Dice Lena que siempre comentaba que ese era tu nombre de bautismo y que en la escuela te llamaban así.

—Nunca imaginé que en Londres sabrían tanto de mí. —Kit juntó las manos satisfecha.

Ivy no tenía valor para echarla. Aquella chica no tenía adónde ir. Y si Lena aún no había llegado, lo más probable era que se retrasara. De cualquier modo, habían acordado que ella no se detendría ante su puerta.

—Oye, Kit, ¿quieres esperar un momento? Debo llevar algo arriba. Vuelvo enseguida.

Ivy corrió escaleras arriba con lápiz y papel. «Está aquí», escribió. Y deslizó la nota por debajo de la puerta. Luego bajó los peldaños de dos en dos. Kit no se había movido. No podía haber leído la etiqueta del baúl, donde figuraba el nombre de Louis.

—Tomemos otra taza de té —propuso la casera.

—¿No la molesto?

—No, tesoro. Me gusta tener compañía.

Se abrió la puerta del vestíbulo. Ivy levantó la vista. Algo en su expresión hizo que Kit también mirara hacia allí: su nerviosismo, su gesto. Solo pudo ver, por la puerta de cristal, el perfil de una mujer morena. La cortina le dificultaba la visión.

—Todo bien —anunció Ivy, con una voz aguda que no sonaba natural—. Te dejé una nota en el cuarto. No hace falta que te entretengas aquí.

La respuesta no se oyó. Sonaba algo ahogada.

—Después subiré a charlar contigo. En este momento tengo visita. —La casera parecía una pésima actriz recitando su papel.

Kit nunca llegó a saber qué la había motivado a hacerlo, pero lo cierto es que se levantó para acercarse a la puerta. Tenía la sensación de que aquella era Lena; quizá había vuelto inesperadamente. Al abrirse la puerta, la mujer que estaba a punto de subir la escalera se volvió.

Allí estaba. Un traje beis, una chaqueta del mismo color echada sobre los hombros, una larga bufanda azul y oro alrededor del cuello. El pelo oscuro y rizado era como un marco alrededor de la cara.

Kit soltó un grito ahogado. El momento duró una eternidad. La mujer, en la escalera; Ivy Brown, en la puerta, atrás; Kit, con la mano en la garganta.

—¡Mamá! —exclamó—. ¡Mamá!

Nadie dijo nada.

—¡Mamá! —repitió Kit.

Lena alargó una mano... pero la chica retrocedió.

—No te habías muerto. Huiste. Nos abandonaste.

Estaba muy blanca, mirando a la silueta de la escalera.

—Y nos dejaste creer que te habías ahogado —exclamó horrorizada.

Con los ojos llenos de lágrimas, caminó hacia la puerta principal para salir a la calle.

6

Ivy la alcanzó cuando ya llegaba al semáforo.

—Vuelve —dijo—. Vuelve, por favor.

Kit tenía la cara pálida; su vitalidad había desaparecido. No era la chica alegre que pocos minutos antes parloteaba en la sala de la planta baja. Claro que aquella chica acababa de ver un fantasma.

—Te suplico que vengas. —Ivy alargó la mano, pero Kit la esquivó—. Ha sido un golpe terrible. No puedes quedarte aquí, en la calle.

—Tengo que irme... Tengo que irme.

Kit miraba como enloquecida el tráfico que las rodeaba, los grandes autobuses rojos, tan ajenos, toda aquella gente tan distinta de los que vivían en su pueblo. El bullir de un anochecer londinense.

Ivy no la tocó, no trató de cogerla por la muñeca. Temía que Kit, por liberarse, se lanzara hacia los coches.

—Tu madre te quiere tanto... —dijo con la esperanza de que surtiera efecto.

—Mi madre ha muerto —le replicó Kit.

—No, no.

—Ha muerto. Se ahogó en el lago. Ella misma se arrojó. Lo sé... Soy la única que lo sabe. No puede estar aquí... Ella se ahogó...

La voz de la chica tenía el timbre agudo de la histeria. Ivy comprendió que había llegado el momento de tomar las riendas. Le rodeó los hombros con su brazo pequeño y fuerte.

—No me importa lo que digas; no puedo dejarte sola. Ahora vendrás conmigo.

Y la llevó, medio en volandas, hasta el número 27, a su propio apartamento.

Lena no estaba allí. La sala estaba igual que hacía apenas diez minutos, con sus paredes cubiertas de ridículos adornos. Kit se sentó en la misma silla que ocupaba cuando oyó a la mujer en la escalera y salió a investigar.

¿Qué la había impulsado a hacerlo? ¿Y si no hubiera salido? Sentía la cabeza muy rara, como si la parte superior se le hubiera convertido en papel. Luego oyó un chasquido en los oídos y le pareció que el suelo se elevaba hacia ella. Por todas partes se oían gritos, gritos lejanos.

Después sintió palmaditas en las mejillas y un olor extraño, horrible, que estuvo a punto de ahogarla. La cara de Ivy apareció ante ella, grande y afligida, muy cerca. Tenía un frasquito en la mano.

—No hables. Huele.

—¿Qué...? ¿Qué...?

—Son sales aromáticas. Te has desmayado.

—Nunca me desmayo —aseguró Kit, indignada.

—Ya estás bien. Te ayudaré a llegar hasta el sofá.

—¿Dónde está ella? —preguntó Kit. Volvía a ser consciente del asunto y de su importancia.

—Arriba. No bajará hasta que yo se lo pida.

—No quiero verla.

—Chist... De acuerdo. Pon la cabeza entre las rodillas, para que baje la sangre.

—No quiero...

—¿No me has oído? Solo iré a buscarla cuando estés preparada.

—Nunca estaré preparada.

—De acuerdo. Ahora te daré una taza de té con mucho azúcar.

—No tomo azúcar —protestó Kit.

—Hoy sí. —Por el tono estaba claro que Ivy no admitiría discusiones.

El té, fuerte y dulce, empezó a devolverle el color. Por fin habló.

—¿Estuvo aquí desde un principio? ¿Desde el primer día, cuando pensamos que había muerto?

—Te lo dirá ella misma.

—No.

—Más té... otro bizcocho... Por favor, Kit. Esto es lo que hacíamos durante la guerra cuando alguien sufría una conmoción. Si resultaba entonces, resultará ahora.

Kit iba a rechazar aquella segunda taza, pero de pronto cayó en la cuenta de que aquella mujer no tenía otra cosa para darle; entonces la aceptó.

—¿Por qué recurrió a usted? —preguntó Kit—. ¿Ya eran amigas?

—Alquilo habitaciones. Eso es todo.

—Pero ahora son amigas.

—Sí, ahora sí.

—¿Por qué? —La cara de Kit reflejaba su angustia e incomprensión.

—¿Por qué? Porque ella es una gran persona. ¿Quién no querría ser amiga suya?

Se oyeron pisadas en la escalera, pero no era Lena, sino la pareja del tercer piso, que salía. Kit e Ivy trataron de mirar a través de la cortina de red.

Cuando se oyó el chasquido de la puerta, la casera habló en tono casi triunfal:

—Te lo dije: prometió no bajar hasta que tú quisieras verla. —Silencio—. O subieras al apartamento.

—No puedo.

—Tómate tu tiempo.

—No hay tiempo que valga.

Se hizo otro silencio.

—¿No te molesta si subo a decirle que estás bien? —preguntó por fin Ivy—. No, te prometo que no voy a traerla. Es que ella estará inquieta.

—¿Qué puede importarle que estemos bien o no?

—Kit, por favor, no quiero dejarla esperando arriba sin saber qué pasa. Volveré dentro de un minuto. —Kit no dijo nada—. No vayas a escapar.

—No soy yo quien escapó —dijo la chica.

—Ella te lo explicará.

—No.

—Cuando quieras escucharla. —Ivy se fue.

Cuando sus pasos se perdieron por la escalera, Kit se acercó a la puerta.

Allí estaba el cuarto al que habían llegado sus cartas en aquellos años: cartas a Lena Gray, contando secretos de su madre, hablando de la tumba y de las flores que habían pintado alrededor. Ella había revelado a aquella tal Lena secretos que no contaba a nadie. Y todo había sido un engaño. La invadió una oleada de furia y vergüenza. No quería dejar las cosas así, alejarse discretamente de aquella casa como si nada hubiera ocurrido. Su madre estaba viva. Su padre tenía que enterarse. Y Emmet. Y todos.

Era demasiado para ella. Se sintió mareada una vez más, como si fuera a desmayarse de nuevo. Pero se controló. Subiría a hablar con su madre. Quería saber qué había sucedido y por qué. Por qué su madre los había abandonado a todos así, para mudarse a aquella casa de Londres, dejando que ellos la buscaran en el lago.

Salió y comenzó a subir la escalera, dispuesta a llamar a todas las puertas hasta encontrarla. Pero no hizo falta.

En el primer piso oyó la voz de Ivy:

—Bajo a verla, Lena. Con el golpe que ha sufrido esa criatura, no puedo dejarla sola.

Entonces vio a Kit en la escalera. En silencio, se apartó a un lado para permitirle la entrada.

—¿Kit?

Su madre estaba sentada en una silla, con una manta pe-

queña cubriéndole los hombros. Temblaba. Era evidente que
Ivy la había arropado. En la mano tenía un vaso de agua.

La casera cerró suavemente la puerta, dejándolas solas.
Madre e hija.

—¿Por qué lo hiciste? —preguntó Kit. Su mirada era
dura; su voz, fría—. ¿Por qué nos dejaste creer que habías
muerto?

—Era necesario —dijo Lena con voz inexpresiva.

—No, no era necesario. Si querías irte, alejarte de papá,
de Emmet y de mí, podrías habérnoslo dicho, en vez de dejar
que te buscáramos, que rezáramos por ti... pensando que estabas en el infierno. —A Kit se le quebró la voz por la emoción.

Lena no dijo nada. Tenía los ojos dilatados por el espanto.
Todo había salido de la peor manera posible. Su hija la había
descubierto. Estaba llena de odio y de desprecio. ¿Debía ex-
plicarse? ¿Explicar a la chica que era su padre quien había
cometido la verdadera traición? ¿O sería mejor protegerlo,
para que Kit conservara la confianza en uno de sus padres, en
vez de pensar que los dos le habían fallado?

La chica era tan fuerte y dura... Y por sus cartas, Lena
conocía los secretos de su corazón. Ya no se los contaría nunca más. Era un dolor tan grande como ver vacío el armario en
que Louis Gray guardaba sus trajes.

Señaló una silla, pero Kit no quiso sentarse. Miraba a su
alrededor, moviendo los músculos de la cara, intentando dominarse. Lena la seguía con la mirada, preguntándose qué impresión le causaría aquel lugar, ansiando poder adivinar los
pensamientos que le pasaban por la cabeza.

La vio tomar aliento, como si fuera a hablar, pero cambió
de idea. Se acercó a una de las ventanas para apartar las gruesas cortinas y miró hacia la calle.

Lena esperaba, con los ojos muy abiertos. Con mano
temblorosa, dejó el vaso de agua. Todo parecía estar moviéndose a cámara lenta.

—Di algo —le ordenó.

Kit habló con voz firme.

—¿Por qué tengo que decir algo? Eres tú quien tiene algo que explicar.

—¿Me escucharás?

—Sí.

—Tomé una decisión. Estaba enamorada de otro. Era un amor tan fuerte que os abandoné, a ti y a Emmet. Y mi vida con vosotros.

—¿Y dónde está ese hombre al que amabas tanto? —Había sorna en la voz de Kit.

—No está aquí.

—Pero ¿por qué fingiste que habías muerto?

—Yo no fingí nada. Eso surgió por error.

—Oh, escúchame —estalló la chica—. Ahora escúchame. Desde que tenía doce años te he creído muerta. Mi hermano y yo visitamos tu sepultura; se reza por ti en cada aniversario. Papá se pone tan triste cuando habla de ti que hasta las estatuas llorarían. Y tú... aquí, en este lugar... porque estabas enamorada de otro... de un hombre que no te ama... Y dices que si la gente te cree muerta es solo por error. Debes de estar loca, completamente loca.

De algún modo, la cólera de Kit alentó a Lena, que arrojó la manta a un lado y se levantó para enfrentarse a su hija.

—Yo no tuve nada que ver con esta conspiración para hacerme pasar por muerta. Cuando me fui se lo dije a tu padre. Le dije que buscara un modo de explicar las cosas a sus vecinos y amigos. Eso era lo menos que podía concederle, un poco de dignidad. No le pedí nada. No estaba en situación de hacerlo. Solo esperaba que él me permitiera ver a mis hijos.

—No le dijiste nada. Poco me importan las mentiras que tú misma quieras creer, pero a mí no vas a mentirme. Porque era yo quien lo oía llorar en su cuarto, noche tras noche. Quien iba con él junto al lago mientras se te buscaba. Yo estaba allí cuando trajeron el cuerpo, y vi su alivio al decir que podrías descansar tranquila en la tumba. ¡No vengas a decirme que papá estaba enterado de toda esta... esta patraña! No sabía nada.

Estaban ambas muy cerca, coléricas y alteradas.

—Si te engañó tan bien, debe de ser mucho mejor actor de lo que yo creía. —En la voz de Lena había una gran amargura—. Jamás me perdonaré por lo que os hice a ti y a Emmet, pero él tiene su parte de culpa. Yo se lo dije. Tu padre lo sabe. Le dejé una carta.

—¿Qué...?

—Le dejé una larga carta en la que se lo contaba todo. Y no le pedía nada, ni siquiera comprensión.

Kit retrocedió.

—Una carta. ¡Oh, Dios mío! —Se llevó la mano a la boca. Se había puesto pálida. Kit McMahon nunca se había desmayado hasta aquel día, pero ahora parecía a punto de hacerlo por segunda vez. Se tambaleó. El suelo empezó a subir hacia ella, pero se obligó a dominar el vértigo y las náuseas.

—Sé que no vas a creerme —dijo Lena.

—Sí, te creo —contestó Kit, con voz ahogada.

—¿Lo sabías?

—Yo la encontré... y la quemé en la cocina.

—¿Que hiciste qué?

—La quemé.

—¿La quemaste? ¿Una carta dirigida a otra persona? En el nombre de Dios, ¿por qué? ¿Por qué hiciste eso?

—Para que te sepultaran en el cementerio de la iglesia —respondió Kit sencillamente—. Si se enteraban de que te habías suicidado, no lo habrían permitido.

—¡Pero si yo no me había suicidado! Oh, Dios mío, ¿por qué tuviste que meterte?

—Creía que te...

—¿Qué te hizo pensar así? ¿Qué derecho tenías a decidir? No puedo creerlo, de veras. No puedo creerlo.

—Todo el mundo te estaba buscando. La gente salía con linternas y el sargento O'Connor... Y el bote volcado...

—Pero por el amor de Dios... si hubieras entregado la carta a tu padre...

—Es que tú eras tan extraña... y alocada, ¿no lo recuerdas? Eso es lo que pensamos.

—Eso es lo que tú pensaste, lo que a ti se te ocurrió pensar.

—Da la casualidad de que mucha gente pensaba lo mismo.

—¿Cómo lo sabes?

—Una oye rumores.

—¿Y qué pasó con la investigación? ¿Qué farsa montaron tu padre y Peter Kelly, al hacer pasar por mí a alguna otra desdichada?

—Creyeron que eras tú. Todos lo creímos.

—Pero ¿quién era? ¿De quién es el cadáver que está en mi tumba?

Kit la miró, destrozada.

—No sé. Puede ser alguien que se ahogó hace mucho tiempo.

Lena desechó la posibilidad.

—Piensa. Él hizo cualquier cosa para ocultar el hecho de que yo lo había abandonado.

Kit estaba muy quieta.

—Papá no sabe que lo abandonaste. Gracias a mí, te cree muerta.

Lena la observó, asimilando el horror de todo aquello. Desde hacía años, Martin creía en verdad que ella había muerto ahogada en el lago, ante su propio umbral. ¿Cómo podía haber sucedido algo tan ridículo?

—¿Y sabe por qué? ¿O sospechó que yo quería abandonarlo y que por eso me quité la vida?

—No, no cree que te hayas quitado la vida. Piensa que te ahogaste por accidente. Tal vez sea uno de los pocos que lo cree. Nos lo ha dicho a Emmet y a mí, una y otra vez.

Lena buscó los cigarrillos. Automáticamente alargó la cajetilla hacia Kit, que negó con la cabeza. El cuarto que había sido escenario de tales gritos estaba en aquel momento tan silencioso que el roce de la cerilla sonó como el trallazo de un látigo.

—Lamento haber quemado la carta —dijo Kit tras una eternidad—. En aquellos momentos parecía la única solución.

Otro largo silencio.

—No sabes cuánto me arrepiento de haberos abandonado —confesó Lena—, pero por entonces... por entonces...

Se sentó. Kit seguía de pie.

—Podrías haber vuelto, venir a decirnos que estabas viva, que había sido un error. Pero no querías, ¿verdad? No te importaba dejarnos pensar... pensar...

—Estaba atrapada —dijo Lena—. Había prometido a tu padre...

—Esa trampa la creaste tú. Y no me hables de lo que prometiste a papá. Supuestamente, al casarte con él prometiste amarlo, honrarlo y obedecerlo. No diste mucho valor a esa promesa.

—Siéntate, Kit, por favor.

—No, no quiero sentarme. No tengo ganas de sentarme.

—Estás muy pálida. Pareces deshecha. Siéntate. Tal vez no tengamos mucho tiempo para conversar. Esta puede ser nuestra única oportunidad.

—No quiero ninguna charla de amigas.

—Yo tampoco quiero una charla de amigas. —Pero Kit se dejó caer en una silla, con alivio; sentía las piernas muy flojas—. ¿Qué es lo peor? —preguntó Lena al fin.

—Lo que le hiciste a papá.

Hubo un silencio.

—¿O lo que le hiciste tú? —dijo por fin la madre con mucha suavidad

—Eso no es justo. No voy a cargar con la culpa de esto.

—No te pido que cargues con la culpa. Solo te pido que dialogues conmigo. Dime qué debemos hacer ahora.

—¿Cómo quieres que dialogue contigo? No te veo desde que era una criatura de doce años. No sé quién eres. Ya no sé nada de ti. —Kit parecía rehuirla.

Lena apenas se atrevía a hablar. Cada palabra suya parecía alterar más a su hija. Quedó a la espera, hasta que no pudo soportarlo más.

—Sabes mucho de mí. Hace años que nos escribimos.

Kit la miró con ojos fríos.

—Te equivocas. Tú lo sabes todo de mí. Sabes cosas que no he dicho a nadie más en el mundo. Te las conté de buena fe. En cambio yo no sé nada de ti. Solo mentiras.

—Lo que te escribí era cierto —exclamó Lena—. Te dije que tu madre te amaba, que estaba muy orgullosa de ti. ¿No te dije eso... todo el tiempo?

—Y eran mentiras. No me contaste que mi madre nos había abandonado, dejándonos creer que había muerto.

Hubo un destello en los ojos de Lena.

—Tú tampoco me contaste que habías quemado la carta aclaratoria.

—No lo hice porque deseaba proteger su reputación.

Lena notó, con dolor, que hablaba de su madre en tercera persona. Como si su madre, en un sentido real, estuviera muerta.

Y así permanecería.

—En tus cartas parecías tenerme cariño. Yo soy la misma persona que te escribía. Todo lo que te dije es cierto. Trabajo en la agencia de empleo, Louis es encargado de un hotel...

—Nada de eso me interesa. ¿Qué más da? Ahora quiero irme.

—No te vayas, te lo ruego. No puedes salir sola a las calles de Londres después de esta terrible noticia.

—No es la primera noticia terrible que recibo. Y he sobrevivido. —La voz de la muchacha era amarga.

—Siéntate un rato. Si te molesta que te hable, no diré nada. Pero no quiero que estés sola después de este golpe.

—No pensaste en el golpe cuando te fuiste. —Kit tenía el puño apretado contra la boca, para contener las lágrimas.

Lena comprendió que no debía hacer ningún ademán de abrazarla, ni de tocarla siquiera. La chica estaba preparada para levantarse y salir. Solo se quedaría en aquel cuarto hasta reunir fuerzas y valor para marcharse.

Permaneció muy quieta, sin mirarla, con la cabeza apoyada en una mano y la vista perdida más allá de la ventana; en el mundo exterior, la gente seguía viviendo como siempre.

Kit levantó la cabeza para mirarla.

Su madre siempre había sido así, capaz de pasar horas enteras sentada, sin moverse. Cuando bajaban al lago y todo el mundo corría de un lado a otro señalando cosas, su madre se sentaba, apacible y a gusto, sin necesidad de hablar ni de moverse. Y por la noche, junto al fuego, mientras su padre hacía trucos con las cartas o jugaba al parchís con ellos, Helen contemplaba las llamas; a veces acariciaba el cuello de Farouk, sin decir nada, tranquilamente.

En aquel tiempo todo parecía estable y seguro. ¿Por qué tenía que aparecer aquel hombre para robarles a su madre? La ira contra el hombre que había trastornado la vida de todos vino a reemplazar a las lágrimas.

—¿Sabe que existimos? —consiguió decir Kit.

—¿Quién? —El sobresalto de Lena parecía auténtico.

—Ese hombre... Louis, como se llame.

—Se llama Louis. Sí, lo sabe, claro.

—¿Y aun así te llevó lejos? —La voz de Kit se había teñido de pesar.

—Yo lo acompañé por propia voluntad. Quería irme con él. Imagínate cuánto necesitaba irme. De otra manera, ¿cómo habría podido separarme de ti?

Kit se tapó los oídos con las manos.

—No quiero saber lo que necesitabas. No quiero imaginar nada. Me asquea pensar en eso.

Tenía la cara enrojecida y alterada. Demasiado difícil era ya para una chica imaginar a su madre con su padre; ni pensar en imaginarla con otro. Lena lo comprendió.

—Lo he dicho solo por aceptar mi culpa.

—¡Culpa! —La palabra sonó como un bufido.

Lena tuvo miedo de que su hija se levantara súbitamente y saliera por aquella puerta sin volver la cabeza.

—¿Qué vamos a hacer? —preguntó otra vez.

—No sé a qué te refieres.

—¿Les dirás, a Emmet y a tu padre, que... las cosas no son como pensaban?

—Tú siempre supiste que las cosas no eran como pensábamos.

—Por favor, Kit, sabes que mi intención no era esa. Todo esto fue consecuencia de lo que hiciste.

—¿Y qué es lo que me estás preguntando? —Kit hablaba con voz fría.

Hubo una larga pausa. Por fin Lena lenvantó la cabeza para mirarla a los ojos.

—Supongo que te estoy preguntando si me quieres viva o muerta.

Se produjo otra pausa.

—Ya que has preferido estar muerta durante estos cinco años —dijo Kit lentamente—, por lo que respecta a nosotros... deberías seguir estando muerta.

Se levantó para salir. Para Lena fue como si cerrara la tapa de su ataúd.

Ivy la vio salir hacia la puerta de la calle. En aquel momento parecía más entera. No daba la impresión de que necesitara apoyo ni ayuda para entenderse con el tráfico. Parecía capaz de arreglarse sola. Pero en su expresión había algo vacío y frío que antes no estaba allí.

Ivy se moría por subir al piso de Lena. Ante todo deseaba consolar a la mujer que había perdido, en un mismo día, al amante y a la hija. Pero comprendió que no debía hacerlo. Lena bajaría cuando estuviera lista.

Kit buscó una cafetería. Había una máquina de discos y un grupo de chicas de su misma edad estaba escuchando todo el repertorio. Qué maravilla ser como ellas. Tener un hogar como todos. Una madre que no se hubiera fugado, fingiéndose muerta. Ninguna de ellas se había encontrado nunca con un fantasma. Y tenían dinero suficiente para divertirse.

Hablaban de los muchachos con los que salían. Dos de ellas eran negras y tenían acento londinense. Parecía increíble: gente de distintos colores, decenas de cafeterías en la misma calle y nadie que te conociera; no como en el pueblo, donde todo el mundo conocía a todo el mundo.

Así había vivido su madre desde el día en que se había ahogado.

Helen estaba viva. ¿Qué diría Emmet? Estaría encantado. Y su padre, ¿qué diría su pare cuando se enterara? Entonces volvió a sentir aquel oscuro pesar. Ellos no podían enterarse. Después de tantos años, sería demasiada desgracia, demasiado sufrimiento.

Y todo era culpa de Kit.

¡Cuántas veces, en los últimos años, había sentido remordimientos por haber quemado aquella carta! Pero siempre se decía que lo había hecho por el mejor de los motivos y que Dios lo sabía. Quería que su madre fuera sepultada como todo el mundo, no como una criminal, fuera de los muros del cementerio. Lo había hecho por amor a su madre. Pero ¿a quién le importaba en aquel momento, quién podría entender cuál había sido su intención? La situación era espantosa para todos.

El café le quemó la garganta.

Lo mejor era que nadie se enterara. Así lo prefería... ella. Kit no podía identificarla con su madre. No era su madre aquella mujer delgada, la del piso elegante, que decía necesitar a Louis. ¿Por qué obligar a Emmet a pasar por lo mismo que ella estaba padeciendo? Y a papá. ¿Qué sentiría papá al saber que su amada Helen, por quien tanto había llorado, lo había abandonado porque deseaba a un hombre llamado Louis?

¿Y dónde estaba el tal Louis, a fin de cuentas? Si ella estaba tan loca por él, ¿por qué no había rastros de él en el piso? Kit se acordó del hombre que había entrado en la sala de Ivy, aquel moreno guapo como un actor. Pero aquel no podía ser

Louis: se iba, dejaba un gran baúl con sus cosas para que alguien lo recogiera. Aquel no podía ser el Louis de mamá. Además, era demasiado joven. Demasiado joven para ser el capricho de mamá.

Alguien le tocó el brazo. Levantó la vista, sobresaltada.

Era un muchacho de unos dieciocho años.

—¿Estás sola?

—Sí. —Kit lo miró con cautela.

—¿Quieres unirte a nosotros? —Señalaba la mesa que ocupaba el grupo. Todos le dedicaron una sonrisa alentadora.

—No, gracias... muchísimas gracias.

—Anda, no puedes quedarte sola si hay música.

Kit lo miró dudando. El grupo cantaba, marcando el ritmo con palmadas. Tal como habrían hecho ella y Clio en otra situación. No podía sentarse entre ellos y reír como si nada hubiera pasado.

—Gracias. —Le sonrió.

Él parecía muy satisfecho de llevar a su mesa a una chica tan bonita y bien vestida. Kit respondía con una sonrisa y una inclinación de cabeza a medida que le decían sus nombres. Debía de haberles dicho el suyo, porque la llamaron Kit al despedirla, cuando dijo que debía irse y salió corriendo del café, para coger el autobús que la llevaría al convento.

Clio se paseaba protestando.

—Llegas tarde.

—No. Tú has llegado temprano.

—¿Qué has hecho? —Su amiga seguía enfadada por haber tenido que salir sola.

—Estuve en una cafetería. —Kit se encogió de hombros.

—¿Eso es todo? Yo he visto muchísimos sitios.

—Qué bien.

—¿Hablaste con alguien? —Clio, con ojos ávidos, buscaba información.

—Sí, con todo un grupo que había acaparado la máquina de discos.

—¿Había chicos?

—Eran mayoría.

—¿Cómo eran?

—Normales. ¿Y tú? —Kit comprendió que debía dar a las cosas un aspecto habitual.

—Yo di una vuelta, por aquí y por allá. ¿Cómo se llamaban?

—¿Quiénes?

—Los chicos con los que estuviste.

—No me acuerdo. —Era cierto.

Clio puso cara de sorpresa.

—No habrás tenido relaciones sexuales con alguno de ellos, ¿verdad, Kit? —preguntó súbitamente, mientras subían los escalones del convento.

—¡Por Dios! ¿Cómo se te ocurre? —Su amiga nunca dejaba de sorprenderla.

—Bueno, es que estás cambiada.

—Lamento desilusionarte, pero no hice nada de eso. No llegamos a tanto, quizá porque había demasiada gente en esa cafetería.

—Oh, cállate. Es que te noto distinta. No sé en qué sentido, pero te conozco muy bien. Algo ha pasado.

—Bueno, puedo asegurarte que no he perdido mi virginidad en una mesa de café.

—¿Qué te ha pasado?

—Nada. Supongo que es por estar en una ciudad desconocida sin formar parte de ella.

Acertó al decir eso. Clio la creyó. Su propio paseo le había parecido un fracaso absoluto. Era un consuelo pensar que Kit McMahon tampoco había encontrado nada que hacer. Pero lo extraño era que la notaba cambiada.

Aquella noche, Kit apenas pudo dormir. Cuando comenzó a amanecer sobre Londres, ella ya estaba sentada junto a la ventana. Se preguntaba si su madre estaría igualmente preocupada. No: seguramente estaba con ese tal Louis al que tanto deseaba. Una vez más consideró la posibilidad de que Louis fuera el hombre guapo que había dejado sus cosas para mandarlas recoger después.

De pronto, una idea surgió de la nada, con la fuerza y el dolor de un viento frío y penetrante. Si Louis se había ido y mamá había sido descubierta con vida, no había motivos para que ella no volviera a casa, después de todo.

Kit pasaba de un frío glacial a un acaloramiento febril que le ardía en la cara. Cuando amaneció, se sentía demasiado mal para salir de excursión; aquel día era una caminata por el Londres de Dickens.

La madre Lucy estaba preocupada.

—¿Esta reacción es frecuente en ti? —preguntó. Porque la chica realmente tenía la temperatura alta.

—Solo necesito quedarme en cama un rato, con la habitación a oscuras.

—Te visitaré cada hora —prometió la madre Lucy.

Kit se quedó en aquella cama estrecha, sola en el dormitorio que alojaba a ocho niñas. Fingió que dormía. Así no habría más conjeturas sobre la causa de aquella fiebre.

Lena no había dormido. A las seis comprendió que no habría modo de pegar ojo. Entonces se vistió y bajó la escalera para echar un mensaje bajo la puerta de Ivy. «Esta noche hablaremos», decía. No necesitaba agradecerle que la hubiera dejado en paz la noche anterior. Ivy lo sabía.

Ya en la agencia, comenzó a escribir una carta para su hija. Escribía y arrancaba las hojas de la máquina para romperlas. Trató de escribir a mano, pero eso tampoco dio resultado. Cuando llegó Dawn Jones, Lena ya se había dado por vencida. No había manera de expresar una sola cosa entre el millón que necesitaba decir.

Nadie sabría jamás que la tranquila señora Gray había pasado una noche de angustia. Que en un solo día se había reencontrado con su hija, había vuelto a perderla y había sido abandonada por el hombre con quien convivía desde hacía cinco años. No le quedaba nada por lo que vivir. Sin embargo, tendría que llegar al final de aquel día. Los pensamientos que le habían dado vueltas en la cabeza durante sus horas de insomnio la convencieron de que su hija tenía razón. Debía seguir muerta. Ya había causado demasiado sufrimiento.

Pero lo que la aterrorizó de pronto fue la posibilidad de que Kit cambiara de idea. Una vez que hubiera superado el horror inicial y el remordimiento por su propia culpa, por la trágica buena intención de quemar la carta, entonces tal vez cambiara de idea. Tal vez se creyera en el deber de revelar que su madre estaba viva.

Lena se sentía infinitamente culpable por lo de Martin. Lo había juzgado muy mal. Aquel hombre llevaba años viviendo a la sombra de su muerte, de su posible suicidio. Kit decía que el pueblo era un hervidero de rumores. Martin había sobrevivido a todo eso, enseñando a sus hijos a respetar la memoria de su madre. En aquel momento no podía verse expuesto como lo que era: un hombre cuya esposa se había fugado con otro y se había permitido aceptar la explicación de una muerte accidental.

Martin merecía más dignidad. Merecía ser un poco feliz. Era preciso advertir a Kit que no cediera nunca.

Durante la noche, Lena se había creído capaz de encontrar las palabras para escribir a su hija, pero no había sido posible.

Y allí estaba Dawn, fresca como una rosa.

—¡Y yo que me creía madrugadora! Me has ganado por la mano otra vez.

Lena se sentía vieja y cansada.

—Es posible que hoy tenga que tomarme algún tiempo libre, Dawn. ¿Podrías traer tu cuaderno y tomar nota de las tareas que deberás compartir con Jessie?

—Claro que sí. —Dawn prestó atención.

Lena volvió al número 27 y llamó a la puerta de Ivy.

—Cuando tengas un minuto, ¿puedes subir a hacerme compañía?

Tenía un aspecto tan frágil que Ivy se alarmó.

—¿Quieres que te acompañe al médico?

—No, pero me gustaría que me echaras una mano para subir.

Ivy la ayudó a desvestirse y la metió en cama. Notó que tenía en la cara profundas arrugas de dolor y cansancio.

Ninguna de las dos había dicho una palabra.

—Es una chica muy hermosa, Lena —comentó Ivy por fin—. Tienes una hija encantadora.

No habría podido decir nada mejor para levantar la barrera que contenía el llanto. Lena no había llorado desde que había empezado todo aquello, pero al oír aquel comentario perdió el control. Lloró como un bebé durante una eternidad. Y solo después de mucho tiempo pudo sonarse la nariz y contar aquella tragedia en toda su profundidad: el error que su hija había cometido, con toda inocencia, impidiendo que Helen McMahon pudiera reunirse nunca más con su familia.

—No te divertiste tanto, ¿verdad? —comentó Martin McMahon.

—Oh, claro que sí, papá. Vimos de todo.

—¿Qué fue lo que más te gustó? —preguntó Emmet.

—Creo que la Torre de Londres.

—¿Y esa fiebre que tuviste? —El padre todavía estaba preocupado.

—Duró solo uno o dos días. Ya sabes cómo exageran las monjas.

—Clio le contó a Peter que pasaste dos días en cama.

—Clio es peor que las monjas, papá.

—Qué coincidencia que usted estuviera en Londres al mismo tiempo que nuestras alumnas —comentó la madre Bernard a Maura Hayes.

—¿Cómo dice, madre?

—La madre Lucy me contó que Clio y Kit salieron a pasear con usted.

—Ah, la madre Lucy... —Maura no entendía nada, pero no quiso que la monja se diera cuenta.

—Qué coincidencia —repitió la madre Bernard.

—Es verdad —confirmó Maura. Pero su frente se arrugó.

—Ah, Clio, un momento, por favor.

—¿Sí, tía Maura?

—¿La madre Bernard está confundida o alguien le dijo que yo estuve en Londres con vosotras?

—Juro que yo no fui. Lo juro.

—Bueno, ¿quién fue, Clio?

—No tengo ni idea. Pero una monja boba dijo que había llamado mi tía y aprovechamos la oportunidad... —Clio soltó una risita pícara—. Cuando Dios te envía una ocasión así no puedes dejarla pasar, ¿no?

—¿Y adónde fuisteis tú y Kit, para aprovechar esa gran ocasión?

—No sé adónde fue Kit, porque estuvo muy misteriosa. La verdad es que me aburrí. Estuve mirando escaparates y entrando en los bares, como si buscara a alguien.

—¿Y no averiguaste quién era esa inesperada tía que preguntaba por ti?

Clio se encogió de hombros.

—No. Supuse que era un golpe de suerte. Pero me equivoqué.

Orla Dillon, que desde hacía algún tiempo se llamaba Orla Reilly, estaba en el establecimiento de su madre.

—¿Por qué no dejas que te ayude, mamá? Siempre te quejabas de que yo no te ayudaba.

—Eso era cuando vivías aquí. Ahora vives con tu marido. Y me gustaría que volvieras.

—Por Dios, mamá, una tiene que salir de casa de vez en cuando. Le dije que necesitabas ayuda aquí.

—Pues, hiciste mal. ¿Y el bebé? ¿Quién se encarga de él?

—La otra abuela. Así se mantiene ocupada, la vieja bruja.

—Te lo he dicho una vez y no quiero repetirlo, Orla: aquí no tienes nada que hacer.

—Por favor, mamá.

—Deberías haber pensado todo esto antes de meterte en ese otro asunto. —La madre miró a Orla con dureza. Aquella boda precipitada no había sido del agrado de su familia.

Clio y Kit estaban leyendo revistas. Generalmente se las arreglaban para leer cinco por cada una que compraban. Clio no se había perdido una palabra de la conversación entre Orla y su madre.

—El matrimonio no es tan bonito como cuentan —susurró a su amiga.

—¿Qué?

—Estás en la luna. —Últimamente, hablar con Kit Mc-Mahon era como hablar con la pared. Aquella chica no se interesaba por nada.

Llegó el prospecto de la Escuela de Hostelería St. Mary, de Cathal Brugha Street. Estuvo tres días en la mesa del vestíbulo, sin ser abierto.

—¿No vas a abrirlo, Kit? —preguntó Rita—. Debe de traer todos los detalles sobre uniformes y esas cosas.

—Claro que voy a abrirlo —dijo la chica.

Pero no lo hizo.

—¿Hostelería? —dijo la señora Hanley, la de la tienda—. Bueno, supongo que está muy bien. ¿Y no vas a estudiar en la universidad, como Clio?

—No, señora Hanley. Lo que realmente quiero es aprender a administrar hoteles. Dicen que es un curso muy bueno. Enseñan a cocinar, a llevar los libros y todo eso.

—¿Y qué opina tu padre de que no vayas a la universidad? Sé que estaba muy ilusionado.

Kit la observó.

—¿De veras? Nunca me ha dicho ni una palabra de eso. Será mejor que vaya a casa a preguntarle. Hasta ahora no tenía la menor idea.

—Bueno, puede que esté equivocada. No tienes por qué hacer preguntas embarazosas. —La tendera parecía asustada.

A Kit le brillaban los ojos de fastidio. Ignoraba que la señora Hanley estuviera avergonzada de que su hija Deirdre trabajara en una cafetería de mala muerte de Dublín, y no como camarera, sino solo fregando suelos. Por ese motivo se esforzaba por minimizar las oportunidades y el futuro de los otros chicos de Lough Glass.

La señora Hanley, además, ignoraba que aquella chica enfadada apenas había entendido el significado de su comentario. Era solo la mención de su padre lo que había provocado su irritación.

Kit dormía mal por la noche y no podía concentrarse durante el día. ¿Y si su madre escribía desde Inglaterra? Peor aún, ¿y si se presentaba allí? Y su padre parecía a punto de embarcarse hacia un agradable futuro sin problemas. ¿Y si todo estallaba ante sus narices?

—Hueles a alcohol, Emmet —dijo Kit.

—¿De veras? Supuse que ya se me habría pasado.

—¿Qué quieres decir?

—¿No me delatarás?

—¿Alguna vez te he delatado?

—Bueno, Michel Sullivan, Kevin Wall y yo... tomamos unas copas.

—No me lo puedo creer.

—Sí. Las preparamos con lo que había en todas las botellas que tira Foley. Mezclamos todo en una jarra y lo agitamos.

—Estás loco, Emmet. Completamente loco. ¿Por qué has hecho eso?

—Por hacer algo. A veces uno se siente un poco solo aquí. ¿No te parece?

Kit miró a su hermano y se mordió los labios. ¿Debería decírselo?

—¿Cómo estás, Kit? —saludó Stevie Sullivan.

—No muy bien.

—Es una pena que una chica tan bonita no esté bien. —Stevie le dirigió una sonrisa irónica y atractiva, que no sirvió para romper el hielo con Kit McMahon.

—Estaría mucho mejor si impidieras que tu hermano organizara cócteles en el patio trasero de los bares.

—¿Qué te has hecho ahora? ¿Abanderada de Alcohólicos Anónimos? ¿Eres el «Apóstol de la templanza»?

—Soy alguien a quien no le gusta que su hermano llegue a casa apestando a alcohol.

—De acuerdo. —Stevie asintió con la cabeza.

—¿Qué significa «de acuerdo»?

—Significa que lo voy a impedir.

—Gracias —dijo Kit, y entó en casa.

Mientras subía la escalera se preguntó por qué había reaccionado así ante un simple juego de chicos. En realidad no se habían emborrachado; solo fingían ser adultos.

Pero se dijo que lo hacía por su padre. Martin ya había sufrido demasiado. Y le esperaba otro tanto. Porque Kit pensaba que no podría guardarse un secreto tan grande. Le sería imposible ocultarlo, tal como había ocultado lo de la carta quemada. Todo saldría a la luz y destruiría la vida de todos.

—Tengo un bonito regalo para cuando empieces tu carrera, Kit. —La señora Hanley le entregó una caja plana.

—Qué amable de su parte, señora Hanley.

—Ábrela y dime si te gusta.

Era un jersey de manga corta, color limón, una prenda que Kit no se habría puesto jamás, pero que bajo una chaqueta podía quedar bien.

—Es precioso, señora Hanley. Muchas gracias.

—El otro día dije lo que no debía. Fuiste muy buena al no prestarme atención.

Kit la miró sin entender. No sabía de qué estaba hablando aquella mujer. Últimamente todo era muy extraño; le costaba recordar las cosas que había hecho desde su regreso de Londres. Todo parecía irreal, en el aire.

Para Lena, en Londres, los días y las noches eran interminables. Dormía o trataba de dormir encogida en un rincón de la gran cama que ella y Louis habían compartido con tanta felicidad.

En la oficina trabajaba como un autómata; la jornada laboral ya no tenía razón de ser para ella. No existían planes para cenar con Louis, para correr a casa a la hora del almuerzo y pasar una hora con él, entre dos turnos.

Le parecía imposible que fuera a pasar su cumpleaños sin que nadie se diera cuenta. Louis, en Francia, se habría olvidado. Kit, en Irlanda, no lo recordaría. Todos los demás, allá en su patria, la creían muerta. Tal vez Ivy se acordara, pero sabría comprender que, aquel año, no había nada que celebrar.

A veces, los sábados a mediodía, cuando cerraban la agencia, Lena se felicitaba por haber sobrevivido una semana más. Quizá así fuera el resto de su vida, a menos que su hija no soportara la presión, claro. A menos que se descubriera que aún vivía. En Londres, en la cama vacía del hombre que la había abandonado, tal como ella había abandonado a su marido.

Algunos días eran más difíciles que otros. Una viuda fue a buscar trabajo de media jornada diciendo que debía estar en su casa a las cuatro de la tarde, cuando su hijo volviera de la escuela.

—Tiene trece años, ¿comprende? A esa edad necesitan mucho a su madre —confesó a Lena.

Para sorpresa de la mujer, los ojos de la señora Gray se llenaron de lágrimas.

—Sí, supongo que sí —dijo con cara muy seria—. Probaremos hasta encontrar algo adecuado.

Y Lena se puso manos a la obra, como si estuviera tendiendo una mano a Emmet al ayudar a aquella mujer con su hijo.

Pensaba mucho en Emmet. Quizá él fuera menos duro de corazón, menos rápido para condenar que Kit. Después de todo, no tenía ninguna culpa. Él no había quemado su nota aclaratoria. ¿Habría algún modo de escribirle para decirle que estaba viva? ¿O eso era una locura?

Y también estaba Martin. Martin, a quien había juzgado tan mal. ¿Era mejor que siguiera dándola por muerta, como decía Kit? Pero Kit podía no mantener sus intenciones. Tal vez terminara por admitirlo todo. ¿No sería más justo hablar en aquel momento con Martin y decírselo personalmente, en lugar de permitir que se enterara por otros?

Sus pensamientos, como ratones, correteaban por su cabeza cuando estaba despierta. Y cuando dormía soñaba a menudo que Louis había regresado. Despertaba con frío y calambres, hasta caer en la cuenta de que no era cierto.

Una noche soñó que volvía a Lough Glass; bajaba de un autobús frente al convento y caminaba por el pueblo, dejando atrás Lakeview Street, que llevaba a la casa de los Kelly, y correos, donde Mona Fitz le daba con la puerta en las narices. Tommy, el cartero, quería salir a hablarle, pero Mona lo llamaba desde dentro; al otro lado de la calle temblaban las cortinas de las ventanas: la estaban viendo, pero nadie salía a saludarla. La señora Hanley había colgado en su tienda el cartel de «Cerramos temprano», para no encontrarse con ella.

Y junto a la puerta del bar de Foley se había reunido una multitud. El taller de Sullivan estaba desierto; en la ferretería de Wall, la gente le volvía la espalda. El padre Baily apretaba el paso por la calle de la iglesia, para no verla. Entonces ella trató de subir nuevamente la calle por la acera contraria, por si acaso alguien le salía allí al encuentro; pero en el bar de Paddles las puertas estaban cerradas y la señora Dillon no le dirigía la palabra. Dan y Mildred O'Brien, en el Hotel Central, esquivaron su mirada.

Por fin llegó a la farmacia. «Ya estoy aquí», anunció. Pero no hubo respuesta. Rita se asomó, vestida de negro. «Me temo que no puede pasar, la señora ha muerto», dijo con solemnidad. «¡La señora soy yo!», exclamaba Lena en su sueño. «Ya lo sé, señora, pero no puede pasar.»

Entonces se despertaba sudando. Era cierto. Ya no quedaba nada suyo lejos de allí. Mejor seguir muerta.

Lena sentía mucho que no hubiera correo. No tenía sentido asomarse al apartamento de Ivy, llena de esperanza. Jamás volvería a recibir una carta de Kit. Nunca más llegaría una carta repleta de noticias para la amiga de su madre.

Kit echaba de menos las cartas. No tenía a nadie con quien comentar sus ideas, nadie a quien contarle todo lo que tenía ante sí: la escuela de hostelería, la sumisa devoción de Philip O'Brien, el creciente autoritarismo de Clio. Al saber que aquellas cartas solo contenían mentiras habían perdido todo su valor. Apenas soportaba pensar en lo que se habían dicho. Ya no creía en Lena Gray. Ya no creía en nada.

Recibió una postal de Philip. Estaba en Killarney.

Querida Kit:
Tengo un trabajo de verano en el hotel que se ve en la tarjeta. Imagínate, poner en una postal la foto de tu hotel. ¡Qué pretencioso!

Me muero por empezar el curso, ¿y tú? Llevaremos mucha ventaja a los otros, después de todo tú y yo estamos saliendo. Los demás tendrán que hacer amigos nuevos.

Con cariño,

PHILIP

Querida Kit:

Tu padre me dice que vendrás a la residencia de Mountjoy Square; no dudo que te resultará muy conveniente mientras estudias en la escuela de hostelería.

También comprendo que, entre las grandes ilusiones de venir a Dublín, una será la sensación de libertad con respecto a tu familia y a todo lo relacionado con tu casa. Recuerda que en Rathmines tengo un apartamento muy cómodo; si quieres venir a visitarme estaré encantada. Pero sobre todo deseo que sepas que no te estaré esperando todo el tiempo. Salgo del trabajo a las cinco y media, y si hace buen tiempo, voy una hora al campo de golf. A menudo visito a mis amigos o voy al cine. A veces viene gente a mi casa para cenar.

Te digo todo esto para que sepas que no busco compañía y que no tengo intención de vigilarte mientras estés en Dublín. Pero aquí tienes mi número de teléfono por si alguna vez quieres venir a comer.

Afectuosamente,

MAURA

Querido Michael Sullivan:

Esto es de alguien que te aprecia. Se te ha visto bebiendo los restos de las botellas frente a diversos bares de Lough Glass.

Eso debe terminar.

Inmediatamente.

De lo contrario se informará al sargento O'Connor.

Y al padre Baily.

Y lo más importante: a tu hermano, que te molerá a palos.

Quien avisa no es traidor.

Querido Philip:

Sea lo que sea lo que hagamos cuando lleguemos a Dublín, no vamos a salir juntos. Quiero que lo sepas desde un principio, para que no haya malentendidos.

Te quiere (pero solo si lo interpretas en el buen sentido),

KIT

—En Dublín quieren que comience pronto, Stevie —dijo Rita.

—¡Oh, vaya! Parece que todo empieza a funcionar.

—Ya iba siendo hora.

—Pero esa mujer todavía no vive con Martin.

—Si hablas de la señorita Hayes, son muy buenos amigos. Pero tienes razón: no se han comprometido... todavía.

—Yo esperaba que siguieras aquí y me ayudaras a mantener el taller a flote.

—A tu madre no le gusto, Stevie.

—Haz como yo: no le hagas caso.

—No es agradable que te ordenen sacar la basura, fregar las cacerolas o entrar la ropa.

—¡Vamos, Rita, que tú no haces nada de todo eso! Ella te lo pide y tú te niegas. Es un juego.

—Para mí no.

—No puedo creerlo. ¿Hay algún otro motivo? ¿Te han ofrecido un empleo mejor?

—No, en realidad no.

—¿Qué quieres decir?

—He salido de la nada y me he convertido en alguien. Quiero trabajar en algún lugar donde se me valore.

—Pero yo te pago bien.

—Si trabajara en las calles me pagarían aún mejor. El dinero no lo es todo.

—De acuerdo, me rompo el culo a trabajar. Reconozco que no tengo tiempo para tratar bien a la gente.

—Pero a los clientes los tratas bien, Stevie. Y a los que pueden conseguirte una representación de la Ford.

Él acusó el golpe.

—Eso es cierto.

—Y a las chicas que te llaman la atención. Y a los que pueden concederte un crédito. Y a los que piensan comprar un coche nuevo.

—Tienes los ojos bien abiertos.

—Sí, y no me gusta mucho todo lo que veo.

—Vale, Rita, estoy avergonzado. No sé qué otra cosa decirte.

—Es curioso, pero creo que lo dices en serio —comentó ella.

—¿Así que estamos de acuerdo? He aprendido la lección y voy a portarme muy bien. —Sonrió con la más convincente de sus sonrisas.

—Eres solo un chico, Stevie. Eso no funciona conmigo. —Rita se reía de él.

—¿Y qué debo hacer?

—En realidad, nada. Dame una carta con buenas referencias y me iré esta misma noche. Todo está arreglado.

—¡No irás a abandonarme!

—A ti no, a tu madre.

—Ella no tiene nada que ver con esto.

—En ese caso, que no se meta en tu oficina.

—¿Quién te enseñó a ser tan dura?

—La señora McMahon, que el Señor se apiade de ella.

—Dudo que Él lo haga. Ella se arrojó al lago.

—Eres un bocazas, Stevie Sullivan.

—Te pagaré mucho más. Quédate, Rita, por favor.

—No, pero gracias.

—¿A quién puedo recurrir?

—A una mujer mayor, de más edad que yo.

—¿Qué edad tienes, Rita? ¡Si eres solo una cría!

—Tengo por lo menos cinco años más que tú.

—En estos tiempos eso no es nada.

—Busca a alguien mayor, que sepa asustar a tu madre.

—¿Y qué debo decir en la carta de recomendación que me pides?

—Aquí la tengo, ya escrita. —Rita le sonrió.

—No puedo creerlo, Rita, en serio —le dijo Martin McMahon.

—Es hora de que me vaya, señor.

—¿Qué puedo hacer para que te quedes?

—Todo lo que usted hizo fue siempre por mi bien, pero ya conseguirá a alguien que ocupe mi lugar, señor.

—No hay nadie que pueda compararse contigo, Rita.

—Iba a proponerle que emplee a una prima mía. Usted puede ponerse de acuerdo con ella como prefiera, si desea que la casa se organice de otro modo, señor.

No tenía otra manera de decirle que ya era hora de que se casara con Maura.

Maura Hayes abrió la carta. Estaba escrita a máquina y sellada en Lough Glass.

Tal vez esta carta le parezca extraña, señorita Hayes; si se ofende será porque la he juzgado mal.

Maura se apresuró a ver quién la enviaba. La firma «Rita Moore» no le dijo nada. Luego comprendió: la muchacha que trabajaba en casa de Martin le estaba diciendo que se iba. Que habría dos puestos libres: el de ama de casa y otro en la oficina de enfrente.

—¿Hay algo entre tú y la pequeña Kit McMahon? —preguntó Dan O'Brien a su hijo, la víspera del comienzo del curso en la escuela de hostelería.

—¿Qué quieres decir?

—Ya sabes lo que quiero decir.

—No, en serio.

—Bueno, para tu información: lo que te pregunto es si tú y ella pensáis salir juntos.

—¿Y si así fuera?

—Si así fuera, quiero advertirte de que esa chica puede tener la cabeza llena de pájaros, como su madre; no me gustaría que dieras tu apellido a alguien así.

—Gracias, papá.

—No me hables en ese tono.

—¿Qué tono?

—Mildred, habla con tu hijo.

—No sé para qué. Está decidido a ser como todos los jóvenes de hoy en día.

—Hermana Madeleine —dijo Kit—, hay algo que quería decirle sobre las cartas de Londres.

—¿Qué pasa?

—Creo que ahora la amiga de mi madre me escribirá en la residencia de Dublín.

—Sí, claro.

—Se lo digo para que no piense que le oculto algo.

—No, por supuesto. A menudo las cosas que parecen complicadas son muy sencillas. Te diré una cosa, Kit: cuando una es tan vieja como yo ya no está segura de lo que sabe y de lo que solo sueña.

—¿Cree usted que todo el mundo tiene algún secreto?

—Seguro. Claro que hay algunos más importantes que otros.

Kit la observó. Quería preguntar algo más, pero no sabía cómo expresarlo.

—Si usted supiera algo... algo que impediría un acontecimiento... ¿trataría de cambiar lo que iba a suceder contándolo todo? ¿O sería mejor dejar que las cosas siguieran su curso?

—Es una pregunta muy difícil, desde luego. —La hermana Madeleine se mostraba solidaria.

—Necesitaría saber algo más para responderme, ¿no?

—No, no, en absoluto. Me sería imposible responder a una pregunta así. Cada uno tiene que buscar la solución por su propia cuenta. De cualquier modo, la respuesta siempre está en el fondo del corazón.

—Se puede saber lo que se quiere hacer, sin que eso sea necesariamente lo correcto.

—Lo correcto es lo que ayuda a la gente a ser feliz... —La hermana Madeleine hizo una pausa.

No era la primera vez que a Kit le cruzaba por la mente aquella visión fácil y simplista de las leyes divinas, que podía no ser del todo aceptable para los sectores más tradicionales de la Iglesia.

Lena compraba el periódico todas las semanas y lo leía de cabo a rabo. Habría querido que hablara más de Lough Glass y menos de las aldeas vecinas.

Al principio lo leía con miedo. Tenía miedo de que hubiera noticias de un gran escándalo en la zona. Después, con el paso del tiempo, comprendió que Kit no se había hundido pese a la gravedad de su descubrimiento. Ningún artículo desenmascararía el gran error cometido al identificar aquel cadáver años atrás.

Lena se enteró de que dos estudiantes de Lough Glass habían sido aceptados en la Escuela de Hostelería de St. Mary. A Kit se la denominaba «la hija de Martin McMahon, el conocido farmacéutico, y de su difunta esposa Helen».

Un día, cuando menos lo esperaba, leyó que Martin McMahon, farmacéutico de Lough Glass, contraería matrimonio con la señorita Maura Hayes. Pasó mucho rato inmóvil. Luego volvió a leerlo.

Kit McMahon debía de ser muy fuerte para haber afrontado a aquello a su edad. Era capaz de permitir que su padre cometiera bigamia. Sabiendo que su madre vivía, tendría el valor de presenciar en la iglesia una boda que sabía que era falsa. En verdad, necesitaría mucho coraje para enfrentarse a las iras de la Iglesia o del Estado, si aquello salía a la luz.

O quizá odiaba tanto a su madre que se había obligado a creerla realmente muerta.

Kit sabía que eso era lo correcto. No tenía duda alguna. La hermana Madeleine tenía razón: era preciso escuchar la voz de la conciencia.

Pero tenía una preocupación: ¿Y si Lena se enterara? ¿Y si Lena quisiera estropear las cosas? Tal vez apareciera en el último momento. ¡Sería imperdonable que Kit le permitiera echar a perder la boda de su padre y convertirlo con Maura en el hazmerreír de todos! Pero ya no podía escribir para pedirle un favor.

Al dejarla aquel día, estaba segura de hacer lo correcto: su madre ya no existía para ellos. Y en aquel momento no le era posible ir arrastrándose a suplicar, a pedirle que no volviera, que no echara a perder la felicidad de su familia que habían tardado tanto en conseguir. Solo quedaba rezar, rogar que Lena no se enterara de aquella boda.

Lena lo pensó mucho tiempo.

Martin, de la mano de Maura Hayes, pronunciando las palabras que repetían todas las parejas del mundo. Martin, llevando a Maura a casa, a su cama. Maura, presidiendo la mesa de la cocina, asistiendo a la graduación de Kit, comprando la ropa para Emmet.

Se quedó pensando hasta muy entrada la noche. Pero ¿qué importaba otra noche de insomnio, si ya había tenido tantas?

Por la mañana estaba decidida. A la hora del almuerzo cogió un autobús para ir a una de las calles comerciales más elegantes y pasó dos horas eligiendo un vestido. Después de hacerlo envolver correctamente, lo llevó a una estafeta de correos para enviarlo a nombre de Kit McMahon, estudiante de primer año de administración hotelera, Escuela de Hostelería de St. Mary, Cathal Brugha Street, Dublín. Y sin darse tiempo para cambiar de idea añadió una nota: «Se me ocurrió que te gustaría llevar esto en la boda. L.».

No contó a Ivy lo del vestido ni lo de la boda. De algún modo era mejor no mencionarlo. Así su propia posición resultaba menos vulnerable, menos solitaria.

Todas las noches soñaba con sus hijos. Con Emmet, que la buscaba por todas partes, siempre diciendo: «Sé que estás ahí; sal, por favor, vuelve, vuelve». Y con Kit, que tenía puesto el vestido y estaba en la puerta de la iglesia, inmóvil: «No puedes entrar, no debes ir a la boda, estás enterrada ahí fuera. Recuérdalo y vete».

Maura Hayes reflexionó mucho sobre la boda.

Sería una ceremonia sencilla, pero no a escondidas. Se casarían en Dublín, lejos de los ojos demasiado curiosos de Lough Glass. Los padrinos serían Lilian y Peter. ¿O no convenía? Después de todo, Peter había sido el padrino de Martin cuando se casó con Helen, con todas las ilusiones de la primera boda. Pero si no era Peter, ¿quién podía ser? Martin no tenía otros amigos íntimos, y no podían excluir a Peter.

Ella llevaría un traje color beis y un sombrero azul con una cinta a juego.

Sus planes fueron una sorpresa para sus amigos de Dublín, que no esperaban ver casada a aquella mujer tan sensata y amante del golf. Habían oído hablar de aquel amable viudo, farmacéutico de pueblo, con dos hijos a los que Maura quería mucho; al parecer, los chicos estaban muy contentos de que el padre se casara con ella. Mayor aún fue el asombro cuando se enteraron de que Maura ya había conseguido empleo en aquel lugar, como administradora y contable de una agencia de coches que crecía muy deprisa y que estaba a dos pasos de su futura casa.

Maura había estudiado las fotos de la boda anterior, tomadas en 1939. En aquella ocasión los invitados habían sido sesenta. Maura reconoció a los hermanos de Martin, una familia dispersa y silenciosa que solo se reunía para bodas y funerales. Decidió no incluirlos en su lista de invitados; parecería que se les estaba exigiendo un segundo regalo. Vio a su hermana Lilian, joven y de aspecto inocente; a Peter, muy serio en su papel de padrino. Vio a la madrina, una muchacha llamada Dorothy, y sus ojos se detuvieron un buen rato en la hermosa cara de Helen McMahon, la mujer a quien Martin McMahon había amado con una intensa pasión.

Un día, junto al lago, él se lo había contado todo. Fue sincero y justo: con Helen, consigo mismo, y con Maura. Reconoció que ella le llenaba la mente como una tormenta de arena.

Maura estudió aquel rostro. ¿En qué habría estado pensando aquel día, mientras posaba para las fotos? ¿Confiaba en que tras varios años junto a un hombre bondadoso como Martin desaparecería el dolor de haber sido abandonada por el hombre al que amaba? La cara era oval, de ojos grandes y oscuros; la sonrisa, dulce. Pero aun sin saber toda la historia era posible ver que aquella no era la expresión normal de una novia en el día de su boda: miraba mucho más allá de la cámara, hacia algo que nadie más podía ver.

Maura apartó de su mente aquellos pensamientos y volvió a su lista. Invitaría a los O'Brien, los del hotel, sobre todo para que no se ofendieran por el hecho de que la boda no se celebrara en su local. También podía asistir el joven Philip, que estudiaba hostelería con Kit. Pero antes consultaría con la chica. Era absurdo suponer que todos los jóvenes se llevan bien solo porque se hayan criado en la misma calle.

Ivy llamó a la agencia Millar.

—Está con un cliente, señora Brown —dijo Dawn—. ¿Puede atenderla alguna otra persona?

—No, querida. Dile que soy Ivy. Solo le robaré medio minuto.

—Pero... Yo sé que ustedes son amigas y todo eso, señora Brown, pero ella está con un empresario muy importante, que podría conseguirnos mucho trabajo. Puede que se moleste con nosotras si la interrumpimos.

—Nos dará las gracias, créeme —dijo Ivy.

—Señora Gray, la señora Ivy Brown insiste en hablar con usted. ¿Puedo ponerle con ella un momento?

—Sí, Dawn. Gracias. —La voz de Lena sonaba imperturbable.

Ivy tenía la certeza de que Dawn estaría escuchando.

—Oye, Lena, lamento interrumpirte, pero el señor Tyrone vino a buscar su llave. Le dije que te la había entregado a ti.

—Y es cierto —exclamó alegremente Lena.

—Bueno, creo que debo decirle al señor Tyrone a qué hora volverás.

—Esta noche a las ocho, o un poco más tarde. Muchas gracias por llamar, Ivy.

Lena colgó, pero su amiga permaneció en la línea hasta oír el chasquido indicador de que Dawn también había colgado. Luego sonrió para sí, orgullosa. Nunca habían tenido que utilizar una clave. ¡Qué rápida había sido Lena para descifrarla! Más de una vez habían comentado que Louis, por guapo, parecía una estrella de cine. Hasta podía pasar por Tyrone Power.

Ivy no quería dar a la joven Dawn la satisfacción de saber que el marido pródigo había regresado. Sobre todo, ni Dawn ni nadie debía enterarse de lo ansiosa que estaba Lena por recibirlo.

A las ocho. Eso significaba que iría a la peluquería.

Grace se puso filosófica.

—¡Cómo voy a pensar que eres una tonta! Creo que tienes razón. Conviene que te arregles. De ese modo, si él se queda te alegrarás de haber hecho el esfuerzo. Y si no, podrás pensar que con ese aspecto no tendrás dificultades en conseguir a otro hombre.

—No quiero a ningún otro hombre —dijo Lena.

—Por supuesto —asintió Grace—. Ese es el problema.

Ivy había subido a limpiar. La mesa junto a la ventana estaba brillante y tenía en el centro un florero lleno de rosas amarillas. También planchó algunas blusas, puso sábanas limpias en la cama y dejó pan fresco, jamón y tomates, además de una botella de vino. No debía parecer que Lena esperara a Louis, pero tampoco que estuviera angustiada.

Aunque Ivy no había rezado mucho en los últimos años, se pasó todo el día pidiendo que el regreso de Louis fuera afortunado. Esta vez debía encontrar algo que lo obligara a quedarse.

Al otro lado de la calle había una cafetería. Desde allí, por el rabillo del ojo, Louis Gray vigilaba el número 27.

Hacía una hora que estaba allí. Ivy había dicho que Lena volvería a las ocho. Ella no lo esperaba. Cuando la vio llegar pidió disculpas a la persona con quien estaba conversando y cruzó rápidamente. Quería sorprenderla cuando subiera la escalera.

Vio desaparecer sus piernas por la esquina.

—Lena —llamó con suavidad.

Ella se giró con expresión triunfante y segura de sí misma. Una mujer que cualquier hombre se detendría a mirar. Tenía el pelo brillante y estaba perfectamente maquillada. No había otra mujer que, tras un largo día de trabajo, volviera a su casa con aquel aspecto. Se acercó.

—Vaya, vaya... —dijo Lena lentamente.

—No entraste en el apartamento de Ivy.

—No lo hago todas las noches. —Estaban hablando como dos viejos amigos.

—¿Puedo pasar? —Él señaló hacia arriba.

—Caramba, Louis, es tu casa. Por supuesto que puedes pasar. —¿Dónde había aprendido a actuar así? Ella misma estaba maravillada.

—Entregué mi llave a Ivy. Ella dijo que la tenías tú.

—Es cierto. —Lena estaba segura de que, en su ausencia, Ivy habría devuelto la llave.

Al entrar en el piso arreglado, el corazón de Lena se llenó de afecto hacia la buena mujer que vivía allí abajo. Todo estaba listo para la reconciliación. En la repisa, bien a la vista, estaba la llave de Louis, en un pequeño cuenco de cristal. Lena se la entregó.

—He traído champán —dijo él.

—Qué bien. —Lena había reunido fuerzas durante todo el día, preparándose para mantener la calma.

—Se me ocurrió que, si me permitías volver, serviría para celebrarlo. Y si no, podría beberlo para consolarme. —Esbozó su sonrisa infantil.

—Entonces vamos a celebrarlo.

Cuando él se acercó para abrazarla, Lena apartó un poco la cara. No quería dejarle ver lo deseosa que estaba de abrazarlo. Quería besarlo en los labios, en los ojos y el cuello, desnudarlo lentamente y caminar con él hacia el dormitorio. Pero no debía ser demasiado impaciente.

Él le cogió la cara para besarla.

—Soy un tonto, Lena.

—No más que la mayoría.

—Este es mi hogar. Lo supe cinco minutos después de abandonarlo.

—Y ahora has vuelto.

—¿No quieres saber... enterarte?

—Oh, no. De ningún modo. No quiero saberlo. Y ahora ¿vas a servir ese champán o era solo una falsa promesa?

—No habrá más promesas falsas, Lena —aseguró él—. Te quiero para siempre y jamás volveré a marcharme.

Kit trataba de ayudar.

—¿Cómo prefieres que me vista? —Había preguntado a Maura.

—Oh, Kit, como quieras. Ponte cualquier cosa que pueda servirte para otras ocasiones.

—No, es tu gran día y debes darme tu opinión. —A Maura se le llenaron los ojos de lágrimas—. Y también el gran día de papá —añadió Kit—. Pero los hombres no dan importancia a estas cosas. Dime si puedo hacer algo para ayudarte a disfrutarlo.

—Ya me ayudas dándome a entender que estás contenta de que me case con tu padre.

—Emmet también, Maura, aunque no sepa decirlo.

—Supongo que los chicos tienen otra manera de recordar a sus madres.

—No, no es por eso. Emmet solo tenía nueve años cuando sucedió aquello. Además, yo era la más unida a mamá. Siempre la comprendí mejor.

—¿Crees que ella se alegraría de saber que Martin vuelve a casarse? Soy tan diferente que no podría tratar de ser una segunda Helen.

—Estoy segura de que se alegraría.

Kit se preguntaba cómo podía permitir que se llevara a cabo aquella boda, si sería un pecado. En una parte de la ceremonia se preguntaría si alguien conocía algún impedimento por el que aquella pareja no pudiera unirse para siempre. Y cuando el sacerdote lo preguntara, Kit debería callar, aun sabiendo que su padre tenía una esposa viva. Después de todo, lo había consultado con la hermana Madeleine y la monja le había dicho que hiciera lo que le pareciese correcto.

Era una enorme responsabilidad, pero lo haría.

Kit se sentía muy a gusto en la escuela de hostelería.

La primera semana había conocido a una chica llamada Frankie Barry, de ojos alegres y carácter rebelde. Frankie planeaba ir a Norteamérica en el futuro, y viajar de costa a costa, administrando un hotel aquí y otro allá, a lo largo de su camino.

—¿Crees que podríamos hacer eso? —Kit tenía sus dudas.

—Claro que sí. ¿Acaso no debemos aprobar los exámenes oficiales del gremio y del ayuntamiento? Es el requisito más exigente del mundo —afirmó Frankie, confiada.

Kit quedó complacida. No habría peligro de encontrarse sin trabajo después de estudiar durante dos años y medio; no tendría que ingresar simplemente en el Hotel Central, soportar sin queja a los horribles padres de Philip y quizá casarse con él, solo para que todos estuvieran contentos.

Philip también disfrutaba en la escuela. Con mucho orgullo le enseñó las etiquetas con su nombre que había cosido personalmente a su ropa.

—¡Pero si eres toda una joya! —bromeó Kit—. La chica que se case contigo se llevará un tesoro.

Pero se arrepintió de haber dicho aquello al verlo enrojecer. Habría sido estupendo que él se enamorara de Frankie. Kit trató de acercarlos, pero no funcionó.

Dublín estaba lleno de cosas que hacer. El problema era elegir. Acordó una salida con Rita. Después de clase, tal como imaginaba, encontró a Philip esperándola pacientemente.

—No, Philip. Realmente tengo un compromiso con otra persona.

—¿Con quién?

—¿Cómo has dicho?

Philip cayó en la cuenta de que había sido demasiado prepotente.

—Si es alguien que yo conozco, preguntaba.

—En realidad, sí. Salgo con Rita Moore.

—¿Rita, la criada que tenías en Lough Glass?

—Sí. —A Kit no le gustó el tono presuntuoso de ese comentario, que sonaba como los de su madre.

—¿Y os encontraréis en una cafetería, así sin más? —Philip parecía estupefacto ante tanta confianza.

—No, por supuesto. Yo me sentaré a una mesa a comer sola mientras ella me sirve.

—Solo era una pregunta.

—Y ya te he contestado —dijo Kit secamente.

Rita quería conocer todas las noticias y saber, al detalle, cómo se desenvolvía Peggy en su lugar.

—¿Te parece que la señorita Hayes hará algún cambio?

—Eso espero —dijo Kit—. Me gustaría que se sintiera en su propia casa, no como una extraña.

—Me ha invitado a la boda —dijo Rita.

—Lo sé. ¿Qué te vas a poner?

—En Clery vi un traje. Es perfecto. Y podría comprar zapatos a juego, en verde claro. ¿Y tú, Kit? ¿Qué te pondrás?

—No sé. Papá me ha dado dinero para que me compre algo, pero todavía no he visto nada que me guste.

A la mañana siguiente, en la escuela, le informaron de que había un paquete para ella.

Cuando vio que venía de Londres se lo llevó al vestuario de chicas. Allí lo abrió, con el corazón golpeándole como un martillo. ¿Qué estaría tramando ahora Lena Gray? ¿Con qué horrible secreto iba a complicarlo todo?

Desenvolvió con asombro el vestido gris y blanco. No parecía gran cosa, pero lo importante no era eso. Lo importante era la nota: «Se me ocurrió que te gustaría llevar algo nuevo en la boda. L.».

La leyó una y otra vez.

Eso significaba que la boda contaba con su bendición. Helen McMahon le estaba diciendo que la boda podía llevarse a cabo, que no se entrometería. Por la cara de Kit corrieron lágrimas de verdadero alivio.

Observó el vestido. Era de seda, tal vez seda natural. Debía de haber costado una fortuna. Decidió probárselo por la noche. Luego pensaría qué escribirle.

Si llegaba a hacerlo.

Pero estaba obligada a escribir para agradecerle el regalo. Probablemente, eso era lo que Lena quería.

La pensión de Clio estaba cerca de la universidad. Allí vivían chicas de toda Irlanda; algunas, de familias muy acomodadas. En general, ninguna de ellas había oído hablar de Lough Glass. Muchas se conocían entre sí por haber sido internas de las mismas escuelas. Entablar amistad no era tan fácil como Clio esperaba.

Los primeros días en la Universidad de Dublín no le resultaron tan divertidos como había imaginado. Por primera vez en su vida se sentía un poco sola.

Se animaba pensando que si las cosas eran malas para ella, peor debían de ser para Kit, entre todos aquellos horribles estudiantes de hostelería, venidos de todas partes. Y allí, en el otro extremo de O'Connell Street, tan lejos del verdadero centro de la ciudad.

Kit salió a cenar con Philip O'Brien. Invitó ella.

—¿De qué se trata? —preguntó Philip con suspicacia.

—Quiero hablar claramente contigo, y si me invitaras tú, parecería otra cosa.

—Bueno, me has invitado tú. ¿No es lo mismo? —gruñó él.

—Ya sabes que no —dijo Kit con firmeza.

Philip era alto y ahora las pecas parecían sentarle mejor; el pelo ya no se le erizaba de modo extraño y había perdido aquella expresión de perplejidad que tenía cuando era niño. No le faltaba sentido del humor. En casi todos los aspectos, era el amigo ideal. Salvo en un punto, y de eso quería hablar Kit.

—Voy a pedir espaguetis —dijo ella, observando el menú.

—Lo más probable es que sean de lata —objetó él.

—Mejor. Me encantan los espaguetis de lata. Son mucho más fáciles de comer.

—Que no te oigan en la escuela. Nos tomarían por una pareja de salvajes.

—Justamente de eso quería hablarte —dijo Kit.

—¿De qué? ¿De los espaguetis?

—No, de esa expresión: «una pareja de salvajes».

—Hay muchos alumnos que son de Dublín o de ciudades grandes. A los que venimos de lugares como Lough Glass nos toman por salvajes.

—No me preocupa lo de «salvajes», sino lo de «pareja».

—¿Dos personas no son una pareja? —Philip estaba dolido.

—Nosotros dos, no. Tengo toda una vida por delante y muchas cosas que hacer. No quisiera, además, caer sin darme cuenta en una relación de pareja contigo.

—No veo qué tiene de espantoso... —empezó él.

—No es espantoso, pero sí algo en lo que dos personas deben estar de acuerdo. No es posible que una lo dé por sentado y la otra se deje llevar sin pensar.

—¿Quieres ser mi novia? —preguntó Philip.

—No, Philip.

—¿Por qué?

—Porque quiero ser yo misma. Sin novio.

—¿Siempre?

—No, siempre no. Solo hasta que conozca a alguien, que tal vez seas tú, y ambos nos pongamos de acuerdo.

—Pero a mí ya me conoces. —En aquel momento Philip estaba muy confundido.

—Soy tu amiga, Philip, no tu novia. Y si vas a decirme que es lo mismo te clavaré el tenedor en un ojo.

—Siempre he querido que fueras mi novia —dijo él sencillamente—. Puedes salir con quien quieras, pero yo siempre te estaré esperando en Lough Glass, con el hotel. Y tal vez nos casemos.

—Tienes dieciocho años, Philip. Nadie se casa a los dieciocho años.

La camarera estaba esperando.

—Los enamorados sí se casan a los dieciocho —objetó él, sin prestar atención a la muchacha.

—No, a menos que estén embarazados —aseguró Kit en tono firme.

—Podríamos quedarnos embarazados. Sería una gran idea.

—¡Por Dios! —dijo la camarera—. Volveré cuando tengan pensado algo menos dramático. Qué quieren cenar, por ejemplo.

—¿Hay muchos paletos allí abajo? —preguntó Clio, que estaba tomando un café con Kit en Grafton Street.

—Deja de decir «allí abajo». Yo tardo menos que tú en llegar a mi escuela caminando.

—Bueno, pero ¿cómo son?

—Muy buenos, en general. Hay que trabajar mucho. Es preciso concentrarse, pero supongo que ya le iré cogiendo el tranquillo.

—¿Y qué harás al final? Es decir, ¿adónde te lleva todo eso?

—¡Qué sé yo, Clio! Hace apenas una semana que he empezado. ¿Qué me dices de ti? ¿Adónde te lleva la licenciatura en bellas artes?

—Tía Maura me dijo que era una base estupenda para conocer gente.

—Maura asegura que nunca te ha dicho eso.

—Me gustaría que dejaras de repetirle a mis espaldas lo que te comento. Después de todo, es mi tía.

—Y va a ser mi madrastra.

Las dos se echaron a reír. Estaban peleando como a los siete años.

—¿Seremos siempre así? —preguntó Clio.

—Oh, sí. Cuando seamos viejas y vayamos de vacaciones al sur de Francia, nos pelearemos por las tumbonas para tomar el sol o por nuestros caniches —aseguró Kit.

—Y tú estarás huyendo de Philip O'Brien, el decrépito propietario del Hotel Central.

—¿Por qué no me imaginas como propietaria de una cadena de hoteles?

—Porque las mujeres no hacen esas cosas.

—¿Y tú? ¿Estarás casada con algún buen partido de bellas artes?

—No, por Dios. Allí no hay buenos partidos. Debo buscar entre los estudiantes de derecho y medicina.

—¿Quieres ser la mujer de un médico? No tienes paciencia para eso, Clio. Mira lo que tiene que soportar tu madre.

—Quiero ser esposa de un cirujano, de un especialista. Lo tengo bien pensado —dijo Clio—. Oye, ¿y qué vas a ponerte?

—Un vestido gris y blanco —respondió Kit.

—¿De qué tela?

—Seda, parece.

—¡No me digas! ¿Dónde lo has conseguido?

—En una tienda de una calle pequeña. —Kit se iba por las ramas.

—Parece que no te importa.

—Es bonito —aseguró Kit, defendiendo el vestido—. Muy adecuado para una boda.

—Gris y blanco... A mí me suena a novicia.

—Bueno, ya veremos.

—¿No te parece raro que tu padre vuelva a casarse? —preguntó Anna Kelly a Emmet en la tienda de Dillon, frente al mostrador de las golosinas.

—¿Raro? ¿En qué sentido? —preguntó Emmet.

Anna era bonita: rubia, de pelo rizado y con una sonrisa preciosa. Después de la boda serían medio parientes.

—Bueno, ¿vas a llamarla mamá? —Quiso saber la chica.

—No, ¿cómo se te ha ocurrido eso? Si la llamamos Maura.

—¿Y va a dormir en el cuarto de tu padre o en el de tu madre? —Anna quería conocer todos los detalles.

—No sé. No lo he preguntado. En el de papá, supongo. Como hacen todos los casados.

—¿Y tu madre por qué no lo hacía?

—Porque estaba resfriada y no quería contagiar a papá.

—¿Resfriada? ¿Tanto tiempo?

—Eso es lo que me dijeron. —Emmet hablaba sin malicia.

Maura no había querido anillo de compromiso.

—Ya somos mayores para eso —dijo a Martin.

—No digas eso. No somos viejos. Pero si no quieres un anillo de diamantes, deja que te compre alguna otra joya. No me conformo con darte una simple alianza. ¿No te gustaría un broche de diamantes? —Estaba ansioso por complacerla.

—No, amor mío. De veras.

—Hay una caja llena de joyas que eran de Helen. Tú lo sabes. Podría llevarlas a un joyero de la ciudad y pedirle que hiciera algo completamente distinto. Así no te preocuparías por el precio. —En aquel momento podía hablar de Helen con naturalidad, sin inmutarse.

—No, Martin. Esas joyas son de Kit. Algún día tendrás que dárselas. Tal vez cuando cumpla los veintiuno. Faltan solo tres años. Debes guardarlas para ella. No las hagas arreglar para mí. Ya tengo suficientes.

Sin embargo, Maura las había mirado, tocándolas con tristeza. Hubo dos que le llamaron la atención: el anillo de compromiso y el de boda. Helen McMahon no los llevaba puestos la noche en que salió a navegar por el lago. Maura se preguntaba si el sargento Sean O'Connor o los detectives de Dublín habrían averiguado ese detalle. Sin duda, eso señalaba un estado de ánimo: si alguien pensaba poner fin a su vida, bien podía quitarse cuidadosamente las cosas de valor para dejarlas.

—¿Vas a invitar a Stevie Sullivan? —preguntó Clio a su tía Maura.

—No. Hemos hablado mucho de eso. Como es mi futuro jefe, tendríamos que invitarlo, pero pensando en su madre decidimos no hacerlo. Y eso que es vecino; pero es que su hermano es terrible...

—Es soltero y guapo —observó Clio.

—Sí, pero también tiene fama de marcharse de las fiestas llevándose a alguna chica. —Maura ya sabía todo de Lough Glass—. Después de pensarlo, Martin y yo decidimos no invitarlo.

—Imagínate, trabajar para él. Salió de la nada, tía Maura.

La tía la miró con ojos fríos. Clio cayó en la cuenta, demasiado tarde, de que con frecuencia la juzgaba mal. Tía Maura no veía el mundo con los ojos despreocupados y chismosos de su madre. Cotilleaba muy poco y no le cabía en la cabeza que algunas personas fueran aceptables y otras no.

—Nunca me cuentas nada de Lough Glass —comentó Louis a Lena, una mañana de sábado.

—Antes lo hacía, mi amor, pero tú decías que era muy aburrido.

—Bueno, en parte sí... Las cosas mezquinas, ya sabes... Pero no soy del todo insensible. Supongo que piensas en los chicos y en Martin.

—De vez en cuando —reconoció ella.

—Bueno, no me dejes al margen. Me interesa todo lo que te interese a ti. Te quiero —dijo él, como a la defensiva.

—Ya lo sé.

—¿Cómo lo sabes? —Aquel tono seco parecía despertarle dudas.

—Lo sé porque volviste —dijo Lena. Una vez más, fue como si estuviera repitiendo algo de memoria. En realidad, eran sus propias palabras: «¿Volvería a tu lado si no te quisiera?».

—Bueno, entonces todo está bien.

Pero Louis desconfiaba. Aquella mañana Lena no parecía la misma.

—¿Cómo crees que estará aquello? —soltó Louis.

Lena lo miró durante un rato, preguntándose si debía decirle que aquel mismo día, a las once de la mañana, su marido se casaría con Maura Hayes, y que ella había gastado el sueldo de una semana en un vestido para que Kit lo llevara en la ceremonia. Se preguntaba si sería posible que, al informarle de aquellos importantes aspectos de su propia vida, él se sintiera comprometido con ella hasta el punto de descartar las múltiples distracciones de su mundo. Pero el momento pasó. Sabía que era imposible. No obtendría la reacción deseada. Al contrario: él la recriminaría hasta la saciedad por haberle ocultado que llevaba años carteándose con su hija y que la había visto en Londres.

—Oh, supongo que estará como siempre —dijo—. Como cualquier sábado de Lough Glass.

Stevie Sullivan dijo que ya que estaría en Dublín, llevaría a la novia a la iglesia. Y luego los trasladaría a ambos hasta la recepción.

—No podemos aceptar, Stevie —repuso Martin.

—Por Dios, Martin, es un pequeño regalo de bodas.

Stevie era ya un joven guapo de veintiún años; tenía la tez morena, y la melena oscura le caía sobre los ojos. Durante la infancia, en sus delirios de borracho, su padre solía considerar la posibilidad de que su mujer se hubiera acostado con uno de los gitanos. ¿De qué otro modo podía haberle dado un hijo tan poco parecido a él? Stevie había oído a su madre responder que demasiado infernal era ya acostarse con su marido, para repetir la experiencia con otro hombre, fuera gitano o no. Por su propia experiencia con el sexo, Stevie pensaba que su madre se había perdido una de las mejores cosas de la vida, para tener aquella actitud. Pero eso no se lo decía.

—Además, en mí puedes confiar, Maura. No te pongas en manos de esos tipos de Dublín.

Ella le dio las gracias. Prefería ver una cara amiga a su lado cuando partiera hacia la iglesia. Había llevado a Lough Glass, por anticipado, todas las cosas que necesitaría allí. El piso había sido alquilado a una joven pareja que ya estaba instalada. Maura tenía la esperanza de que, en días futuros, Kit y Clio quisieran compartirlo. Les resultaría cómodo: tenía dos dormitorios y estaba cerca del centro. Pero tal vez no tuvieran el carácter necesario para compartir una vivienda.

Stevie se presentó en el hotel luciendo un traje oscuro que casi podía pasar por uniforme.

—Estás encantadora.

El rubor cubrió la cara y el cuello de Maura.

—Gracias, Stevie.

—Me gusta ver que mi personal sabe arreglarse.

Kit y Clio esperaban juntas en la gran iglesia. Desde que habían llegado, Clio no dejaba de fastidiar a su amiga por el vestido.

—¿Dónde dices que lo compraste?

—En una calle pequeña, ya te lo dije.

—Estás mintiendo descaradamente.

—¿Qué necesidad tengo de mentir?

—Ese vestido es muy elegante. Cuesta una fortuna. ¿Lo robaste?

—¡Qué mente tan enferma la tuya! ¿Por qué no te callas y me dejas disfrutar de la boda de mi padre?

En aquel momento, la pequeña congregación se volvió hacia la puerta. Maura Hayes se acercaba del brazo de su hermano. Martin McMahon esperaba, radiante, ante la barandilla del altar.

—Está preciosa —susurró Clio—. Qué bonito vestido.

—Probablemente lo robó. Como hacemos casi todas —dijo Kit en tono insolente.

Stevie sujetaba la puerta del coche.

—No sabía que estuviera invitado —comentó Philip a Clio.

—Oh, él va a donde quiere. Con ese coche y una pinta como la suya tiene el mundo abierto.

Philip parecía desencantado.

—¿Ese coche es suyo?

—Sí. —Clio aún hablaba con desdén—. El Servicio de Automóviles Sullivan sabe que hay ocasiones en que la gente necesita un poco de distinción. Y él se adelanta a ofrecerla.

—¿Es atractivo para las mujeres?

—Sí, pero solo a primera vista. Personalmente, no lo tocaría ni con la punta de una caña. Ha estado con todas las sirvientas de Lough Glass y alrededores.

—¿En la cama con ellas, quieres decir? —Philip tenía los ojos como platos.

—Eso dicen.

—¿Y ninguna quedó... embarazada?

—Al parecer, no. En todo caso, no ha corrido la voz.

Maura había elegido bien el hotel. Se sirvió un jerez en un salón grande y luminoso, con sillones y sofás tapizados con estampados florales. Las camareras se movían con eficiencia, manteniendo las copas llenas.

Los discursos fueron muy sencillos. Peter Kelly dijo que era el día más feliz desde hacía mucho tiempo. Y que se alegraba de que su amigo hubiera encontrado una compañera para el resto de su vida. Todo el mundo aplaudió.

Martin agradeció a todos el apoyo que le daban con su presencia. Dijo que era muy gratificante ver que Maura tenía ya muchos amigos en Lough Glass y que, en cierto modo, para ella sería como volver al hogar. Todos pensaron que con eso terminaban los discursos, pero entonces se levantó Maura McMahon. Un pequeño escalofrío recorrió al grupo. Las mujeres rara vez hablaban en público; las novias, nunca.

—Quiero sumar mi agradecimiento al de Martin y decir que este es el día más feliz de mi vida. Pero deseo dar las gracias principalmente a Kit y a Emmet McMahon, por su generosidad al permitirme compartir a su padre. Ellos son hijos de Martin y Helen y así será siempre. Espero que el recuerdo de su madre no se borre jamás, en ellos ni en ninguno de nosotros. Sin Helen McMahon, Kit y Emmet no existirían. Sin Helen, Martin no habría conocido la felicidad de su primer matrimonio. Le estoy agradecida por todo lo que nos ha dado y espero que su alma sepa cuánto afecto nos inspira este día. Les aseguro a todos que haré lo posible por hacer a Martin tan feliz como merece. Es un hombre realmente bueno.

Se hizo el silencio mientras la gente captaba la profundidad de aquellos sentimientos. Luego, todos aplaudieron y alzaron las copas. El pianista del rincón hizo sonar algunas teclas para que la gente pidiera canciones. Maura se había asegurado: en la boda de Martin y Helen no se había cantado.

Stevie Sullivan esperaba ante la puerta. Maura no se cambió: el vestido de boda y la chaqueta eran indicados para viajar. Las maletas ya estaban en el maletero del coche.

—Estás irresistible, Kit —comentó Stevie.

—Será mejor que te resistas —advirtió la chica—. Creo que vas a llevar a los recién casados a la estación.

—No es eso lo que me dijeron.

—Pero ¿no vas a llevarlos para que inicien la luna de miel?

—Exactamente.

—¿Y entonces?

—Pero no a la estación, sino al aeropuerto.

—¿Al aeropuerto? —Kit pensaba que irían a Galway.

—Van a Londres —dijo Stevie—. ¿No te lo han dicho?

7

Cuando Ivy vio la carta con el sello de Irlanda y el matasellos extranjero, ilegible, apenas podía creerlo. En cuanto Lena bajó a la carrera para ir a trabajar, ella corrió la cortina.

Lena no se atrevía a hacerse ilusiones. Se sentó en la cocina de Ivy para leer. Era una sola hoja. No tenía encabezamiento ni saludo. Pero tampoco ella los había usado en su nota a Kit.

> Muchas gracias por ese hermoso vestido. Me quedaba muy bien y fue muy elogiado. Llegó a la escuela hace más de una semana, pero preferí esperar para escribir.
>
> Ahora puedo decirte que la ceremonia ya se ha celebrado. Todo salió bien y hoy partieron hacia Londres. Yo creía que irían a Galway, pero al parecer se trata del hotel Regent Palace de Londres.
>
> Sé que esa es una ciudad enorme, pero supuse que te convenía saberlo. Por si acaso.
>
> Una vez más, gracias por el vestido.
>
> KIT

Lena se quedó inmóvil, con la carta entre las manos.

—¿Malas noticias? —preguntó Ivy.

—No, no son malas, no.

—Bueno, ¿vuelve a dirigirte la palabra?

—No, no del todo. Todavía no.

—Oh, Lena, por favor. No me hagas suplicarte. ¿Qué pasa?

—Es una especie de aviso, como para advertirme de algo... Es que no te he contado todo. ¿Puedo hacerlo alguna larga noche en que estemos solas?

—De esas tendremos muchas —afirmó Ivy.

Al llegar a la agencia, Lena encontró a Jessie Park esperándola en su oficina. No se parecía en nada a la fatigada y nerviosa mujer de la rebeca que Lena había conocido aquel primer día. A los cuarenta y siete años, baja y delgada, Jessie irradiaba confianza en sí misma. Su madre jugaba a las cartas y parecía haber olvidado sus problemas digestivos.

La fecha estaba fijada; sería una boda austera, solo un almuerzo para ocho personas en un hotel. ¿Podría Lena hacer de testigo? El otro sería el hermano de Jim Millar. Y les encantaría que Louis asistiera, claro. Lena la abrazó, diciéndole lo mucho que se alegraba. Era de esperar que Louis estuviera libre, pero tenía un horario tan difícil... Dijo todo lo que correspondía, pero su mente estaba muy lejos.

En silencio, elevó una plegaria de gratitud a Kit por haberla avisado de que Martin y Maura estaban en Londres. ¿Y si el almuerzo de Jessie se celebraba en el Regent Palace, por ejemplo? A veces, había coincidencias aún más extrañas. Por suerte, estaba advertida.

Estaba segura de que Louis no querría asistir al enlace.

—Mira, cariño, demasiados casamientos tengo ya en el trabajo —respondió él con una sonrisa, levantando las manos para indicar que le llovían bodas.

En realidad eran muy pocos los que celebraban su boda en el Dryden, pero Lena no lo mencionó.

—Comprendo. Pero me encargaron decirte que estarían encantados de que fueras.

—¿Puedes librarme de eso? —Se le notaba contento.

—Sin problemas.

Lena vio que se le borraban las pequeñas arrugas que se le habían formado alrededor de los ojos por la tensión. Tal vez a Louis Gray no le gustaba ir con ella a las bodas, ver a otros hacer promesas para un futuro en común. Como ella no trató de obligarlo ni se quejó, él estuvo más cariñoso que nunca. Y un día apareció inesperadamente en la oficina, con una botella de champán para la feliz pareja.

—Lamento no poder asistir. Se percibía un pesar verdadero en sus ojos y en su voz.

Lena, al oírlo, se dijo que en cierto modo era verdad.

Jim Millar y Jessie Park estaban encantados con él, claro.

—Ese marido tuyo es un hombre estupendo. Debe de ser un trabajador excelente —dijo Jim Millar.

—Creo que en el Dryden lo aprecian mucho —aseguró Lena.

—Lo que me sorprende es que no tenga su propio hotel —comentó Jessie.

—Algún día, tal vez. —Pero Lena no se anticipaba tanto al futuro.

Se vistió delante de Louis. Desde la cama, él lanzaba exclamaciones de admiración. Era una de aquellas mañanas en que se levantaba tarde.

—Estás demasiado elegante para esa gente. ¿Por qué no vamos tú y yo a algún sitio y deslumbramos al mundo?

—Hasta luego. —Ella le envió un beso.

—Vuelve sobria.

—Creo que es bastante posible —respondió Lena riendo.

El banquete terminó temprano, como todos esperaban. Llevaron a la señora Park a reunirse con sus nuevos amigos; Jessie y Jim tomaron el tren a St. Ives. Regresaban a Cornualles, donde se había iniciado el idilio. Lena les aseguró que tenía mucho que hacer.

Sin que ella se diera cuenta, los pies la llevaron hacia el Regent Palace. Se detuvo a estudiar su aspecto en el escaparate de una tienda. Lucía un traje beis con ribetes lila y un sombrero de terciopelo a tono con el ribete. Llevaba un bolso grande y negro, guantes y zapatos de tacón muy alto. Iba muy maquillada. Seguramente no se parecía a la mujer de faldas escocesas y vestidos amplios que habían conocido hacía ya mucho tiempo.

Los ojos podían delatarla. Con frecuencia se reconoce a alguien solo por los ojos. Se detuvo en Boots a comprar un par de gafas oscuras. El efecto era el buscado. Se instaló en una sala del Regent Palace. No tenía otros planes para el resto del día, salvo esperar allí para verlos entrar o salir.

James Williams no podía creerlo: aquella mujer bien vestida, de gafas oscuras, parecía la mujer de Louis Gray. No había muchas con aquel pelo y aquellas piernas. Pero ¿qué demonios estaba haciendo allí, en el vestíbulo de aquel inmenso hotel? Era casi como si estuviera esperando a alguien. Pero tal vez solo esperaba a aquel guapo y voluble marido suyo.

James Williams se preguntaba si la señora Gray tendría alguna idea de la fama que su marido tenía entre las señoras. Nunca prestaba oídos a los rumores que circulaban por su hotel, pues eso habría sido indigno, pero solo un sordo podía ignorar que Louis Gray se había ido a París con una joven norteamericana rica y malcriada. Tal vez la señora Gray tolerase aquellas cosas.

Contempló a la elegante mujer que estaba sentada frente a una copa y la estudiaba sin quitarse las gafas. Tal vez estuviera allí para consolarse. La idea era atractiva, pero James Williams debía encontrarse con alguien en una de las salas de reuniones.

Cuando al salir cruzó el vestíbulo, ella aún estaba allí.

—¿Qué bebe esa señora? —preguntó a un camarero.

—Ha rechazado todas las invitaciones que se le han hecho.

—A mí no me rechazará. La conozco. —Le dijeron que

bebía ginebra con zumo de naranja. Él pidió dos y se presentó ante la mesa cuando llegaban las bebidas.

—Vaya, James —dijo ella.

—¿Por casualidad me estás esperando? —preguntó él en tono de broma.

—No. Lamento desilusionarte, pero acabo de entrar, solo para dar descanso a mis pies.

—Así que acabas de entrar. ¡Qué suerte la mía!

—Hace un segundo —aseguró Lena Gray.

Él la miró con interés. Si llevaba más de dos horas en aquel vestíbulo, ¿por qué demonios le mentía?

Conversaron sobre el mundo en general y los hoteles en particular. En ningún momento mencionaron a Louis Gray, lo único que tenían en común. Tomaron otra copa y una tercera.

Lena había tomado tres ginebras con naranja estando con él, tal vez más antes de su llegada. James se preguntaba si habría tenido un asombroso golpe de suerte con aquella atractiva irlandesa. Su voz no sonaba gangosa. Aquellas ridículas gafas le impedían verle los ojos, pero ella dijo que no podía quitárselas por una infección ocular. A él le pareció que había algo extraño y exaltado en su conducta. Hubo un momento en que ella se levantó muy bruscamente, disculpándose. No fue hacia el lavabo de señoras, como cabía esperar, sino hacia el ascensor. Se detuvo junto a las puertas, cerca de una pareja madura que llevaba muchos paquetes: típicos turistas de compras. A no ser porque sería ridículo, James Williams habría pensado que la elegante Lena Gray se había acercado para oír lo que decían.

Llevaba cinco años sin verlos. Se sentía algo mareada. Debía guardar en la memoria aquel momento.

Martin seguía usando trajes anchos. Aquel parecía nuevo, pero no había sido hecho a medida. Aunque solo tenía cuarenta y cinco años, uno más que Louis, parecía diez o quince años mayor. Mantenía la misma postura, algo encorvada. Y allí estaba su sonrisa franca. Parecía contento, como cuando jugaba antaño con los chicos o empujaba el bote aguas adentro.

Y Maura Hayes. Maura, a quien no le gustaba tratar porque era la jovial hermana de Lilian, la que no permitía que se le rechazara una invitación. ¿Era mayor o menor que su hermana? ¿Alguna vez había sabido su edad? Parecía exaltada y contenta.

—Me encantaría tomar un té —le oyó decir—. ¿Te parece demasiado paleto?

—¡Y lo dice la elegante mujer que trabajó tantos años en Dublín! —dijo él riendo—. Supongo que no tendrán problemas en subir una bandeja a la habitación.

—¿Lo supones? —Se diría que todos los problemas de Maura habían sido resueltos de una vez.

—Esto no es el Hotel Central de Lough Glass, ¿sabes?

Lena estaba tan cerca que habría podido tocarlos: el espectro de la esposa que ambos creían muerta. Su aparición destruiría muchas vidas. Invadida por la autocompasión que la ginebra provoca a menudo, Lena se echó a llorar. Quizá habría sido preferible morir aquella noche en el lago.

Cuando volvió a la mesa estaba alterada. James Williams se inclinó sobre la mesa.

—Si no tienes prisa por volver a casa... —sugirió. Su tono era cortés; no se trataba de una proposición, ni remotamente.

—Si no tengo prisa, James...

—Me preguntaba qué podríamos hacer. —En aquel momento pisaba terreno delicado. A ella le temblaba la voz y parecía que brillaban unas lágrimas en su cara.

—No sé si tú podrías llevarme en un taxi...

—¿Adónde?

—A donde quieras ir. ¿A tomar otra copa, tal vez? ¿A comer algo? ¿Hasta la puerta de tu casa? ¿Al hotel Dryden?

—Donde tú digas.

Lena se quitó las gafas y lo miró. Había estado llorando, pero no tenía los ojos irritados. Estaba muy trastornada.

—Tú eres un hombre muy inteligente, James Williams, muy culto y distinguido. No eres de mi condición. Me creo muy capaz y preparada, pero soy solo una paleta. Hace dos minutos he oído que una pareja utilizaba esta palabra. Es lo que soy: una paleta.

—No, no —protestó él—. Dime, por favor. ¿Qué puedo ofrecerte?

—La posibilidad de irme ahora mismo, mientras las piernas aún puedan llevarme hasta la puerta.

—Veo que no seguiste mi consejo —dijo Louis, al ver que Lena entraba tambaleándose.

—¿Qué consssejo? —Ella apenas pudo pronunciar aquellas palabras.

—Te pedí que volvieras sobria y me dijiste que así sería, sin duda. —La miró con extrañeza.

Lena había hecho volar los zapatos; tenía el sombrero encasquetado de un modo extraño.

—Sssí. —Sonrió. —Essso pen... saba. Pero... me equivoqué.

—Eres un tesoro. —Louis le quitó el traje nuevo, lo colgó con cuidado y la condujo hacia la cama.

Dos veces durante la noche se levantó a vomitar.

Si Louis la oyó, no se dio por enterado. Respiraba suavemente. Nunca soñaba; al menos, no recordaba sus sueños. Si aquel hombre tenía tanto que recordar, ¿por qué nada de eso surgía en los sueños?

Lena había soñado todo el tiempo con James Williams y lo que podría haber sucedido si hubiera aceptado su abierto ofrecimiento. Se estremecía al pensar en lo cerca que había estado de decir que sí.

Louis tenía el primer turno. Le dejó una nota: «No quise despertarte. Tus encantadores ronquidos merecían que los dejara continuar. Hasta la noche».

En su vida se había sentido tan mal. ¿Cómo era posible que la gente bebiera tanto, sabiendo que a la mañana siguiente se sentiría así? No estaba en absoluto segura de poder ir a la oficina.

Bajó al apartamento de Ivy.

—¿Cómo fue la boda? —preguntó ella mientras le servía un café.

—Parecían felices. Habían comprado un montón de cosas en Oxford Street y volvían al hotel para hacerse servir el té en la habitación.

—¿Fuiste a la luna de miel con ellos? —preguntó Ivy, horrorizada.

—No, era otra cosa. Ivy, ¿te parece que debería tomar algo así como un reconstituyente?

—¿Un qué?

—Algo para curar la resaca.

—¿Y eso qué es?

—Eres tú quien tiene contactos en el bar.

—Ya no —dijo Ivy.

—Bueno, necesito saber cómo se hace. ¿Ernest podría saberlo?

—Supongo que sí.

—Dame su número.

—Estás loca, Lena. Son solo las nueve y media de la mañana.

—Sí, hace media hora que debería estar trabajando. No puedo ir así. Me derrumbaría. Dime el número de su casa, si no quieres que llame a información.

—Siempre he dicho que estás loca.

—Hola, Ernest, habla Lena Gray.

—¿Sí? —Hablaba con cautela.

—¿Se acuerda de mí?

—Sí, claro.

—Voy a ser breve, Ernest: ¿cómo se prepara un reconstituyente? Sé que tiene algo que ver con huevos crudos, ¿verdad?

—Un huevo crudo en un vaso, una cucharada de jerez, un poco de salsa inglesa. Se agita con fuerza y se bebe de un solo trago.

—Gracias, Ernest.

—¿Tiene todos los ingredientes?

—Creo que sí. Gracias.

—¿Puede arreglarse con ella?

—¿Con quién?

—Con Ivy. Supongo que se ha estado excediendo.

Lena hizo una pausa. Tal vez esa era la manera de reunirlo con Ivy.

—Espero que no, Ernest. Ella no quiere decir nada, pero todo esto la está afectando mucho.

—¿Podría decirle... hum...?

—¿Sí?

—Dígale que se cuide.

—Convendría que se lo dijera usted mismo, Ernest.

—Es difícil.

—No. Esas cosas son fáciles.

—Pero ella está siempre completamente borracha.

—No es cierto. Lo de anoche fue especial. Era no sé qué aniversario de ustedes dos. No estoy segura. Pero lo que fuera la afectó mucho. —Lena apenas se atrevía a levantar la mirada hacia su amiga.

—Bueno, sí, más o menos en esta época del año fue cuando ella y yo... Pero no creo que a usted le interese.

—No es asunto mío. Solo sé que ella no quiere oír una sola palabra contra usted, Ernest. Dios sabe que he intentado decirle unas cuantas. Pero se niega a escuchar.

—Es usted una buena amiga, Lena. A pesar de ser irlandesa y de no entender nuestras costumbres.

—Gracias, Ernest —dijo Lena con humildad. Y colgó.

—Te voy a matar ahora mismo, en mi propia cocina —dijo Ivy.

—Nada de eso. Búscame dos huevos, jerez, salsa inglesa y un platito para tapar el vaso.

—¿Por qué?

—Para que no se derrame al agitarlo.

—Quiero decir por qué debo hacerlo.

—Porque es posible que te haya arreglado ese gran romance, Ivy. Date prisa. Me estoy muriendo.

—¿Qué tal la boda? —preguntó Dawn.

—Encantadora —aseguró Lena.

—Yo tenía la esperanza de que me invitaran.

—Fuimos muy pocos. De veras, apenas un puñado.

—¿Fue su marido, señora Gray?

—No. Lamentablemente, Louis no pudo ir.

Dawn volvió al trabajo.

Lena observó aquella cabeza rubia inclinada sobre los papeles. Dawn era una muchacha espectacular. Lena y Jessie le habían hecho recibir lecciones de oratoria y había resultado una buena inversión: en aquel momento Dawn se podría presentar ante cualquier grupo de estudiantes a punto de graduarse. Lena sabía que ellos prestarían atención a lo que dijera una joven esbelta y atractiva, poco mayor que ellos. Si Dawn les decía que debían ser rápidos mecanógrafos, tener una taquigrafía exacta y conocer la rutina de la oficina, ellos lo aceptarían. Los mismos consejos dados por Jessie o por ella misma tendrían poco efecto.

Sentía la cabeza pesada y una sed inexplicable. ¿Todos los borrachos se sentirían así? ¿Los que frecuentaban los bares de Paddles y de Foley, allá en Lough Glass, también? ¿Todos tenían que beber tanto a la mañana siguiente? Qué ejercicio tan inútil. Ella jamás volvería a emborracharse.

—Esta noche vendrá Ernest —dijo Ivy.

—Estupendo. ¿Dijiste «Gracias, Lena»?

—No. Lo que dije fue que no entiendo por qué debo hacer el papel de alcohólica perdida.

—Podrías ser una alcohólica reformada. A los hombres les encantan —sugirió Lena.

—En realidad, estoy contenta —reconoció Ivy.

—Ya lo sé.

—Pero no quiero ilusionarme demasiado.

—No, claro. —Lena se acostó en la cama y se durmió.

Cuando despertó, Louis estaba a su lado.

—¿Cómo está mi pobre borracha? —preguntó, irradiando amor y simpatía.

—Lo siento, Louis. ¿Estuve muy desagradable?

—No. Eras una dulzura. No podías estar sentada, de pie ni de ninguna manera.

Le dio una taza de té, que ella bebió de buena gana.

—¿Y qué decía? —Estaba casi segura de no haber mencionado el Regent Palace, esa incursión para espiar a los recién casados.

—Nada muy inteligible. —Él le acarició la frente—. Un poco más de té. Después te haré unos huevos revueltos. Confía en el tío Louis.

Lena cerró los ojos. ¡Qué extraño! Allí estaba, tendida en la cama, mientras Louis Gray le preparaba una taza de té. A tres kilómetros de allí, Maura Hayes también estaba tendida en la cama y Martin pedía que les subieran el té.

Lena recordó el aspecto que tenían... Martin y Maura: a gusto en mutua compañía, como si hubieran sido amigos durante muchos años y solo en aquel momento cayeran en la cuenta de que se querían. Martin no se esforzaba por complacerla como se había esforzado antes por complacer a Helen. Maura no hacía esfuerzo alguno por preocuparse.

Formaban una buena pareja.

Lena se preguntaba si habría pasión entre ellos. Tenía que existir algo de amor sexual. Difícilmente habrían entablado aquella relación a menos que pensaran consumarla.

Le resultaba imposible imaginar eso.

Apenas recordaba sus propios encuentros con Martin. El sexo había sido siempre Louis, desde el día en que lo conoció y supo que era para ella. No le afectaba pensar que Martin y Maura estaban haciendo el amor en Londres, ni que Maura dormiría junto a él en el dormitorio que Helen McMahon había abandonado al principio de su matrimonio.

Pero no podía imaginárselo.

Jessie y Jim volvieron de la luna de miel, con ganas de oír que el banquete de bodas había sido un éxito.

—Creo que todos nos divertimos —dijo ella.

—Oh, sí, fue estupendo —le aseguró Lena—. ¡Y qué hermoso día! Una ocasión muy feliz. Jamás lo olvidaremos.

Su recompensa fue el alivio y el placer que expresaron los ojos de Jessie, y también los de Jim cuando ella lo miró con expresión triunfal.

La verdad es que Lena apenas recordaba aquel día, exceptuando el momento en que se había detenido junto a Martin y Maura, que esperaban el ascensor.

De vez en cuando, Ivy protestaba porque Ernest se oponía enérgicamente a que comiera un simple bizcocho «borracho». Aseguraba que ese podía ser el principio de la recaída. Pero era un precio bajo a pagar por haberlo recuperado.

La visitaba con regularidad. A veces conversaba con Lena.

—Tengo una gran deuda de gratitud con usted —reconoció una vez, confidencialmente—. Siempre pensé que Ivy era muy capaz de cuidarse sola y de dirigir su propia vida. No sospechaba que se hubiera venido abajo.

En Lough Glass pasaban los meses como en todas partes. La gente se acostumbró tanto a ver a Martin McMahon con su esposa Maura, caminando juntos e intercambiando sonrisas amables, que el recuerdo de Helen se fue quedando en el fondo de la memoria.

De vez en cuando Maura visitaba a la hermana Madeleine. Una vez le llevó un trozo de cristal y un poco de masilla.

—Esto es algo de lo que usted no se desprenderá —dijo, mientras quitaba el cristal roto con un martillo y recogía los fragmentos en un periódico viejo.

—No estés tan segura. Muchas personas viven peor que yo —dijo la ermitaña.

—Es la primera vez en mi vida que cambio un cristal. ¿Va a destruir mi autoestima quitándolo para dárselo a cualquiera?

—Pareces muy feliz, Maura.

—Y lo soy, gracias a Dios. Muy feliz. Más aún: esos dos chicos son una bendición.

—No lo serían si tú no los trataras tan bien.

—Estuve pensando... —Mientras hablaba, Maura aplicó la masilla al marco—. Hay algo que me inquieta. Tal vez usted pueda aclararme las cosas.

—Mi propia mente es tan poco clara, Maura, que no soy la más indicada para aconsejar a otros.

—Es muy extraño, pero cuando estábamos en Londres... una mujer se detuvo a nuestro lado, tan cerca como yo lo estoy de usted.

—¿Y...?

—Y tuve la absoluta certeza de que era Helen.

Estaban cenando en el club de golf, como todos los sábados. Los cuatro se llevaban bien y a veces se les unían otras parejas. La conversación recayó sobre la ermitaña.

—No me permite que la ausculte —dijo Peter Kelly—. Creo que no se entiende con la medicina moderna. Para que te preste atención tienes que ser místico o gitano.

—Allí está abrigada. Esa cabaña es cómoda —dijo Maura.

—Es cálida, sí, pero ¿qué respira esa mujer? Humo de rastrojos, y su ropa de cama podría estar húmeda. Pero es como hablar con la pared. Siempre ha tenido miles de ideas locas. Y morirá con ellas.

—El año pasado quise darle algo para los sabañones, pero me dio las gracias y dijo que se irían a su debido tiempo. —Martin sacudió la cabeza.

—Pues yo creo que tiene la cabeza en su sitio —observó Maura.

—Lo cierto es que a Emmet le curó el tartamudeo —añadió su marido.

La mente de Maura se alejó de la conversación. Pensaba en la firmeza de la monja al asegurar que no podía haber visto a Helen McMahon en Londres. Indudablemente era un guiño de su imaginación.

—¿Cómo vestía? —Le había preguntado.

—Llevaba gafas oscuras y un sombrerito con plumas color púrpura. Era igual a ella, hermana Madeleine. —La monja echó la cabeza atrás y desterró las preocupaciones de Maura con una carcajada—. Bueno, ¿no me cree?

—¿Helen McMahon con gafas oscuras? ¿Y con un sombrero? En todos los años que pasó aquí nunca la vi con sombrero.

—Pero supongamos...

—Aunque no hayas estado pensando conscientemente en ella, en otro plano lo hacías. Por eso viste sus rasgos en los de una perfecta desconocida que esperaba a tu lado. —La hermana Madeleine dio la explicación más plausible con una radiante sonrisa.

Y Maura comprendió que tenía razón, claro.

En la escuela de hostelería aprendían mucho, pero aún les quedaba tiempo libre. A menudo Kit iba al cine con Frankie. Una vez esta invitó a Kit a pasar el fin de semana en Cork, con su familia. A Kit le habría encantado ir, pero estaban a fin de mes y ya había gastado la mayor parte de su asignación. No podía pagar el billete de tren. Frankie se encogió de hombros. Otra vez sería. Fue un alivio, pensando en los interrogatorios y análisis a los que Clio la habría sometido.

—¿Ya has hecho el amor? —preguntó Clio a Kit.

—¿Estás loca?

—¿Quieres decir que estoy loca por pensar que sí o que estoy loca por pensar que no?

—No. Lo sabes de sobra —dijo Kit.

—Yo tampoco —reconoció tranquilamente Clio.

—Recuerda que yo no te lo he preguntado. Tengo la madurez suficiente para considerar que eso es asunto de cada uno.

—Digo yo: ¿seremos las únicas? O sea: ¿todo el mundo lo hace y tiene la madurez suficiente para no decirlo? —Clio parecía muy insegura.

—Bueno, sabemos que Deirdre Hanley lo hace con quien se le cruza por delante. Sabemos que Orla Dillon, la del puesto de periódicos, cometió la estupidez de hacerlo con ese hombre de las montañas y tuvo que casarse con él, y que eso es lo peor que podía pasarle.

—No me refiero a esa clase de gente —objetó Clio—, sino a personas como nosotras.

—Bueno, ellas son como nosotras. Son de Lough Glass.

—No, ya me entiendes: gente de clase media, de clase alta.

Kit soltó una carcajada.

—¡En serio! ¿Cómo se hace para saberlo?

—No se sabe. Cada una tendrá que resolverlo por su cuenta.

—Debe de existir alguna manera de saberlo. —Clio parecía muy nerviosa.

Kit la miró con interés.

—¿Por qué? ¿Es importante?

—Es importantísimo.

—Bueno, supongo que la gente como nosotras lo hace si

quiere y no lo hace si no quiere. No lo hace si tiene miedo de ir al infierno o de que la gente la señale con el dedo.

—No creo que sea tan sencillo.

—¿Sencillo? ¿Qué más quieres?

—Es que ese Michael O'Connor, el individuo del que te he hablado...

Kit lo conocía: un estudiante de comercio, alto y poco atractivo, con una risa muy molesta. Tenía un hermano llamado Kevin O'Connor en la escuela de hostelería. Ambos eran hijos de una familia muy adinerada y cada uno tenía su propio coche, un lujo poco frecuente. Clio le había hablado varias veces de Michael O'Connor.

—Sí, ¿qué pasa con Michael?

—Dice que todo el mundo lo hace y que yo me porto como una provinciana tonta. Que no voy al ritmo de los tiempos.

—¿Pero quieres o no quieres?

—No quiero perderlo.

—Si le gustas te esperará.

—Esa es solo la teoría filosófica de la madre Bernard, Kit. Hoy en día no te esperan.

—¿Y él te gusta?

—Sí, claro.

—¿Por qué? ¿Te hace reír? ¿Compartís las mismas cosas?

—No mucho. Pero me gusta estar con él. Me gusta ser su novia.

—¿Y él dice que te dejará si no te acuestas con él?

—Él lo llama hacer el amor.

—Llámalo como quieras.

—Bueno, no lo dice tal cual, pero es fácil darse cuenta.

—Eso es chantaje.

—Dice que no se ama de veras a alguien sin...

—Ya, claro. —Kit parecía sarcástica.

A Clio se le encendieron los ojos.

—También dice que su hermano Kevin lo ha hecho contigo.

—¿Qué?

La vehemente reacción de Kit alarmó a Clio.

—Es lo que él dijo. Después de una fiesta, al parecer.

Kit se levantó de la mesa, roja de ira.

—Voy a darte un consejo, Clio. Si quieres, lo aceptas. Si no, lo olvidas. Esa es una mentira como la copa de un pino. Es cierto que ese estúpido de Kevin trató de meterse bajo mi falda, una vez. Y yo lo rechacé. Porque cuando pierda mi virginidad no será con uno de esos cerdos ignorantes de los O'Connor, con sus risas idiotas y sus mentiras, tan convencidos de que son Dios Todopoderoso solo porque tienen un asqueroso coche propio.

Los de las otras mesas observaban con gran interés a la hermosa joven de oscura cabellera rizada y elegante chaqueta roja. La chica arrojó unas monedas a la mesa y salió apresuradamente del restaurante. No todos los días se oye hablar de mentiras, virginidad y asquerosos coches.

Dublín estaba cambiando.

Lena pensó en cien excusas para enviar a Kit una carta breve, siquiera una postal. Pero las descartaba todas por ser demasiado endebles. Si hacía algún intento de ponerse en contacto con ella, la chica volvería a rehuirla. Después de todo, su nota había sido solo un tardío agradecimiento por el vestido y una advertencia de que Martin y Maura estarían en su ciudad. No expresaba ninguna cordialidad ni deseo alguno de reanudar la relación.

Pero tal vez habría algo. Alguna excusa posible. Lena rastreaba el periódico local en busca de algún artículo interesante, algo que pudiera justificar una comunicación. Un día apareció un artículo sobre las dificultades de obtener empleo en la industria hotelera. Lo recortó para pegarlo en un papel. Luego añadió un folleto de la agencia Millar sobre «oportunidades en el ramo de la hostelería» y se lo envió al colegio.

Kit ya estaba cursando el segundo año. Era hora de que pensara en puestos y posibilidades. Sin duda no se ofendería.

Lena había redactado la nota una y otra vez hasta quedar satisfecha.

> Me pareció que esto podía ser de interés para ti y para tus compañeros.
>
> Espero que el curso marche bien.
>
> Mis sinceros deseos de éxito y felicidad.

L.

Fue Maura quien notó algo raro en Emmet.

—Si no te molesta, voy a por Peter para que te eche un vistazo —insistió.

—Ya soy mayor, Maura. Si tuviera algo me daría cuenta.

Emmet era un chico guapo, delgado y, a veces, de aspecto frágil. Como era buen lanzador, era muy apreciado en el equipo de béisbol. Maura sabía que faltar a un partido no se justificaba sino en casos de suma emergencia. Pero el chico estaba amarillento hasta en el blanco de los ojos. Decidió no rendirse.

—Ya sé que eres mayor, Emmet, créeme. Si se tratara de hacerte malgastar tiempo en antesalas, no trataría de imponerme. Pero Peter es mi cuñado. ¿No te molesta que le pida que venga a verte, solo una vez?

Emmet sonrió.

—Eres demasiado razonable, Maura. Ese es el problema.

Peter Kelly dijo que el chico tenía ictericia aguda. Se le podía atender en casa. Habría que oscurecer el cuarto, darle mucha agua de cebada, una buena dosis de vitaminas y minerales y hacerle un análisis de orina, que era roja como vino de Oporto.

Maura cruzaba desde el taller de Sullivan e iba a verle dos veces por la mañana. El padre subía otras tantas desde la farmacia. Anna Kelly, que no iba a la escuela porque se estaba recuperando del sarampión, también iba a leerle.

—¿Qué prefieres? No creo que te guste *Desirée*; es un estupendo relato sobre la novia de Napoleón.

—No. Prefiero otra cosa, si no te importa. Poesía, tal vez.

—En casa tengo un libro de poemas divertidos. Ogden Nash. ¿Lo traigo?

—Bueno, si tienes que ir...

—Iré a buscarlo —se ofreció ella.

—No quiero que pierdas todo tu tiempo libre —dijo él en tono solícito.

—No, por Dios. Además, el enfermo grave eres tú. Yo solo he tenido sarampión.

Emmet se sentía importante por tener una enfermedad grave. Le halagaba que Anna hubiera ido hasta su casa a buscar el libro.

Ogden Nash les encantó. Se turnaban para leer en voz alta y en la casa resonaban las carcajadas.

Cuando Kit volvió de Dublín descubrió que estaban siempre juntos: su hermano Emmet, amarillo hasta los ojos, y Anna Kelly, con el sarpullido oscuro del sarampión ya medio borrado. Parecían estar muy unidos.

Kit pasó mucho tiempo preguntándose si debía escribir a Lena. Era preciso agradecerle el folleto. Pero ¿acaso no tenía Lena derecho a saber que su hijo había estado muy enfermo y que ya estaba recuperado? Claro que, al abandonarlos, ella había renunciado a cualquier derecho. Pero si su carta aclaratoria hubiera llegado a su destino, al menos habría podido tener noticias de sus hijos. Si aquella carta no hubiera sido quemada, su padre y Maura no habrían podido casarse.

Sus pensamientos recorrían siempre el mismo círculo. Kit nunca lograba entenderlos del todo. En vez de vacilar y perderse en deseos, había que aceptar las cosas tal y como eran.

Al final decidió escribirle.

Muchas gracias por los folletos. Es interesante saber que Gran Bretaña ofrece tanta variedad de oportunidades. Como aquí hacemos los mismos exámenes, cualquiera de nuestra escuela cumpliría los requisitos. Siempre se nos habla de las enormes oportunidades que se nos van a presentar en cuanto Irlanda comience a fomentar el turismo, pero es muy interesante saber que la especialización ya se está produciendo en Inglaterra.

Emmet se está recuperando de un caso serio de ictericia. Lo han cuidado y atendido bien; dentro de dos semanas estará en condiciones de volver a clase.

Supuse que querrías saberlo.

Yo también te envío mis mejores deseos.

KIT

Así se enteró Lena de que su único hijo varón yacía en cama con ictericia; después de todo, era una forma de hepatitis.

Sentía celos. Celos de Maura Hayes, que podía llevarle jugo de carne y caldo de pollo, que cubría con gasas la jarra de agua de cebada con limón. Lena habría hecho todo eso y más. Le habría acariciado la frente, le habría cambiado el pijama. Se habría sentado a contarle cuentos y a leerle poemas. Su mente estaba muy lejos, pensando en todo eso.

Louis le tocó la mano. Ella siempre reservaba tiempo para que ambos pudieran desayunar juntos, sin prisa.

—¿Con qué estás soñando? —preguntó él.

—Pensaba en que mi hijo tiene ictericia. Y espero que se recupere —dijo Lena, sin poder contenerse.

—¿Cómo diablos lo sabes? —Louis parecía sorprendido.

Pero ella ya estaba repuesta y supo reaccionar.

—Me preguntaste con qué estaba «soñando». Ahora ya lo sabes. —Su sonrisa era tranquilizadora.

Él puso cara de lástima.

—No hablo de eso porque no tiene sentido. Pero sé lo mucho que debe de costarte.

—Y yo sé que lo sabes, Louis.

—Es una pena que tú y yo no hayamos tenido hijos.

—Sí —dijo ella con voz inexpresiva.

—Pero comprendo que pienses en los chicos. —Era como si la estuviera perdonando por recordar tanto a sus hijos.

—De vez en cuando, sí.

—¿No te arrepientes de haberlos dejado...? —Louis sabía cuál sería la respuesta.

Ella hizo una pausa antes de contestar. Por el rostro de Louis pasó un destello de ansiedad, pero de inmediato se transformó en una gran sonrisa.

—Bien sabes que te he querido toda mi vida, Louis. Todo el tiempo que pasé lejos de ti fue tiempo perdido. ¿Cómo puedes preguntarme si me arrepiento de haber hecho algo que me permitió estar contigo?

Él parecía conmovido. ¿Sintió alguna vez remordimientos por haberla abandonado, hacía tantos años? ¿Por serle infiel en aquel momento, constantemente? Repetía, una y otra vez, que ella era la única mujer capaz de retenerlo. Pero eso bien podía significar que no había otra tonta capaz de permanecer a su lado a pesar de toda aquella serie de humillaciones. ¿Era eso lo que él llamaba «retenerlo»?

Hacía años, cuando Lena había dicho a Martin McMahon que no podía casarse con él porque aún amaba el recuerdo de otro hombre, él replicó, desconcertado, que eso no podía ser amor, sino capricho. Por entonces ella se había irritado mucho, diciendo que era una estupidez tratar de definir ciertas cosas por medio de palabras.

Aún seguía creyendo lo mismo. Al contemplar el perfil de Louis, la sombra de sus pestañas, se preguntaba qué giro diferente habría tomado su vida si hubiera podido olvidarlo aquella primera vez, si hubiera podido decirle que no cuando él volvió para llevársela.

—¿Qué te gustaría hacer este fin de semana? —preguntó Louis.

Lo que en verdad le habría gustado hacer era volar a Dublín, ponerse un pañuelo en la cabeza y gafas oscuras, subir al tren y al autobús para viajar a Lough Glass, entrar en la casa y subir al cuarto de su hijo. Le habría gustado llegar por la tarde, cuando él estuviera dormido, y tocarle la frente, susurrarle que su madre lo amaba y que lo sabía todo sobre él, hasta el último latido de su corazón. Luego le habría dado un beso. Y cuando él despertara lo recordaría todo, pero como se recuerda un sueño.

Habría bajado a la cabaña de la hermana Madeleine para agradecerle su ayuda salvadora durante tanto tiempo. Le habría dicho que era feliz. Y luego se habría reunido con Kit para caminar un rato junto al lago. Eso la hacía sentir tan libre... pero era una idea fantasiosa. Era peligroso pensarlo, incluso unos segundos. Equivalía a pensar en cometer más traiciones de las que ya había cometido.

—¿Sabes qué me gustaría? Ir a Oxford o a Cambridge y pasar la noche allí. —Parecía una niña ilusionada.

Él reflexionó.

—Bueno, no queda lejos, si cogemos el tren.

Se decidieron por Oxford. Él pidió en el trabajo que le recomendaran un buen hotel. Resultaba fácil ser la única mujer del mundo que podía retener a Louis Gray. Bastaba con caminar con los ojos cerrados y la mente abierta. Oxford y Cambridge eran dos sitios a los que él nunca había ido en viaje de negocios. Por lo tanto, no ofrecían peligro.

—¿Cómo está el chico? —preguntó Stevie.

—Ya pasó lo peor. Está más amarillo que un canario, pero se va recuperando. —Maura se sentía aliviada; la enfermedad la había tenido preocupada.

—Me alegro. Oye, Maura, esta tarde estaré fuera unas horas. En realidad, es posible que no vuelva. Va todo bien, ¿no?

—En el trabajo sí, Stevie.

—¿Qué demonios quieres decir con eso?

Lo que ella quería decir era que la vida privada de Stevie

Sullivan no iba nada bien. Maura McMahon tenía ojos en la cara. Sabía lo de la hermosa Orla Dillon, la del puesto de periódicos. Orla, que se había casado a toda prisa hacía un par de años y vivía con la familia de su marido, en una aldea alejada.

La habían visto un par de veces con Stevie en sitios que eran, como poco, indiscretos. Y aquella mañana había telefoneado. Aunque había dado otro nombre, Maura reconoció la voz. Era evidente que habían planeado verse por la tarde.

—No quiero decir nada, Stevie. —Bajó la vista.

—Estupendo. Bueno, me voy. Los dos muchachos se encargarán de la gasolinera. Si quieres ir a ver cómo está Emmet, descuelga el teléfono.

De pie en la puerta, balanceaba las llaves del coche; era un joven alto y guapo, demasiado inteligente y prometedor para meterse en problemas con la Dillon y con toda su familia política.

—Ya sé que no soy tu madre...

—Gracias a Dios, no. Eres más joven, más inteligente y realmente más distinguida.

Ella lo miró con desesperación.

Su madre no le daría ningún consejo provechoso, claro. Era una mujer agria, amargada por la vida que había llevado, pero incapaz de notar que las cosas estaban mucho mejor. Pasaba el tiempo lanzando indirectas a Maura: «Cualquiera habría pensado que el farmacéutico estaba en condiciones de mantener a su mujer». Y se las arreglaba para aludir varias veces a que la primera esposa nunca había creído necesario trabajar fuera de casa. Maura no le prestaba atención. Kathleen Sullivan era una pobre mujer. Eso era lo que la gente decía de ella, que era una pobre mujer.

No estuvo más de quince minutos enfrente. Lo necesario para cambiar el pijama a su hijastro y alcanzarle un paño mojado para que se refrescara la frente. Se estaba recuperando bien. Maura salió en silencio, sin detenerse siquiera en la farmacia para ver a Martin.

En cuanto entró en la oficina vio la caja fuerte abierta. Había cosas tiradas en todos los estantes y el escritorio estaba volcado. No pudo mover los pies. Solo reaccionó al oír los quejidos... algo muy débil que sonaba detrás de la puerta, en la casa de los Sullivan. Entonces puso los pies en movimiento y corrió hacia allí. Encontró a Kathleen Sullivan tendida en el suelo, con los brazos estirados pidiendo ayuda. La habían golpeado salvajemente; tenía el pelo y la cara cubiertos de sangre.

Todos elogiaron a Maura por su serenidad, pero ella rechazó los halagos. Era fácil: su marido estaba en la farmacia, a pocos metros de distancia, y su cuñado en el otro extremo de la línea telefónica. En todo caso, se culpaba por haber abandonado la oficina. Si hubiera estado allí, tal vez Kathleen no habría sufrido aquel ataque.

—No digas eso —susurró Martin—. Podría haberte tocado a ti. Por Dios, Maura, supón que hubieras sido tú...

También demostró tacto en cuanto a la ausencia de Stevie. Él le había dicho que tenía un compromiso. Debía de ser con sus asesores financieros. No, no se trataba del banco; tampoco de los contables. Ya regresaría.

Maura insistió en no abandonar el local hasta su regreso. A Kathleen la llevaron en ambulancia al hospital de la ciudad. Había perdido mucha sangre y era preciso examinarla por si tenía fracturas. Las heridas eran demasiado profundas para coserlas sin anestesia.

Peter estaba enfadado.

—Tú tampoco pareces estar bien, Maura. Regresa a casa —sugirió.

—Es lo que yo le estoy diciendo.

Ella comprendió que debía dominar la voz para que no sonara histérica.

—Dejad que me quede, por favor. Tengo que cuidar el local hasta que vuelva Stevie Sullivan. Quiero estar aquí cuando llegue.

El sargento O'Connor dijo que él también se quedaría.

—Ah, Sean, puedes volver al despacho, por el amor de Dios. Cuando Stevie vuelva le diré que te llame.

—No. Yo también me quedo a esperarlo —dijo Sean, muy serio.

—Yo te diré lo que falta.

—Le esperaré, Maura.

—Tal vez tengamos que esperar mucho.

—¿Es la chica de Dillon?

—No tengo idea de quién... Él dijo...

—Está bien, Maura, no importa. —El sargento parecía cansado—. Pero si es Orla Dillon, tengo entendido que suelen encontrarse en una casa deshabitada, detrás del cementerio.

—¿Cómo te enteras de cosas así?

—Es mi trabajo.

—No es cierto. Eso es trabajo de chismosos, de aficionados a los escándalos.

—¿Te parece que perdería el tiempo si fuera a buscarlo allí?

—No me harás decir nada...

—No, en realidad estaba pensando en ahorrar tiempo. Así podríamos irnos a casa mucho antes.

—Bueno, entonces...

Sean se levantó para buscar las llaves del coche.

Nadie sabía dónde podían haber ido. No se produjeron otros asaltos en la zona. Tampoco se encontraron huellas dactilares claras.

¿Podía tratarse de una banda profesional? Sean O'Connor pensaba que no. Los ladrones profesionales podían dejar el local en esas condiciones, pero no habrían dejado allí tantos documentos que podían cambiarse fácilmente por dinero.

Kathleen Sullivan, que se recuperaba en el hospital, no recordaba cuántos habían sido sus atacantes. Unas veces pensaba que era solo uno, un hombre corpulento, de gruesas cejas negras, que olía a sudor; otras creía que habían sido dos.

Quienquiera que fuese, no había llegado en coche; así lo aseguraban los dos muchachos que atendían la gasolinera. Sin duda había entrado por atrás, al ver que Maura cruzaba la calle hacia la farmacia. Y no esperaba encontrar a Kathleen en la oficina.

Por cierto, ¿qué estaba haciendo ella en la oficina? No había necesidad de preguntarlo. Todo el mundo, desde Maura y Stevie hasta el sargento O'Connor, sabía que aprovechaba cualquier oportunidad para meterse a curiosear; probablemente registraba también el bolso de Maura. No para robar nada, por supuesto, sino en busca de información.

—No tendría que haber ido a casa —dijo Maura a Stevie.

—Yo tampoco debía estar donde estaba —replicó él.

—Tal vez a mí no me habrían atacado, porque soy una mujer más bien fuerte. —Aún le temblaba la voz.

—Demasiados problemas tengo ya, Maura. Si te hubieran atacado a ti, habría tenido que soportar la mirada acusadora de Martin McMahon durante el resto de mi vida. Y eso no me habría gustado.

—¿Quieres que lo limpiemos esta misma noche? Sean ya ha terminado con todo.

—Oh, no. Si me acompañas al bar de Paddles, te invito a una copa para reanimarnos.

—No, a Paddles no le gustan las mujeres. —Stevie se echó a reír—. No, en serio. Quiero ir a casa. El pobre Emmet no sabe lo que pasa. ¿Por qué no vienes conmigo? A Martin le encantaría.

—Bueno. Aún me tiemblan un poco las piernas.

Los temblores de Stevie se debían, en gran parte, al susto que se había llevado cuando el sargento irrumpió súbitamente en su nido de amor. Temió tener que vérselas con toda la familia política de Orla Dillon, enfrentamiento del que no habría salido con vida.

Necesitaba una copa. En cualquier parte.

Anna Kelly estaba sentada junto a la cama de Emmet, con una chaqueta blanca sobre el vestido azul. Su pelo rubio, como el de Clio, brillaba y tenía el color del maíz.

Stevie no se había dado cuenta de que la pequeña fuera tan atractiva.

—Bueno, bueno, qué suerte tiene Emmet de contar con su propia enfermera —dijo con admiración.

—Estamos jugando a la solterona —explicó Anna repartiendo las cartas.

—No hay ningún peligro de que acabes en eso, Anna. —Stevie sonrió.

—Oh, no sé, podría ser peor. Imagínate, casarse con alguien de aquí.

—No estás obligada a elegir entre la gente de aquí —observó tía Maura.

—Tú lo hiciste.

—Sí, pero yo ya era mayor, por así decirlo, y sabía que deseaba vivir aquí. Oye, Emmet, vine por si te sentías solo, pero ya veo que no.

—¿Los han cogido? —Al chico le brillaban los ojos de ansiedad.

—Todavía no —respondió Stevie—. Pero no te preocupes, que no están por aquí.

—¿Y por qué eligieron tu taller? —preguntó Anna.

—Porque es la agencia de coches que más ha crecido en la zona —aseguró él.

Anna miró a su tía, buscando confirmación.

—De lo contrario yo no trabajaría allí —dijo Maura—. Ven, Stevie; vamos a tomar esa copa que te prometí.

Pasaron a la sala. Martin estaba hablando por teléfono con Kit. Las noticias de la radio habían hablado del robo. Kit oyó que mencionaban a Lough Glass, y quería saber si todos estaban bien.

—Háblale. —El padre hizo un gesto nervioso a Maura.

—Oh, Maura... —Kit rompió a llorar—. Tenía tanto miedo de que te hubiera pasado algo malo... Gracias a Dios solo recibió esa vieja bruja de Kathleen.

Maura tardó un momento en colgar. Apenas podía hablar por la emoción de que su hijastra llorara por ella. Era más de lo que nunca hubiera esperado. Eso, y la expresión de alivio y amor en los ojos de Martin, mientras servía brandy para todos. Con fines puramente medicinales, por supuesto.

La hermana Madeleine sirvió una taza de té para la señora Dillon.

—Es difícil entender este mundo, sí —reconoció.

—Recurro a usted, hermana, porque conoce bien toda la maldad que hay aquí y porque no se planta en un púlpito a predicar y a hablar de perdonar o no perdonar, según el caso.

La ermitaña aceptó aquella alta opinión. La mujer estaba muy preocupada por la conducta de su hija Orla.

—Tal vez no debió haberse casado con alguien de ese clan. Pero el padre Baily quería que todo se hiciera cuanto antes, para evitar el escándalo; mejor dicho, para que no creciera el escándalo, según dijo él.

Madeleine murmuró y suspiró, como siempre; eso reconfortaba mucho a sus visitantes. No culpaba a nadie de nada. Por eso a la gente le encantaba ir a verla. Era un gran consuelo. Pero cuando uno buscaba consejo, ella te dejaba elaborar la solución.

—Temo que Orla esté descuidando a su hijo. Eso es algo que no pienso tolerar, pero últimamente no se puede hablar con los jóvenes. Ya no tienen miedo, como en nuestros tiempos.

—Pero es posible que los hermanos del marido le den miedo —dijo la hermana Madeleine, de pronto—. Si le insinuaras que estuvieron bebiendo en algún lugar y que les llegó el rumor... Tal vez eso haga maravillas.

La señora Dillon se fue, agradecida como si la monja hubiera hecho un milagro. Eso era lo que haría. Era la mejor solución. Ninguna de las dos mencionó que se trataba de una mentira. Daría resultado.

Ya a solas, la hermana Madeleine llenó un platito con leche para el gato ciego que unos niños le habían llevado. Fue entonces cuando oyó el ruido. Era una respiración jadeante, difícil. Y sonaba muy cerca de su puerta. Al principio pensó que se trataba de algún animal; cierta vez un ciervo había llegado hasta el borde del lago, frente a su cabaña. Pero también oyó un gruñido.

La hermana Madeleine nunca tenía miedo. Cuando la corpulenta silueta se irguió ante su puerta, ella se mantuvo serena, más serena que el hombre de gruesas cejas y con un brazo manchado de sangre; aquel hombre que había sido herido en alguna pelea. Tenía ojos de salvaje y se sobresaltó más que ella: esperaba encontrar la cabaña vacía.

—No se mueva y no le pasará nada —le gritó.

La hermana Madeleine permaneció inmóvil, con la mano en el cuello, tocando la sencilla cruz que llevaba colgada de una cadena. Después de un rato que se le hizo muy largo, el hombre arrugó la cara.

—Ayúdeme, hermana. Ayúdeme, por favor —dijo. Y las lágrimas empezaron a caer a raudales.

Con mucha suavidad, para no asustarlo, la hermana Madeleine avanzó hacia él y le señaló una silla.

—Siéntate, amigo —dijo con voz pausada y tranquila—. Siéntate y deja que te mire ese pobre brazo.

—Esto no concierne a nadie más —dijo la hermana Madeleine, mientras lavaba la herida del hombre.

Él temía que huyera para denunciarlo a alguien.

—No salga de mi vista —ordenó, más colérico que nunca.

—Tengo que ir a por más agua —dijo la monja simple y llanamente.

Él se apoyó en la silla. Por alguna razón, pensaba que ella no lo entregaría.

—Tengo problemas —dijo por fin.

—No lo dudo.

La ermitaña dijo que, hasta donde ella podía juzgar, la herida no necesitaba puntos. Si la vendaba, lo más probable era que se cerrara bien.

—¿No quieres refrescarte con el agua del pozo? Pero cuida ese pobre brazo. Trata de no mojártelo. Así te sentirás más cómodo para tomar el té.

—¿El té? —Él no podía creerlo.

—Pensaba ponerle mucho azúcar. Eso te da energía cuando has sufrido un accidente.

—No fue un accidente.

—Bueno, lo que fuera. También tengo un delicioso pan fresco que trajo la señora Dillon...

—¿Hay gente que viene aquí? —preguntó él con desconfianza.

—Por la noche no. Anda, ven. —Era dulce y firme al mismo tiempo.

Pronto lo tuvo sentado a su mesa, más tranquilo y lavado a medias, bebiendo taza tras taza de té azucarado. También devoró varias rebanadas de pan caliente con mantequilla.

—Usted es una buena mujer —dijo al fin.

—No, soy igual que cualquiera.

—No debe permitir que alguien entre y se aproveche así de usted. Muchos no serían tan decentes como yo.

Si ella disimuló una sonrisa, el hombre no se dio cuenta.

—En general, la gente es generosa y decente, cuando una lo permite.

A manera de asentimiento, él golpeó la mesa con la cuchara.

—¡Muy cierto! Pero no te dejan serlo. En eso usted tiene mucha razón.

—¿Te gustaría dormir esta noche aquí, junto al fuego? Tengo una manta y un almohadón.

Su enorme cara se arrugó casi por completo.

—Usted no entiende... Verá...

—No necesito entender. Ahí tienes el fuego, si prefieres quedarte en vez de salir a la intemperie.

—Bueno, hermana, verá... Es posible que vengan a buscarme.

—En mi casa y por la noche, no, nunca.

—No dormiría tranquilo. De veras.

Con un suspiro, ella lo acompañó hasta la puerta.

—¿Ves ese árbol grande que está apartado de los otros, en línea recta desde aquí?

—Sí. —El hombre bizqueaba en la oscuridad.

—Allí arriba hay una casita en el árbol. Usa los peldaños del tronco y encontrarás una casa secreta. La hicieron unos niños, hace mucho tiempo.

—¿Y no querrán usarla ahora?

—Ya son mayores y la han olvidado.

Fue la comidilla de la ciudad. Durante días enteros, Mona Fitz dijo que tenía el corazón en un puño: aquellas bandas volvían y la emprendían con las estafetas de correos; lo había leído en alguna parte. La ferretería de Wall puso candados en todas las puertas. Si la banda había huido por la calle de atrás, tal vez hubiera visto el botín que podía obtener allí. Sin duda regresarían en otra ocasión.

Dan y Mildred O'Brien, los del Hotel Central, estaban deprimidos. Demasiado mal estaba ya el pueblo, decían, para encima ganarse la reputación de que allí asaltaban a mano armada.

Y naturalmente, el caso apareció publicado en la prensa local.

El periódico que Lena compraba todas las semanas cubría ampliamente el hecho. Ella leyó los detalles de un crimen que parecía violento y sin sentido. No es que le agradara, pero al menos le proporcionó una excusa para escribir otra vez a Kit.

He leído con preocupación lo que sucedió en el taller que está frente a tu casa. Solo quería hacerte llegar mi solidaridad y mis deseos de que todos se hayan repuesto de esa desagradable sorpresa. No te sientas obligada a responder a todas mis notas. Pero sabrás perdonarme por sentir esta gran necesidad de hacerte saber lo mucho que me afecta.

Firmaba «Lena».

—Oye, Kit, pensaba decir que este fin de semana tú y yo haríamos un viaje juntas —dijo Clio por teléfono.

—¿Y por qué quieres decir eso?

—Porque voy a pasar el fin de semana fuera.

—¿Y...?

—Y ya conoces a tía Maura, que se pasa el día metiendo la nariz y preguntándome si estoy bien...

—Sí.

A Kit eso realmente no le molestaba. Maura solo preguntaba para estar segura de que no les faltaba dinero, diversiones y ropa limpia. No las interrogaba sobre sus amigos. Pero Clio no debía de andar por buen camino, si la pregunta más simple le parecía una amenaza.

—Bueno, pensaba decir que tú y yo iríamos a Cork. Sería de lo más normal.

—No sería de lo más normal.

—Bueno, ¿me echarás un capote o no?

—¿Cuándo?

—Dentro de dos fines de semana.

—¿Y adónde vas, Clio?

—No lo sé con exactitud.

—Sí lo sabes. Vas a perder tu virginidad con ese horrible Michael O'Connor, ¿no?

—¡Caramba, Kit!

—¿Sí o no?

—Bueno, puede ser.

—Oh, qué idiota eres.

—Perdón, hermana Mary Katherine. No sabía que ya hubiera hecho sus votos.

—No es por eso. Es por él.

—Solo porque no te guste su hermano...

—Tampoco me gusta él. Y a ti tampoco, Clio. Lo que te gusta es que son ricos.

—No es cierto. Me ha presentado a su familia y me gustan todos. No me interesa que sean ricos o no.

—Conozco a una parte de su familia, a ese tal Kevin, y no me gusta en absoluto. Lo que menos me gusta es lo que ha estado diciendo de mí. Ojalá pudiera vengarme. Ya se me ocurrirá algo.

—Oh, no exageres —dijo Clio—. Son muy simpáticos, de veras. Tienen una hermana mayor que se llama Mary Paula. No te imaginas cómo viste. Es increíble. Y ha estado en todas partes: en hoteles de Suiza, Francia... ¡En todas partes!

—¿Estudió administración hotelera?

—No, creo que fue solo para entretenerse. Estuvo en un lugar estupendo donde se va a esquiar.

—En Irlanda hay muchas oportunidades para conseguir trabajo como esquiadora —dijo Kit, sarcástica.

—Oh, deja de criticarlos a todos. Oye, ¿qué vas a hacer este fin de semana?

—Casualmente yo sí voy a Cork, a casa de Frankie —aclaró Kit—. Pero vosotros no podéis venir. Ninguno de los dos.

—No importa. Puedo decir que voy contigo, para tener una especie de coartada. ¿Qué apellido tiene?

—¿Quién?

—Frankie.

—No sé. Nunca se lo he preguntado.

—Oh, no seas cerda, Kit. Bueno, voy a inventarle un apellido. ¡Qué poca ayuda me prestas, Dios mío! A veces pienso que te estás volviendo tan loca como tu madre.

Se hizo el silencio.

Kit colgó.

Frankie y Kit viajaron a Cork en tren, sin dejar de reír en todo el trayecto. Luego cogieron un autobús para llegar a la población donde vivía la familia. Era más grande que Lough Glass, pero no mucho. El padre tenía un bar. Dijo que cuando su hija fuera administradora hotelera y su hijo abogado, vendería el bar para jubilarse. La madre de Frankie replicó que no se jubilaría jamás; trabajaba en ese bar desde los dieciocho años y no conocía otra clase de vida.

Eran personas alegres y despreocupadas; no le hicieron tantas preguntas sobre su vida personal como le habrían hecho los Kelly, pero tampoco la recibieron con la elegancia que su madre habría procurado a un huésped. Kit se preguntaba por qué pensaba súbitamente en su madre. Hacía mucho que era Maura quien se encargaba de la casa de Lough Glass. ¿Por qué le parecía aún la casa de su madre?

Tal vez debía escribir a Lena, pero no tenía motivos. No pensaba reanudar la correspondencia después de tantas mentiras, de tantos engaños.

Aquel fin de semana también estaba allí Paddy, el hermano de Frankie, que estudiaba derecho en Dublín. Asistía a clase en Four Courts, y solo allí tenía un poco de libertad. Por lo demás, trabajaba como aprendiz con su tío materno, lo cual era como estar condenado a galeras.

—No es tan malo —dijo Frankie, defendiendo a su tío.

—Eso lo dices porque no trabajas para él. Pero es un buen entrenamiento.

Se habían sentado como buenos amigos en el bar del padre.

Paddy bebía cerveza; las chicas, bíter con limón. Él les habló de su trabajo. Lo que menos le gustaba era cobrar deudas; tenía que entrar en viviendas donde las mujeres, con niños en los brazos, trataban de explicarle por qué el hombre de la casa no había pagado ni estaba allí para dar las excusas personalmente.

En el bufete de un abogado se podía conocer la vida, dijo. Por ejemplo, representaban a una mujer que pedía una indemnización por una gran cicatriz que le había quedado en la cara. Como eso disminuía sus posibilidades de contraer matrimonio, recibiría una suma enorme.

—¿Solo las mujeres reciben dinero por estar desfiguradas? ¿O los hombres también?

—Solo las mujeres, porque pierden perspectivas matrimoniales —respondió Paddy alegremente—. Los hombres pueden casarse aunque tengan la cara llena de cicatrices; eso no los afecta en absoluto.

—Es muy injusto, ¿no? —comentó Kit—. Es como decir que las mujeres solo podemos casarnos si somos guapas.

—Es cierto —dijo Paddy—. Y esa mujer tiene derecho a una gran indemnización. A decir verdad, ¿qué tienen las mujeres para ofrecer, salvo su aspecto y su reputación?

Frankie se echó a reír.

—Eso es lo que dicen las monjas —observó.

—Bueno, también lo dice la ley —confirmó Paddy—. Si perjudicas mediante engaño la reputación de una mujer tienes que pagar.

—Háblame más de eso —dijo Kit, con los ojos brillantes de entusiasmo—. Cuéntamelo todo, estoy fascinada.

Se divirtieron mucho durante aquel fin de semana redactando una carta. Paddy dijo que, cuanto más amenazadora fuera, más posibilidades habría de obtener la respuesta deseada.

—Aquí cabe exigir una suculenta indemnización —aseguró—. El individuo es el hijo de «Dedos» O'Connor, un hombre muy conocido. No querrá ningún escándalo, así que pagará bien.

—No pretendo que pague —dijo Kit—. Me conformo con aterrorizarlo.

—De todos modos, tú no eres un abogado de verdad —objetó Frankie.

—Él ni lo tratará, si usamos papel del bufete —explicó Paddy.

Kit envió una postal a Lena.

> Estoy pasando aquí un agradable fin de semana con amigos. Gracias por interesarte por la tragedia de Lough Glass. Ya pasó todo, aunque nadie tiene idea de quién lo hizo ni por qué.
>
> Cuídate.
>
> Kit

El hombre vivía tranquilamente en la casa del árbol. Era un lugar apacible, y le gustaba oír el chapoteo del agua y el reclamo de los pájaros. La monja era una mujer muy razonable. Aseguraba que ella misma era una descastada y que por eso le entendía. Él había tratado de decírselo aquella primera noche, pero la monja no quiso escuchar. Pero al día siguiente él se dio cuenta de que estaba enterada, pues le había cambiado la cara.

—¿Dónde está el otro? —le preguntó—. La gente del pueblo dice que eran dos, al menos. Quizá una banda entera.

Se agitó mucho al oír aquello. En aquel momento lo perseguirían, quizá con perros de presa. Le dijo que había obrado solo. Como necesitaba dinero, había esperado en la callejuela hasta que aquella mujer salió. ¿Cómo iba a saber que la vieja entraría deslizándose en cuanto la otra saliera? Y los gritos, los rugidos... Tuvo que golpearla solo para que dejara de gritar. No había querido hacerlo con tanta fuerza.

—¿Cómo te llamas? —preguntó la hermana Madeleine.

—¿Quiere que le diga mi nombre? —preguntó él con incredulidad.

—Necesito saber cómo llamarte. Yo soy Madeleine.

—Yo me llamo Francis. Francis Xavier Byrne.

—¿Y dónde vives... habitualmente, Francis?

—Vivo... vivo en... —Se interrumpió. Ella guardaba silencio—. Vivía en un hogar, hermana, pero me fui. El problema es que necesitaba dinero. Detestaba aquel hogar. No merece ese nombre. Esto es más hogar que aquello.

—Entonces quédate —dijo ella con sencillez.

—¿Lo dice en serio? ¿Después de lo que hice?

—No soy juez ni jurado. Solo otra persona que vive en la misma tierra.

El hombre pasó la mayor parte del día durmiendo en la casa del árbol.

Más tarde se presentó el sargento O'Connor. Dijo que estaban registrando la zona.

—Si hubiera visto u oído algo, hermana, nos avisaría, ¿verdad? —preguntó, observando los ojos inquietos de la mujer.

—Bueno, nunca voy al pueblo, sargento. ¿Y a quién puedo ver, aparte de los amigos que vienen a visitarme?

—Bueno, pero si ve algo fuera de lo normal se lo dirá a sus amigos, ¿no? —Él parecía dudar. La monja le sostuvo la mirada.

—Tienes a la vista todo lo que se puede ver, Sean. Solo una cabaña de dos habitaciones.

El sencillo dormitorio estaba abierto, dejando ver el cubrecama blanco y el crucifijo en la pared. ¿Era imaginación suya o aquella puerta solía estar siempre cerrada? Casi se habría dicho que quería enseñarlo para demostrar que no escondía a nadie allí.

—La dejo en paz, hermana. Caramba, casi he pisado a ese gatito suyo. ¿Está enfermo?

—Es ciego, el pobre. —La hermana Madeleine lo levantó para acariciarlo.

—Es pobre vida para un gato, no poder ver. No entiendo por qué no lo hizo sacrificar. Habría sido lo correcto —dijo él.

—No siempre hacemos lo correcto —respondió la hermana Madeleine.

—¿No? Bueno, si un grupo de hombres aparece por aquí, lo correcto es decirnos dónde encontrarlos en vez de servirles té con bocadillos.

—¿Es toda una banda? ¿No se trata de una sola persona? —preguntó la monja con serenidad.

—Es una banda. Hasta pronto, hermana.

El sargento se alejó con aire pensativo. Miró a su alrededor, pero no había señales de botes, ni sangre alguna en el lugar. Si de algo estaba seguro era de que uno de ellos, tal vez el único, había sangrado como un cerdo.

La hermana acariciaba al gatito, sonriendo. Se alegró de haber quemado la camisa y la sábana que había usado para enjugar la sangre.

Pasó un buen rato contemplando el lago y preguntándose si estaba haciendo lo correcto. Por lo general tenía muy claro lo que debía hacer: se hacía lo que no perjudicara a nadie. Pero aquel hombre había golpeado a la pobre Kathleen Sullivan; bien habría podido matarla. ¿No era una persona peligrosa a la que debería denunciar?

Ella no lo creía así, pero por primera vez en mucho tiempo, una sombra de indecisión cruzó por la mente de la hermana Madeleine.

—Ya no estás amarillo —dijo Anna a Emmet, con tanto orgullo como si fuera por entero obra suya.

—Lo sé. Ya no parezco una rata.

—Antes tampoco parecías una rata. —Anna le revolvió el pelo—. En realidad, eres muy guapo.

—Sí, claro.

—De veras.

—Es que me gustaría ser... bueno, tener buena pinta, para poder salir un poco contigo.

—¿Qué quieres decir con eso de salir un poco?

—Ya me entiendes: ir al cine, a pasear, cosas así.

—¿Me estás pidiendo que sea tu novia? —Parecía ansiosa y le brillaban los ojos.

—Ya sabes que en momentos muy emocionantes y dramáticos, mi tartamudeo suele volver.

—Ah, ¿y este es uno de esos momentos? —Anna ladeó la cabeza para mirarlo con aire burlón.

—Eso creo —dijo Emmet.

—Bueno, sería muy incómodo —observó ella al cabo de un rato.

—¿Por qué?

—Si te vuelve el tartamudeo cuando trates de decirme que soy bonita o algo así... Me pondría muy incómoda oírte balbucear bo... bo... bo...

—¿Y por qué debo decirte que eres bonita? —Emmet aún se resistía a creer que ella pudiera estar tomándolo en serio.

—Porque yo te he dicho que eres muy guapo. Sería una buena manera de devolverme el cumplido. —Una vez más, su sonrisa era burlona, pero él creyó detectar cierto entusiasmo en el gesto.

—Eres muy bonita, Anna —dijo Emmet.

—Ya ves, ni un tartamudeo, ni una vacilación. Quizá el momento no es tan dramático ni emocionante.

Ella le envió un beso. Luego se oyeron sus pasos, que bajaban corriendo la escalera y salían a la calle.

Emmet McMahon estaba encantado. Nunca se había sentido tan feliz.

Emmet ya estaba casi en condiciones de volver a la escuela, pero aún se sentía algo débil. Maura decidió proponer unas vacaciones familiares: pasarían una semana en uno de los grandes balnearios marítimos; puesto que el verano ya había terminado, todo estaría tranquilo.

Averiguó precios y sugirió la idea a Martin.

—Y podríamos proponer a Kit que viniera durante un fin de semana largo. De cualquier modo tiene el lunes libre. Podría tomarse también el viernes, ¿no te parece?

—Creo que le encantaría —dijo Martin—. Pero ¿no te va a resultar muy difícil arrancar a nuestro joven Romeo del escenario de su conquista?

Ambos habían estado observando discretamente el idilio entre Emmet y Anna, desde lejos y sin comentarios.

—Ajá, pero supón que el objeto de sus deseos viniera con nosotros. —Maura rió—. Peter y Lilian dicen que ellos también podrían venir... y hay dos casitas contiguas. Sería magnífico.

Emmet dijo que lo sentía mucho, pero que en realidad no quería alejarse de Lough Glass. Con cara muy seria, dijo que debía hacer un repaso y volver a la escuela. No tenía idea de lo transparente que resultaba. Cualquiera podría haberse dado cuenta de que no quería abandonar el sitio donde vivía Anna Kelly.

Martin lo atormentó un poco.

—Sería un descanso estupendo, ¿sabes? Probablemente sea la última vez que alguien te pague unas vacaciones y te ordene no trabajar.

—Lo sé, papá, y eres muy amable... pero en este momento... —Parecía agobiado por rechazar tanta generosidad.

—Oh, acompáñanos, Emmet. Si no quieres ir, ella no querrá llevarme. —Martin solía fingir que no tenía autoridad alguna en su familia.

—Oh, tendré que llevarte. Cuando organizamos el viaje, prometí a Peter y a Lilian que te obligaría a descansar. Y ya le he pedido permiso a Stevie.

—Ah, ¿los Kelly también van? —preguntó Emmet, ansioso.

—Sí, claro, creo que Anna se llevará una gran desilusión si tú no vas.

—Y podría ser una desilusión para ti que yo no fuera —dijo el chico a Maura.

—Me desilusionaría un poco, sí —admitió Maura.

A aquellas alturas la cara de Emmet estaba radiante.

—Creo que voy a subir hasta la casa de los Kelly para hablar un poco de eso.

—Ponte la chaqueta —aconsejó el padre—. Todavía no estás del todo curado.

—Oh, claro que sí. Estoy muchísimo mejor.

—Fue una gran sorpresa enterarme de que Clio quería acompañarnos —dijo Lilian Kelly a su marido.

—A caballo regalado no se le mira el diente. —Peter Kelly se alegraba de que su hija mayor tuviera interés por ir a un balneario tranquilo, fuera de temporada.

—No habrá muchas diversiones —le había advertido, para evitar malentendidos.

—Una puede estar harta de las diversiones —respondió Clio misteriosamente.

Philip se enteró del proyecto.

—Es posible que yo también vaya esos días.

—No, no irás —dijo Kit—. No se te ocurra pasar por allí. Si te veo aparecer lo tomaré como prueba decisiva de que me has seguido.

—Lo hago solo por tu bien. —Philip se puso a la defensiva.

—¿El qué?

—Seguirte.

—Te has atrevido a seguirme. ¿Adónde?

—A la estación, cuando fuiste a Cork.

—¿A Cork? ¡Me seguiste hasta Cork! —Kit estaba pálida de ira.

—No, solo hasta la estación. Para asegurarme de que no te fueras con ese gorila.

—¿Qué gorila? Y cuidado que tengo derecho a irme con el gorila que se me antoje, pero ¿de quién me hablas?

—De Kevin O'Connor. Nos dijo a todos que se había acostado contigo y que estabas loca por volver a hacerlo. Ya sé que no es cierto, pero se me ocurrió que no lo habría dicho si no tuviera algunas esperanzas. —Philip estaba muy nervioso.

—¿Por qué me dices todas esas locuras, esas porquerías? —le gritó Kit.

—Tú me has preguntado.

—Yo no te he preguntado. Solo te he pedido que no nos siguieras a la playa. No tenía idea de toda esta sarta de mentiras... Estuve pensando en conseguir un abogado para que se encargase de ese Kevin O'Connor. Difamar de ese modo es delito. ¡Y por Dios que se lo haré pagar! Yo creía que eran solo exageraciones de Clio.

—Bueno, pero no se lo digas.

—¡Claro que se lo voy a decir, cobarde! Ese gorila va a lamentar haberme conocido.

Clio y Kit caminaban por la playa.

—Antes de contarme todo en glorioso tecnicolor, debo decirte algo sobre esa familia —dijo Kit.

—¿Qué te hace pensar que voy a contarte algo? Fuiste de muy poca ayuda ese fin de semana.

—Y ahora voy a ser menos útil todavía —aseguró Kit con cierto placer.

—Cuéntame.

—Voy a demandar al hermano. —Se apartó para observar mejor la reacción de su amiga.

—¿A demandarlo? ¿Por qué, Dios mío?

—Por atribución de falta de castidad a una mujer. Así se denomina.

—¿Qué?

—Lo que oyes. Él anda divulgando que ha tenido relaciones sexuales conmigo. Eso no es cierto. Soy virgen. Al afirmar que yo tuve relaciones sexuales, deja implícito que no soy virgen. Y eso disminuye mis perspectivas matrimoniales. Por eso va a tener que indemnizarme.

—¡Joder! —susurró Clio.

—No te asustes, que no eres la única a quien se lo ha dicho. También se lo comentó a Philip O'Brien, lo cual es como proclamarlo en el informativo radiofónico de las seis y media. —Los ojos de Kit echaban chispas ante tanta injusticia.

—¿Y eso irá a los tribunales?

—¡Ojalá!

—Oh, Dios mío. ¿Cuándo?

—Bueno, a menos que él se retracte y me dé una suma de dinero para indemnizarme por el daño infligido a mi reputación...

—Tu reputación no ha sufrido ningún daño.

—¡Claro que sí! Si ese antipático del hermano te lo cuenta a ti... y si él se lo cuenta a Philip... ¿Eso no es dañar mi reputación?

—No, Kit. No hagas eso. Te lo ruego.

—Demasiado tarde. Ya está hecho.

—¿Lo has demandado? ¿Has demandado al hermano de Michael O'Connor?

—Le hice enviar una demanda.

—No puedes. Eres menor de edad.

—Sí puedo.

—¿Ya la enviaste?

—Sí, es una cosa de nada. Dice mi abogado que se hace todos los días.

—No puede ser. Yo no sabía nada de eso. Y tú tampoco, hasta ahora.

—Me refiero a las demandas generales. Me dijeron que debía estar preparada por si él declaraba que yo era una cualquiera. Pero como soy virgen y puedo demostrarlo, quedará claro que él miente.

Clio estaba sentada en una roca, más verde que el musgo de alrededor.

—Has estropeado mi relación con Michael. Lo has echado todo a perder.

—En absoluto, más bien al contrario. Puedes advertir a Michael que si Kevin no lo arregla, voy a llegar hasta las últimas consecuencias. Estoy sumamente interesada en mantener relaciones sexuales con alguien, cuando llegue el momento, y no voy a soportar que ese gorila borracho e ignorante vaya por ahí diciendo que se acostó conmigo. Aunque fuera el último hombre de la tierra, preferiría morirme quedándome con las ganas. Puedes decírselo. Me encantaría que lo hicieras.

—Pero tu padre, Kit, y tía Maura... ¿qué dirán todos?

—Dirán que estuve estupenda y que me he sabido defender. Ahora cuéntame lo de tu fin de semana con Michael.

Habían llegado las lluvias y la casa del árbol era muy húmeda. Necesitaba un techo más firme. Tommy Bennet, el cartero, era un hombre muy servicial.

—¿Sabes qué me vendría muy bien, Tommy? Un par de láminas de tela alquitranada, algo para impedir las goteras en un carromato.

—Hermana, hermana, le he dicho mil veces que esos gitanos están mejor que nosotros.

—No hablo de los viajeros de la otra orilla, que son buenos amigos de esta comunidad, sino de otro amigo que tiene un carromato. Muchas veces me has preguntado si puedes hacer algo por mí. Si hicieras esto, no sabría cómo agradecértelo.

—No diga más. —Tommy Bennet detestaba que aquella gente se aprovechara de la bondadosa monja—. Mañana o pasado le traeré eso. —Al salir de la casa se puso la capa. La lluvia golpeaba la puerta—. Vaya, mire esto. Ese pobre gatito está medio ahogado en un gran charco de agua.

—¿Qué? ¿Dónde? —La hermana Madeleine salió corriendo bajo el aguacero, sin que le importara mojarse.

Allí estaba, jadeando y luchando por vivir, pero visiblemente medio muerto.

—Permítame acabar con él en el barril, pobrecito. No se va a salvar. —Tommy era de buen corazón.

—¡No! —exclamó la hermana Madeleine.

—Oh, mire como está, hermana. Casi no puede respirar. Se está muriendo. Tenga piedad. No podemos devolverlo a la vida a fuerza de voluntad. Sea justa, hermana. De cualquier modo, está ciego y se pasa el día chocando con todo. Tendríamos que haberlo hecho desde un principio.

En la cara de la monja, las lágrimas se mezclaban con la lluvia.

—Está bien, ahógalo, Tommy. —dijo. Y le volvió la espalda.

Aquellos pequeños miembros empapados tardaron apenas unos segundos en dejar de moverse.

—Listo, hermana. Ya está en paz.

Ella cogió el cuerpecillo y lo puso en una caja de cereales vacía.

—Lo enterraré más tarde.

Se le habían muerto otros animales; la cabaña estaba rodeada de pequeñas cruces. ¿Por qué se afligía tanto por un pobre gato ciego que, según le había dicho todo el mundo, era una locura mantener con vida? Tommy no podía saber que ella veía un presagio en aquel animalillo, una señal de que no siempre había hecho lo correcto.

—Ya no rezo, pero usted es de las mujeres que reconcilian a uno con esas cosas —dijo Francis Xavier Byrne, mientras devoraba las chuletas de cordero hasta roer el hueso.

El chico de los Hickey, agradecido por las referencias que la hermana Madeleine le había dado, estaba dispuesto a hacer cualquier cosa por ella. «Solo algún trozo de carne, algo que tus padres no necesiten. No quiero que mengües sus beneficios», le había pedido la monja. Él comprendió que tampoco debía mencionarlo. «¿Es para los gitanos?», había preguntado. «Es para alguien que necesita carne para fortalecerse.»

—Si quieres, podemos rezar juntos, Francis —propuso.

—¿Y por qué rezaríamos?

—Podríamos agradecer a Dios que Kathleen Sullivan pueda salir del hospital y volver a su casa.

—Si quiere que le sea sincero, no le tengo mucha simpatía a esa mujer. Se me vino encima como un verdadero demonio.

—Bueno, pero tú estabas robando en el taller de su hijo. No creas que apruebo lo que hiciste solo porque te doy alojamiento aquí.

—Pero usted sabe por qué lo hice.

—¿Lo sé?

—Usted sabe que no era mi intención. Necesitaba algo para seguir viajando. No podía soportar el encierro. Usted misma dijo que detestaba la sensación de encierro.

—Pero yo no robé ni golpeé a nadie para librarme de esa sensación.

—Porque a usted no le hacía falta, hermana.

Una vez más, la monja recuperó la certeza de estar haciendo lo correcto.

—Me parece que has cogido color, aun con este tiempo —dijo Stevie a Anna Kelly, admirado.

—Bueno, dicen que lo que te broncea es el viento —recordó ella sonriendo.

—Solo un año más y serás una mujer libre —comentó él, observando de arriba abajo a la alta muchacha rubia, de dientes perfectos y sonrisa brillante.

A Anna le gustó que la admirara.

—Libre de la escuela, pero no lo que tú llamarías libre, Stevie Sullivan —apuntó.

—¿Y qué es lo que yo llamaría libre?

—Oh, alguien mucho más lanzado que yo.

Anna volvió a su casa muy complacida consigo misma. No estaba mal tener tras ella a dos de los muchachos más guapos de Lough Glass. Claro que no pensaba prestar ninguna atención a Stevie. Todo el mundo sabía de qué iba.

Ya tenían edad suficiente para vivir solas en Dublín. Todos pensaban que Kit y Clio compartirían un apartamento. Salvo Maura, tal vez.

—¿No te sentirás sola en una pequeña habitación, sin ninguna compañía? —Martin estaba preocupado por su hija.

—No, papá. Además, está muy cerca de la escuela y todo eso.

—Pero si compartieras piso con Clio... Podríamos pagar algo mejor.

—No estudiaríamos nada. Nos pasaríamos el día riendo y charlando. Además, en Dublín no tenemos los mismos amigos.

Maura dirigió una mirada a Martin, para que dejara las cosas tal como estaban.

Frankie la ayudó a mudarse a aquel pequeño cuarto.

—Ojalá hubiera lugar para ti donde vivimos nosotras. Pero como yo fui la última en entrar, no puedo expulsar a ninguna de las otras.

—No importa, de veras. Me gusta estar sola.

Y era cierto. Así podía estudiar cuando quería; si necesitaba estar con amigos, podía ir al apartamento de Frankie o visitar a Clio, que también tenía vivienda propia. Pero Michael O'Connor pasaba mucho tiempo allí. Si Clio prefería no compartir su apartamento, eso tenía mucho que ver con Michael O'Connor y su idea de la hospitalidad. Claro que ella no podía explicar eso a la familia.

El hermano de Frankie, el estudiante de derecho, también fue a echarles una mano.

—Fingí que iba a entregar una citación.

—Un día de estos te echarán —dijo Kit, asombrada por la indiferencia con que Paddy trataba su empleo.

—¿Al sobrino del jefe? ¡Ni pensarlo! —aseguró él alegremente.

—Oh, bueno. —Kit rió con él.

—Oye, ¿qué te parece si paso por la oficina para decir que sigo vivo y después os llevo a comer judías con patatas?

Dicho así parecía una gran aventura. Kit y Frankie dijeron que era la mejor invitación de toda la semana.

Quince minutos después estaba de regreso, corriendo escaleras arriba y agitando un papel, tan excitado que apenas podía hablar.

—¡No me vais a creer! ¡Ha pagado, ha pagado! ¡Aquí traigo el cheque!

—¿Qué, quién?

—Dedos O'Connor. Envió un cheque por el valor de la indemnización. Se tragó el anzuelo y pagó lo que pedimos.

Las chicas lo miraban con incredulidad.

—Pero... ¿no será ilegal? Después de todo, no hubo una acusación formal... con un abogado de verdad —objetó Kit.

—No, todo es legítimo. Mira lo que ha escrito.

La carta estaba dirigida a Paddy.

> Estimado señor Barry:
>
> Creo poder confiar este asunto a su discreción. Reconocemos que las declaraciones atribuidas a mi hijo Kevin son completamente falsas y aseguramos que no volverán a repetirse jamás.
>
> Adjunto un cheque a la orden de la señorita McMahon, de quien mi hijo promete formalmente no hacer más comentarios sobre su carácter ni sobre su conducta ante persona alguna.
>
> Si existen costes judiciales que cubrir, además de esta suma, me complacerá pagarlos. Sírvase marcar toda correspondencia que envíe sobre este asunto con la nota «Estrictamente personal».
>
> A la espera de sus noticias, lo saluda
>
> Francis Fingleton O'Connor

Cuando Paddy acabó de leerla, las chicas gritaron de alegría.

—¿Crees que podemos quedárnoslo? —preguntó Kit.

—Claro que puedes. Te corresponde por haber sido calumniada.

—Bueno, os invito a comer algo mejor que judías con patatas.

—Primero tendríamos que cobrar el cheque —observó Frankie.

—Los cheques firmados por Dedos O'Connor no te los devuelven —aseguró Paddy.

—¿Qué harás con los costes? No puedes hacer que el bufete le envíe una factura, si no saben siquiera que enviaron esa demanda. —Kit apenas se atrevía a creer que fuera verdad.

—Oh, le escribiré una generosa carta diciéndole que, teniendo en cuenta su prontitud en el pago y mi amistad personal contigo, no cobraré honorarios profesionales. Eso me deja libre de sospechas.

—Eres estupendo, Paddy —dijo Kit.

La cara pecosa del muchacho enrojeció; parecía avergonzado, como si no supiera qué interpretación dar al cumplido.

—¿Qué decías de una buena comida? —preguntó.

—Iremos a donde tú quieras —prometió Kit.

La carta de Paddy Barry le había hecho obtener una suma de dinero con la que jamás había soñado: todo un año de la asignación que recibía de su padre.

¿No eran absolutamente maravillosas, aquellas anticuadas leyes sobre la reputación femenina?

—Hola, Philip, soy Kit.

—¿Sí? —Hablaba con voz temerosa. ¿Qué estaría tramando ahora?

—Quiero llevarte a la ciudad para pasar una noche grandiosa.

—¿De veras?

—¿Adónde te gustaría ir?

—No me tomes el pelo, Kit. Por favor.

—Quiero invitarte. Lo juro.

—Bueno, me gustaría ir primero al cine. Después al restaurante de Jammet, pero a comer solo el plato especial. Me encantaría ver cómo lo sirven.

—Dalo por hecho —dijo Kit—. ¿Dónde nos encontramos? Hay que ver los horarios del cine.

—¿Por qué, Kit?

—Porque somos amigos.

—No, en serio. ¿Por qué?

—Porque gracias a ti le saqué una fortuna a ese repugnante Kevin O'Connor. Una verdadera fortuna.

—¿Cuánto?

—Nunca lo sabrás. Confórmate con una noche de fiesta.

Kit fue a Switzers, la tienda de Grafton Street, y compró un camisón de encaje para Clio. Se lo entregó en una caja envuelta en papel de seda.

—¿Qué es esto? —preguntó Clio, suspicaz.

—El gorila pagó. El gran gorila malo corrió a esconderse. Estoy en deuda contigo.

—Te creen chiflada, ¿sabes? Dicen que tienes un tornillo flojo.

—Estupendo. Así no tendré que ser tu dama de honor.

—No hagas chistes malos. ¿Qué te dijo cuando te dio el dinero?

—No dijo nada. Todo se hizo por mediación de los abogados, bajo garantías mutuas de confidencialidad.

—¿Y cuánto te pagaron?

—¿No me has oído? Hay garantías de confidencialidad.

—Pero yo soy tu amiga. Soy quien te puso sobre la pista.

—Te he regalado un camisón. Disfrútalo, aunque no sé cómo podrás.

—No eres una autoridad en estas cosas.

—Lo sé. No hace falta que me lo recuerdes.

—¿Por qué Emmet no puede venir a Dublín un fin de semana? —preguntó Kit—. Me gustaría enseñárselo todo.

—Tal vez vayamos todos juntos en algún momento —sugirió Maura.

—No, es que me encantaría pasear a mi hermano por Dublín. Anda, Maura, deja que me sienta mayor e importante.

Maura cedió de inmediato. Emmet iría a la ciudad.

Como Philip tenía su apartamento, podía alojarse allí.

—Pero no te pongas a espiar, a seguirnos y a hacer esas cosas horribles —advirtió Kit.

—Ya te dije que esa fase de mi vida terminó.

En aquel momento Philip era mucho más simpático. La cena en Jammet, el restaurante más lujoso de Dublín, había tenido un éxito enorme. Él había analizado la carta de vinos con los camareros como si fuera un cliente habitual.

—¿Qué piensas hacer para entretenerlo? —preguntó Philip.

—Te lo advertí: nada de espiar —amenazó Kit.

—¿A mí qué me importa lo que hagas? No diré nada, aunque mi futuro cuñado se vaya sin conocer ni pizca esta capital.

—Así me gusta —dijo Kit satisfecha.

Por lo que a Lena concernía, la postal de Kit era un gran avance.

La había enviado sin motivo. No le agradecía nada, en realidad. Y le pedía que se cuidara. La muchacha que meses antes había huido de ella estaba lo suficientemente dócil como para pedirle que se cuidara. Era un rayo de esperanza.

Lena esperó la oportunidad de estar fuera de Londres para corresponderle con otra postal. Ella y Dawn debían hablar en seis escuelas de cuatro ciudades diferentes; para eso debían pasar la noche en Birmingham. Lena compró una postal del Bull Ring y se la envió.

Estoy aquí para divulgar la buena nueva de nuestra agencia entre las colegialas. Es algo agotador, pero satisfactorio. Creo que debería haber sido maestra. Solo sé que fui muy estúpida al no iniciar una carrera hace mucho tiempo. ¿Tienes fecha para los exámenes? También me interesaría mucho tener noticias de tu hermano, claro.

Espero que estés bien y feliz.

LENA

Pensó en añadir «con cariño», pero decidió no hacerlo.

—¿Envía una postal al señor Gray? —le preguntó Dawn.

—¿Para qué, si mañana por la noche estaré con él?

—Es un encanto, el señor Gray. Tan divertido... Era el alma del Dryden.

—Ya no recordaba que lo conociste allí.

Lena lo había olvidado. Como hacía tanto tiempo que Dawn trabajaba con ella en Millar, le costaba recordar la tormentosa serie de breves empleos que le habían conseguido en oficinas y hoteles, donde siempre despertaba el interés de los hombres más indeseables de la empresa. Tenía entendido que en el Dryden eso no había sucedido. James Williams no era de esos.

—¿Te gustaba el señor Williams? —le preguntó Lena.

—La verdad es que no lo recuerdo, señora Gray.

—Oh, bueno, ha pasado mucho tiempo.

—Cierto.

Dawn paseó la mirada por el comedor del hotel. Eran el centro de muchas miradas, la muchacha rubia y la elegante morena. Nadie podía imaginar qué estaban haciendo allí. Parecían demasiado respetables para ser abordadas, aunque los ojos de Dawn eran incitantes.

Lena sonrió para sí al pensar lo que habría sentido el gran James Williams de saberse tan instantáneamente olvidado por una bonita secretaria como Dawn Jones.

Y entonces experimentó una sensación familiar: el corazón le dio un vuelco al recordar que Dawn no había olvidado a Louis Gray, tan divertido. «El alma del Dryden», había dicho.

De nuevo en la oficina, se descubrió observando con interés a la rubia que, hasta entonces, había considerado una gran adquisición para la agencia de empleo. Así era, realmente. Tenía que descartar aquellas sospechas absurdas y peligrosas. No podía sentir celos de cualquier muchacha que hubiera trabajado con Louis.

Al detenerse para recoger algunos papeles en la oficina, oyó que Dawn hablaba con Jennifer, la recepcionista.

—Francamente, es tan buena y me ha ayudado tanto... A veces me siento culpable, muy culpable, por lo de su marido.

En aquel momento Dawn notó que Jennifer miraba horrorizada por encima de su hombro y se encontró con la sonrisa de Lena.

—Oh, señora Gray... —Se puso roja.

Lena no dijo nada; siguió con la sonrisa puesta.

—Señora Gray, usted ya sabe lo que quiero decir. Fue solo un poco de diversión. Nadie le dio importancia.

—Lo sé, Dawn. Un poco de diversión, nada más.

—¿A usted no le molesta?

—¿Que Louis se divierta un poco? Vamos, ¿por quién me tomas? —dijo Lena. Y las dejó.

Apenas pudo llegar al baño a tiempo para vomitar. Louis con aquella chica, la chica que ella misma le había enviado al hotel. Se lavó la cara y volvió a maquillarse. Regresó al escritorio y se las arregló para evitar a Dawn el resto del día.

Aquella noche fue al despacho de Jessie y le dijo que le gustaría despedir a Dawn Jones.

—Te he echado de menos —le dijo Louis aquella noche.

—Me he ido por poco tiempo.

—Por poco que sea me parece mucho.

—Trabajamos mucho —dijo ella—. Dawn y yo nos quedamos casi afónicas.

—¿Dawn?

Ella lo miró. Tal vez no la recordaba. Sinceramente. Su rato de diversión había sido tan pasajero, tan fugaz, que no se le había quedado en la memoria.

—Dawn Jones. ¿Recuerdas que trabajó un tiempo con James Williams?

—Ah, sí. —En aquel momento la recordaba—. ¿Y cómo te llevas con ella?

—Bien, muy bien. Pero creo que va a dejar la agencia.

—¿De veras? ¿Por qué?

—No estoy muy segura —dijo Lena. Y apagó la luz.

Rita ya estaba bien establecida en Dublín y en la empresa de coches para alquiler. Salía con uno de sus colegas, que venía de muy, muy lejos: de Donegal. Pensaba en la gitana que le había predicho una boda con un hombre venido de muy lejos. Ojalá fuera aquel. Se llamaba Timothy y quería presentarla a su madre.

Rita le había dicho que no procedía de una familia importante. Ni siquiera podía decir que tuviera familia: sus padres habían perdido todo interés por ella una vez que se colocó como criada de los McMahon. No quería que Timothy se llevara una impresión equivocada.

Él le dijo que nada podía importarle menos. Que aquellas viejas tonterías irlandesas, por suerte, estaban cambiando. Una o dos veces Rita pensó preguntar a Kit si podía presentarle a Timothy. Así alardearía de su amistad con una encantadora estudiante de hostelería.

Pero Kit tenía mucho que hacer y ella no quería abusar de su amistad. Ya llegaría el momento de presentarle a Timothy.

Emmet subió a casa de los Kelly para contarle a Anna lo de su viaje a Dublín. Kit lo esperaría en la estación de trenes. Dormiría en casa de Philip O'Brien, que al parecer había mejorado increíblemente. Irían al cine y a una feria. Además, Kit tenía un amigo, estudiante de derecho, que los llevaría a ver una cárcel y un lugar donde se hacían tatuajes.

Sería un fin de semana fantástico, todo lo que él siempre había deseado. Lamentaba tener que alejarse de Lough Glass y de Anna, por supuesto, pero como últimamente ella salía tanto... Una excursión escolar por aquí, una charla por allá... En realidad, hacía siglos que no se veían.

Lilian Kelly le abrió la puerta.

—Hola, Emmet —dijo sorprendida.

Algo en su voz puso al chico sobreaviso. No dijo nada; se limitó a sonreír.

—Creía que Anna estaba contigo —dijo la señora, extrañada.

Kit agitó la mano para que su hermano la viera.

—Ven, vamos a coger el autobús. Rápido, ocupa el primer asiento. —Lo tomó de la mano para correr con él hacia el autobús que llevaba al centro.

—Qué pasada, conocer así Dublín —se admiró él, melancólico.

—Bueno, tú también lo conocerás el año que viene, ¿no?

—Sí. —Parecía algo deprimido. Tal vez fuera solo el cansancio del viaje.

—Primero voy a enseñarte mi apartamento —dijo Kit, decidida a no buscar problemas donde no los había.

A Emmet le pareció estupendo. Menuda suerte tener todo un apartamento para ella sola. Kit se sintió conmovida.

El lugar que usaba para dormir, comer, estudiar y lavarse era aún más pequeño que su dormitorio de Lough Glass, pero estaba muy cerca del centro; no tenía que gastar en transporte y había un cine tan cerca que, asomándose a la ventana, podía ver cuánta gente esperaba para entrar.

—Ya que es viernes por la noche, podríamos ir a un baile —dijo Kit—. Me encantaría llevarte a uno de los lugares que frecuentamos, pero hace mucho calor. Francamente, como es tu primera noche será mejor buscar un sitio menos ruidoso.

—Como quieras —dijo él.

Parecía deprimido, sí. No eran imaginaciones de Kit.

—¿Qué tal un restaurante indio? —le sugirió—. Hay uno estupendo. Como he ido un par de veces, ya sé lo que conviene pedir. Después quedaremos con Philip para que te lleve a su casa.

Él dijo que le parecía fantástico. Caminaron juntos por O'Connell Street, entre la gente.

—Es la primera vez que vengo por aquí de noche —comentó Emmet.

—Cambia por completo. —Se detuvieron a contemplar el río Liffey, que corría bajo el puente.

—No huele mal —observó el chico—. La gente siempre dice que apesta.

—A decir verdad, en verano apesta un poco, pero ahora no —reconoció Kit.

Llegaron entonces a Leeson Street.

—En esa esquina hay un bar de estudiantes. Allí nos encontraremos después con Philip.

—Me alegro de que no venga a cenar con nosotros —dijo Emmet inesperadamente.

—Sí. Bueno, ha mejorado, pero no tanto como para que una quiera estar siempre con él. Como los padres son tan horribles, algo se le pega al pobre.

Entraron en el restaurante indio, donde Kit escogió una mesa en el rincón. Luego aconsejó a Emmet sobre el menú.

—Podrías pedir cordero. Y yo, *kofta curry*; son albóndigas.

Él asintió. Tenía la vista fija en el menú, como si tratara de reunir coraje para decir algo.

—Es muy caro, Kit. ¿Estás segura de poder pagarlo?

—No hay problema.

—Pero todo esto, y mañana el cine, y el salón de tatuajes...

—Eso cuesta muy poco. De veras, Emmet, no te preocupes. —Kit le dio unas palmaditas en la mano para tranquilizarlo y vio, con horror, que tenía los ojos llenos de lágrimas—. Oh, Emmet, ¿qué pasa? —exclamó.

—Quiero que me hagas un gran favor, Kit. ¿Lo harás? Es enorme.

—Dime qué es.

—Primero promételo.

—No puedo prometer nada si no sé de qué se trata. No es justo. Pero sabes que haré lo posible.

—Tienes que prometerlo.

—Pero ¿de qué se trata?

—De Anna. Está fascinada con Stevie Sullivan y sale con él. Son novios. A mí ya no me quiere.

—Eso es solo una impresión. Ya se le pasará.

—¡No! Se ven continuamente. Está loca por él.

—Stevie es demasiado mayor para ella.

—Lo sé, pero eso lo hace más interesante.

—Pero no creo que le corresponda, ¿o sí?

—Sí. Él también está loco por ella.

—¿Y qué dicen los Kelly? Deben de estar furiosos.

—Sí, pero por eso mismo resulta más... No sé cómo decirlo... dramático.

—¿Y qué puedo hacer yo? Dime, ¿qué clase de favor podría hacerte? ¿Hipnotizarla? ¿Secuestrar a Stevie Sullivan? —Kit lo miraba desconcertada, sin poder imaginar qué papel veía su hermano para ella en todo aquello.

—No eres fea, Kit. Los chicos siempre dicen que estás

muy bien. ¿No podrías insinuarte un poco para conquistarlo? ¿Distraerlo para que se aparte de Anna? Entonces ella volvería a mí.

Su primer impulso fue echarse a reír. ¡Kit McMahon, convertida en una Mata Hari capaz de seducir a un hombre para alejarlo de una preciosa rubia! Luego vio la cara de Emmet y no rió. El chico estaba a punto de derrumbarse. Y creía de verdad que ella sería capaz de hacerlo. Pobre, pobre Emmet. Qué desgracia enamorarse tanto.

Kit nunca había amado a nadie hasta el extremo de admitirlo tan abierta y desconsoladamente. No conocía a nadie que lo hiciera, salvo en los libros. De pronto recordó, espantada, que sí conocía a una persona capaz de amar tan temerariamente, sin tener en cuenta a nadie más: Helen McMahon. Su madre, la de Emmet.

Miró a su hermano con aire distraído.

—¿Quieres hacer eso por mí, Kit? —dijo él en tono de súplica.

—Puedo intentarlo.

Era lo menos que podía hacer por él.

8

Paddy Barry les pidió mil disculpas. El hombre al que debía visitar en la cárcel había sido puesto en libertad.

—Ha sido mala suerte —decía una y otra vez.

—Pero buena para él, supongo —observó Kit.

—Claro. Mala para tu hermano.

—No me importa —dijo Emmet—. ¿El de los tatuajes sigue allí?

A Paddy se le iluminó la cara pecosa y alegre.

—Sigue allí, muchacho, y esta mañana vamos a conocerlo.

—¿Duele? —preguntó el chico.

—Muchísimo, según creo —aseguró Paddy.

El hombre de los tatuajes era menudo y de cara ansiosa.

—Cualquier amigo del señor Barry es bienvenido aquí —dijo, mirando con aire extrañado a Kit y a Emmet.

—¿Ves? Ya te lo dije. —Paddy se sentía triunfante.

Nunca se supo con claridad qué servicio especial había prestado Paddy Barry a aquel hombre. En realidad, Kit prefería no saberlo. Tenía la sensación de que no era algo muy acorde con la ley que él estaba aprendiendo a defender.

—¿Sirvo té para todos? —preguntó el hombre.

Y distribuyó mugrientos tazones esmaltados.

Luego les enseñó las agujas, los tintes y un libro de diseños, así como cartas de clientes satisfechos.

Kit miró a Emmet. La idea había sido brillante. Apenas

podía reconocer al chico preocupado que había tenido frente a ella por la noche, en el restaurante indio, el que jugaba con la comida y le pedía ayuda.

Habían acordado que Kit haría lo posible, pero a su modo y cuando le pareciera. Emmet no debía preguntar constantemente cómo marchaba el asunto ni hacer intento alguno de ayudar. Cerraron el trato con un apretón de manos, y cuando llegó el momento de encontrarse con Philip en el bar, el chico ya estaba más animado.

Philip también quería ir a ver los tatuajes, pero Kit había dicho que aquello ya se parecía demasiado a un circo; no era cuestión de vender entradas para la visita. Él preguntó si podían comer juntos. Tampoco tuvo éxito: los hermanos habían quedado con Rita y su novio.

Kit volvió a concentrarse en la conversación que tenía lugar en la sala de tatuajes. Emmet parecía decidido a pagar por un pequeño corazón con una palabra de cuatro letras dentro.

—Ni se te ocurra, Emmet.

—Sería discreto —dijo el aludido—. Y una señal de lo mucho que me importa.

—No te conviene comprometerte con un solo nombre siendo tan joven —observó Paddy Barry, hombre de mundo.

—Jamás querré otro nombre —aseguró Emmet, con una voz que provocó un escalofrío en su hermana.

—Os presento a mi amigo Timothy —dijo Rita, señalando a su compañero de trabajo.

Rita tenía buen aspecto. Estaba maquillada y tenía un buen corte de pelo. Lucía la chaqueta de colores del uniforme, igual a la de Timothy. Como trabajaban los sábados, solo podían tomarse una hora para comer. Rita pidió a Kit información sobre la gente de Lough Glass, mientras él hablaba con Emmet sobre coches.

—Ni rastro del tartamudeo. ¿No es una maravilla? —observó Rita, tras asegurarse de que el chico no podía oírla.

—Va y viene cuando está nervioso —aclaró la hermana.

—Bueno, no parece atacarle muy a menudo. ¿Y Maura? ¿Se arregla bien con Peggy?

—No hay comparación con la época en que estabas tú. —Kit rió.

Las dos sabían que era solo un elogio diplomático. Maura McMahon llevaba la casa de una manera magnífica.

—¿La cosa va en serio? —preguntó Kit, señalando a Timothy con la cabeza.

—Espero que sí. Es muy bueno conmigo. Varias veces ha hablado de casarnos. —Rita parecía complacida y orgullosa.

—¿Puedo asistir a la boda? —susurró Kit.

—Por supuesto, pero aún falta un poco. Primero tenemos que ahorrar. A lo mejor tú te casas primero.

—Lo dudo. No me va muy bien con los chicos.

—¿No será que eres demasiado exigente? Porque los tienes a todos encandilados.

Ojalá fuera cierto. Necesitaba encandilar a Stevie Sullivan durante un tiempo, para cumplir con la promesa que había hecho a Emmet. Se preguntaba si aquello implicaba irse con él a la cama. La idea le hizo tragar saliva con nerviosismo. No se podía pretender que nadie hiciera una cosa así solo por una promesa infantil.

—Los domingos suelo quedar con Clio —dijo Kit a su hermano—. ¿Te gustaría verla o no?

A él se le encendieron los ojos. Hasta la idea de acercarse a la hermana de Anna le parecía estupenda.

—No te olvides de que su familia no sabe nada de esas salidas con Stevie.

—¿Y por qué no dejas que la descubran y se le compliquen las cosas? Clio podría ayudar.

—No, no lo comprendes. —La cara de Emmet había vuelto a ponerse tensa—. Ella vino a sincerarse conmigo. Me hizo prometer, como amiga, que no la delataría.

—¿Y tú se lo prometiste?

—Claro.

—Vaya...

—Espero que mi madre no se entere de que has tenido a Emmet aquí todo un fin de semana —gruñó Clio, cuando Kit la llamó por teléfono.

—Seguro que se enterará. En Lough Glass todo se sabe.

—Y entonces dirá que yo también debería traer a la insoportable Anna.

—Bueno, ¿por qué no? Para ella sería estupendo.

—Siempre he dicho que ella y Emmet son diferentes. Por cierto, ¿siguen enamorados?

—No sé qué decirte —dijo Kit—. Los chicos no hablan mucho de esas cosas.

—De cualquier forma, ella está estudiando mucho. Esa horrible entrometida va a aprobar sus exámenes finales con notas mucho mejores que las mías. Parece que se pasa el día estudiando.

Kit asintió con aire sombrío. Sabía perfectamente de qué estudios se trataba.

En cuanto llegó, Clio dijo que no podría quedarse mucho tiempo. Iba a casa de Michael O'Connor. Era el cumpleaños de la hermana y la familia lo celebrería con una comida.

—Están muy unidos —dijo a Kit con orgullo. A Clio le encantaba que los O'Connor la incluyeran en sus fiestas—. A Mary Paula se le permite elegir el menú. Todo se hace preparar en uno de los hoteles y se sirve en la casa.

—¿Servirán champán? —Emmet quería llevar noticias a Anna, para cuando salieran como amigos.

—No, no creo. Parece que el señor O'Connor ha tenido que hacer economías últimamente. Tuvo que pagar una inesperada suma de dinero.

Clio fulminó con la mirada a Kit, que soltó una risita aguda. No diría más; no podía arriesgarse a que su familia se enterara de todo. No favorecería la imagen de la bienamada familia O'Connor.

Philip y Kit dijeron que Emmet debía tomar el tren con tiempo, porque se llenaba enseguida. Había mucha gente que volvía a su casa después de pasar el domingo en Dublín. Primero fueron a comer patatas fritas a una cafetería.

La chica de la caja registradora les resultó familiar; llevaba puesto un vestido verde oscuro, ancho como una capa. Los tres la miraron con interés y luego hablaron al mismo tiempo.

—Es Deirdre —dijo Kit.

—Deirdre Hanley —aclaró Philip.

—Y está embarazada —añadió Emmet.

Deirdre quedó encantada al verlos.

—¡Pensar que ya tenéis edad para salir solos! —Se admiró—. Os haré servir raciones bien grandes. —Y anunció al hombre del delantal blanco—: Estos chicos son amigos míos, Gianni. Sírveles una buena ración.

—*Molto grande* —exclamó Gianni con entusiasmo.

—Este es mi Gianni —dijo ella a Kit, con orgullo—. Es el dueño de todo esto.

—Parece muy simpático —dijo Kit, admirada—. Emmet ha venido a pasar el fin de semana conmigo. Philip y yo estamos estudiando administración hotelera. —Tenía la sensación de que Deirdre no estaba al día con los detalles de sus vidas.

—Tú estás en el mismo año que Patsy, ¿no, Emmet? —preguntó Deirdre. Patsy era su hermana menor, muy distinta a ella.

—Sí. La veo mucho.

—¿Cuándo te casaste con Gianni? —preguntó Kit.

—En realidad no estamos casados —aclaró Deirdre—. Hay un problema, ¿sabes? Gianni tuvo un matrimonio anterior que es preciso anular. Se puede hacer, por supuesto, pero lleva tiempo.

—Ya sé, ya sé. —Kit asintió con la cabeza comprensivamente, arrepentida de haber mencionado aquel asunto.

—El sábado tengo que ir a Slough para hablar en un par de escuelas —dijo Lena a Louis, moviendo algunos papeles.

—¿Vas con Dawn?

—No. Se fue, ¿recuerdas?

—Ah, es verdad. —Lo había olvidado. Al menos, eso significaba que Dawn no se había puesto en contacto con él para decirle que la habían despedido por su antigua aventura.

Dawn era demasiado orgullosa para hacer algo así, pensó Lena, apenada. Era una lástima haber perdido a la muchacha. Estaban preparando a Jennifer, pero no tenía el mismo encanto.

—Voy sola. Oye, si tienes ese día libre, ¿por qué no me acompañas? Terminaré en un par de horas. Después podríamos ir a algún hotel.

—Demasiado autobús y tren —gruñó él. Le habría encantado tener coche.

—Pero debe de haber lugares bonitos. Nos merecemos una noche de diversión. Tú y yo solos.

—Bueno, voy a ver. Puedo preguntarle a James, que ha estado en todas partes.

Últimamente Louis parecía algo inquieto. Lena esperaba que el cambio de rutina lo animara un poco.

Al día siguiente la llamó a la oficina.

—James conoce un lugar perfecto y va a prestarnos el coche. Será un fin de semana estupendo.

Cenaron en un elegante hotel rural, donde James Williams les había conseguido un cincuenta por ciento de descuento por el alojamiento con desayuno. De inmediato les llevaron a la mesa una botella de vino.

—Todavía no hemos pedido nada —observó Louis.

—Estaba encargada —dijo el camarero. James Williams había querido que pasaran un buen fin de semana.

Había una pequeña pista de baile; un pianista y un saxofonista tocaban para los comensales. A veces había solo dos o tres parejas bailando. Louis y Lena se abrazaron y bailaron al compás. Eran una pareja atractiva. Cualquiera habría pensado que estaban celebrando un aniversario de boda o planeando una aventura prohibida.

A la mañana siguiente, tras una larga noche de amor, Lena se despertó cansada y dolorida. Nada le habría gustado más que un abundante desayuno servido en la cama, pero tenía que trabajar.

Se levantó en silencio para no despertar a Louis, que dormía con un brazo detrás de la cabeza; las largas pestañas le hacían sombra en la cara. Era tan guapo y ella lo quería tanto... Eso jamás cambiaría, por mucho que él hubiera hecho o pudiera hacer.

Lena volvió al hotel en taxi, tras dos sesiones agotadoras pero prometedoras, y lo encontró esperando en el bar.

—Deberías haberme despertado para que te llevara en el coche. Era para los dos. Pero no tenía idea de dónde estaban esas escuelas. Ven, nos vamos. He planeado una excursión.

Cruzaron la campiña inglesa, entre granjas y aldeas.

—¿Adónde vamos? —preguntó ella.

—Ya lo verás. —Louis le puso una mano en la rodilla. Parecía hecho para conducir el coche de James Williams. Louis Gray había nacido para vivir con estilo y elegancia, fuera cual fuese su origen.

Lena vio el nombre de la aldea: Stoke Poges.

—¿Pero no es aquí donde...?

—Sí. Quería que vieras el orgullo de la familia. Mi antepasado Thomas Gray, el poeta —dijo él, aparcando frente al portón de un cementerio absurdamente pintoresco.

—Pero tú no estás emparentado con ese Gray. —Lena rió, casi creyendo que fuera posible.

—¡Claro que sí!

—Nunca me lo habías dicho.

—Porque nunca me lo has preguntado.

—¡No bromees!

—Somos lo que decimos ser. Me duele que no me creas —protestó él.

—Pero Louis, tú no eres de esta zona, sino de Wicklow. No eres de Buckinghamshire, Inglaterra.

En realidad, conocía pocos detalles de su vida. El padre había muerto cuando él era niño; tenía hermanos mayores, que habían abandonado el hogar para trabajar en el extranjero. Ellos perdieron el contacto y Louis no los buscó.

Caminaron hasta la tumba del poeta y leyeron el poema.

—Aquí está el tío Thomas —dijo Louis.

—Pero no era pariente tuyo, ¿verdad?

—Somos lo que decimos ser —repitió él.

Kathleen, la madre de Stevie Sullivan, fue dada de alta y volvió a Lough Glass.

—No vayas a terminar llevándole tazas de té, Maura —aconsejó Peter Kelly a su cuñada—. Pueden pagar a una mujer para que se encargue de eso.

—Sé mejor que nadie lo que pueden pagar —respondió Maura, que llevaba la contabilidad y sabía lo bien que andaba el negocio, gracias al encanto y al empeño de Stevie.

El muchacho recorría las granjas y explicaba a los agricultores las ventajas de cambiar la maquinaria y los vehículos por modelos mejores, antes de que se estropearan del todo. Luego reparaba aquellos viejos camiones para revenderlos. Nunca hacía nada ilegal ni engañaba a sus clientes. Debía su éxito a que sabía adelantarse, en vez de esperar a que las transacciones le llovieran del cielo.

—¿No te parece que convendría llamar a alguien para que viniera a cuidar de tu madre? —le preguntó Maura.

—Oh, no sé. Ella podría negarse. Siempre dice que las de su clase deben servir y no ser servidas.

—Pero tú has cambiado todo eso. Ahora te mueves en otro ambiente.

—Sí, yo lo sé y tú lo sabes, pero puede que mi madre no.

—Deja que ella también se beneficie. Conozco a una amiga de Peggy que podría venir.

—Háblale, Maura. Si es que ya no lo has hecho.

Ella le sonrió. Se entendían bien.

—¿Todavía no se sabe quién lo hizo? —Maura sabía que, algo más temprano, Stevie había estado hablando con el sargento O'Connor.

—No. Parecen haber desaparecido en un platillo volante, quienesquiera que fuesen. Tal vez sea mejor así, dice Sean. Si no, ella tendría que identificarlos, y eso sería peor. A mi modo de ver, con esa actitud tan relajada no va a descubrir a los delincuentes.

—También es una actitud muy humana —observó Maura—. Sean O'Connor puede ser bueno, pero no tonto.

—Lo sé. Tiene en cuenta muchas cosas. Supongo que nadie le ha sugerido nada. —Stevie la miró con atención, como si tratara de hacerle admitir que ella le había revelado lo de Orla Dillon.

—Él estaba enterado de todo, Stevie. Yo no le habría dicho nada, pero Sean ya lo sabía. Y sabía dónde encontrarte.

—También supo darme un susto de mil demonios —confesó él tristemente—. Y por asombrosa casualidad, la madre de Orla salió con el mismo argumento al mismo tiempo. Que esos montañeses eran un peligro. Orla tiene tanto miedo de que esa banda de cuñados venga por ella, blandiendo hachas y guadañas, que ni siquiera se atreve a saludarme. Así que ese pequeño episodio ha terminado.

—Ya encontrarás otras distracciones —dijo Maura sin compasión.

—Supongo que sí. —Stevie no veía motivos para revelar a Maura McMahon que su sobrina, Anna Kelly, había resultado una estupenda distracción.

—No puedes quedarte aquí para siempre, Francis —dijo la hermana Madeleine.

Él temblaba junto al fuego. La casa del árbol, cubierta de sacos húmedos, no lo protegía contra el lluvioso comienzo del invierno en Lough Glass.

—¿Y adónde puedo ir, hermana? —Estaba flaco y pálido. Tenía una tos persistente.

La monja había pedido al joven Emmet McMahon un jarabe para la tos. A su pesar, Martin le había mandado decir que el invierno sería duro y que se sentiría mucho más tranquilo si la hermana Madeleine se dejaba revisar por el doctor Kelly.

—Duerme en mi cama, Francis.

—Pero... ¿y usted, hermana?

—Dormiré junto al fuego.

—No puedo. Estoy demasiado sucio y harapiento, y enfermo. Su cama es blanca como la nieve —dijo, deseando pasar una noche abrigado y en paz.

Ella lo sabía.

—Te daré agua caliente para que te laves.

—No. Usted siempre me trae agua caliente. Pero eso es demasiado.

—Puedo poner algún trapo en la cama para que te envuelvas.

—Y otro para debajo de la cabeza, hermana.

Ella calentó al fuego un viejo cubrecama y puso algunas servilletas sobre sus inmaculadas fundas. Minutos después, el hombre dormía, respirando con dificultad y entre ronquidos, como si tuviera una infección en los bronquios. Sentada en la puerta, la monja lo observó durante un buen rato. Francis Xavier Byrne, hijo de nadie. Un hombre que no estaba bien de la cabeza y que necesitaba cierta libertad, como los animales salvajes. No era posible encadenarlo ni encerrarlo. Allí no podía hacer ningún daño y estaba aprendiendo a confiar otra vez. Pronto, cuando estuviera mejor, ella le daría dinero para que cogiera el autobús y se fuera muy lejos.

Tendría que pensar algo con respecto a la bolsa de sus pertenencias, como él las llamaba. Normalmente no la perdía de vista, pero aquella noche la había dejado casualmente en la silla de madera. Estaba aprendiendo a confiar; no podía entregarlo justamente en aquel momento. Le haría comprender que era preciso devolver el dinero robado en el taller de Sullivan. Ella misma se encargaría de eso.

Maura sabía que algo tenía preocupado a Emmet, pero no trató de averiguar qué pasaba. Tal vez fuera por la ausencia de Anna Kelly. Sin embargo, Emmet salía en cuanto terminaba de comer, y era posible que se encontrara con ella a aquella hora.

Ojalá aquellas relaciones no fueran demasiado serias. Maura se preguntaba si debía hablar de aquello con su hermana. Pero por lo general, Lilian no sabía cómo controlar las aventuras amorosas de sus hijas. Como tantas veces en la vida, lo mejor sería no decir nada.

—Hola, Emmet.

Anna Kelly estaba más encantadora que nunca, con su abrigo verde y una bufanda de angora blanca alrededor del cuello. Rebosaba entusiasmo; se había recogido el pelo rubio en una cola de caballo, con un pasador verde. Parecía una estrella de cine. Sin embargo estaba allí, en Lough Glass. Anna Kelly, que apenas hacía unas semanas le permitía con gusto acariciarla y besarla, ahora decía que aquello no podía continuar, aunque nada deseaba tanto como seguir siendo su amiga. Ella no sospechaba lo difícil que era todo aquello para Emmet.

Pero poniendo mala cara no ganaría nada.

—Hola, Anna, ¿cómo van tus cosas? —dijo alegremente.

—Horrible. Esto es como vivir en un campo de concentración alemán —gruñó ella.

—Oh, ¿y por qué?

—Adónde voy, qué estoy haciendo, dónde estaré, con quién voy a salir, a qué hora volveré. ¡Jesús, María y José! ¡Dan ganas de arrojarse al lago! —Hubo un silencio—. Ay, Emmet, perdón.

—¿Perdón por qué?

—Por lo que he dicho. Por lo de tu madre y todo eso.

—Mi madre se ahogó en un accidente con el bote. No se arrojó al agua porque la gente le hiciera preguntas.

Ella se puso muy roja.

Emmet habría querido estrecharla contra sí, decirle que estaba enterado de que la gente pensaba eso, por supuesto; que comprendía su azoramiento y que no le importaba ni lo más mínimo. Pero ella había dicho que ya no eran tan íntimos, solo amigos, así que mantuvo las manos en los bolsillos. Y apartó la vista.

Anna le puso una mano en el brazo.

—¿Emmet? —dijo con voz débil.

—¿Sí? —Iba a pedirle un favor; él conocía ese tono.

Pero la chica lo miró a los ojos y comprendió que no era un buen momento para solicitar favores.

—Nada, nada.

—Bueno. Nos vemos.

Emmet se desesperaba por decirle que siempre podría contar con él, para lo que quisiera. Pero habría sido un error. Anna detestaba a los débiles; se lo había dicho. Lo que le gustaba de él era su parte fuerte. Así que debía ser fuerte.

Kit estaba haciendo sus prácticas en un hotel de Dublín donde se interesaban verdaderamente por los aprendices. Durante una semana debía atender la recepción; a la siguiente la trasladaban al bar. Luego podían encargarle servir las mesas o supervisar a las camareras. No era fácil, pero eso ya lo sabía desde el principio.

—Debes de estar loca —dijo Clio, que había ido a visitarla.

—Dices lo mismo de cada cosa que hago.

—¿Por qué cambiar ahora? —Se había sentado en uno de los taburetes del bar—. ¿Me servirán algo gratis por conocer a la encargada del bar? —preguntó, esperanzada.

—Ni pensarlo.

—Bueno, tendré que pagar. ¿Puedes servirme una ginebra con lima?

—¡Ginebra! Estás bromeando, Clio.

—¿Por qué no? ¿Acaso eres alguien de la liga antivicio disfrazado de camarera?

—No, pero nosotras no bebemos ginebra.

—Tú no. Yo sí.

—Como quieras. El cliente siempre tiene razón.

Kit se volvió para llenar la medida. El espejo le enseñó la cara de su amiga: se estaba mordiendo el labio y parecía muy infeliz. Puso cuidadosamente los trozos de hielo con las pinzas. Luego le acercó la botella de lima y la jarra de agua.

—Sírvete a gusto —dijo con una sonrisa.

—¿No tomas algo tú también?

—Gracias, Clio. Un poco de naranjada.

Por un momento bebieron en amistosa compañía.

—Tía Maura se está volviendo un poco entrometida —dijo Clio, finalmente.

—Bah, si nos pregunta qué hacemos es solo para entablar conversación —añadió Kit, defendiendo a su madrastra.

—Creo que sabe lo de Michael.

—Por supuesto que lo sabe. ¡Si te pasas el día hablando de él!

—Lo otro, digo. Que me acuesto con él y todo eso.

—¿Cómo se ha enterado?

—No lo sé. —Clio volvió a morderse el labio.

—Bueno, a mí no me mires. Yo no se lo he dicho.

—No, ya lo sé. —De eso Clio estaba segura.

—¿Y por qué crees que está enterada?

—Dice cosas como... no sé... Hace insinuaciones horribles sobre la falta de respeto, y sobre que las chicas no deben aceptar más de lo que quieran... para conservar a un hombre.

—Bueno, tú no aceptas sino lo que quieres —dijo Kit con voz enérgica—. ¿No dices siempre que te encanta hacerlo?

—Sí, es cierto, pero eso no se dice a una tía. Además, parece que tía Maura conoció al padre de Michael.

—¡Mira qué bien! A ellos les encanta conocer a la gente y saber quién es quién.

—Tengo la sensación de que les cayó mal.

—¿Eh?

—Y cuando estuve en casa de Michael, el señor O'Connor dijo que se acordaba de ella.

—Pero sin entusiasmo.

—No, como ocultándolo, no sé si me entiendes.

—A lo mejor tuvieron un lío.

—Lo dudo. Los padres de Michael están casados desde siempre.

—Deben de ser imaginaciones tuyas —dijo Kit, tratando de consolarla.

—Ojalá volviéramos a ser niñas. Antes todo era más fácil.

—¡Pero si todavía no tienes ni veinte años! Mucha gente opina que eso es ser una niña.

—Ya sabes lo que quiero decir. Para ti es fácil, Kit. Siempre ha sido fácil. Te casarás con Philip O'Brien y controlarás el Hotel Central. Cuando hayas enviado a esos viejos antipáticos de Mildred y Dan a cualquier parte, serás la verdadera reina de todo.

—Que yo recuerde vienes diciendo siempre lo mismo. Y yo siempre te digo que no. ¿Por qué no me crees?

—Porque al final todos hacemos lo mismo que hicieron nuestros padres. Tu mamá era elegante y encantadora; podría haber ido a cualquier parte y hacer cualquier cosa, pero se casó con tu padre, que era un hombre bueno y de fiar, y se fue a vivir a una aldea perdida como Lough Glass. Y tú harás lo mismo.

—¿Y tú? ¿Estás enamorada de Michael, Clio?

—No lo sé. Francamente, no lo sé. ¿Qué es el amor?

—A mí también me gustaría saberlo —dijo Kit, ausente.

Se preguntaba si había algo de verdad en lo que Clio había dicho: que uno hace lo que hicieron sus padres. En ese caso, a Kit le esperaba un futuro tormentoso.

Kevin O'Connor fue con algunos amigos al bar del hotel donde Kit estaba trabajando. Mientras ella les servía, uno de sus compañeros le puso una mano en el trasero.

Kit se puso tensa y lo miró fijamente a la cara.

—¡Quita esa mano! —dijo con voz seca como un disparo.

El muchacho dejó caer el brazo al instante.

Kevin O'Connor la miró, horrorizado.

—Lo siento, Kit, te juro que... quiero decir... te juro. Matthew, si no sabes tratar con respeto a una mujer ya puedes largarte de aquí.

Matthew, el agresor, miró a su amigo Kevin con verdadero asombro. No era esa la reacción que esperaba.

—Era un simple gesto de amistad —fanfarroneó.

—¡Vete de aquí! —le ordenó Kevin O'Connor.

—¡No seas imbécil, O'Connor, por Dios! —protestó el amigo, dolido.

—Una sola palabra más en ese tono y no serviré a nadie —amenazó Kit. Se sentía confiada y segura. Kevin no se limitaba a respetarla, sino que cuidaba de que sus ignorantes amigos lo hicieran también.

—Perdona, Kit —le dijo él dócilmente, mientras el desconcertado Matthew abandonaba el hotel.

—Está bien, Kevin. Gracias.

Le dedicó una cálida sonrisa y él se sintió satisfecho. Se sintió vulgar por estar practicando de ese modo con él. Pero tenía que ensayar un poco para lo de Stevie Sullivan.

Querida Kit:

Tu tarjeta sobre el trabajo en el bar era muy entretenida. Te envío este libro sobre cócteles por si pudiera serte útil. Me parece muy extraño enviártelo. Supongo que, en otras circunstancias, debería hablarte de los peligros del alcohol en vez de hacerte conocer maneras de preparar bebidas aún más fuertes. Pero estas son circunstancias muy poco normales, sin duda, y quiero darte las gracias por todo. Hay una gran diferencia.

Con cariño,

LENA

Kit leyó diez o doce veces la carta que acompañaba al libro de cócteles. Se preguntaba qué era lo que Lena le agradecía exactamente. ¿Que no hubiera revelado la situación? Pero ella lo había hecho por propia conveniencia, por el bien de su padre y por la tranquilidad general. ¿Por qué tenía tanta importancia? Su madre los había abandonado para escoger otra vida. ¿Qué podía importar que recibiera alguna tarjeta de Kit?

Era posible que Lena también echara de menos la correspondencia alegre y despreocupada que habían mantenido antes. Kit realmente la echaba de menos. Había muchas cosas que podría haberle escrito, si hubiera seguido siendo su amiga, como antes.

Y no la madre que le había mentido.

—¿Stevie? Soy Kit McMahon. —Deliberadamente, había llamado a la hora en que Maura cruzaba la calle para almorzar con su padre.

—Oh, Kit, lo siento. Ella acaba de irse. Volverá a las dos.

—No, quería hablar contigo.

—Qué bien. ¿Has estado ahorrando para compar un coche?

—No se trata de trabajo, sino de placer, me temo. —Lo imaginaba sonriendo perezosamente, apoyado en algo y sosteniendo el auricular con el hombro, mientras buscaba el paquete de cigarrillos—. ¿Te gustaría venir a Dublín para ir a un baile el próximo sábado?

Si hubiera estado enamorada, si hubiese esperado con pánico su reacción, jamás habría podido seguir adelante. Pero como le era indiferente podía hacerlo bien.

—¿Qué clase de baile es?

—Mira que eres malpensado.

—¿Qué pensarías tú, si alguien te llamara de repente con una proposición así? —Reía. Trataba de ganar tiempo.

—Tienes razón. —Kit decidió ser justa—. Bueno, es uno de esos bailes donde cada uno paga su propia entrada. En el Gresham, el sábado por la noche. Hay mesas y una orquesta estupenda.

—Nunca he estado en ninguno así —dijo Stevie.

—Yo tampoco. Vamos en grupo, pero nos faltan dos chicos y se me ocurrió...

—¿Por qué no invitas a Philip O'Brien? Aceptaría en el acto.

—Es que si lo invito va a pensar que me gusta.

—¿Y yo? ¿Qué podría pensar yo?

—Oh, Stevie, por Dios, me conoces lo suficiente para decir sí o no.

—¿Me gustará?

—Creo que sí. Chicas guapas a montones, música y bebidas. ¿No te encanta?

—Y te solucionaría un problema.

—No es solo por eso. Creo que te gustaría la gente que va. Y tú caerías bien, porque eres muy divertido.

—De acuerdo, cuenta conmigo.

—Gracias, Stevie. —Le indicó cuánto costaría y dónde iban a encontrarse.

—¿Debo decírselo a tu madrastra o me lo callo?

—Lo dejo a tu elección.

—Voy a decirlo de otro modo. ¿Tienes intenciones de decírselo?

—Lo más probable es que, tarde o temprano, le mencione que organizamos una fiesta, pero no hace falta preocupar a la gente dando todos los detalles del mundo, ¿no crees?

—Creo que te entiendo.

Kit colgó y lanzó un suspiro de alivio.

—Bueno, Emmet, tu vieja hermana comienza a cumplir su promesa —dijo para sí. Al menos, aquella antipática de Anna Kelly estaría libre el sábado por la noche. Decidió no decírselo todavía a Emmet. No quería que se precipitara antes de tiempo y lo estropeara todo.

Stevie Sullivan se quedó mirando el teléfono, sorprendido. Aquella chica de los McMahon se había vuelto muy atractiva. Era extraño que lo invitara a una fiesta. En realidad, él siempre había deseado ir a uno de aquellos elegantes bailes de Dublín. Tendría que cancelar su cita con Anna Kelly, pero le diría con amabilidad que no podía llevarla al cine y ella sabría comprender.

Anna Kelly no estuvo muy comprensiva.

—Acabo de convencer a mis padres de que me den permiso para ir a la ciudad. Les dije que iría con todo un grupo para ver una película.

—Bueno, ¿y por qué no vas? Yo tengo que viajar a Dublín por cuestiones de trabajo —dijo Stevie.

—No. Prefiero no malgastar una salida que podría haber disfrutado contigo. —¿Cómo era posible que él no lo entendiera?

—Bueno, yo también lo siento. —La miró con su sonrisa cómica, pero no funcionó.

—¿No podrías dejarlo para otro día? —preguntó ella. Stevie puso cara de impaciencia y ella captó el cambio de humor—. No, claro, soy una tonta. Bueno, otra noche, ¿vale?

—Vale. —Stevie sonrió. Al final era fácil, si uno las trataba bien. Eso era lo que tanta gente no entendía.

—Este fin de semana puedo ir contigo al cine, Emmet, si quieres.

—Gracias, Anna, pero no.

—¿Estás enfadado?

—No, en absoluto. Te dije que no me enfadaría, ¿recuerdas? Quedamos en ser amigos y eso es lo que somos. —La sonrisa del chico era luminosa.

—Bueno, los amigos van juntos al cine —dijo Anna.

—Eso te dije yo. Y tú me dijiste que no, que eso perjudicaría tu historia con Stevie. —Una vez más, su expresión era inocente.

—Sí, pero casualmente Stevie no estará aquí este fin de semana. Tiene que ir a Dublín por un asunto de trabajo.

Emmet sonrió cálidamente. Kit había comenzado a ayudarle.

—Pero volverá, claro —dijo, a manera de falso consuelo.

—Claro que volverá —le aseguró Anna—. Pero se me ocurrió que...

—No me habrás invitado a salir solo porque te han dejado plantada, ¿eh? —Emmet meneó la cabeza con incredulidad—. Tú y yo somos amigos. Los amigos no se utilizan.

Ella le volvió la espalda y se alejó muy deprisa.

—Yo podría encargarme de devolver todo lo que tienes en esa bolsa, Francis. —La hermana Madeleine trataba de ayudar.

—Pero no quiero devolverlo, hermana. —Él cogió la bolsa con fuerza.

—Sería lo mejor —añadió ella con voz suave.

—Ahora estas cosas son mías. Son lo único que tengo para irme y empezar otra vida.

—Si las devolviéramos, tal vez dejarían de buscarte. Entonces no tendrías que vivir en la casa del árbol...

Pero se le apagó la voz. Sabía que él no la estaba escuchando.

—Es todo lo que tengo —repitió Francis, estrechando la bolsa contra sí.

—¿Qué vamos a hacer contigo? —preguntó ella al aire.

—Usted prometió cuidar de mí. —En aquel momento sonaba como una queja.

—Sí, y lo haré. —La hermana Madeleine se sentía menos confiada que de costumbre.

En el pasado obraba siempre con la certeza de estar haciendo lo que debía. Nunca había tenido un instante de duda.

Pero en los últimos días... Tal vez no había hecho bien al rescatar al gatito ciego, cuando todo el mundo decía que era mejor sacrificarlo sin dolor. ¿Había valido la pena que viviera así? Su muerte, lenta y dolorosa, le hacía pensar que no. ¿Había hecho bien al dejar que aquel enfermo mental viviera tanto tiempo en la casa del árbol? ¿No habría sido mejor curarle el brazo la primera noche y enviar un mensaje para que lo arrestaran?

Para la hermana Madeleine, toda incertidumbre era algo intolerable. Debía creer en lo que hacía y estar convencida de que era para bien; de lo contrario su vida carecía de sentido.

—Muy bien, está claro que no puedo obligarte.

—¿Pero seguirá siendo buena conmigo? —Tenía la mentalidad de un niño.

—Sí, por supuesto. —Ella hundió una taza de metal en la cacerola que hervía en el fuego y le dio la sopa—. ¿Quieres ir por ahí... y buscar una vida nueva?

—Eso es lo que haré pronto.

—¿Y si te cortara yo el pelo, te diera un aspecto más...? —La monja hizo una pausa. ¿Cuál era la palabra que estaba buscando? ¿Normal? ¿Menos criminal?

Él asintió con entusiasmo.

—Por favor, hermana, me gustaría mucho.

Le ató un paño al cuello, como en las peluquerías, y le recortó el pelo, las cejas y la barba. Así resultaba mucho menos amenazador, más corriente. Casi normal.

—Cuando te vayas, Francis, si te ven con esa bolsa a lo mejor atan cabos.

—Podría dejarla aquí un tiempo, hermana.

—¿Eso significa que volverás?

—Bueno, claro. Cuando me haya instalado vendré a contárselo. Creo que me llevaré solo el dinero.

—Francis, ¿no sería mejor que...?

—Voy a confiar en usted, hermana, tal como usted confió en mí. Usted nunca me tuvo miedo. Yo tampoco voy a tenerle miedo.

Ella le estrechó la mano, aunque su corazón estaba preocupado.

—Está bien, Francis. Puedes confiar en mí. En este mundo lleno de gente que no te conoce, puedes confiar en mí.

Como recompensa, recibió la sonrisa grande y tonta de niño retrasado. Un niño en el cuerpo grande y fuerte de un hombre.

—Lástima que no tengamos coche —gruñó Louis mientras se vestían.

—Compremos uno.

—Es fácil decirlo. —Tardó un rato en atarse la corbata.

—También es fácil de hacer. No hemos comprado casa, no tenemos hipoteca, no tenemos hijos. ¿Para qué estamos ahorrando?

—No hemos ahorrado mucho —observó él.

Eso era cierto en su caso. Pero Lena apartaba dinero con mucho cuidado. Louis ignoraba cuánto crecía su cuenta en la Building Society, cómo aumentaban todos los años las acciones de Millar.

—Bueno, veamos. ¿Cuánto podrías pagar al mes? —preguntó ella.

—No mucho.

—Veré si puedo reunir lo suficiente para una paga y señal. Y si consigo que la empresa me lo conceda como parte de mi sueldo...

—¿Podrías? —Louis la miró con ojos encendidos.

Pese a ser tan hábil para el engaño, para atraer a la gente, para adivinar qué podía desear un cliente del hotel, era muy ingenuo en otros aspectos. Ni siquiera se le ocurría preguntar por qué el señor Millar iba a concederle un adelanto para un coche si ella vivía a cinco minutos de la oficina e iba todos los días a pie.

—Sí, es una posibilidad, ¿no? —afirmó él.

—Esta es la última vez que viajamos en tren. —Rió.

—Te quiero, Lena.

El taxista de la estación dijo que conocía aquella calle.

—Allí vive la gente bien —explicó.

—Estupendo —dijo Louis—. No queremos visitar a cualquier pobretón.

James Williams estaba divorciado. Pero tenía una amiga, una señora con grandes proyectos de convertirse en su próxima esposa, había dicho Louis.

—¿Y tiene posibilidades? —Había preguntado Lena.

—No. Creo que él es demasiado astuto para dejarse atrapar. —Louis sonrió.

Lena también sonrió. Qué inocencia la de Louis, admitir que un hombre era astuto si esquivaba el matrimonio, cualquier clase de compromiso. Como si ella no supiera que ese era su punto de vista.

James Williams los recibió con mucho gusto. Un beso en cada mejilla para Lena.

—Estás más joven cada día.

—No seas tan amable.

—No, si lo digo en serio. Pasad, pasad, os presentaré a todos. Ven, Laura; quiero presentarte a Lena Gray.

Laura era cortante como un cuchillo. Lápiz de labios rojo intenso, pelo negro de brillo metálico, una blusa de raso brillante y falda negra, muy ceñida. Sus zapatos eran de charol, con tacones altos. Parecía haber sido pulida y encerada.

—La famosa señora Gray —dijo, mirando a Lena de arriba abajo.

—Ah, no, el famoso es mi marido, en la industria hotelera.

—James se pasa el día hablando de ti. Si no lo conociera bien, pensaría que está enamorado.

James Williams se había quedado atrás con Louis. Lena miró a Laura largamente.

—Pero tú lo conoces bien.

—Lo conozco bien, sí. —La mujer hizo una pausa. Sus ojos se desviaron hacia Louis y volvieron a ella.

Lena pensó que iba a comentar algo así como: «Desde luego, no necesitas a James, con un marido tan atractivo». Pero Laura pensaba en otra cosa.

—Si James estuviera enamorado de ti, ya habría hecho algo por conquistarte.

—¿Cuál es tu apellido, Laura?

—¿A qué viene esa pregunta? —Por la cara de la mujer, se habría dicho que Lena acababa de meter la pata.

Pero ella no se dejaba intimidar con facilidad. De algo le servían tantos años de tratar con gente en la agencia Millar.

—Lo pregunto porque nadie me lo ha dicho —observó, en el tono más sereno que pudo.

Se sostuvieron la mirada.

—Evans —respondió la otra al fin.

¿Acaso James Williams percibió el clima reinante? ¿O fue por pura casualidad que se acercó para echar un brazo sobre los hombros de cada una?

—Ahora voy a presentar a mis dos señoras favoritas al resto de los invitados.

Lena no miró a Laura, pero comprendió que, en aquella inesperada y poco importante batalla, había salido decididamente ganando.

Era la primera vez que iban a una fiesta así, pero ella sabía cómo terminaría. Desde el principio notó que aquellas dos mujeres rivalizaban por la atención de Louis. Y con toda certeza, Ángela sería la ganadora.

Que se lo disputaran. Que él sirviera salchichas a una y

llenara la copa a la otra. Que celebrara sus comentarios con risas de placer. Era parte de la diversión. Probablemente, la única diversión.

Lena imaginó que la fiesta era un congreso. Dijo a los invitados y a sus esposas que trabajaba en una agencia de empleo. Se negó a dar su tarjeta, porque la fiesta era privada, pero repitió el nombre de Millar con la frecuencia necesaria para que nadie lo olvidara. Y mientras se movía, conversando con animación pero sin estridencia, notó que despertaba el interés de la gente. Una mujer atractiva y elegante, que era dueña de su vida, indiferente al hecho de que su guapo marido coqueteara abiertamente con dos invitadas. Y Lena sabía que James Williams no apartaba los ojos de ella.

También notó que Laura Evans, que jamás llegaría a ser Laura Williams, estaba bebiendo demasiado y muy deprisa.

Solo cuando todos se hubieron retirado, Laura pareció recordar sus deberes de anfitriona.

—Será mejor que recojamos todo esto —gruñó, tambaleándose hacia una mesa llena de copas.

—Deja, Laura. Habrá quien se ocupe de eso.

—No me molesta. Después de todo voy a pasar la noche aquí. No quiero ver la casa hecha un desastre. —Miró a Lena para asegurarse de que había captado lo de pasar la noche allí.

—Bueno, todo el mundo va a pasar la noche aquí —puntualizó James con desenvoltura—. Tomemos una última copa.

Pero Laura no quiso saber nada de eso. Avanzó dando tumbos hacia las copas y perdió el equilibrio, volcando los restos de vino y rompiendo algunos cristales contra el suelo.

—¿Quieres dejar eso, Laura? —James se puso nervioso como con un niño pero no se enfadó.

—Ya lo recogeré todo. Deja.

—¿No sería mejor esperar a la luz del día? —sugirió Lena suavemente—. Con luz artificial resulta más difícil ver los trozos de cristal.

—Veo muy bien —aseguró Laura. Pero se cayó y se cortó las palmas con los cristales rotos.

Lena la llevó a la cocina y le quitó los cristalitos de las manos, sin decir nada. Luego le curó los cortes con desinfectante.

—Bueno, ya está —dijo al fin.

—No te des esos aires de superioridad, ¿quieres? —le sugirió Laura.

—Lo que ella quiere decir es muchísimas gracias —dijo James.

—Lo que quiero decir es que deje de darse aires de superioridad —repitió Laura.

—Estas heridas parecen muy superficiales, pero deben de doler mucho —dijo Lena.

—Eres peor que un grano en el culo —dijo Laura, arrojándose hacia la puerta—. Ahora me explico que él nunca haya tratado de conquistarte, Lena Gray. Con lo pedante que eres, debes de haberlo dejado helado.

—Buenas noches, Laura —dijo James Williams con frialdad.

Se sentaron los tres junto al fuego, a hablar de la fiesta, de los vecinos, de la última película que habían visto. A Lena la inquietaba un poco el modo en que James Williams la miraba. Era como si comprendiera no solo la vulgaridad de Laura Evans (quien después de aquella noche jamás podría convertirse en Laura Williams), sino también la ingenuidad de Louis Gray, que ni en un millón de años llegaría a ser tan inteligente como su mujer.

Fue un momento incómodo. Lena bajó la mirada al suelo.

—Debes de estar cansado, James... Qué agradable, haber conocido a tus amigos.

Él los acompañó al piso de arriba; la gran habitación de huéspedes tenía baño propio; ellos nunca habían dormido en un sitio tan elegante. Desde una puerta entornada les llegaron unos ronquidos: Laura Evans dormía en una cama, con un zapato en el suelo y el otro meciéndose en el aire. Parecía muy improbable que James Williams fuera a dormir a su lado.

Una vez cerrada la puerta, Louis buscó a Lena, tal como

ella esperaba. Nada lo excitaba tanto como saber que dos mujeres habían abandonado aquella fiesta a regañadientes. Ambas habrían dado cualquier cosa por pasar aquella noche con Louis Gray. Lena sabía que, tras algo así, él la deseaba mucho más.

—Estás preciosa —le susurró al oído.

—Te quiero —respondió ella sinceramente.

—Esta noche eras la reina entre todas esas mujeres.

Lena cerró los ojos. Al menos estaba allí, sobria, sin aparentar sus cuarenta y cinco años. Sí, aquella noche había sido la reina, claro.

—Quería pedirte... es decir, los dos queríamos pedirte que fueras testigo.

—¿En algún juicio?

—En el Registro Civil, tonta.

—¿Vais a casaros? —Lena miró a Ivy con estupefacción.

—Bueno, hice todo lo que tú me dijiste.

—Oh, Ivy, cuánto me alegro. ¿Cuándo lo habéis decidido?

—Anoche.

—¿Y Ernest está contento?

—Por supuesto que no. No pidamos la luna. Pero dice que es lo que corresponde. Y es lo que yo quiero, con toda seguridad. Lo que siempre he querido. —Tenía los ojos brillantes.

—¡Qué maravilla! —Lena la abrazó con fuerza, pensando que Ivy merecía buena suerte y felicidad.

La casa quedó extrañamente vacía tras la marcha de Francis Byrne. Aquel anochecer, la hermana Madeleine no sintió necesidad de alimentar el fuego. Cuando salió a la puerta, ya no tuvo motivos para mirar hacia la casa del árbol, agitando cordialmente la mano.

Aunque pareciera extraño, aquella presencia turbadora y preocupante había sido una compañía. Después, las noches parecían más largas. Ella rezaba, pidiendo que Francis encontrara su camino. Que volviera por sus cosas dentro de algunos meses, para decirle que ya estaba bien instalado, con otro nombre, trabajando para algún granjero. O tal vez como leñador de algún gran monasterio, donde los monjes lo trataran bien. Mejor aún: podía escribir para pedirle que devolviera las cosas robadas al taller de Sullivan. No sabía escribir, claro, pero alguien podía hacerlo por él. Alguna persona amable que lo estuviera cuidando, tal como lo había cuidado ella.

Philip pasaría la noche en su casa y había llevado toda su ropa sucia.

—Pareces un vagabundo —le dijo Kit.

—¿Tú no llevas la ropa sucia a casa?

—Claro que no. La lavo yo misma.

—Porque eres mujer.

—Claro, pero también lo haría si fuera hombre.

—Lo dices porque no eres hombre —aseguró Philip.

—Eso no es cierto.

—O para pelear conmigo —sugirió él con aire triste.

—Eso es aún menos cierto. —Ella le puso una mano en el brazo—. Me pareces un muchacho estupendo. Te has dejado de tonteos y somos buenos amigos.

—Me he dejado de tonteos solo exteriormente —dijo Philip con tristeza.

Por un momento le recordó a su hermano Emmet, que hablaba así de Anna Kelly. ¿No sería extraordinario sentir algo tan fuerte por alguien? Decidió ser enérgica con Philip.

—No digas tonterías. Eso ha desaparecido por completo.

—No, Kit. Está ahí y molesta todo el tiempo, como un dolor de muelas. Y me hace preguntas sin cesar.

—¿Qué te pregunta? —Kit no podía ser dura ni superficial con él; se parecía demasiado a Emmet.

—Cosas como... por qué no me has invitado a ese baile que estás organizando para el sábado. —Su desencanto era evidente.

—No lo estoy organizando yo. Somos varios.

—Si quisieras, podrías haberme invitado.

—Pero te vas a tu casa. —Ella no quería ofenderlo.

—Voy solo para no estar aquí. Si me hubieras invitado no me iría.

Kit intentaba no desilusionarlo, pero no quería tenerlo presente mientras representaba su papel con Stevie Sullivan; eso habría sido aún peor.

—Todo acabará bien, Philip.

—Eso espero. De lo que estoy seguro es de que ahora nada va bien.

Cuando Philip descendió del autobús en Lough Glass, ya había oscurecido. No sabía qué estaba haciendo allí. Su madre se quejaría de que los visitara tan poco. Su padre le diría que había escogido el peor oficio del mundo, que la industria hotelera estaba acabada. Kit estaba en Dublín, organizando una reunión con su grupo de amigos, al cual él parecía no pertenecer.

El conserje del hotel lo saludó sin mucho entusiasmo.

—Voy a dejar mis cosas aquí un rato, mientras bajo a caminar junto al lago —dijo el muchacho. De pronto no sentía ningún deseo de entrar en la casa familiar.

—Como quieras —dijo Jimmy.

Sin darse cuenta, Philip encaminó sus pasos hacia la cabaña de la hermana Madeleine. Conocía a la ermitaña, como todos, pero no era de los que le hacían confidencias. Cuando estaba a punto de volverse, la vio en la puerta, ciñendo con un chal sus hombros estrechos. Algo en su postura le sugirió que estaba inquieta.

Durante un momento pensó en esconderse. Después de todo, ella no lo había visto. Y probablemente no le pasaba nada. Eran solo imaginaciones suyas. Pero algo lo obligó a preguntar:

—¿Se siente bien, hermana?

Ella miró en la oscuridad.

—¿Quién es? Está muy oscuro.

—Philip O'Brien.

—Caramba, eres tú, qué bien. —A Philip le dio un vuelco el corazón: ¿querría encargarle algún recado?—. ¿Puedo servirte un té? No vale la pena prepararlo solo para mí.

Parecía extraño que dijera eso cuando vivía sola. Seguramente se pasaba la vida preparando té para ella misma. De cualquier modo le caería bien; Philip se sentía entumecido y cansado por el viaje. La siguió al interior.

—¿Cómo está el gato ciego? —preguntó, recordando que Kit le había hablado de eso.

—Murió. Se ahogó en tres dedos de agua, delante de mi puerta. —Su voz sonaba curiosamente inexpresiva.

—Oh, lo siento mucho.

—Tendría que haber muerto el primer día. El veterinario tenía razón.

—Quizá fue feliz mientras vivió.

—No. Llevó una vida absurda. Se pasaba el día dándose contra las cosas.

Philip no supo qué decir, así que guardó silencio. Se limitó a esperar el té, sentado en el asiento de tres patas.

Ella le cortó una rebanada de pan con pasas y la untó con mantequilla.

—Eres un muchacho formal, Philip. Eso te ayudará mucho en el futuro.

—Espero tener algo más que me ayude en el futuro —musitó él con voz triste.

—¿Así que tu vida no marcha bien?

—Quiero casarme con Kit McMahon —dijo él súbitamente—. Ahora no, pero sí dentro de un par de años. Es lo que quiero desde siempre, desde la noche en que murió su madre, hace tantos años.

—Sí —dijo la hermana Madeleine, contemplando el fuego.

—Pero con la paciencia no basta. Creo que a ella le gusta otro y no me lo ha dicho.

—¿Por qué crees eso? —La vieja monja hablaba con voz suave.

Él le explicó lo del baile.

—Y no sé quién puede ser —concluyó, triste y resignado.

—Tal vez ese otro no exista.

—No. Está muy concentrada en alguien.

—Voy a decirte algo. Sé que Kit tiene cosas en que pensar... y esas cosas requieren gran parte de su atención. Pero te aseguro que no se trata de otro chico. No tienes rivales. Simplemente, ella no está lista todavía para pensar en los hombres. —Tenía los ojos muy brillantes y muy azules. Casi parecían atravesarlo. Philip la creyó; le tenía confianza. Sintió el corazón más ligero—. Vuelve al hotel, Philip. Tus padres estarán buscándote.

—Usted le hace mucho bien a la gente, hermana —dijo él al salir.

—Eso creía yo antes, Philip. Ahora ya no estoy tan segura. —La hermana Madeleine tembló, aunque no hacía frío.

—Adiós. Y gracias, gracias otra vez.

Ella no respondió. Se quedó sentada, contemplando el fuego. Philip cerró la puerta al salir y aseguró el picaporte. Al regresar por la orilla del lago, su paso era más firme. Kit no amaba a otro. De lo contrario se lo habría dicho a la ermitaña, pues eran grandes amigas. Esa era una buena noticia. Realmente muy buena noticia.

Lena Gray estaba explicando a Jim y a Jessie Millar que compraría el coche por mediación de la empresa.

—Pero por supuesto que puedes tener coche —dijo él—. ¿No te he dicho mil veces que saques algún provecho de esta empresa que ayudaste a convertir en lo que es?

—No es para mí, Jim. Es para mi marido. Por eso quiero pagarlo.

—No. Es lo mismo.

—Tú no sacas cosas de la empresa para tu uso personal. Y yo tampoco lo haré.

Kit organizó una pequeña fiesta en el apartamento de Frankie. Las chicas servirían vino y galletitas con queso. Más tarde, en el hotel, los muchachos pagarían las bebidas; así quedarían en paz.

—Pero no pueden volver para tomar el café —explicó Frankie, con firmeza—. Si entra un hombre en la casa después de las diez, la casera echará mano del teléfono para avisar a todas nuestras madres.

Las otras estuvieron de acuerdo.

Clio, enterada de que habría baile, desafió a Kit.

—¿Por qué se me ha excluido?

—No se te ha incluido, que es muy diferente. Somos solo un grupo de hostelería.

—Pero irá Kevin O'Connor —añadió Clio.

—Sí. Tal vez lo ignores, como todo el mundo, pero se supone que él también estudia hostelería, ¿sabes?

—Bueno, tal vez tú lo ignores, pero casualmente yo salgo con su hermano.

—Oye, Clio, tú y Michael podéis ir a todos los bailes del Gresham —señaló Kit.

—Me gustaría saber qué piensas hacer de tu vida, Kit McMahon —dijo Clio.

—A mí también —añadió Kit, ansiosamente.

En la ciudad ponían *El lago azul*. A Emmet le habría encantado llevar a Anna, pero no debía rendirse. Vio a Patsy Hanley, que caminaba sola por la calle Mayor de Lough Glass.

—¿Te gustaría ir esta noche al cine? —preguntó deprisa, sin darse tiempo a cambiar de idea.

Patsy enrojeció de alegría.

—¿Yo? ¿Contigo? ¿Los dos?

—Claro.

—Me encantaría —respondió ella. Y corrió a su casa para disponer las cosas.

Anna Kelly tenía intención de ver *El lago azul* con algunas chicas de su clase. Afortunadamente para su orgullo, se enteró a tiempo de que Patsy Hanley iría con Emmet. En el mismo autobús.

No quería dejar ver que la habían plantado. Prefería quedarse en casa. De hecho, se quedaría sola, porque sus padres iban a cenar en el club de golf. A Anna le pareció una manera horrible de pasar la noche del sábado.

Philip estaba en el comedor, con sus padres. Las paredes estaban pintadas de un fúnebre marrón; los manteles guardaban el recuerdo de demasiados frascos de salsa. La iluminación era escasa; el servicio, lento.

Philip sabía que un viajante jamás regresaría a un hotel como aquel con su familia. Transformarlo exigiría un gran esfuerzo. Él siempre había tenido la esperanza de hacerlo con la ayuda de Kit McMahon. Y tal vez no era una esperanza tan descabellada. La hermana Madeleine había estado muy segura al decirle que Kit no tenía ningún otro amor.

Philip trató de imaginar qué otros problemas podían estar ocupando el tiempo y la atención de la muchacha.

—No vienes durante semanas enteras y cuando estás aquí no dices una palabra —se quejó la madre.

—Mira, hijo: si quieres llegar a ser algo en el ramo de la hostelería, tienes que ser más amable, saludar a la gente —dijo Dan O'Brien, que jamás entablaba conversación, como no fuera con una lista de quejas y protestas.

—Tienes razón —dijo Philip—. Soy más afortunado que la mayoría, porque mi familia tiene un hotel en el que puedo practicar.

Lo miraron con suspicacia, pensando que les estaba tomando el pelo, pero no vieron señales de eso.

Philip se plantó una sonrisa en la cara, preguntándose si

algún otro chico de su edad estaría pasando un sábado tan horroroso.

—¿Quién será el primero? —preguntó Frankie, mientras admiraban la mesa.

Esta tenía un aspecto muy festivo, con sus velas de color y sus servilletas de papel entre las bandejas de comida.

—Apuesto a que será Kevin O'Connor —gruñó Kit.

—No creo que sea tan malo —dijo Frankie—. Te tiene tanto miedo que se arrastra por el suelo cuando te ve. Y tú no eres capaz de tratarlo con un poco de amabilidad.

—Él no fue amable conmigo en otros tiempos. Cuesta olvidar esas cosas.

—Hay que olvidar.

—¿Tú crees? —musitó Kit.

—¿Si creo qué?

—Que hay que olvidar.

—Por Dios, Kit. De otro modo las guerras no terminarían nunca y las mujeres se suicidarían por sus amores imposibles.

—Pero ¿qué sentido tiene la vida si todo se puede olvidar y borrar para empezar otra vez?

—Oye, esto no es un debate, sino una fiesta —dijo Frankie—. ¿Con quién te gustaría formar pareja, esta noche?

—No lo sé. Tal vez con el chico de mi pueblo. Stevie. Es muy guapo. —Kit lo dijo en parte para informar a la atractiva Frankie de que Stevie era territorio prohibido, pero en parte también para convencerse. En el fondo sabía que Stevie era vulgar y simple.

Sonó el timbre.

—Empezamos —dijo Frankie, saltando hacia la puerta.

Volvió con los ojos en blanco, seguida por el hombre más apuesto que ninguna de ellas había visto en mucho tiempo.

De esmoquin, con el pelo un poco largo pero limpio y brillante, con el bronceado de quien trabaja al aire libre y en mejor estado físico que ninguno de los deportistas universitarios, dueño además de una sonrisa que detendría en seco a cualquier muchacha, Stevie Sullivan parecía haber escapado del póster de alguna película.

—¡Caramba, qué bien estás! —exclamó Kit, sin poder contenerse.

—Tú me ganas. —Los ojos brillantes admiraban sus hombros desnudos y el vestido de seda color melocotón atado al cuello.

A Kit la preocupaba no poder usar sujetador, pero la muchacha de la tienda le había asegurado que, con un traje tan bien cortado, no hacía ninguna falta. Le pareció que Stevie Sullivan observaba su pecho como si estuviera haciendo un cálculo, pero se dijo que eran imaginaciones suyas.

En aquel momento volvió a sonar el timbre y llegaron varios invitados más. Uno era Kevin O'Connor, que fue directamente hacia Kit.

—Solo quería decirte que Matthew está aquí, pero todos vamos a vigilarlo. Si hace algo malo, lo enviaremos a su casa. ¿Estás de acuerdo?

—¿Matthew? —repitió Kit, confundida.

—Sí, el que se portó tan mal cuando estabas trabajando en el bar. Ahí está, junto a la puerta, esperando que yo aclare las cosas contigo. Vino en lugar de Harry, ¿comprendes?

—Está bien. Puede quedarse —resolvió Kit con aire majestuoso—. Mientras todo esté bajo control.

—Te doy mi palabra —le aseguró Kevin.

—Por Dios, Kit McMahon, tienes a Dublín en tus manos —se admiró Stevie.

—Ah, y no sabes ni la mitad, Stevie.

Ella lo cogió amistosamente por el brazo para presentarlo a todos. Por las miradas que le dirigían comprobó que no era la única deslumbrada. Stevie Sullivan, bien vestido y en un lugar como aquel, era irresistible. Demasiado bueno para la horrible hermanita de Clio.

De pronto Kit recordó el objetivo de todo aquello. Tenía

que distraerlo, apartarlo de Anna, para que la chica volviera humildemente a Emmet. Debía aprovechar aquel baile para conquistarlo. Tal vez no funcionaría, pero ella pensaba hacer todo lo posible.

Era la típica noche de sábado en el club de golf. Los Kelly y los McMahon estaban terminando de cenar, como tantos otros fines de semana. Parecía imposible creer que las cosas no habían sido siempre así.

Hablaban de los chicos. Clio no estaba estudiando mucho, por lo visto. Cuando estaba en casa se pasaba el tiempo durmiendo.

—No creo que en Dublín duerma lo suficiente. —Lilian se preocupaba por su hija mayor.

Maura McMahon habría querido saber, realmente, dónde dormía Clio, pero aquel no era momento ni lugar para hablar de eso.

—Parece que esta noche Kit tenía un baile —comentó Peter Kelly—. Clio nos lo comentó por teléfono, llena de envidia.

—Es cierto. Primero habría fiesta en el apartamento de algunas chicas. Creo que era el grupo de hostelería. —Martin era siempre muy diplomático.

—Oh, claro. Clio dijo que vendría esta noche a casa, si alguien la traía.

—Qué bien —dijo Maura, no muy sincera. Su sobrina era inquieta y agotadora. Siempre había en ella cierta tensión.

—Le dejé un plato de bocadillos —dijo Lilian—. Anna dice que no comerá nunca más. Cree estar más gorda que un cerdo. Dios mío, qué insoportables se ponen a veces.

—He visto que el joven Philip ha vuelto a su casa —comentó Martin—. Podrían haber regresado juntos, para hacerse compañía.

—Oh, ella no habla más que de un muchacho que tiene un coche de lujo. Quizá la traiga él. —Lilian parecía preocupada.

—¿Querrá quedarse? —preguntó el marido.

—No me lo ha dicho. Y ya conoces a Clio: si le haces una pregunta te arranca la cabeza. Habrá que esperar. Por si acaso, dejé preparadas sábanas limpias.

Maura no dijo nada. Sabía que el muchacho del coche de lujo era el hijo de Dedos O'Connor.

Francis Fingleton O'Connor era un famoso empresario que había ganado una fortuna gracias a cuatro hoteles estratégicamente distribuidos por Irlanda. Pero más famosa aún era su convicción de ser irresistible para las mujeres. Maura lo había tratado en más de una ocasión, por motivos de trabajo, y le tenía antipatía. Disimuló su hostilidad hasta estar segura de que nadie la observaba; entonces le dijo que sus atenciones no le gustaban, en un tono tan firme que el mismo O'Connor lo entendió a la primera.

Kit había comentado que uno de sus hijos, Kevin, estudiaba con ella en la escuela. Un ser antipático, había dicho. Maura no dijo nada, pero se alegró de conocer aquella opinión. Clio, por el contrario, parecía muy entusiasmada con su hermano. Sin duda, el cebo era el coche y el estilo de vida.

Mencionó lo de Emmet.

—Ha ido al cine. Qué mayores están los cuatro, ya viviendo su propia vida —comentó Maura con admiración.

Los Kelly no parecían muy seguros de que sus hijas estuvieran viviendo muy bien su vida. La mayor volvía descontenta de Dublín y dormía horas y horas. La otra no había querido ir al cine y estaba sentada en la mesa de la cocina, sola y sin querer comer. Y las dos, pensó Maura, eran tan guapas...

Por primera vez en mucho tiempo pensó en Helen McMahon; su belleza no le había acarreado más que problemas.

—Son demasiado viejos para casarse —dijo Louis, refiriéndose a Ivy y Ernest.

—¿Por qué, si ellos quieren hacerlo?

—Oh, vamos, es ridículo. Todo el mundo sabe que se entienden desde hace años. ¿No bastaría con irse a vivir juntos, sin todo eso de amarse, honrarse y obedecerse?

—Es un símbolo, nada más. —Ella sabía que se quedaba corta.

—No es un símbolo de nada. .

—Para gente como nosotros, no —aclaró ella, como si fuera obvio—. Tú y yo no necesitamos esas cosas. Pero para otros son necesarias. Tú, que sueles ser tan tolerante con las costumbres que no entendemos, ¿por qué no te alegras por Ivy y Ernest, que quieren darle importancia a lo suyo?

—Bueno, si lo miras así... —Era como si lo hubieran liberado de una carta, de una amenaza—. Oye, compremos una botella para celebrarlo con ellos. Hagamos una especie de fiesta, para recordarles que este es su último sábado como personas libres. —En aquel momento era todo sonrisas. Capaz de matar con su encanto.

Lena acertó: Louis fue el alma de la fiesta. Había invitado a todos los inquilinos para que felicitaran a la pareja. Cada uno llevó un pequeño obsequio. Ernest e Ivy estaban emocionados.

—¿Cómo lo han sabido? —susurró Ivy a una de las vecinas.

—Nos lo dijo el señor Gray. Él quería que esto fuera una pequeña fiesta —explicó la mujer.

—¡Qué buen marido tienes! —dijo Ivy a Lena.

—Sí.

—En el fondo es todo corazón —Insistió Ivy, mirándola fijamente. Ivy, que conocía sus infidelidades y lo mucho que Lena se esforzaba por complacerlo. Ivy, la única enterada de que no estaban casados, se dejaba engañar por aquel pequeño gesto de buena voluntad.

Lena pensó que la vida entera era un teatro.

—Lo sé —dijo con voz desanimada.

Era como si hubiera salido de su cuerpo y contemplara toda la escena sin formar parte de ella. La idea de organizar aquella celebración había sido suya. Había tenido que tragarse los celos y la envidia que le inspiraba Ivy, con el súbito golpe de suerte que le aseguraba su hombre. Ivy se lo merecía y Lena se alegraba de que tuviera aquel momento de felicidad.

Louis, en cambio, pensaba que la boda, a esa edad, era algo absurdo y sin sentido, un símbolo vacío, un paso ridículo. Pero en cuanto Lena pudo liberarlo de su sentimiento de culpa, cambió de plano y convirtió aquello en una fiesta triunfal.

Todos miraban a Louis, que estaba animado y era el centro de atención. Es un estafador —pensó Lena, enfadada—; es un fraude, un mentiroso. ¿Por qué malgastaba su vida con él? ¿Por qué no había regresado a Lough Glass, junto a su familia, junto a sus hijos, que la necesitaban? ¿Qué estaba haciendo en aquella ridícula casa londinense, trabajando duramente para una agencia de empleo, brindando por Ivy y Ernest entre un montón de gente a la que apenas conocía? Era sábado por la noche; debería estar en su casa de Lough Glass.

Un terrible vacío se adueñó de ella. En su casa de Lough Glass... ¿haciendo qué?

Michael O'Connor conducía hacia Lough Glass a través de la noche.

—Bien sabes que no podemos dormir juntos en casa —dijo Clio.

—Lo has dicho mil veces.

—No tendría que insistir tanto si no lo tomaras a broma.

—Haya paz. Podemos acostarnos en cuartos separados. Después te deslizas hasta el mío. ¿De acuerdo?

—No, Michael, no estoy de acuerdo. Vamos a la casa donde yo nací y me crié. Allí estarán mis padres, con el oído atento a cualquier crujido del suelo.

—Ya buscaremos el modo de evitarlos.

—¡No! —Clio parecía muy enfadada.

Michael detuvo el coche al lado del camino.

—¿Qué pasa? ¿Por qué peleamos?

—Porque te dije, ya antes de salir de Dublín, que no podíamos hacer eso. No quería que te hicieras falsas ilusiones.

Parecía muy preocupada. Él se ablandó.

—Bueno, bueno. Entiendo.

—Pero ¿seguirás entendiendo cuando estés en el cuarto de huéspedes, Michael?

—No sé. Depende de las ganas que tenga.

—Por muchas ganas que tengas, no hay opción. O lo aceptas o el viaje termina aquí.

—¿Ah, sí? ¿Y qué harías en medio de la nada?

—Puedo bajarme y pedir que alguien me lleve o volver a Dublín contigo. —Fingía más seguridad de la que sentía.

—Oh, bueno, qué diablos. Ya estamos a medio camino. Te llevaré hasta Lough Comosellame y después volveré a la civilización.

—Eso sería pedir demasiado.

—Es preciso obedecer las órdenes de la señora.

—En serio, Michael.

—De todas formas, quiero conocer tu pueblo. Tengo que informar si mi novia está a mi altura social o no. —Ella rió, suponiendo que era una broma—. Hablo muy en serio —dijo Michael—. Mi padre siempre me pregunta qué clase de chica es la sobrina de Maura Hayes. Parece que tu tía era bastante ligera.

—¿Ligera?

—Fácil.

—¿Tía Maura? ¡Estás bromeando!

—Eso es lo que él dice... o más bien lo que no dice. Muy juerguista.

—¿Y eso es bueno o malo?

—Es estupendo. Una chica como tú, amante de las fiestas y de las diversiones. —Michael la estrujó un poco. Luego recordó que aquel no era el momento ni el lugar apropiado—. No tiene sentido que me excite si no me espera nada agradable.

Continuaron el viaje por el oscuro paisaje irlandés, pero

sin hacer comentario alguno sobre lo que veían. Clio cayó en la cuenta de que hablaban poco. No eran muy dados a sentarse a conversar sobre las cosas del mundo.

Claro que entre ellos había algo mucho más importante: una vida amorosa muy apasionada. En general, la gente no tenía la suerte de disfrutar de algo así. Nunca. Clio sabía en aquel momento lo difícil que era definir el amor en la poesía, la pintura o la música. Todo se basaba en... bueno, en la intimidad, en la unión. Era imposible describir aquellas cosas.

Contempló el perfil de Michael, preguntándose si estaría pensando algo parecido. Le puso una mano en la pierna.

—Tenemos mucha suerte, ¿no?

—No, en absoluto. Allí están tus padres, como osos pardos, listos para sorprendernos.

—Todavía no hemos llegado a casa. Y ellos deben de estar en el club de golf.

A Michael se le iluminó la cara.

—A lo mejor tenemos tiempo, antes de que regresen.

Clio echó un vistazo a su reloj. Eran las diez y faltaba media hora para llegar a Lough Glass. Pero sus padres rara vez abandonaban el club antes de medianoche.

—Acelera.

Su recompensa fue el grito de júbilo de Michael.

La hermana Madeleine estaba inquieta. Una vez más la noche le parecía larga y solitaria. Eso era algo que no se podía permitir. Había ansiado estar lejos de la cháchara incesante y de los asuntos ajenos. Siempre se había enorgullecido de vivir a gusto con sus propios pensamientos. Pero eso era cuando tenía fe en sus propios pensamientos. En los últimos tiempos se sentía cada vez más insegura de todo. Junto con la certeza había desaparecido un montón de cosas.

En aquel momento las sombras de la noche sobre el lago le parecían algo amenazadoras. En los bosques se veía el límite del campamento gitano. Habían encendido fuego y la recibirían bien, pero su presencia les cambiaba el talante, los inducía al silencio. Miró hacia el pueblo, entre los árboles, y vio las luces de la larga calle única. En aquellas casas había gente arraigada; allí no vivían nómadas ni ermitaños como ella. Conocía la mayor parte de sus secretos, de sus anécdotas. Casi no había hogar donde no le hubieran tendido una cálida mano para llevarla dentro.

Pero algo retenía a la hermana Madeleine allí. Si llamaba a aquellas puertas, si renunciaba a su vida independiente, estaría perdida. Se estaba dejando ganar por las fantasías. Trató de imaginar que era una de las muchas personas que desfilaban por su cabaña en busca de consejo. ¿Qué habría dicho en ese caso?

«El gran problema es que, en general, cada uno piensa demasiado en sí mismo. Por eso nuestros problemas nos parecen mucho más importantes de lo que son. En cambio, si piensas en otra persona...»

Muy buen consejo; por desgracia, la única persona en quien podía pensar era el pobre Francis, que vagaba por la noche con su mente dispersa. Le habría gustado creer que estaba sano y salvo, después de tres días de ausencia. Lamentó que no estuviera ya en su diminuta cabaña, junto al fuego encendido.

En el apartamento de Frankie había un rumor de conversaciones. La fiesta marchaba bien. Frankie y Kit se miraron encantadas. Todo salía mejor de lo que ellas esperaban. Kevin O'Connor montaba guardia junto a Matthew. Kit tenía que contenerse para no reír; los chicos eran tan inmaduros, comparados con las chicas... Aquellos dos se estaban comportando como si tuvieran la edad de Emmet.

Pensando en su hermano cayó en la cuenta de que estaba descuidando su misión de aquella noche. No bastaba con atraer a Stevie a Dublín un sábado por la noche; era preciso hacerle pensar que se interesaba por él a fin de que olvidara a Anna y concentrara en ella toda su atención.

En realidad, las Kelly eran bastante molestas. Clio se había comportado como un ciervo herido, solo porque no estaba invitada. Pero era imposible invitarla sin que todo Lough Glass se enterara de que Kit McMahon se había comportado ignominiosamente con Stevie Sullivan. Y eso era lo que ella estaba a punto de hacer.

Se untó un poco de vaselina sobre el carmín, para dar brillo a la boca, y avanzó hacia él, que estaba hablando de coches, desenvuelto y tranquilo como si pasara todos los sábados por la noche entre gente vestida de etiqueta. Parecía mucho más a gusto que algunos invitados. A Kit le pareció que tal vez no fuera un diamante en bruto, como ella creía. O sabía actuar muy bien.

—Estábamos tratando de resolver cómo nos distribuiremos en los coches para ir al Gresham —dijo Kit—. ¿Tienes sitio para varios en el tuyo?

—Claro. —Él sonrió con facilidad.

Kevin apareció a su lado.

—Te llevo yo, Kit —dijo fanfarroneando—. Hoy he traído el Morris; hay espacio de sobra; en la parte trasera caben cuatro.

—Tengo que ayudar a Frankie como anfitriona y hacerme cargo de todo. —Kit le sonrió con dulzura y le apoyó una mano en el brazo—. Sé bueno y sienta a Matthew en el asiento delantero, donde puedas vigilarlo. ¿Y podrías llevar a esas cuatro chicas, las que están allí?

Kevin se declaró encantado. Después de un rápido cálculo mental, Kit organizó las cosas de modo que Stevie la llevara solo a ella.

—¿Así que nadie quería venir con nosotros? —preguntó él, bromeando.

—Eso parece.

Stevie abrió la puerta de un coche realmente elegante.

—¿Qué es? —preguntó ella, maravillada.

—Un modelo E —respondió Stevie, quitándose importancia.

—Bueno, si los otros lo hubieran visto antes, habríamos muerto en la estampida.

—No sirve de nada que te quieran solo por el coche. Tienen que quererte por lo que eres.

Stevie era un compañero agradable; su coqueteo era más bien admiración. A ella le resultaba fácil desempeñar su papel.

—Ah, yo diría que en ese aspecto no tienes problemas —insinuó Kit.

—¿En qué aspecto?

—Que te quieran por lo que eres. Por lo que dicen, las tienes esperando haciendo cola.

—No me vengas con esas. Recuerda que eres mi vecina. Y nunca viste colas de muchachas esperando frente al taller.

—He visto bastante —dijo Kit riendo.

—Tú sí que has cambiado desde aquellos tiempos.

—¿Sí? Yo me siento igual.

—Nada de eso. Eras una colegiala tonta. Te pasabas el día de risitas con Clio. Os reíais de todo y de todos.

—Y ahora soy muy seria, ¿no? —Volvió a observarlo con los ojos entornados. Se preguntaba si estaría exagerando. Stevie no era tonto; tal vez se había dado cuenta de lo que ella intentaba y la despreciaba. Pero no lo parecía.

—Buen grupo, el de tus amigos —comentó él—. Eso es lo bueno de Dublín, ¿no? Tienes la oportunidad de conocer a mucha más gente que en el pueblo. Ese individuo rubio y alto ¿es tu novio? —Aquello era ir directamente al grano.

—¿Por qué lo preguntas? —Ella enarcó las cejas. Seguramente iba a decirle que dejara de actuar.

—Porque parecía muy atento.

—Estudia hostelería. Está en mi curso.

—¿Es de los O'Connor esos? ¿Los de los hoteles? —¡Qué rápido era! Había oído el nombre de Kevin y ya estaba atando cabos.

—Exactamente. —Kit sintió el impulso de decirle que Kevin O'Connor era un charlatán ignorante que había contado entre sus amigos que se había acostado con ella, pero que había pagado muy caro por ello y ahora le tenía un miedo mortal.

Pero eso no formaba parte del juego. El juego consistía en ponerlo un poco celoso.

—Así que es el otro, ¿no?

—¿El hermano de Frankie, el estudiante de derecho? No, es solo un amigo. Pero es muy atento, como dirías tú.

—Y el joven Philip O'Brien, del Hotel Central, atento también. Caramba, cómo se te amontonan, Kit McMahon.

—Oh, no. Philip y yo somos solo amigos.

—¿Y por qué no ha venido esta noche?

—Creo que lo esperaban en su casa —mintió Kit.

—Bueno, me alegro de que me hayas invitado a mí. Lo estoy pasando muy bien —dijo Stevie.

Maniobró para aparcar en un sitio que parecía reservado para las celebridades. Como aquella noche era difícil que se presentara otro cliente con un coche tan elegante, bastaron unas palabras con el portero para que todo quedara solucionado.

Luego Stevie Sullivan la cogió del codo para llevarla al interior del hotel, donde los otros ya estaban reunidos y miraban boquiabiertos el coche que Stevie había aparcado tan fácilmente.

—¡Qué máquina! —exclamó Kevin O'Connor, rezumando envidia por todos los poros.

—No creas, es más la pinta que otra cosa. Creo que te hacen pagar por todo ese cromado. ¿Tú tienes un Morris? Ese sí es uno de los mejores coches que hay en la actualidad. Y rápido, también, si te hace falta.

Kevin quedó complacido.

—Sí, cierto. Eso es lo que yo pensaba.

Al acercarse al salón de baile se oyó la música de la orquesta.

—¿Puedes reservarme el primer baile, Kit? —preguntó Kevin.

Era un rock estridente. Poco apto para seducir.

—Claro, Kevin —dijo en voz baja y susurrante.

El muchacho se enderezó la corbata de lazo y la condujo de la mano hasta la pista de baile.

Qué idiotas son los hombres, pensó ella. Y por algún motivo, frente a ella apareció la imagen de su madre.

—¿Son las brillantes luces de Lough Glass las que asoman allí delante? —preguntó Michael O'Connor a Clio.

—No trates de ponerme a la defensiva con mi pueblo natal —dijo ella riendo.

—Pero si debe de ser muy importante provenir de una población de este tamaño.

—Bueno, tú naciste en Dublín, pero tu padre no. Y tu madre tampoco. Todo el mundo proviene de un lugar como este. Solo es cuestión de cuándo.

—La adoro cuando se enfada, señorita Kelly.

—No estoy enfadada —dijo Clio.

—Me alegro, porque vas a tratarme muy bien.

—Sí, pero tendremos que ser rápidos.

Aparcaron en el camino de entrada. Tal como Clio esperaba, el coche de sus padres no estaba allí. Pasarían una hora más en el club de golf.

Cuando abrió la puerta, Michael O'Connor recorrió la casa con la vista. Era cómoda y ella no se sintió avergonzada. Su madre dedicaba mucho tiempo y dinero a elegir tapizados. En la sala había un espejo antiguo y dos mesas de diseño elegante.

La luz de la cocina estaba encendida. Clio vio la siniestra figura de su hermana, sentada a la mesa.

—Oh, mierda. Está Anna.

—¿Y eso qué significa? —preguntó Michael, mirando por encima de su hombro.

—Lo que tú supones. —La boca de Clio se convirtió en una línea dura.

Anna apartó la vista de su libro.

—Oh, hola. Pensé que serían ellos, que volvían de Sepulcrolandia un poco más temprano.

—¿Por qué no has salido? —le preguntó Clio—. Es sábado por la noche.

—¿Y por qué no has salido tú? —replicó Anna.

—Salí —respondió Clio como una tonta—. Salí de Dublín.

—Estupendo. —La hermana volvió a su libro.

—Anna, te presento a Michael O'Connor, un amigo mío de Dublín. Esta es Anna, mi hermana menor, que está en la escuela.

—Pero en este momento no. En este momento estoy cometiendo lo que parece ser el peor de los crímenes. Estoy en mi propia cocina, leyendo mi propio libro, y por algún motivo eso ha ofendido profundamente a mi hermana mayor.

—Oh, Anna, cállate. Eres un incordio —dijo Clio.

—Bueno, creo que debo... —Michael estaba desesperado por salir de aquella cocina.

—No, por Dios. Tienes que tomar algo: un café, una copa. Después de haberme traído hasta aquí, no vas a irte sin...

—Bueno, parece que después de haberte traído hasta aquí, me iré sin... —dijo él, con expresión de verdadero fastidio.

—Anna, ¿no podrías subir a tu cuarto para leer? Así Michael y yo... eh... estaríamos más cómodos. —Clio no tenía muchas esperanzas.

—Hay seis sillas. —La chica miró a su alrededor para asegurarse—. También podéis sentaros en la sala o en el comedor. Que yo sepa, nunca se me ha dicho que deba encerrarme en mi cuarto para leer un libro.

—Por Dios —dijo Clio, con una mirada que hubiera debilitado a alguien menos fuerte.

—Ha sido un placer —dijo Michael en tono glacial.

—Oye, vuelve. Perdona.

—¿Para qué quieres que vuelva? ¿Para dialogar en la cocina? No; prefiero volver a Dublín. Esto es lo que me encanta hacer los sábados por la noche: viajar hasta el culo del mundo, ida y vuelta.

Se oyó cerrar la puerta del coche. Michael desapareció.

Con una expresión asesina en los ojos, Clio volvió a la cocina.

Emmet, sentado en el autobús junto a Patsy, que no dejaba de hablar sobre la película, pensaba en Anna. Ella no había salido, afortunadamente, con aquel seboso de Stevie. Pero ¿habría hecho bien en desperdiciar la oportunidad de llevarla al cine aquella noche? ¿Era prudente invitar a Patsy para ponerla celosa? ¿Por qué la vida tenía que ser toda una sucesión de juegos?

Cuando el autobús se detuvo ante el bar de Paddles, Emmet y Patsy echaron a andar calle abajo.

—¿No sería estupendo que tuviéramos aquí un lugar donde tomar café o helados? —sugirió ella.

—Sí. —En realidad, para él era un alivio que no hubiera adónde ir, porque no la soportaba más. Pasaron ante el Hotel Central y lo miraron sin entusiasmo—. Es un mausoleo, ¿no?

—¿Un qué? —preguntó Patsy.

Emmet metió las manos en los bolsillos.

—¿Habéis ido al cine? —preguntó Philip O'Brien.

—A ver *El lago azul*. Es fantástica —respondió Patsy.

Philip siempre trataba bien a Emmet McMahon. Algún día el chico sería su cuñado, y prefería tenerlo como amigo.

—¿Y Anna Kelly no fue con vosotros? —preguntó, para continuar la conversación. A Emmet le gustaría ver que él, al ser mayor, conocía a sus amigas.

No estaba preparado para la mirada fulminante que le clavó el chico.

—No, no vino —dijo, tartamudeando otra vez.

Después de añadir con dificultad que la gente podía ir y

venir a su antojo, siguió caminando con la cara como un tomate. Patsy Hanley miró a Philip encogiéndose de hombros y fue tras él. Ella tampoco sabía qué le pasaba.

—Bueno, aquí está mi casa —gruñó Emmet, cuando llegaron a la farmacia de McMahon.

—¿No vas a acompañarme hasta la mía? —preguntó Patsy, sorprendida—. Después de todo, me invitaste al cine.

Emmet había abierto la puerta, pero comprendió que huir así era solo un gesto de fastidio y mal carácter. Su obligación era acompañarla hasta la casa de la tienda, por supuesto.

—Perdona —murmuró.

La señora Hanley los estaba esperando.

—Me imaginé que el autobús ya habría llegado. Pasa, Emmet. Ven a tomar una taza de chocolate.

—Se lo agradezco, señora Hanley, pero no.

—Oh, pasa, ¿quieres? Tengo galletas de chocolate.

Emmet subió. En casa no habría nadie. Papá y Maura estarían en el club de golf. Y él no quería quedarse solo, pensando en Anna. Así estaría más acompañado.

Kit descubrió que Stevie bailaba muy bien. Sintió deseos de preguntarle quién le había enseñado. Ella había recibido lecciones especiales, una clase optativa que daba la madre Bernard en el convento los viernes por la tarde.

Pero Stevie... Se pasaba la vida vestido con el mono, luchando con los motores. Vivía con aquella quejica de su madre y con el salvaje de su hermano menor. ¿De dónde había sacado tiempo y ganas para adquirir aquella habilidad, aquella elegancia? Mientras bailaban «El humo ciega tus ojos», él le arrimó la mejilla. Kit se alejó tan levemente que él apenas lo notó.

—¿Sabes una cosa? —preguntó Stevie.

—No, ¿qué?

—La letra de esta canción es completamente ridícula. Habla de un personaje cuyos amigos se ríen de él; escucha...
—Escucharon. Era cierto—. Menudos amigos.

Kit estuvo de acuerdo. Iba a expresarle su punto de vista, pero recordó su papel: el objetivo era enamorarlo. Y eso requería no tener puntos de vista propios; requería hablar solo del chico.

—¿Tienes amigos? —preguntó, mirándolo.

—Sabes muy bien que no tengo amigos. Me conoces desde siempre. ¿Qué tiempo tengo yo para hacer amigos? ¿De dónde quieres que los saque? —Parecía amargado.

—No te conozco desde siempre —replicó ella, animada—. En realidad, apenas te conozco. Hoy pareces un hombre distinto, una persona desconocida por completo. Bien podrías tener amigos en Hollywood o en el sur de Francia. Tienes el físico adecuado.

Cayó en la cuenta de que su voz parecía enfadada. Pero él lo interpretó como admiración.

—Gracias.

Ella se moría por conversar, pero no había tiempo.

—Y tú, ¿tienes muchos amigos? —preguntó Stevie, cuando se detuvieron en la pista de baile. No se molestaron siquiera en volver a la mesa, donde estaban el vino y los demás; querían seguir bailando.

—Realmente, no muchos. —Kit estaba pensativa.

—Supongo que Clio y tú seguís siendo inseparables.

—No, en absoluto. Ya ves que esta noche no ha venido.

—Anna dice que parecéis hermanas siamesas.

—¡Anna! —Ahí estaba la palabra. A eso debía llegar: a superar a Anna—. Anna no sabe nada. —Puso en su voz todo el desdén del mundo.

—Es más inteligente de lo que piensas. Sabe pensar por su cuenta —dijo él.

Kit sabía que era cierto. Anna era brillante e imaginativa. No debía protestar demasiado.

—Es guapa, no te lo niego —dijo con expresión coqueta—. Comprendo que resulte atractiva, pero tanto como inteligente... No sé.

La orquesta empezó a tocar «Un tonto como yo» y él la

atrajo para iniciar el paso lento. Se echó hacia atrás para mirarla a la cara: estaba roja, con los ojos chispeantes.

—Tú, Kit McMahon, tú sí que eres guapa.

En aquellos segundos ella comprendió por qué decían que era tan sexy y atractivo, por qué hasta las casadas estaban dispuestas a correr peligros terribles para salir con él. Pero sería absurdo enamorarse de un hombre así. Gracias a Dios, ella solo representaba aquella ridícula comedia por hacer un favor a su hermano. Intentó recordarlo cuando sintió que los brazos de Stevie la estrechaban.

—Te portaste como una niña malcriada —dijo Clio a Anna—. No te lo voy a perdonar mientras viva.

—¿Te estropeé los planes? —preguntó la hermana.

—Fuiste horriblemente maleducada con un amigo que tuvo la amabilidad de traerme desde Dublín.

—Y que te habría llevado hasta la cama, a no ser porque tu hermanita estaba aquí para proteger tu reputación.

—¿Cómo te atreves a sugerir semejante cosa? —Clio estaba pálida de ira.

—Creo que estamos en paz —dijo Anna, con calma—. Si tú no mencionas mis malos modales, yo no mencionaré tus intenciones.

Y volvió a su libro.

Martin McMahon se puso como una fiera cuando, al llegar a casa, encontró la puerta abierta.

—Qué descuidado es este Emmet —gruñó—. Dejar la puerta de par en par.

—Tal vez acaba de subir —observó Maura.

—Voy a echar un vistazo a la farmacia. —Martin siempre temía que alguien entrara a llevarse medicinas o drogas.

Maura subió sin él. No había señales de Emmet, pero había luz en la cocina, así que se encaminó hacia allí.

No era Emmet quien estaba sentado allí. Un vagabundo, fue lo primero que ella pensó, un hombre con el abrigo desgarrado, empapado por completo. Sus zapatos parecían rescatados del agua. Estaba sin afeitar y su aspecto era salvaje, aunque dormía moviendo la cabeza.

Maura se llevó la mano a la boca.

—¡Oh, Dios mío! —exclamó, sin poder contenerse.

Aquello despertó al hombre, que se levantó de un salto. Al ver su mirada de loco, Maura se apretó el cuello, aterrorizada.

—Por favor. Por favor.

El hombre buscó a su alrededor algo que pudiera servirle de arma.

Maura rezó pidiendo que Martin subiera de una vez; al mismo tiempo rezó pidiendo que no subiera. El hombre era como un animal salvaje; si se veía acorralado entre dos personas, podía volverse aún más peligroso.

—No voy a hacerle daño —aseguró Maura.

Él lanzó un grito ahogado, un sonido inarticulado, y se arrojó hacia Maura enarbolando una de las sillas.

Ella se apartó, abriéndole paso para que saliera. Por favor, Dios mío, que no esté Martin en la escalera.

—Váyase. Huya. No diré nada —susurró.

El hombre la miró confundido. Luego intentó atacarla una vez más. Al tratar de evitarlo, Maura cayó de rodillas.

Martin, que entraba en aquel momento, quedó petrificado por el horror, bloqueando la puerta: su esposa, arrodillada, encogida de miedo ante un hombre salvaje que estaba a punto de golpearla con una silla.

—¡Déjela! ¡Apártese! —rugió, arrojándose contra el hombre de la mirada salvaje.

El vagabundo levantó la silla y golpeó a Martin, mientras Maura se levantaba con dificultad y trataba de apartarlo. Solo la voz de Emmet, que subía corriendo las escaleras, interrumpió la implacable serie de golpes.

—¿Qué pasa? ¿Qué está pasando?

En aquel momento eran tres. El hombre del abrigo mojado y la mirada de loco comprendió que lo superaban en número. Entonces cogió una bolsa empapada y corrió escaleras abajo, empujando a Emmet en el trayecto.

—¡Papá, papá! —tartamudeó el chico, asustado.

—Llama a Peter —ordenó Maura—. Llámalo por teléfono ahora mismo.

Y se lanzó escaleras abajo.

—¡Vuelve, Maura! —gritó Emmet.

—No quiero que se escape. No puede escapar después de haberle hecho eso a Martin.

Segundos después estaba en la calle oscura y silenciosa de Lough Glass.

—¡Socorro! ¡Ayúdenme! ¡Hay un hombre que huye calle abajo! ¡Deténganlo, ha atacado a Martin!

Casi de inmediato se encendieron las luces, se abrieron las puertas. Maura vio que el joven Michael Sullivan salía del taller, en la acera de enfrente. Luego fueron los Wall, en la puerta de la ferretería.

—¿Hacia dónde? —preguntó el señor Wall.

—Fue hacia los Hermanos.

Los Wall también empezaron a gritar, despertando a los Hickey, que dormían sobre la carnicería. Cuando el alboroto llegó a la taberna de Foley, ya eran varios los que corrían por la calle, tras la figura tambaleante.

Antes de que el sargento Sean O'Connor apareciera en escena, el hombre de los ojos salvajes y las palabras confusas ya estaba firmemente sujeto.

—Es uno de esos malditos gitanos. Siempre es lo mismo —dijo la señora Dillon, del puesto de periódicos. Hacía años que no presenciaba nada tan excitante como la captura de un criminal frente a su misma puerta.

—No, no lo es —dijo Paddles.

Al sargento Sean O'Connor le importaba poco quién fuera aquel hombre. Lo llevó con firmeza hacia el coche patrulla, inmovilizado por el joven agente que lo acompañaba. El sargento dio a entender que la diversión había terminado.

—Todo el mundo a su casa.

—¿Martin McMahon está bien? —preguntó Dan O'Brien, que había salido a la carrera del hotel para averiguar la causa de tanto lío.

—Está con el doctor —dijo Sean O'Connor, llevándose al prisionero.

Peter Kelly estaba arrodillado en el suelo, junto a su amigo Martin.

—No es muy profunda, Maura.

—Pero está inconsciente.

—Eso es porque se golpeó la cabeza al caer.

—¿Tiene conmoción cerebral?

—No sé. Lo llevaremos al hospital.

—Por Dios, Peter, ¿qué vamos a hacer? Si Martin está mal, soy capaz de matar a ese loco con mis propias manos.

—No. Tiene buen pulso. No le pasará nada.

—¿De veras? ¿O lo dices solo para tranquilizarme?

—No tiene nada, Maura.

—¿Puede escucharme?

—No, creo que no, por ahora. Pero reaccionará. No tiene nada.

Por si acaso, Maura se arrodilló a su lado y besó la cara manchada de sangre.

—Te pondrás bien, Martin. Lo veo en los ojos de Peter. Dice la verdad. Y te quiero, te quiero con todo mi corazón. Haces que me sienta muy feliz.

Emmet McMahon y Peter Kelly cruzaron una mirada. Aquella declaración de amor no estaba destinada a sus oídos. Era algo muy íntimo. Ninguno de los dos volvería a mencionarla.

La noche en el calabozo fue larga. Sean O'Connor llevó ropa seca para el sucio y asustado hombre que estaba bajo custodia. Hasta le dio una taza de té, aunque de mala gana. Había visto la sangre en la cocina de McMahon y aún esperaba noticias del hospital.

El tipo estaba trastornado y decía cosas sin sentido. Hablaba mucho de su hermana. ¿O sería «la» hermana? Ella querría saber dónde estaba y qué había sido de él. En general, divagaba y dejaba las frases sin terminar. Sus palabras eran confusas. Sean O'Connor comprendió que debería estar en un hospital psiquiátrico. Hasta era probable que hubiera escapado de uno. Cuando salió de la celda, el hombre se acurrucó en el banco para dormir, murmurando nombres. Ninguno de ellos tenía sentido para el sargento O'Connor.

Cuando Peter Kelly volvió del hospital, Lilian todavía estaba levantada.

—Está bien —la tranquilizó desde la puerta—. No pasó nada. Ya ha recuperado el conocimiento. Le han hecho un montón de radiografías y lo están examinando para ver si hay conmoción cerebral. Pero está bien.

Lilian dejó escapar un suspiro de alivio.

—¿Y Maura?

—Quiso quedarse en el hospital, con él y con Emmet. Les buscaron cama a los dos. —Peter se sirvió un brandy y tomó asiento ante la mesa de la cocina—. ¿Las chicas están en casa? ¿Ha llegado Clio?

—Sí, y parecen dos víboras. El aire se podría cortar con un cuchillo. Por lo visto esta vez la pelea ha sido grave y todavía están calientes.

—Nada nuevo. —El padre parecía cansado.

—¿Quién fue? ¿Uno de los gitanos?

—No, no era gitano. ¿Por qué se los culpa inmediatamente de todo?

—Porque son diferentes, claro. Bueno, ¿quién era ese hombre?

—Solo Dios lo sabe. Algún vagabundo que entró.

—En Lough Glass no hay vagabundos. ¿Y cómo entró?

—Emmet se olvidó de cerrar la puerta. El pobre chico

está medio muerto de pena. Cree que todo es culpa suya. Por eso Maura lo llevó con ella.

Se quedaron callados. Lilian pensaba que Maura parecía llevarse mucho mejor con sus dos hijastros que ella con sus propias hijas. Mirando a Peter, se preguntó si estaría pensando lo mismo.

Kevin O'Connor bailaba con Kit.

—Por fin conseguí arrancarte de esa lagartija de salón —dijo el chico.

—Stevie puede ser muchas cosas, pero eso no —dijo Kit.

—¿No? Pues parece salido de una revista de modas, con todo el brillo intacto. Se le notan los años de escoltar a las señoras por atestadas pistas de baile.

—Son años de trabajar horas y horas reparando carrocerías, poniendo a punto motores, vendiendo tractores...

—¿Cómo sabes todo eso?

—Porque es vecino mío, allá en Lough Glass.

—Por Dios, la mitad de Dublín parece venir de esa aldea de mala muerte. Clio también. Bueno, no se puede negar que allí nacen mujeres guapas. —Y ciñó un poco el brazo a su cintura.

Kit iba a separarse, pero en aquel momento vio que Stevie Sullivan la miraba por encima del hombro de Frankie. En vez de apartarse, sonrió.

—Si sigues apretándome voy a levantar bruscamente la rodilla —advirtió, siempre con aquella dulce sonrisa.

—¿Vas a... qué? —Kevin parecía alarmado.

—En toda una semana no podrás caminar —prometió Kit, sin alterar su expresión.

A medianoche terminó el baile. Kevin O'Connor y su amigo Matthew preguntaron, como quien no quiere la cosa, si alguien quería ir al apartamento de ambos a tomar café o cerveza. Y a escuchar unos discos. Matthew dio a la palabra «discos» una entonación tan lasciva que nadie dudó de sus verdaderas intenciones.

—Te llevo a la residencia —dijo Stevie a Kit.

—Ya no vivo en la pensión. Tengo un piso —dijo Kit.

—¡Bueno, de haber sabido que tenía dónde posar mi cansada cabeza...! —exclamó Stevie sonriendo.

—Oh, no. La única cabeza que se posa allí es la mía. —Kit parecía tranquila.

—Podría haber tratado de persuadirte.

—Yo no me arriesgaría. Es mejor que hayas buscado otro alojamiento.

—Para mí es sencillo. Vuelvo a casa ahora mismo.

—¿Ahora? ¿A estas horas de la noche?

—Los trabajadores independientes no tenemos descanso.

—¡Pero si mañana es domingo!

—¿Y cuándo crees que puedo hablar con los granjeros? Aprovecho cuando van a misa para hablarles de los equipos nuevos.

—Estás decidido a convertir ese taller en un buen negocio, ¿verdad?

—Sería un buen cambio, después de haberlo recibido en tan lamentable estado. —Por un segundo su voz sonó amarga.

—Tu madre estará muy orgullosa.

—Ya conoces a mi madre: no está orgullosa de nada. ¡Oh, Dios mío, ahora que me acuerdo! ¿Puedes esperarme mientras hago una llamada?

En aquel momento cruzaban la puerta del hotel, pero él buscó cambio en sus bolsillos y se encaminó hacia el teléfono.

—Olvidé por completo que mi madre está en casa de su hermana... y que mi terrible hermano Michael está bajo mi responsabilidad.

—¿Cómo puedes hacerte cargo de él desde aquí?

—Buena pregunta. Pero le dije que lo llamaría a medianoche para ver si estaba en casa. Y que si no le rompería el culo a patadas.

Kit se echó a reír. La gente se estaba marchando y el hotel se calmaba. El baile había sido todo un éxito. Y decididamente, ella había alejado a Stevie de la pequeña Anna. La chica volvería a Emmet en busca de consuelo. Todo marchaba de acuerdo con sus planes.

Stevie ya iba hacia ella, pero en su expresión había algo diferente.

—Oye, sentémonos un minuto —dijo, señalando un grupo de sillas.

—¿Pero no tenemos que salir? Ya están recogiendo todo.

—Solo un minuto.

—¿Michael no estaba en casa? —Kit adivinaba que había sucedido algo.

—Él estaba bien, pero...

—¿Pero qué?

—Pero me dijo que hubo un accidente. Tu padre está herido.

—Oh, Dios mío. Chocaron con el coche, el coche nuevo. No están acostumbrados a él.

—No, no fue eso. Un intruso. Pero tu padre está bien. Lo llevaron al hospital. Pero saldrá en un día o dos, de veras. —No se podía dar mucho crédito a lo que dijera el cabezahueca de Michael Sullivan. Kit se puso pálida—. Por favor, te digo que no ha sido nada. —No hizo falta que ella dijera nada: Stevie comprendió—. Yo tampoco me conformé con lo que decía Michael. Me comuniqué con Mona Fitz por la centralita. Dice que fue un loco; ya está detenido. Golpeó a tu padre, pero no fue nada.

—Podría ser el mismo que golpeó a tu madre.

—Sí, puede ser.

—Me siento mal —dijo Kit.

—Mira, vamos a tu casa para que te pongas algo de abrigo. Después te llevaré al hospital.

—¿Me harías ese favor? —Lo miró, llena de confianza. El coqueteo había quedado en el olvido. Él le rodeó los hombros con un brazo para llevarla hacia el coche—. Te estoy entreteniendo. Puedo ir así.

—No, no puedes entrar así en un hospital. ¿Quieres matarlos de un susto? —Claro, él tenía razón—. Y otra cosa:

yo no podría conducir tantos kilómetros contigo al lado vestida así. ¿Crees que mi cuerpo puede resistir semejante tentación?

—Bueno, voy a cambiarme —dijo ella con voz apagada.

Él pareció arrepentirse del comentario. Había sido una torpeza decir algo tan vulgar cuando ella estaba preocupada por su padre.

—Disculpa, Kit. A veces soy tan bruto que me doy asco.

—No tiene importancia. —Estaban conversando como amigos, como amigos de verdad, de los que se conocen muy bien.

Él esperó en el coche mientras Kit subía a cambiarse.

Los pueblos, los sembrados, los bosques, los cruces de los caminos, las granjas: todo pasaba deslizándose en la noche, como si fuera irreal.

—Trata de dormir —dijo Stevie—. Ahí atrás hay una manta; puedes usarla como almohada bajo la cabeza.

Kit estaba quieta y asustada, con su jersey negro y su falda negra y roja. Llevaba consigo una chaqueta y una bufanda de lana, pero no le hacían falta: aquel coche de lujo estaba bien acondicionado.

—¿Supiste algo más por Mona Fitz?

—No, no quise entretenerme en el teléfono. Me pareció que era mejor salir enseguida.

—Mucho mejor —dijo ella con voz débil.

—Ya verás como no es nada —dijo Stevie.

—Sí.

—Esas cosas no suceden.

Ella lo miró. Estaba muy guapo a la luz de la luna.

—¿Qué cosas?

—En el mundo hay cierta justicia —dijo Stevie Sullivan—. No puede ser que pierdas también a tu padre, después de haber perdido a tu madre. Él se pondrá bien.

El sargento Sean O'Connor se despertó sobresaltado. Eran las siete y media de la mañana. De pronto había encontrado sentido a toda aquella maraña de nombres y a lo que decía aquel hombre de su hermana. Entró en el calabozo y dio un puntapié a la cama. El hombre se incorporó, alarmado.

—Háblame de la hermana.

—¿Qué? ¿Qué?

—La hermana Madeleine. ¿Le hiciste daño? ¿Le has pegado? Porque si la has tocado, te mataré a golpes.

—No, no. —El hombre estaba asustado.

—Voy ahora mismo a su casa. Harías bien en rezar a tu Dios pidiéndole que ella esté bien. Esa mujer es una santa.

—No, no. —El hombre era como un animal acobardado—. Ella me trató bien. Me escondió, ¿sabe? Primero, en la casa del árbol; después, en su propia cabaña. ¿Cómo voy a levantarle la mano a la hermana Madeleine, si es la única persona que me ha tratado bien?

El sargento aparcó el coche patrulla frente al bar de Paddles y bajó por el estrecho sendero hasta la cabaña de la monja. Se detuvo frente a la ventana y miró adentro. La pequeña figura encorvada estaba retirando la pesada tetera negra del gancho que pendía sobre el fuego. Al menos llegaba en buen momento: podrían conversar mientras tomaban el té.

Ella estuvo encantada de verlo.

—Esto sí que es un placer. Estaba deseando que llegara algún amigo para comer juntos.

—¿Pero usted no escogió vivir en soledad? ¿No es una persona solitaria? —preguntó él, mirándola con ojos medio cerrados.

—Oh, hay soledades y soledades. —Se hizo el silencio entre ellos. Por fin la ermitaña preguntó—: ¿Te preocupa algo, Sean?

—¿Le preocupa algo a usted, hermana Madeleine?

Ella pareció mirar a través del sargento, hasta el calabozo donde el loco asustado yacía en su litera, diciendo su nombre.

—Han encontrado a Francis, ¿verdad, Sean?

—No sé cómo se llama ese condenado, pero dice que estuvo aquí y que usted lo cuidó.

—Hice lo que debía hacer.

—¿Albergar a un lunático?

—Bueno, no podía permitir que se fuera así. Estaba herido. Y tenía miedo.

—¿De qué tenía miedo?

—De que lo detuvieran y lo castigaran.

—Pero aún no había hecho nada, ¿o sí?

—El taller, Kathleen Sullivan... ya sabes todo eso, Sean.

De repente todo encontró su sitio en la mente de Sean O'Connor.

—Usted lo escondió sabiendo que había golpeado a esa mujer. Dio albergue a un criminal.

—Eso es mucho decir.

—Por el amor de Dios, ese hombre ya ha enviado a dos personas al hospital del condado. ¿Cómo se llama eso? ¿Paz y armonía?

—¿A dos?

—Sí. Anoche golpeó a Martin McMahon hasta dejarlo inconsciente.

La hermana Madeleine se llevó las manos a la cara. Le temblaban los hombros.

—Pobre hombre. Pobre, pobrecillo.

El sargento O'Connor calló, su expresión era severa. Le habría gustado creer que aquella compasión iba dirigida a Martin McMahon, que había subido su escalera con total inocencia para encontrarse con que estaban atacando a su esposa en la cocina. Pero temía que se refiriera al trastornado del calabozo, aquel hombre al que llamaba Francis.

—Hábleme de Francis —dijo con voz fatigada.

—¿No le harás daño?

—No. Lo llevaremos a un lugar donde lo cuiden.

—¿Me lo prometes?

Sean hizo un gesto de impaciencia. ¿Por qué tenía que discutir algo tan básico?

—¿Le dijo de dónde venía, hermana? —preguntó, lenta y deliberadamente.

—Dijo que volvería cuando estuviera instalado. Que vendría a por sus cosas.

—¿Cuánto hace que se fue?

—Solo tres días.

—Bueno, no llegó lejos, al parecer. Solo hasta la calle Mayor del pueblo. Hasta la cocina de los McMahon, donde los golpeó a todos con una silla.

—No puedo creerlo.

—¿Adónde pensaba usted que iría?

—No sé. Dijo que quería ser libre. —La monja parecía muy alterada.

Sean O'Connor se obligó a bajar el tono de voz, a mostrarse amable.

—¿Y cuánto tiempo pasó aquí? ¿Puede calcularlo?

—Unas seis semanas, supongo. ¿Qué sé yo? El tiempo no tiene sentido.

—Inmediatamente después del asalto al taller, cuando llevábamos a Kathleen al hospital, ¿no?

—Creo que sí. —Su voz era del todo inexpresiva.

—¿Y a usted no se le ocurrió avisarnos de que estaba aquí?

—No.

—Su sentido de la responsabilidad para con la gente es muy extraño, hermana Madeleine.

—Pensé que, estando aquí, no podría hacer ningún daño. —Sus ojos reflejaban sinceridad.

—Cierto, pero lo hizo en cuanto usted lo perdió de vista.

—Yo no lo sabía. —Hubo otro largo silencio—. Voy a entregarte sus cosas.

La hermana Madeleine sacó una bolsa azul con dinero, cheques, registros de patentes y unos cuantos adornos baratos, robados en la oficina del Servicio de Automóviles Sullivan. Sean O'Connor lo examinó todo con incredulidad.

—Teníamos a medio país buscando esto. —Ella no dijo

nada—. ¿Cómo hizo para esconderlo, con tanta gente yendo y viniendo? Por Dios, si hasta yo mismo estuve aquí.

—Durante el día estaba en la casa del árbol —respondió ella, simplemente, como si fuera algo muy natural.

El sargento se levantó.

—No estuvo bien hacer eso, hermana. Él no es un zorro, un conejo, un pobre patito con el ala rota. Es un hombre trastornado, que hirió de gravedad a dos personas y podría haberlas matado. Usted no le hizo ningún favor al permitirle vivir en este lugar, como Alicia en el País de las Maravillas.

—Aquí era feliz —dijo ella.

Sean O'Connor no se atrevió a hablar. Tenía miedo de perder los estribos y decir algo de lo que después se arrepintiera.

—¿Sean?

—¿Sí, hermana?

—¿Puedo ir a verlo? —Hubo una larga pausa—. Eso no perjudicaría a nadie. Quizá fuera para bien.

Stevie Sullivan había dejado a Kit delante de la puerta del hospital.

—¿No vas a entrar?

—No, no haría más que estorbar. Te digo que él está bien. De lo contrario no te dejaría afrontarlo sola.

—Muchísimas gracias, Stevie. Te has portado como un ángel.

—Me alegro de haber podido serte útil.

Ella no quería que se fuera. Y tuvo la sensación de que él también se resistía a dejarla.

—Te veré más tarde —dijo Stevie.

—Después de haber vendido algún tractor en misa —dijo ella, esbozando una sonrisa cálida.

—Así me gusta verte. —Y el muchacho hizo una maniobra con estilo para salir del hospital.

—Está con tu madre y con tu hermano. Ya puede hablar —dijo la enfermera.

Kit se quedó de piedra. Se le había ocurrido la descabellada idea de que Lena hubiera viajado desde Londres para estar con él. Luego comprendió.

—¿Está bien? —preguntó, mirando con atención a la enfermera.

—Oh, claro que sí. Ven, que te acompaño arriba.

Maura y Emmet se levantaron de un salto, sorprendidos y encantados de verla. Ella fue directamente hacia su padre. Estaba con suero. Tenía muchos cardenales y un vendaje en la cabeza.

—No estoy tan mal como parece, Kit.

—Yo te veo estupendo. —Ella apoyó la cabeza en la cama y rompió a llorar.

Sabían que estaba fuera de peligro, pero querían tenerlo cerca. El hospital les había dejado unas camas.

Cuando regresaron a Lough Glass, les costó subir la escalera hacia el escenario de tanta violencia.

El sargento O'Connor les había dicho que encontrarían las cosas más o menos en orden. Y así fue. La silla rota ya no estaba y alguien había lavado la sangre de la alfombrilla del suelo. El lugar parecía desierto y gris.

Maura abrió una nota que habían arrojado por debajo de la puerta.

—Qué amabilidad —exclamó. Philip O'Brien, el del hotel, los invitaba a desayunar allí cuando volvieran. Seguramente no tendrían ánimos para cocinar—. ¿Vamos? —preguntó a Emmet y a Kit—. Necesitamos energías para afrontar el día.

Los chicos aceptaron, sabiendo que ella deseaba ir.

Philip no esperaba ver a Kit allí. Estaba encantado.

—¿Qué, no fuiste al baile? —preguntó, disimulando apenas su alegría.

—Sí que fui. Me enteré después.

—¿Y cómo hiciste para venir?

—Has sido muy amable al invitarnos a desayunar, Philip —dijo Kit rápidamente para evitar responder.

Maura asintió con la cabeza; pronto surgió de la cocina el olor del beicon y las salchichas. Se sentaron junto a la ventana. Ya había aclarado y el lago estaba hermoso.

—Qué vista tan maravillosa tenéis —comentó Kit, para mantener la conversación lejos de las lesiones de su padre y de cómo había vuelto desde Dublín.

—Sí. Tú y yo sabemos apreciarla solo porque hemos estado en Dublín. —Philip estaba tratando de encontrar un vínculo con ella, algo que los diferenciara del resto por compartir algo especial.

—Es cierto, Philip —dijo ella amablemente—. La verdad es que si cortaran esas matas, la vista sería preciosa.

Philip llevaba seis meses diciendo lo mismo a sus padres, pero ellos se resistían a cualquier cambio.

—Os dejo para que desayunéis sin tener que conversar.

Kit le dirigió una mirada de agradecimiento. Mientras se retiraba, Philip la oyó comentar:

—Este muchacho es el mejor de los hombres para los momentos de crisis. Lo tendré en cuenta.

La hermana Madeleine caminaba en silencio por la orilla del lago. No pasó por el bar de Paddles ni por el hotel de los O'Brien, sino más allá del puesto de policía. De ese modo se cruzaría con menos gente.

La pequeña silueta gris se detuvo humildemente junto al mostrador. Traía un paquete.

—A él le gusta el pan casero, Sean —dijo tímidamente.

—Tomaré nota —repuso él con aspereza.

—¿No podríamos tomar una taza de té para que yo le sirva? Como en los viejos tiempos.

—No voy a permitirle que entre al calabozo, hermana.

—Sean O'Connor estaba asustado—. No sé cómo era cuando estaba con usted, pero ahora es como un animal enjaulado. Golpea a todo el mundo.

—No me pasará nada —aseguró ella.

El sargento le entregó dos tazas de té y puso el pan con mantequilla en una bandeja.

—Oye, tú —nunca había llamado al detenido por su nombre—, te he traído a una amiga. Quiere entrar a verte, Dios sabe por qué. Como se te ocurra tocarla, recibirás tal paliza que tendrán que despegarte de la pared con una espátula.

El hombre pareció no entender. Cuando vio a la hermana Madeleine, se le llenaron los ojos de lágrimas.

—Ha venido para llevarme a casa.

—He venido para traerte el desayuno —lo corrigió ella.

Se sentaron en la celda, la monja y el loco, a tomar el té con gruesas rebanadas de pan untado con mantequilla. Sean O'Connor los observaba de lejos. Hablaron de los árboles que crecían junto al lago y del viento que había derribado una parte de la casa del árbol. Ella le llamaba Francis con tanta dulzura y respeto que Sean se avergonzó de haberle dicho «Oye, tú».

El hombre respondía en aquel momento de modo coherente; era posible entender lo que decía. Le preguntó por el perro viejo; quiso saber si tenía dificultades en conseguir leña para el fuego. Dijo que había echado de menos el fuego al mojarse tanto.

—¿Llegaste lejos cuando te fuiste? —preguntó ella, con voz grave e interesada. No pretendía interrogarle, pero sabía que el sargento estaba escuchando.

—Dormí en los sembrados, hermana. Estaba mojado y tenía frío. No pude encontrar ningún refugio. Me dolía la cabeza.

—¿Y por qué no volviste a casa? Conmigo siempre tendrías un hogar.

—Ahora voy a volver —dijo él, ansioso. Como un niño.

—¿Y por la noche tenías que dormir bajo la lluvia?

—Una noche encontré un granero, pero dentro había

animales y tuve miedo. Y otra noche me refugié bajo un árbol. No llegué lejos. Estaba cansado de caminar.

—Pero en el pueblo encontraste una cocina y fuego para calentarte, ¿no? ¿En una casa?

—Sí. —Francis dejó caer la cabeza.

—¿Y por qué golpeaste a esas buenas personas, que no te habrían hecho ningún mal?

—Porque iban a encerrarme otra vez.

—Heriste al señor McMahon, que es un buen hombre.

—Yo estaba muy asustado.

—Pobre Francis. No tengas miedo. —Ella le cogió la mano—. El miedo está solo en tu cabeza.

—¿De veras, hermana?

—De veras, sí. Lo sé porque yo lo siento en mi propia cabeza.

—¿No me llevará a casa con usted?

—No. Te llevarán a un lugar donde te cuiden la cabeza para sacarte el miedo de ahí. Yo no he sabido hacerlo. —La monja se levantó.

—No se vaya.

—Debo irme. Tengo mucho que hacer.

—La bolsa con mis cosas. Está en su casa.

—La tiene el sargento O'Connor. La encontró cuando vino a avisarme de que estabas aquí.

Sean O'Connor se dijo que aquello era forzar un poco la verdad, porque ella misma se la había dado. Pero lo comprendió: era preciso dejar en Francis el convencimiento de que ella le había sido leal.

—¿Vendrá a visitarme? —preguntó el hombre.

—No dejaré de rezar por ti. Y pensaré en ti todos los días, Francis Xavier Byrne. Dondequiera que esté.

—Pero estará en su cabaña, ¿verdad? Para cuando yo mejore.

—Pensaré en ti dondequiera que esté —repitió ella.

Después de misa todos se agolparon alrededor de los McMahon; todo el mundo se había enterado de lo ocurrido la noche anterior y la solidaridad era enorme.

Por entre la gente, Kit vio a Stevie Sullivan, vestido con su chaqueta parda y su gorra de paño, hablando con un grupo de hombres. Parecía otra persona.

Cruzaron una mirada y ella le sonrió, agitando la mano, pero no hizo ademán alguno de acercársele; seguramente a él no le gustaría que lo hiciera.

Stevie se excusó un momento para reunirse con ella.

—¿Estaba bien?

—Tal como tú dijiste. Vuelve a la faena, que los trabajadores independientes no tenéis descanso. Y gracias otra vez, Stevie. Jamás olvidaré el favor que me has hecho.

Mientras se reunía con Maura, Kit sintió que él la seguía con la mirada. Se oyó un coche: Peter y Lilian Kelly llegaban para llevarlos a almorzar.

—Quiero ir a ver a Martin —protestó Maura.

—Vengo del hospital. Está dormitando y es mejor dejarlo descansar. Puedes ir durante la tarde. Vamos, subid todos.

Emmet y Anna se miraron con desconfianza.

—¿Te gustó la película, Emmet? —preguntó ella por fin.

—Sí, pero con todo lo que ha pasado se me borró de la mente.

Anna se solidarizó de inmediato.

—Sí, qué pregunta tan tonta. Debe de haber sido una impresión terrible. ¿Te asustaste? —Su voz sonaba muy cálida.

Después de almorzar en casa de los Kelly, Kit subió al cuarto de Clio.

—¿Te pasa algo malo, Clio?

—¿Qué quieres decir? No te hagas la niñera conmigo. ¿Qué me puede pasar?

—Pareces harta.

—Estoy harta, sí. Mi mejor amiga no me ha invitado a su

fiesta. Para colmo, anoche Michael me trajo a casa y allí estaba la odiosa Anna, comportándose como una bruja, y él tuvo que volverse a Dublín sin haber... Bueno, ya me entiendes: sin haber subido aquí.

—¡Por Dios, mujer! ¡No pensarías acostarte con él en tu propia casa!

—Teníamos tiempo, antes de que los otros volvieran del club de golf.

—Estás loca. Menos mal que Anna estaba aquí. Debes de estar perdiendo la cabeza.

—Lo más probable es que haya perdido a mi novio.

—Bueno, si solo está contigo por la cama, no creo que valga la pena.

—No es solo por la cama. Podría acostarse con todas las chicas de Irlanda. Pero le gusto yo y se acuesta conmigo.

—Bueno, entonces no le molestará esperar a que puedas hacerlo; según parece es continuamente.

—Por Dios, pareces la madre Bernard.

—No es cierto. Solo espero que no te pesquen. De veras, solo quiero tu bien —aseguró Kit, animándola.

Clio se tranquilizó un poco.

—Sí, puede ser. No sé, Kit, no sé. Todo esto es tan confuso. ¿Lo llamo y le digo que lamento mucho ese pequeño incidente? ¿O parecerá que le estoy suplicando? ¿Sería mejor no decir nada y confiar en que él volverá?

—¡Caramba, ese es el dilema! —Kit tenía exactamente el mismo problema con respecto a Stevie Sullivan. Debía dejar que él diera el paso siguiente, pero ¿y si no lo daba?

—¿Recuerdas? En los viejos tiempos solíamos consultar estas cosas con la hermana Madeleine.

—No eran exactamente estas cosas —observó Kit.

—No, pero ella siempre tenía alguna solución.

Era una buena idea. Kit decidió bajar sola a hablar con la ermitaña por la tarde, cuando Maura fuera al hospital.

La monja tenía sus escasas posesiones a la vista, en la mesa de la cocina: una tetera vieja, las tres tazas, la lata donde guardaba bizcochos y galletas, una latita que usaba para la leche, unos cuantos platos y un par de cajitas. Estaba en el dormitorio, mirando a su alrededor.

—¿Se encuentra bien, hermana? —preguntó Kit.

—¿Quién es? —La voz sonaba muerta, sin el entusiasmo con que saludaba generalmente a cualquier visitante.

—Kit McMahon.

—Lo siento mucho, Kit. —La hermana Madeleine alargó las manos—. Rezaré hasta el fin de mis días por ti y por tu familia, para que puedan superar esto y lo comprendan.

—¡Pero si él está bien, hermana Madeleine! Lo vi anoche y esta mañana. En dos días lo darán de alta.

—Me alegro. Me alegro de veras. —Todo allí había cambiado. Increíblemente, la ermitaña parecía estar preparando su equipaje, como si fuera a cerrar su vivienda para mudarse a otro sitio—. Era un pobre trastornado, ¿sabes? Debería haber estado en un sanatorio. Ahora volverán a internarlo.

—Lo sé, lo sé. Nos lo dijo el padre de Clio.

—No sabía lo que estaba haciendo. Eso no mejora las cosas para tu padre ni para Kathleen Sullivan, pobres... pero no hay otra manera de verlo. No estaba bien de la cabeza.

—¿Fue el mismo que golpeó a la señora Sullivan y asaltó el taller?

—Sí. ¿El sargento O'Connor no os lo dijo?

—No. No nos dijo nada.

—Ya lo hará. Todos se enterarán.

—Pero ¿dónde estuvo mientras tanto? Eso fue hace meses.

—Estaba aquí, Kit. En la casita del árbol.

—¿Qué? —Kit no podía creerlo.

—Yo lo atendí porque estaba herido, ¿sabes? Como al pobre Gerald, cuando vino con el ala quebrada. —Señalaba a un pájaro que se esforzaba por caminar fuera, aunque normalmente vivía en una caja.

—¿Estuvo aquí todo el tiempo?

—Por eso lo siento tanto. —La hermana Madeleine tenía los ojos llenos de lágrimas—. Mientras estuvo aquí no hubo problemas; no podía hacer daño a nadie ni ponerse él mismo en peligro. Pero quiso continuar su camino. Y yo nunca he retenido a nadie que quisiera irse.

—Oh, hermana Madeleine.

—Si no lo hubiera atendido, si no lo hubiera tratado bien, las cosas habrían sido distintas. Lo habrían llevado a un hospital, tu padre no estaría herido y los Sullivan habrían recuperado su dinero. ¿Por qué tuve que entrometerme? —Parecía mucho más anciana y frágil. Ya no estaba segura de sí misma. Hubo una larga pausa.

—Usted hizo lo que creía correcto —dijo Kit.

—Aunque por eso tu padre terminó en el hospital. Supón que lo hubiera matado. Habría sido culpa mía.

—Pero no lo mató.

—¿No me odias por jugar a ser Dios? ¿Por creerme más lista que nadie?

—No, no puedo odiarla. Con todo lo que usted ha hecho por mí... por todos nosotros...

—Antes tenía buen juicio. Ya no.

—Es raro oírla hablar de sí misma.

—Cuando las cosas marchaban bien, no había necesidad. Ahora debo acabar con esta vida. Lo comprendí cuando ese gatito tuvo una muerte tan lenta y penosa. Fue culpa mía, por mi presunción de saberlo todo. —Sus ojos, antes penetrantes, parecían vacíos.

—¿Qué piensa hacer? —preguntó Kit en un susurro.

—Me voy. A un lugar donde me cuiden, donde no corra peligro, donde me obliguen a obedecer reglas en vez de permitirme tomar decisiones equivocadas.

—¿Qué lugar es ese?

—Un convento. Conozco uno en el que aceptan a gente como yo. Puedo fregar los suelos, ayudar en la huerta o la cocina y comer en una celda pequeña.

—Pero usted dijo que detestaba vivir con gente y ajustarse a las reglas.

—Eso era antes. Ya no.

—¿Cómo se las arreglará? ¿Debe llamar por teléfono, escribir?

—No, Kit. Iré en el autobús, simplemente.

—Pero no puede irse, hermana Madeleine. Aquí la queremos.

—Después de esto, no. El amor se convierte en desdén con mucha facilidad.

—No se vaya, por favor.

—Es preciso, Kit. Lo que me alegra es haber podido despedirme de ti.

—Si la gente supiera que usted se va, vendrían todos en procesión a despedirse. Más aún: no la dejarían ir. —Los ojos de Kit brillaban intensamente.

—Si quieres ser amiga mía, Kit, no se lo digas a nadie.

—¿Tiene dinero en efectivo para el viaje?

—Sí. De vez en cuando tu madre me envía cinco libras esterlinas. No pone el remitente, pero yo lo sé. Solo dice: «Para emergencias». Y esta es una emergencia.

—La gente se va a sentir muy dolida, hermana. Todos venían aquí a contarle sus cosas. Y ahora usted se va sin despedirse.

—Es lo mejor.

—No, no es cierto. ¿Qué me dice de Emmet? Usted le enseñó a hablar, a leer, a amar la poesía. ¿Y de Rita? Cuando vuelva a Lough Glass y quiera visitarla, se encontrará con la cabaña vacía. Y sé que Maura piensa maravillas de usted; ella no la culparía por lo que ha pasado. No puede abandonar a todo el mundo. —Pero Kit hablaba en vano—. ¿Cuándo se irá, hermana?

—Esta tarde, en el autobús de las seis. Tengo mucho que hacer, Kit. ¡Que Dios te bendiga y te acompañe! —Hizo una pausa antes de volver a hablar—. Y que tu madre tenga paz y alegría en la vida que ha elegido. ¿Es una buena vida?

—Más o menos —dijo Kit.

—Debe de ser lo que ella deseaba. —La monja aún tenía los ojos nublados.

—Si se quedara, yo podría contarle todo —dijo Kit.

—No, no quiero que me cuentes historias de otra persona. Cada uno debe contar lo suyo. ¡Que Dios te acompañe siempre, Kit McMahon!

Y la hermana Madeleine le volvió la espalda.

Kit salió corriendo de la cabaña. Lloraba. Corrió por la orilla del lago hasta llegar al camino que subía junto al hotel. Al mirar hacia el descuidado jardín del Hotel Central vio a Philip, sentado en el viejo invernadero.

—¿Puedo sentarme contigo?

Él cerró el libro de texto que tenía en las manos.

—Así que estabas leyendo esto. Ese cabezahueca de Kevin O'Connor ni siquiera lo ha abierto.

—Ni lo necesita, con todos esos hoteles —dijo Philip.

—No. La vida no es justa, ¿verdad?

—¿Estuviste con la hermana Madeleine?

—Sí. Se va —dijo Kit.

Y le contó todo.

El autobús llegó a las seis menos diez. La pequeña silueta de la hermana Madeleine subió por el camino. Llevaba una bolsa rota y sujeta con una cuerda.

Se había reunido mucha gente, mucha más de la que podía tomar el autobús. Iban a ver si era verdad que la ermitaña se iba.

Allí estaban Clio, Anna, Michael Sullivan, Patsy Hanley, Kevin Wall, junto a Emmet. También algunas personas mayores: Tommy Bennet, el cartero, y Jimmy, el portero del hotel. Frotaban el suelo con los pies, callados, a la espera de que alguien dijera algo. Algo que retuviera a la ermitaña en el pueblo.

La hermana Madeleine pareció no reparar en toda aquella gente. Tommy Bennet se adelantó.

—¿Adónde va, hermana? Será un placer pagarle el pasaje.

—Son nueve chelines, Tommy —dijo ella en voz baja. No quería que se pronunciara en voz alta el nombre del sitio adonde iba.

—Pero usted regresará, hermana —musitó el cartero, mientras recibía el pasaje.

Unas siluetas difusas, en el fondo, señalaban que se habían acercado otras personas a ver la partida.

—La hermana puede pagarte con el dinero que robaron del taller de Sullivan —dijo alguien.

Se oyó una risa. Kit miró a su alrededor con incredulidad. Aquellas personas amaban a la hermana Madeleine. ¿Cómo podían haberse vuelto contra ella?

El conductor, que no era de la zona, se estremeció. Allí estaba sucediendo algo que él no comprendía. Pero no le gustaba. Vio que varios jóvenes se acercaban a estrechar la mano de aquella mujer menuda, seguramente una monja. Vio a muchos más que se quedaban atrás, contemplando la escena como si fuera una obra de teatro.

Antes de que sonara el ángelus de las seis, el conductor ya estaba en el autobús, listo para partir. Echó un vistazo apresurado calle abajo y calle arriba. No quería perder ningún pasajero por salir demasiado puntual, pero sentía necesidad de alejarse.

El autobús descendió por la calle oscura.

Y nadie, absolutamente nadie, alzó la mano para decir adiós.

9

Hacía tiempo que James Williams pensaba en invitar a la señora Gray a almorzar. Estaba seguro de que si la llamaba por teléfono para proponérselo, ella se negaría. Y era muy improbable que volviera a encontrarse con ella por casualidad.

Decidió ir a la agencia como si pasara por allí. Diría que se encontraba en la zona y se le había ocurrido alejarla de su trabajo durante una hora. Si ella se negaba, él buscaría otra ocasión. Tenía muchas ganas de hablar con ella; una comida sería la ocasión adecuada.

El local era mucho más grande y elegante de lo que él esperaba. ¿Por qué Louis vivía en una calle tan humilde, si su esposa controlaba una agencia tan prestigiosa como aquella? Y de que ella era quien la controlaba, no cabía la menor duda.

Estaba bien protegida de las visitas inesperadas. Le ofrecieron una cita, le dijeron que si podía esperar media hora, tal vez quedara libre la señora Millar. En cuanto a la señora Gray, no había ninguna posibilidad de verla, le dijeron. Varias veces.

—Pero es solo un momento —dijo él, fingiendo desesperación.

—¿Para qué? —preguntó la recepcionista.

—Me urge llevar a la señora a almorzar —respondió él, utilizando hábilmente su encanto—. ¿Podría usted interceder por mí?

—¿Ella lo conoce, señor Williams?

—Oh, claro que sí. Pero eso puede no bastar para que acepte. —Con la debida y esperanzada humildad, se sentó en la antesala azul y oro, admirando la eficiencia que se respiraba en aquel lugar. Todo era mérito de Lena.

Ella se asomó a la puerta.

—Qué sorpresa, James —dijo, tendiéndole la mano.

Él creyó verla más delgada que la última vez. Y algo más pálida. Pero estaba muy elegante con el vestido y la chaqueta a cuadros rojos.

—Es la una menos cuarto, y como pasaba por aquí...

—Tú nunca pasas por ninguna parte. —Lena rió.

—Una comida rápida. Acéptamela. Te traeré de vuelta mucho antes de las dos.

—Eso espero.

Estuvieron charlando y bromeando. Cada uno acusó al otro de saber mucho más sobre vinos de lo que reconocía. Después de pedir el pescado, la charla se acabó. Entre ellos se hizo un pequeño silencio.

—¿Tienes alguna idea de por qué quería verte? —preguntó James.

Lena reflexionó. Él había perdido su aire de galán burlón; parecía más serio. Decidió no ser impertinente.

—Se trata de Louis, supongo.

—Sí. No es fácil. ¿Sabes qué pasa?

—No. ¿Ha faltado a su trabajo? ¿Es irresponsable? —Ella parecía preocupada.

—No, no, al contrario. Casi trabaja demasiado. Sin duda te habrás dado cuenta.

—Bueno, está fuera de casa muchas horas, eso es verdad.

—¿Te ha dicho algo sobre ese trabajo nuevo?

—No, nada. —Ella levantó la vista, desconcertada. ¿De qué trabajo nuevo podía tratarse? Louis era encargado del Dryden; allí no podía ascender más. Tenía que ser en otro sitio. Por Dios, ¿habría montado algo sin decirle nada?

Miró a James Williams, tratando de interpretar su expresión. A él no le costó captar la suya: era de absoluta ignorancia sobre la cuestión y de enorme dolor por verse abandonada.

Pero la cara de James Williams era difícil de leer. En sus labios parecía dibujarse nuevamente una sonrisa galante y burlona.

—Bueno, supongo que no tiene que llevarse a casa los aburridos problemas del hotel... —dijo entonces con una amplia sonrisa.

Lena comprendió que había decidido cambiar el rumbo de la conversación.

—¿De qué trabajo se trata?

—En los hoteles siempre hay discusiones y deliberaciones por un cargo u otro. El tema nos obsesiona. Lo asombroso es que nos quede tiempo para atender a los clientes.

Lena lo miró con respeto. James Williams era muy listo. ¡Con qué desenvoltura había cambiado de tema, al notar que ella no estaba enterada del asunto! Decidió seguirle el juego y ayudarlo a cambiar de tema.

—Háblame de Laura Evans, esa amiga tuya que conocimos en tu casa.

La frase retumbó en sus propios oídos. Le costaba creer que la hubiera formulado.

—¿Laura? Ah, creo que está bien. Hace tiempo que no la veo.

—Comprendo.

Él le puso la mano en la suya. El instante se hizo eterno.

—Qué extraña es la vida —comentó James.

—¿Por qué lo dices?

—Tú podrías haber conocido a alguien como yo. Yo podría haber conocido a alguien como tú.

Entonces fue Lena quien decidió cambiar de conversación.

—Ah, pero el mundo es muy pequeño. Y al final nos hemos conocido. Ahora, miremos atentamente ese plato tan adornado que veo acercarse.

Le brillaban los ojos. James notó que realmente estaba más delgada y demacrada que antes. Se preguntaba cómo sería ser el objeto de un amor tan apasionado y sin exigencias como el de Lena Gray.

La tarde parecía alargarse. Eso era extraño. Normalmente el tiempo volaba.

—Ya te dije dos veces que fuimos a Julio's y que yo pedí el plato florentino. Y ahora ¿quieres seguir con tu trabajo y dejarme continuar con el mío?

Rara vez contestaba de tan mal talante. Jennifer, su secretaria, levantó la vista, sorprendida.

—¿Ha tenido malas noticias, señora Gray?

—¿Por qué demonios se te ocurre que he tenido malas noticias? Ahora debo recordarte que en Millar damos ciertas recomendaciones a nuestros clientes. Siempre aconsejamos a los oficinistas que no interroguen a sus jefes sobre su vida privada, especialmente cuando se les ha indicado que vuelvan a su trabajo.

Era consciente de que se había portado mal. ¿Qué le impedía dedicar dos minutos a explicar que el señor Williams era amigo suyo y de su marido, que había sido una comida deliciosa en un lugar donde los camareros te llamaban *signora*? Así, Jennifer, que solo quería ser amable, habría vuelto alegremente a su mesa. ¿Por qué no podía fingir la calma de siempre?

Porque no sentía ni pizca de calma, por eso.

—¿Qué regalaremos a Ivy y a Ernest? —preguntó Louis.

Había vuelto para quedarse una hora escasa. Últimamente se pasaba el día en el Dryden. Aquella noche había otra fiesta y debía estar allí para vigilar.

—No tendrías que haber venido hasta aquí —observó Lena, solícita, temiendo que corriera demasiado.

—Quería verte y saludarte.

—Bueno, ¿volverás tarde?

—No tiene sentido que venga a dormir, querida. Eso no terminará hasta las cuatro. Y a las ocho debo estar trabajando otra vez. Lo mejor es que duerma allí.

El corazón de Lena volvió a latir de un modo al que ya estaba acostumbrada.

—Claro.

Louis le sonreía. Se había quitado la camisa y se dio unas palmaditas en el vientre.

—¡Qué tripa de viejo! Doy lástima.

—¡Vamos, si estás más liso que una tabla! Cualquiera diría que juegas al tenis. —A ella le encantaba alabarlo para ver cómo volvía la luz a sus ojos.

—Oh, no sé. No creo que causara buena impresión en la playa.

—¿Por qué no vamos a la playa, en las vacaciones del año que viene? —preguntó ella de pronto.

Eso lo pilló desprevenido.

—Quién sabe dónde estaremos el año que viene.

—Por eso. Podríamos ir a algún sitio elegante. Voy a pedir información.

—Bueno, sí, ya hablaremos de eso. Por ahora pensemos en lo que regalaremos a esos jóvenes enamorados de abajo.

A ella no le gustó que se burlara de la edad de los novios. Ellos también serían viejos cuando se casaran, algún día. «Cuando» se casaran.

Mientras se abrochaba la camisa limpia, él se miró en el espejo con ojo crítico. Ella sabía perfectamente que no se casarían jamás. ¿Por qué mantenía aquella idea tan tonta, como el juguete de un niño? Sabía también que aquella noche Louis comenzaría una aventura. O tal vez aquella aventura estaba ya en pleno desarrollo. Por entonces ya conocía las señales.

—Se me ocurrió que podíamos comprarles un espejo, un precioso espejo antiguo —propuso Lena.

—Bueno. Siempre que no cueste demasiado.

Él no pagaría un céntimo. Tampoco sabría jamás que el verdadero regalo de Lena a Ivy había sido un traje de terciopelo y un sombrero a juego. También había conseguido una limpieza de cutis y un peinado en el salón de Grace. Ya llevaba gastada una suma diez veces mayor de lo que costaría el espejo.

—¿Estarás libre para venir el sábado a la boda? —preguntó Lena.

—Por supuesto. No voy a perderme una buena comida. Lo curioso es que no la celebren en el bar del novio.

—No estaría bien para los que conocieron a Charlotte ni para sus hijos. Es más adecuado hacer la fiesta en otra parte.

—¡Pero en una estación de ferrocarril...! ¡Caramba, Lena!

Hablaba con desdén, como si todo fuera ridículo. Sin embargo, ella estaba segura de que no haría aquel comentario a Ivy ni a Ernest. A ellos les diría que aquella idea había sido una genialidad. Louis, en público, era un hombre irreprochable.

—A las doce tenemos que estar en el Registro Civil —observó ella.

—Ya sé, ya sé. Pedí el turno partido.

—¿O sea que después de la ceremonia tendrás que volver al trabajo?

—Alguien tiene que trabajar —dijo él en tono ofendido.

Ella recordó las palabras de James Williams: Louis trabajaba demasiado. Se sintió muy intranquila.

—Hoy me encontré con James Williams —soltó Lena de pronto.

¿Eran imaginaciones suyas o él se había puesto en guardia?

—¿Y qué te ha dicho?

—No mucho. Hablamos del vino, del pescado... Me contó que Laura Evans ha seguido la ruta de sus antecesoras... y probablemente la de todas las venideras.

—Era una pobre borracha —dijo Louis—. No me explico qué le vio..., un hombre como él.

—Tal vez se sintiera solo.

—¿Con todo el dinero que tiene? Ya conoces la casa. ¿Quién puede sentirse solo allí?

Lena no estaba de acuerdo en absoluto. Pero Louis estaba a punto de salir y no quiso hacer una escena por algo que no tenía importancia.

—¿Y por qué habéis hablado de vino y de pescado?

—Porque estábamos en un restaurante. Pasaba por la oficina y me invitó a comer.

—¿Desde cuándo James pasa por allí?

—Qué gracioso, es justo lo que yo le dije.

—Bueno, ¿y a qué iba? —Realmente se lo notaba intranquilo.

Pero ella parecía despreocupada.

—Eso es lo que me gustaría saber. Tuve la sensación de que iba a decirme algo y acabó por arrepentirse.

—¿Algo como qué?

—No tengo ni idea. Tal vez haya reemplazado a Laura Evans por otra. Quién sabe.

—¿Y no hablasteis de mí? —Parecía despreocupado, pero estaba tenso. Lena se dio cuenta.

—Solo me dijo que estabas siempre trabajando.

Él se acercó para apoyarle las manos en los hombros y la besó en la frente. Fue un gesto solemne.

—Nos vemos mañana, en la boda.

Lena bajó a casa de Ivy, tal como había prometido.

—¿Él está arriba? —preguntó su amiga.

—No. Ha salido.

—Me alegro, porque así te tengo más tiempo. —Ivy volvió a sacar el vestido de terciopelo granate y a darle las gracias—. Todo esto te lo debo a ti. Todo —dijo con voz ahogada.

—Basta. Vas a hacerme llorar.

—Ernest salió con algunos amigos. Podemos tomar una copa. Cuéntame qué planes tienes, Lena. Tú, que arreglas la vida de todo el mundo.

—No sé. Louis y yo hablábamos de pasar las vacaciones en la playa el año que viene.

—¡Qué maravilla, imagínate! —Ivy estaba muy impresionada.

—Todavía no hay nada decidido, claro.

Lena habría querido llorar en el hombro de su amiga, revelarle sus sospechas de que pasaba algo serio. Algo que James Williams había estado a punto de decirle aunque se había arrepentido en el último momento. Algo que ella había leído en los ojos de Louis al hablar de aquellas vacaciones. Y cuando le puso las manos en los hombros.

No se le ocurría de qué podía tratarse. ¿Existía algo peor que las aventuras de todos aquellos años? Pero Ivy se casaría a la mañana siguiente. No era buen momento para sentarse a beber y a llorar por la maldad de los hombres.

La carta de Kit ocupaba tres páginas. La primera reacción de Lena fue preocuparse. ¿Por qué le escribía tanto? ¿Tendría algo que contar? Pero al echarle un vistazo rápido no encontró ningún mensaje terrible.

Kit le hablaba de un hombre llamado Francis Xavier Byrne, único responsable del asalto al taller de Sullivan, que la hermana Madeleine había albergado como a un zorro fugitivo. También describía sucintamente el ataque a su padre, que ya estaba recuperado.

> Sé que te alegrarás de saber que, gracias a los cuidados de Maura, ya está como nuevo, haciendo chistes y riendo como siempre.
>
> Te lo cuento porque, si te enteraste por ese periódico, puedes pensar que fue peor de lo que ha sido. Es extraño que aún leas las noticias de Lough Glass. No sé qué cosas contarte sobre el pueblo.
>
> La casa de la hermana Madeleine está vacía, con la puerta de par en par. La semana pasada fui a verla. Dentro había conejos y un par de pájaros muy tranquilos; tal vez pensaron que era ella quien volvía para darles de comer. Para colmo, la gente está diciendo que ella nunca fue trigo limpio, que no

era santa sino más bien bruja. Yo siempre la quise y no voy a cambiar.

Clio piensa lo mismo. Últimamente no nos vemos mucho, porque dice estar muy enamorada de un hombre horrible llamado Michael O'Connor, cuyo padre tiene una cadena de hoteles y es muy rico. El hermano está en nuestra clase y es todavía peor. Yo todavía no tengo «amores» con nadie.

Stevie Sullivan, el del taller, resultó ser mucho mejor de lo que había imaginado. Eso sí: el hermano sigue siendo un monstruo.

Hay cosas que no cambian. El padre Baily sigue siendo el mismo, igual que la madre Bernard y el hermano Healy. Farouk también es el de siempre; no se preocupa por el perro de papá y Maura; simplemente, hace caso omiso de él y sale con aire altanero cuando el perro entra. No sé para qué te cuento estas cosas. Supongo que si compras ese periódico todas las semanas, es porque todavía te interesa lo que pasa aquí.

Con mis mejores deseos,

KIT

Kit quedó complacida con lo que había escrito. Ignoraba por qué había cambiado el carácter de sus secas notas habituales. Era como si, de algún modo, supiera que Lena Gray se sentía sola.

Kit:
No sé cómo expresarte cuánto me gusta saber lo que está ocurriendo allí. Me interesa todo lo que tengas tiempo y ganas de contar. Abrevio esta nota con toda intención, para que no pienses que te entretengo con la correspondencia.

Y tenías mucha razón al pensar que me alegraría enterarme de lo bien que Maura cuidó de tu padre. Celebro que así haya sido y que él esté recuperado.

Besos de Lena

Lena no durmió. A las dos de la mañana estaba más despierta de lo que solía sentirse en pleno día. Se levantó para prepararse un poco de té. No sirvió de nada. Vagó por el apartamento, inquieta, abriendo armarios y cajones. Todo estaba ordenado.

Echó un vistazo al armario donde Louis guardaba su ropa. Todo estaba bien colgado, con los zapatos bien limpios gracias a ella. «Oh, qué tontería, si también limpio los míos», había replicado ella, ante la primera protesta de Louis; volvió a protestar.

Ella lo había mimado demasiado, claro, pero de lo contrario todo habría terminado mucho antes. Sintió un escalofrío. ¿Por qué pensaba que estaba a punto de terminar en aquel momento?

En el descansillo había un teléfono público que cualquier inquilino podía usar. Si hablaba en voz baja nadie se enteraría, nadie conocería su vergüenza. Marcó el número del hotel Dryden. Respondió una voz, la del portero de noche.

—Solo quería preguntar por la fiesta de esta noche.

—¿Cómo dice, señora?

—Solo una pregunta. ¿A qué hora se calcula que terminará?

—Lo siento, señora, pero esta noche no hay ninguna fiesta —dijo la voz.

—Gracias, muchas gracias.

Vio alzarse la aurora sobre la ciudad. Sabía hacer pequeños milagros con el maquillaje, pero no tanto. Nada habría podido disimularle las ojeras ni dar brillo a sus ojos angustiados. Decidió entregarse en cuerpo y alma a la boda de Ivy; así no tendría tiempo para pensar que su propia vida podía estar a punto de acabar.

Preparó té y tostadas con miel para llevar a Ivy.

—No me lo puedo creer. —El placer de su amiga era tan grande que no reparó en las ojeras y las arrugas de su dama de honor.

—Hoy se cumplirán todos tus deseos —dijo Lena, con una sonrisa tan amplia que le dolió la cara.

Llevó a Ivy al salón de Grace West y la dejó en sus manos.

—A las diez y media volveré por ti —le prometió.

—Creo que Louis Gray se alegrará cuando esto termine. Te estoy robando demasiado tiempo.

—Oh, no te preocupes por Louis.

Grace le dirigió una mirada penetrante.

—¿Necesitas algo? Un peinado, sombra en los párpados —ofreció en voz baja.

—No, es mucho más profundo —respondió ella con voz triste.

—No es la primera vez y siempre se ha terminado resolviendo todo —observó Grace.

—Esta vez no.

Se pusieron donde Ivy no pudiera oírlas.

—No te creo. Te apuesto cinco a uno.

—No me gusta apostar. —La voz de Lena era inexpresiva.

—Claro que sí. Apostaste por ese hombre tuyo.

—Si lo hice, perdí.

Grace no dijo nada.

—A propósito: Ivy no lo sabe —dijo Lena.

—Nadie lo sabe. Estás demasiado cansada. Te imaginas cosas.

—Sí, claro.

Volvió a casa para vestirse. Decidió no llamar al Dryden para averiguar si él había pedido el turno partido o no. Cargó la cámara y preparó cuatro paquetes de arroz, por si otros querían también arrojarlo.

Luego vació las papeleras en una bolsa, para llevarla al cubo de la basura. Encontró un papel impreso con horarios y precios de vuelos a Irlanda. Estaba arrugado, pero no lo había visto nunca. Muchas veces habían pensado ir allí, pero hasta el momento no habían llegado ni a pedir un folleto con los horarios.

Louis no podía planear un viaje a Irlanda sin decirle nada. No era posible que su nueva amiguita fuera una irlandesa. Eso sería demasiado. O que él la llevara allí en un viaje sorpresa.

Dejó el papel en la papelera, tal como estaba, y se estiró. El día sería muy largo y difícil.

Y ya era casi la hora de recoger a Ivy.

Ernest también estaba nervioso, y su amigo Sammy no lo ayudaba.

—Me siento idiota delante de tanta gente —se quejó el novio.

Lena habría querido darle una buena bofetada.

Habría allí dieciséis personas en total, todos amigos que les deseaban lo mejor. Sus dos hijos ya habían aceptado que se casara con Ivy y estarían presentes. Él no tenía nada que hacer, nada que organizar. Solo tenía que alegrarse mucho de que Ivy le hubiera aceptado.

—Bueno, ¿ya estamos listos? —preguntó a los dos hombres—. El taxi está esperando.

Ella se había encargado también de eso y pagado por anticipado.

—¿Y la novia? —preguntó Sammy.

—Está en el dormitorio. Saldrá cuando todos estemos listos. —Lena fue a buscarla—. Estás absolutamente encantadora. Nunca te he visto tan guapa.

La cara arrugada de Ivy se iluminó de puro placer. Tenía el sombrero ladeado y un pañuelo castaño y beis anudado con estilo. Parecía varios años más joven, la típica señora que ves salir del hotel Ritz. Ernest y Sammy la miraron asombrados.

—¿Dónde está Louis? —preguntó ella. Era lo que preguntaban casi todos los que lo conocían.

—Se reunirá con nosotros allí. Tiene que salir expresamente del hotel. —Lena la cogió del brazo para acompañarla al taxi—. A Caxton Hall, por favor.

Justo antes de la ceremonia, Louis se colocó junto a ella. Olía a jabón de lavanda. En el Dryden podían usar jabón de lavanda, claro. Le sonrió cálidamente.

—Estás preciosa.

El conjunto castaño y beis había costado muchísimo,

pero podría ponérselo para dar conferencias y recibir a los clientes importantes. Para los numerosos compromisos laborales que le deparara su futuro.

—Bonito sombrero —susurró él.

Tal vez la fiesta se hubiera cancelado. Y él podía haber tenido que trabajar hasta tan tarde que volver a casa habría sido una pérdida de tiempo. No preguntes —se dijo Lena—. Deja abierta esa puerta. Puedes pensarlo, si quieres, pero si preguntas tendrás la certeza.

—¿Cómo estuvo la fiesta? —preguntó, sin poder contenerse.

—No me la recuerdes —suspiró él, poniendo los ojos en blanco—. Interminable. Supongo que esa es la mejor manera de resumirla.

—¿Qué era? ¿Un congreso? ¿Bodas de oro? ¿Qué?

—Una pandilla de vendedores borrachos.

—Al menos es bueno para el hotel.

—Estoy un poco harto de hacer cosas para que el hotel gane dinero.

Ella lo miró. Tendría que haberle tranquilizado, persuadirlo de que siguiera en su puesto, decirle que era un cargo excelente, que todos tenían muy buen concepto de él, que sería una imprudencia cambiar algo.

Pero esta vez obró de otra manera.

—Entonces, Louis, deberías cambiar.

—¿Qué?

—No dejes que se aprovechen de ti. Seguramente habrá otras ofertas de trabajo. Deberías pensar seriamente en cambiar de empleo.

Él se quedó estupefacto.

—Pero yo creía que tú...

—Nunca des por sentado que sabes lo que voy a hacer o decir. Y ahora que me acuerdo: se supone que debo firmar como testigo en esta boda.

Con perfecta sincronización, al llegar el secretario del registro fue a ponerse junto a Ivy, Ernest y Sammy.

Una vez terminadas las formalidades, Ernest y Sammy se relajaron tanto que Lena temió que la pareja no partiera hacia su luna de miel. Se sirvieron la cerveza, el brandy, los refrescos y las bandejas de bocadillos. Por fin llegó la pequeña tarta y Lena los fotografió cortándola.

—Me sorprende que no la hayas vestido de blanco, con seis niños llevándole la cola —dijo Louis por lo bajo.

Lena le dedicó una sonrisa, como si el comentario hubiera sido simpático y alentador en vez de sarcástico. Ivy era muy rápida para captar esas cosas y habría detectado cualquier mirada fulminante suya.

Luego pidieron al camarero que les hiciera una foto en grupo. Por fin los novios cruzaron la estación, corriendo bajo una lluvia de arroz. Pasarían tres noches en una ciudad que estaba a una hora de Londres.

La despedida fue larga. Sammy quería que todos fueran a cierto bar del centro. Lena dijo, con profunda pena, que debía volver al trabajo. Y se llevó a Louis a rastras.

—No es cierto que debas trabajar, ¿o sí? —preguntó él.

—Yo no, pero tú sí.

—No, no tengo que volver al trabajo.

—¿No dijiste que tenías turno partido?

Él la miró con atención, por si lo estuviera poniendo a prueba.

—Dios mío, tienes razón —exclamó, golpeándose la frente.

—Bueno, menos mal que tienes una buena secretaria.
—Ella, por lo visto, lo encontraba gracioso.

—Trabajo demasiado, Lena.

—Sí, lo sé. —No hablaba con sinceridad, pero él no se daba cuenta.

—Puede que tengas razón. Debería irme de ese hotel.

—Pero no entre dos turnos del sábado. Espera a que se presente algo mejor. Eres capaz de cualquier cosa.

Por entonces ya habían llegado a la estación del metro.

—¿Adónde vas? —preguntó él.

—Bueno, si tú debes seguir trabajando, yo haré lo mismo. Estar en casa sin ti no es divertido.

—¿En serio? —Parecía preocupado.

—Vamos, cielo, bien sabes que hablo en serio. —Le dio un beso en la nariz.

Cuando se volvió a mirar, él seguía en la escalera, observándola como si hubiera callado algo que debía decirle.

Lena recogió la correspondencia, se preparó una taza de té y se quitó el sombrero y los zapatos. Luego, reclinada en el sillón de su oficina, pensó en lo que quería hacer. Quería escribirle a Kit. Pero tenía que ir con cuidado. Aquella paz entre ambas era frágil; si se lanzaba contra la alambrada, la rompería otra vez.

Describió a su hija la boda de Ivy, lo elegante que había estado la novia y lo nervioso que estaba el novio. Escribió con el corazón y leyó varias veces la carta, para asegurarse de que no hubiera señales reveladoras de amargura o autocompasión. En aquellas tres páginas de apretada mecanografía, no mencionaba una sola vez a Louis Gray.

Era como si nunca hubiera existido.

—Hola, Maura. Soy Kit.

—Oh, Kit, lo siento. Tu padre acaba de bajar con Peter al bar de Paddles. Es una pena que hayas malgastado la llamada.

—Déjate de lamentos, perversa madrastra. ¿No estoy hablando contigo? Esto no es malgastar la llamada.

—Estamos todos bien. Él ha vuelto a ser el de siempre. Y Emmet también está animado, estudiando mucho. En Navidad, cuando vengas, no vas a reconocer esta casa.

—¿Emmet está ahí, Maura?

—No, cielo, tampoco podrás hablar con él. Fue al cine con Anna. Parece que han vuelto a ser amigos. De veras. Tan unidos como tú y Clio en otros tiempos. A propósito, ¿cómo está ella?

—No nos vemos mucho, Maura, pero está bien.

—Dile que llame a su casa con más frecuencia, ¿quieres? Me avergüenza decir a Lilian que tú llamas dos veces a la semana. Parece como si estuviera presumiendo.

—Y tendrías todo el derecho, porque eres mucho más simpática que Lilian —dijo Kit.

—No digas eso. ¿Quieres dejar algún mensaje?

—Sí. Dile a papá que su hija sintió mucho saber que había salido a emborracharse. Y a Emmet, que estoy cumpliendo mi promesa.

—Supongo que no me dirás de qué promesa se trata.

—No, pero él lo entenderá.

—Eres una chica estupenda, Kit.

—Tú tampoco estás mal.

—¿Vamos a comer patatas fritas, Clio?

—Caramba, ¿quién te ha dejado plantada? Porque cuando me llamas es como último recurso.

—¿Seguiste algún curso especial sobre encanto personal o lo has leído en algún libro?

—Perdona. Estoy mal.

—¿Las patatas fritas servirían de algo?

—Como siempre, ¿no?

—Soy Philip, Kit. Quería invitarte al cine. Normalmente, como va cualquiera.

—No sé cómo va cualquiera al cine, Philip. Pero no puedo. Acabo de invitar a Clio a comer patatas fritas.

—Oh... —Parecía muy desilusionado.

—Si quieres, ven con nosotras.

—¿No empezaréis a reíros como dos tontas?

—No. Ya somos mayores para eso. Acompáñanos.

—La vida sería mucho más fácil si te gustara Kevin O'Connor —dijo Clio.

—Ya te dije lo que pienso de él. Hasta se lo dije a él, por medio de un abogado. No sirve de nada fantasear con eso.

—Una tiene derecho a soñar —dijo Clio.

—He invitado a Philip O'Brien a venir con nosotras. Parecía medio perdido.

—Por supuesto que está perdido, porque no puede llevarte a una joyería y comprarte un anillito miserable para atarte.

Kit se echó a reír.

—¿Dónde diablos está Michael? ¿Qué ha hecho para producirte este ataque de malhumor?

—Quiere que vaya a Inglaterra con él, a pasar Navidad y Año Nuevo. Parece que su hermana va a organizar una gran fiesta.

—Bueno, qué bien.

—Pero no me dan permiso.

—Pues pídelo amablemente, Clio.

—No, es como hablar a una pared. Y tía Maura también está hasta el moño del asunto.

—Pero ya eres mayor. Tienen que entenderlo.

—No lo entienden. Es un ultimátum: «Te queremos en casa con nosotros en Navidad y Año Nuevo, Clio, como corresponde a cualquier chica de buena familia». —Su expresión era trágica.

—Bueno, él no llevará a ninguna otra —dijo Kit.

—Pero quedo como una estúpida. La única vez en la vida que viene a casa, esa perra rabiosa de Anna está en la cocina, lanzándole insultos. Y ahora se entera de que esos carceleros no me permiten aceptar una invitación totalmente razonable y generosa a la casa de un amigo.

—¿Ya le has dicho que no te dejan ir?

—No, me da demasiada vergüenza. Fingiré estar enferma o algo así. O tal vez vaya igual.

—No te creo. —Kit conocía bien a Clio y sabía que era incapaz de desafiar así a su familia.

—No. Quiero tener alguna familia que presentarle cuando nos comprometamos.

—¿De veras vais a comprometeros? ¿Con anillo y todo? —Kit estaba sorprendida.

—Oh, todavía no. Cuando llegue el momento.

Entró Philip.

—Estábamos hablando del futuro —dijo Kit.

—¡Cállate! —le dijo Clio.

—Ya sabía que vosotras dos encontraríais algo de lo cual reíros como tontas —dijo Philip, a la defensiva.

—¿Reírnos como tontas? —dijo Clio—. Hace años que no lo hago. ¿Pedimos ración doble de patatas fritas?

—Sí, y un capuchino —dijo Kit.

—Necesito consejo. —Philip nunca les había pedido consejos. Siempre los daba. Las dos se inclinaron hacia delante, interesadas—. El suelo del club de golf está hundido —dijo al fin.

Las chicas se miraron, desconcertadas.

—Completamente hundido —dijo Philip—. Así que el baile de Fin de Año no se puede hacer allí. Y se me ocurrió... Bueno, se me ocurrió tratar de que se hiciera en nuestro hotel. En el Central.

—¿En el Central? —exclamaron Clio y Kit, tan incrédulas que Philip se sintió ofendido.

—Por lo menos no tiene el suelo hundido.

—No, claro que no. —Kit trató de disimular su sorpresa—. Pero un baile... una cena con baile...

—El comedor es muy grande —observó Philip. Realmente lo era: un enorme y lúgubre granero. Kit lo había visto una sola vez, el día en que Philip los invitó a desayunar. Pese a todas las alabanzas de Maura, parecía una sala triste—. Y podríamos instalar a la orquesta en el mirador, con las cortinas recogidas. Si hubiera luna, el lago tendría un aspecto estupendo.

—Pero contemplándolo morirían todos congelados —apuntó Clio.

—Philip pondría la calefacción —dijo Kit.

Él le dirigió una mirada de gratitud.

—Sí, pero solo dispongo de unas semanas. Tendremos que decir a la comisión del club que se puede celebrar allí y que todo saldrá bien.

—Tal vez sea un poco difícil convencerlos —sugirió Clio.

—Vuestros padres son los que pueden hacerlo. —Las chicas callaron. Ni uno ni otro habían hablado nunca muy bien del Hotel Central—. Y recordad que el club está sin suelo.

—Tal vez prefieran arreglar el suelo en vez de ir a otro lado —dijo Clio.

—No. El asunto va a juicio y todo. Los que lo instalaron dieron garantías y ahora se está cayendo a pedazos.

—¿Qué dicen tus padres? —Kit fue al grano.

—Todavía no lo saben.

—Dirán que no.

—Bueno, al principio sí, pero luego tal vez acepten.

—Seis semanas hasta que pase el baile. —Clio no veía nada bueno en Lough Glass.

—Tenemos que hacerles entender lo fantástico que sería —dijo Philip.

—¿Tú y quién más? —preguntó Kit con suspicacia.

—Y tú, Kit. Podrías ayudarme. Ya estás casi diplomada. Y tienes tan buenas notas... Además, si tú les dijeras que se puede, te creerían más que a mí. Para los padres, los hijos no crecen nunca.

Kit se quedó pensativa. Corría el peligro de interesarse demasiado por algo que estaba condenado al fracaso desde un principio. ¿Quién querría pelearse con los O'Brien?

Philip parecía tan ilusionado...

¿Y no sería estupendo que funcionara? Un gran baile de gala a un paso de casa. Un baile en el que ella podría bailar con Stevie Sullivan entre luces de colores. Donde Emmet podría reconciliarse con Anna Kelly. Donde Philip podría demostrar a sus siniestros padres que era, verdaderamente, un adulto con ideas propias.

—¿Y bien? —dijo, casi sin atreverse a respirar.

—Ya oigo el tintineo del ir y venir de las bandejas —murmuró Clio.

—Me parece una idea estupenda, Philip —exclamó Kit—. Y esto resolverá también todos nuestros problemas, Clio.

—¿Cómo es eso? —La chica desconfiaba.

—Si hay un gran baile en el que todos vamos a colaborar, una gran fiesta de gala... tú podrías invitar al magnífico Michael, en lugar de acompañarlo a Inglaterra.

—No daría resultado.

—Claro que sí. —Kit se estaba entusiasmando con la idea—. Y yo invitaría a ese odioso de Kevin, solo para completar la diversión. Oh, no me mires así, Philip. Ya sabes que no soporto a Kevin. Solo lo invitaría por ser sociable y por ayudar a mi amiga.

Clio empezaba a apreciar las posibilidades.

—¿Dónde se hospedarían?

—En el hotel —dijo Kit.

—No estoy segura de que les parezca...

—El hotel será estupendo —insistió Kit.

—Solo quedan unas semanas —recordó Philip con pánico.

—Entonces tendremos que trabajar mucho. Todos.

—¿Todos?

—Sí. Clio debe decírselo a sus padres y yo a los míos. Luego convenceremos al tuyo y a esa antipática señora Hickey, que es fantástica para organizar.

—Pero no es socia del club, ¿o sí? —Clio había encontrado un problema.

—No, pero le encantaría figurar entre esa gente, así que trabajará como una loca.

—¿Cuándo comenzamos? —A Philip ya le brillaban los ojos.

—Este fin de semana. El viernes por la noche iremos todos a casa en tren. Nadie sabrá lo que les espera.

—No creo que Dan pueda hacerse cargo de la cena y el baile del club —dijo el padre de Kit—. ¿No dices siempre tú misma que ese hotel huele a rancio?

—Tenemos unas cuantas semanas para quitarle el olor —dijo ella—. Oh, papá, alégrate. Necesitamos gente como tú y el padre de Clio para que nos apoye.

—Yo no soy precisamente la persona más sociable de la ciudad.

—No, pero podrías traer aquí a todos los socios del club. De lo contrario todos se irán a la gran ciudad, a algún lugar muy conocido, y nuestro viejo Hotel Central jamás tendrá la oportunidad de demostrar de qué es capaz.

—Siempre has dicho que lo mejor que se podía hacer por él era demolerlo. —Martin sacudía la cabeza ante un cambio de actitud tan radical.

—Pero he crecido un poco. Quiero algo que beneficie a Lough Glass. Y a Philip, que es mi amigo desde hace años.

—Si pudiéramos hacerlo aquí resultaría mucho más cómodo, Martin —intervino Maura—. ¿Y no sería fantástico que estuviéramos todos? Emmet está desesperado por ir; lo mismo que Clio y Anna. Sería una salida en familia, en vez de encontrarnos siempre los cuatro viejos en el club.

—Además, en el club no se puede hacer por lo del suelo —apuntó Kit.

—Bueno, para mí sería un placer darles una oportunidad a Dan y a Mildred, pero... ¿ellos quieren? Porque nunca han querido hacer nada nuevo.

—Si vinierais todos vosotros, la gente distinguida... accederían.

—Nosotros no somos gente distinguida —dijo Martin.

—No, pero sí lo más parecido que podemos conseguir en Lough Glass. —Kit suspiró.

—¿Vamos a ayudarlos? ¿A Philip, Kit y Clio? —preguntó Emmet a Anna.

—Yo no quiero mover un dedo para ayudar a Clio. Participaría en cualquier cosa que llevara a su perdición —aseguró ella.

—No lo dices en serio.

—¡Claro que sí! Tú puedes llevarte bien con Kit, pero eso no significa que sea lo normal.

—Lo sé. —Sin duda, Emmet lo sabía. Muy pocas personas tenían una hermana tan maravillosa como Kit, que había prometido ayudarlo y estaba cumpliendo. Realmente era muy hábil para distraer a Stevie Sullivan, apartándolo de Anna Kelly.

En opinión de Emmet, Kit era bastante guapa. Claro que, al ser su hermana, no era fácil ver las cosas con objetividad; pero no lograba comprender que Stevie se sintiera atraído por ella más que por la hermosa Anna.

De cualquier modo, Kit obtenía resultados.

—Espero que esto no te resulte insoportable —le había dicho.

—No —le aseguró Kit—. En realidad, estoy disfrutando. Pero no des por sentado que vaya a funcionar por completo.

—Tienes razón —dijo él sabiamente. Y había obrado con cautela.

Era evidente que Anna aún rondaba a Stevie, con la esperanza de encontrarlo disponible; pero protestaba porque, últimamente, él parecía pasarse la vida en Dublín.

—No importa, sin duda vendrá para Navidad —la alentaba Emmet.

—¿Sí? Bueno, eso espero.

—Así que te conviene ayudar con el baile. Podrías ir con él.

A Anna no se le había ocurrido. En realidad, era una oportunidad caída del cielo.

—Eres muy amable, Emmet. No creas que no sé apreciarlo, considerando que te gusto y todo eso.

—No importa —dijo él con amabilidad—. Después de todo, también te gusté un tiempo. Tal vez podamos volver a lo de antes, aunque me doy cuenta de que por el momento no es posible.

—Mereces estar con una chica estupenda —dijo Anna—. Una mucho más digna de ti que Patsy Hanley.

—Patsy es una compañía bastante agradable, cuando llegas a conocerla —repuso Emmet.

Clio sabía cómo hacer las cosas. No diría a sus padres que apoyaran la propuesta del Central. Lo que hizo fue poner cara de mártir.

—Clio, tesoro, anímate, por favor. Teníamos tantas ganas de verte en casa... Y ahora te pasas el día sentada ahí, como si el mundo se viniera abajo.

—Por lo que a mí respecta, así es, papá.

—No podemos dejar que viajes a Inglaterra con personas que no conocemos.

—Ya lo has dicho mil veces. Yo cedí, habéis ganado. Pero no pretendas que dé saltos de alegría.

—Aquí pasarás una hermosa Navidad. Y puede ser que tu amigo Michael venga a visitarte, a conocernos a todos.

—No puedo invitarlo a venir aquí. En Lough Glass nunca pasa nada. Para que alguien haga todo el trayecto desde Dublín hay que darle motivos.

Aquella noche, en el bar de Paddles, Peter Kelly se enteró de los planes.

—Supongo que deberíamos apoyarlos —dijo Martin McMahon.

—Caramba, esta podría ser la respuesta de Dios a nuestro problema. —El doctor Kelly parecía muy complacido—. Cuenta con nosotros, Martin. Si esto no alegra a Clio, no habrá nada que la anime.

Clio no se entusiasmó.

—Yo esperaba que te alegraras —comentó el padre, desencantado.

—Sí, pero lo más probable es que no se haga. Ya conoces a esos viejos del club de golf; dirán que el Central no está a la altura de su preciosa cena y baile anual.

—La verdad es que ese hotel es horrible. Tú y Kit siempre habéis sido las primeras en decir que no tiene arreglo.
—Estaba desconcertado.

—Las cosas no pueden tener arreglo si la gente mayor no hace nada por cambiarlas —dijo Clio.

—Sí, ya sé que esa es vuestra opinión. Os lo hemos estropeado todo. Pero vosotros ¿qué estáis haciendo? Vamos, dímelo, en vez de pasarte la vida enfadada y quejándote.

—Yo ayudaría a Philip a poner ese hotel a tono. Pero esos antipáticos padres suyos, y los padres de todo el mundo, empezarán a sacudir sus greñas y a decir que las cosas deberían seguir siendo como siempre.

Peter Kelly se pasó una mano por la cabeza, que se iba quedando calva rápidamente.

—Muy amable de tu parte, esa referencia a mi pelo —dijo, con la esperanza de hacerla reír.

Clio le dedicó una sonrisa cálida.

—Tú no eres de los peores, papá.

—¿Y a vosotras os gustaría que la cena con baile se hiciera allí, aunque seamos unos viejos decrépitos?

—Sí. Los demás seríamos normales.

—Ojalá algún día tengas una hija; así sabrás cuánto necesita uno que lo elogien en vez de que siempre lo critiquen.

—Sin duda alguna, cuando llegue el momento voy a ser una madre estupenda.

Pero su voz sonaba algo hueca. Llevaba cuatro días de retraso con su regla y rezaba fervientemente para que no hubiera llegado aún el momento de ser madre.

—No van a venir —dijo el padre de Philip con un bufido.

—Prefieren ese horrible granero de cemento que tienen por club —añadió Mildred.

Philip apretó los dientes. No quería perder los estribos. En administración hotelera te enseñaban a mantener siempre la calma exteriormente, aunque por dentro estuvieras ardiendo.

—No tienen otro sitio —dijo el chico.

—Y vamos a empeñarnos para un solo año, para que la próxima vez vuelvan a su viejo granero.

—Podría ser un éxito tal que la próxima vez quisieran celebrarlo aquí. Y también otras personas.

—¿Y quién se enteraría, si fuera un éxito? —preguntó Dan O'Brien.

—Podemos tomar fotografías y enviarlas a los periódicos. Y hasta a las revistas.

—Sí, pero tú volverías a Dublín y a nosotros nos quedaría todo el trabajo.

—No. Yo volvería todos los fines de semana. Y durante las vacaciones de Navidad estaré en casa.

—¿Y qué sabes tú...? —empezó el padre.

—No lo sé todo, papá, pero somos hoteleros. Los tres, ¿no, mamá? Y si queremos tener alguna vez la oportunidad de hacer algo diferente, algo excitante, ¿no te parece que nos lo están sirviendo en bandeja?

No habría podido decir por qué, pero surtió efecto.

Los padres se miraron con una chispa de vida y entusiasmo en los ojos. Había que ser rápido para captarla, pero allí estaba.

—¿Cómo vamos a calentar el local? —preguntó el padre.

Y Philip comprendió que la batalla estaba ganada.

Formaron una pequeña comisión y se reunieron en el hotel. Kit tomó notas sobre el debate en un cuaderno; después las pasaría a máquina y daría una copia a cada uno, a fin de que todos supieran qué se había decidido. Se sentaron en un desolado salón cuadrado, sin atractivo, solo tangencialmente rozado por un fuego que expulsaba todo el calor por la chimenea. Todos tenían una actitud muy eficiente, pese a que llevaban los abrigos puestos para no enfriarse.

Los jóvenes de Lough Glass decidieron hacer que la fiesta de Fin de Año fuera un éxito, como las fiestas que veían en el cine.

—¿Alguno de nosotros conoce el club de golf? —preguntó Philip.

Nadie había estado allí. Eso era lo prioritario: debían averiguar qué aspectos del club eran buenos y cuáles se debían mejorar. Cada uno tenía una misión específica.

La de Patsy sería investigar qué instalaciones tenía el lavabo de señoras y presentar su informe el domingo por la tarde.

Emmet se encargaría de averiguar qué requerían los caballeros. Podía preguntárselo a su padre, al doctor Kelly, al padre Baily o a cualquiera que fuera al club.

Clio volvería con ideas para la decoración. Era muy importante la primera impresión que causara el lugar. Sus ideas serían estudiadas por el grupo, que luego elegiría por votación qué se podía hacer. Ella decidió buscar algunas revistas y estudiar bien la cuestión.

Michael Sullivan y Kevin Wall fueron designados para ver de qué modo se podía modificar la fachada del hotel, a fin de que pareciera más espléndida. Michael, porque había mejorado el aspecto del taller con tiestos de plantas y flores; Kevin, porque su hermano era constructor y porque los materiales, naturalmente, provendrían de la ferretería de los Wall. Ambos debían presentar un presupuesto aproximado.

Anna Kelly se concentraría en las cortinas y la decoración.

—¿Y yo qué voy a hacer? —preguntó Kit, casi demasiado ansiosa. Después de todo, ella había sido el motor de todo—. No puedo limitarme a tomar notas.

—Kit y yo nos encargaremos de la comida —dijo Philip, que parecía tenerlo todo bajo control y era mucho más diplomático de lo que nadie habría pensado—. Después de todo, somos los especialistas. Y conviene ofrecerles una comida que no olviden jamás.

—De cualquier modo, jamás se olvidarán de esa noche —comentó Kevin Wall—. La mayoría irá a parar al hospital por congelación.

—El domingo mi padre nos dirá cuánto puede gastar en estufas y radiadores. —Philip no se inmutó—. ¿Nos reunimos aquí a las tres en punto?

Y cada uno salió por su lado, cada uno con su sueño. Clio, de muy buen humor tras haber comprobado que su maternidad no era inminente, pensaba en el baile de Fin de Año. Ella se encargaría de adecentar al menos una de las horrorosas habitaciones del Central: una que estuviera lejos de las miradas curiosas.

Patsy Hanley salió contenta. Emmet McMahon le había dedicado muchas atenciones delante de aquella presumida de Anna Kelly.

Kevin Wall y Michael Sullivan no lo habrían admitido ante nadie, pero se sentían halagados por verse incluidos en algo nuevo. Hacía tiempo que se los tenía por jóvenes gamberros a los que mantener lejos de cualquier fiesta, y en aquel momento se les invitaba a ayudar en una.

Philip estaba muy satisfecho con los resultados. Todos ofrecían ayuda. Si fallaba, sería un fracaso del grupo. Y Kit, en especial, estaría a su lado, ganaran o perdieran.

Emmet McMahon sabía que aquel baile sería su gran oportunidad para reconquistar a Anna Kelly a su modo y en su propio pueblo.

Kit McMahon y Anna Kelly echaron un vistazo al taller, donde Stevie conversaba con un cliente. Ninguna de las dos lo interrumpiría durante las horas de trabajo. Y ambas tenían enormes esperanzas depositadas en él para el baile de Fin de Año.

Lena nunca supo cómo se las había ingeniado para sobrevivir en los días siguientes a la boda de Ivy, cómo se las había arreglado para comportarse normalmente con todos.

Durante la última semana había hecho muchos descubrimientos. Cosas que no se había propuesto descubrir. Y que no deseaba saber. Comprendió que él estaba a punto de renunciar al Dryden. Que la abandonaría para irse muy lejos. A veces sospechaba que se mudaría a Irlanda. Louis se presentaba de vez en cuando, a menudo solo para recoger la correspondencia que, de repente, no llegaba ya al hotel, sino al piso. Hasta entonces nunca había recibido cartas en casa. En sus conversaciones había referencias a Irlanda, pero no a la Irlanda de antes, la que ambos conocían, sino a la actual. Ya nunca pasaba la noche con ella. Y Lena no le preguntaba si era por una fiesta o porque le había tocado el turno de noche. Era como si ambos estuvieran esperando. Esperando el día en que él se lo dijera.

Se sentía muy frágil; el hilo que la mantenía en pie era tan débil que podía romperse con facilidad. Cuando vio el sobre de Kit, tan poco tiempo después de haberle escrito, el corazón le dio un vuelco. Por favor, que su hija no le dijera nada malo. En aquel momento no, en aquellos momentos no. Por favor, que Kit no le dijera nada despectivo sobre su larga descripción de la boda de Ivy; ahora se arrepentía de haber enviado aquella carta. Kit bien podía decirle que no le interesaban los chismes sobre personas a las que no conocía. O que no quería más cartas, que prefería cortar aquella línea de comunicación, lo único que mantenía a Lena con vida.

Por favor, Dios mío..., pensó Lena mientras abría el sobre.

Querida Lena:

La boda parece haber sido fantástica. Fue como ver una película; podía imaginármelos a todos, especialmente a ese horrible padrino.

Ahora me doy cuenta de lo mucho que echaba de menos tus cartas de la época en que eras solo Lena, la amiga de mi madre. Y el hecho de escribirte; incluso ahora que apenas tengo tiempo para respirar y mucho menos para escribir. Cuando te enteres de lo que vamos a hacer no podrás creerlo; siéntate antes de leer esto: vamos a tratar de ofrecer un maravilloso baile de gala para Fin de Año en el hotel de los O'Brien...

Casi sin atreverse a creer en su buena suerte, Lena leyó con ojos llorosos la historia de la transformación del hotel y el duro trabajo de la comisión organizadora.

> ... Hasta Clio está participando, aunque solo sea para que vengan esos horribles O'Connor por los que está tan colada...

La carta exhalaba vitalidad y entusiasmo. En el último párrafo cambiaba de tono.

> No dices si Louis estuvo en la boda. No vayas a pensar que no puedes mencionarlo ni nada de eso. No tienes por qué omitirlo en lo que me cuentes.
> Con el cariño de siempre,
>
> KIT

No podía decirle a Kit lo de Louis. En el mundo entero no le quedaba sino Kit, y no quería presentar a los ojos de la chica la imagen de una tonta que se había dejado usar y tirar. Aunque lo fuera, en realidad.

Leyó una y otra vez los planes que su hija tenía para el hotel. Algunos eran absurdos; otros estaban dentro de las posibilidades de cualquiera. Calculó cuánto dinero tenía; le habría encantado invertirlo inmediatamente en un programa de remodelación del Hotel Central de Lough Glass. Después de todo, los hoteles de Irlanda estaban prosperando mucho. Les había llegado su buen momento.

Lena tenía motivos para saberlo muy bien.

—Tendremos que volver el próximo fin de semana —dijo Kit a Philip.

—No puedo pedirles a todos que vengan.

—Solo Clio y yo. Los otros ya están aquí.

Se habían sentado cómodamente en el invernadero, que pintarían y rodearían de farolillos para la ocasión.

—Bueno, eso os alejará de lo que os retiene en Dublín.

—Oh, a Clio le conviene más venir a casa, si quieres mi opinión. Ese idiota con el que está liada la aprecia mucho más cuando la tiene lejos y no le acecha a cada paso.

—¿Y tú?

—Ya te lo dije. No tengo ningún lío. Con la mano en el corazón: no hay nada que me retenga en Dublín.

Y decía la verdad. Stevie Sullivan pasaba los fines de semana en el pueblo, atendiendo sus asuntos. Ella no hacía intento alguno de ponerse en contacto con él, pero montaba guardia como un centinela, por si daba algún paso hacia Anna Kelly.

Todos los hoteles de O'Connor tenían un programa navideño. Estaba de moda que las familias fueran a pasar las fiestas allí. Todo estaba listo y el ambiente era estupendo, decía la gente. Y quienes aseguraban que aquel no era el verdadero espíritu de la Navidad eran, casi siempre, los que no disponían de dinero para permitírselo.

—¿Tienes que ayudar en uno de esos hoteles? —preguntó Kit a Kevin O'Connor.

—No, claro. Demasiado tengo con trabajar durante todo el semestre como para cargar con eso en vacaciones.

—¿Y dónde vas a pasar las fiestas?

—Mi hermana, la que vive en Inglaterra, está saliendo con un hombre, un novio... Oh, todo es muy secreto, pero tengo entendido que ya han comprado los anillos. Así que iremos todos allí.

—¿Él es inglés?

—No sé. Supongo que sí.

—¿Y tus padres están de acuerdo?

—Yo diría que, con tal de casar a Mary Paula, eso no les importa. Ella ya tiene sus años.

—¿Cuántos, exactamente?

—Déjame ver... Esa cuestión siempre ha sido muy confusa, pero debe de estar rondando los treinta. Michael y yo somos los dos menores, con bastante diferencia.

—Sorpresas tardías... Qué dulce —comentó Kit.

—¿Tú tienes muchos hermanos?

—Solo uno. Y en la familia de Clio también son dos.

—Sí, Michael me contó que ella tiene una hermana horrible.

—Es bastante desagradable, sí —reconoció Kit—. Pero bonita. ¿Te llevas bien con Mary Paula, la de Inglaterra?

—Apenas me acuerdo de ella —dijo Kevin O'Connor—. Era buena persona; siempre traía amigos a casa. Creo que nosotros la aburríamos mucho. Solo le interesa que vayamos a Inglaterra para estas fiestas para poder enseñar a toda la pandilla.

—Así que no hay mucho cariño entre vosotros.

—No, no mucho. ¿Por qué? ¿Estás organizando otra fiesta? —Se le acercó.

—Sí, en cierto modo. Y va a ser fabulosa. Nos hemos apoderado del hotel de Philip. Todo el mundo se hospedará allí.

—¡Pero eso queda en el culo del mundo! —A Kevin se le cayó el alma a los pies.

—Allí vivo yo. Y Clio, Stevie y Philip. No es uno de esos bloques de cemento modernos, grandes y feos, sino una vieja y hermosa casa de estilo georgiano. Vamos a dar un baile fantástico para celebrar el fin de año. Iba a invitarte, pero si te parece tan poca cosa...

—No es que me parezca poca cosa. —En aquel momento parecía muy arrepentido.

—Bueno, creo que ya es demasiado tarde.

—¿Irá Michael? ¿Habrá gente de Dublín?

—No sé si Michael irá o no. Si Clio lo invita y él responde como me has respondido tú, lo dudo. Pero no te preocupes, serán muchos los que acepten.

—Me has interpretado mal...

—Mira, nuestra cena con baile de Año Nuevo puede arreglárselas sin los hermanos O'Connor... que lo sepas.

Kevin empezó a fanfarronear, hasta que por fin se alejó para hacer una llamada telefónica. Kit sonrió para sí. No le hacía falta escuchar para saber a quién llamaba y qué consejo estaba dando.

—Oye, Michael, soy Kevin. ¿Clio te ha dicho algo de un gran baile que van a dar en ese pueblo de mala muerte donde vive? ¿No? Bueno, pregúntale. Y por el amor de Dios, sé amable. Dile que quieres ir. Dormiremos en un hotel, no como la vez pasada... —Hizo una pausa—. A Mary Paula le importará un bledo. Con ella pasaremos la Navidad; con eso basta. Además, esto va a ser muy divertido.

—Tengo entendido que los muchachos O'Connor vendrán a pasar el Año Nuevo aquí. —Maura hablaba con el tono excesivamente desenvuelto que utilizaba cuando algo la ponía nerviosa. Estaba junto a la puerta del dormitorio de Kit.

—Sí. Se hospedarán en el hotel. Vienen unos cuantos de Dublín; Philip va a hacerles un precio especial.

—Con la ayuda que vosotros le estáis prestando debería hospedarlos gratis.

—Será estupendo. Todo el mundo se está empleando a fondo.

—Oye, esos O'Connor...

—¿Sí?

—Clio sale con uno de ellos, ¿no?

—Oh, ya conoces a Clio. Medio Dublín está loco por ella.

—No lo pregunto por simple curiosidad, Kit. Nunca te interrogo sobre tus amigos ni los de Clio.

—Pero me preguntas por los O'Connor.

—Sí, es cierto, sí. Y te diré por qué. —Maura se había ruborizado un poco.

—Oh, pasa y siéntate. —Kit apartó notas y carpetas de una silla para hacerle sitio.

—Hace mucho conocí al padre y nunca me gustó, pero el

motivo no es ese. La pobre Mildred O'Brien es un desastre, y mira lo bueno que ha resultado Philip.

—Sí, lo sé. —Kit esperó.

—Bueno, la semana pasada estuve en Dublín. Fui solo para hacerme una revisión y unos análisis.

—¡Oh, Maura! —exclamó Kit, impresionada.

—No, Kit, por favor. Por eso no te lo dije. Soy una mujer madura y hay varias partes de mí que ya no funcionan. Me pareció mejor hacerlo en silencio.

—¿Y qué te encontraron?

—Nada todavía. Lo más probable es que no tenga nada, pero déjame terminar...

—¿Qué buscaban?

—Algo en el vientre. Es posible que necesite una histerectomía. Al parecer es una operación estupenda; después te sientes mejor que nunca. Pero falta mucho para eso. No quería decirte nada de este asunto. Ni siquiera tu padre está enterado.

—Tienes que compartirlo con nosotros. Somos tu familia.

—Lo sé. Y no sabes cuánto agradezco la familia que me ha tocado. Pero créeme: no era eso lo que iba a decirte. Me lo has sonsacado todo. ¿Ahora puedo hablarte de lo que quería?

—Sí, continúa.

—Estuve internada una noche. ¿Y a quién crees que vi allí? Justamente a Francis O'Connor, el padre de los gemelos.

—¿Dedos? ¿Estaba internado?

—O visitando a alguien. Pero te aseguro que era la última persona a la que deseaba ver. Estaba muy parlanchín y quería invitarme a tomar un café en el Shelbourne. Traté de quitármelo de encima, pero insistió en que nos sentáramos a charlar de los viejos tiempos.

—¿Y...?

—Es un hombre muy vulgar; siempre lo ha sido y siempre lo será. Pero dio a entender, prácticamente lo dijo... —Kit esperó—. No recuerdo sus palabras textuales; supongo que deliberadamente no quise recordarlas.

—Oh, por favor. ¿Qué dijo, Maura?

—Que sus dos hijos se lo hacían contigo y con Clio, y que estaban invitados a pasar una semana aquí, después de Navidad, para seguir con eso. Comentó que a él le fastidiaba mucho, pues quería llevarlos a todos a Inglaterra, donde su otra hija va a comprometerse con un hombre que vendrá a dirigir uno de sus hoteles...

—¿Eso dijo? —Kit se había puesto pálida de ira—. Mira, Maura, voy a decirte algo que te va a dar una gran alegría. Soy virgen. Nunca me he acostado con nadie. Pero no me acostaría con ese imbécil malnacido de Kevin O'Connor aunque de eso dependiera la supervivencia de la raza humana.

Maura se sobresaltó ante lo enérgico de aquella reacción.

—No tendría que haberte dicho nada...

—¡Pero si me alegra mucho que me lo hayas dicho! ¡No sabes cuánto! —A Kit le brillaban los ojos de cólera.

—Sería mejor que dejáramos las cosas así... —Maura comprendió que había puesto el dedo en la llaga.

—No, no puedo dejarlo así. Esos repugnantes O'Connor dieron su palabra. Firmaron un documento legal comprometiéndose a no seguir contando esas mentiras. Y ahora han faltado a su promesa.

—¿Que firmaron qué cosa? —Maura estaba horrorizada.

—Envié a Kevin O'Connor una demanda, acusándolo de difamar a una mujer atribuyéndole falta de castidad. Él y su padre pidieron disculpas y me pagaron una indemnización: por el daño causado a mi reputación y por haber levantado falsos testimonios sobre mi virtud, perjudicando posiblemente mis posibilidades matrimoniales.

Maura la miraba con los ojos como platos y sin dar crédito.

—Te lo estás inventando.

—Puedo enseñarte la carta de Dedos —dijo la chica, con una amplia sonrisa.

—¡Una denuncia! ¿Consultaste con un abogado? —Su madrastra se sentía débil y perpleja.

—Sí. Bueno, para ser sincera, lo hizo Paddy Barry, el her-

mano de Frankie. Pero usó papel del bufete y parecía legal.
De cualquier modo, se llevaron un susto de muerte y pagaron. —Kit sonrió satisfecha al recordarlo.

—Hiciste que un amigo... un estudiante... amenazara a los O'Connor exigiéndoles dinero. No puedo creerlo.

—Piensa en lo que dijo ese Kevin O'Connor. Dijo que yo era una cualquiera, que lo hacía con cualquiera y que lo había hecho con él. Se lo dijo a su hermano, se lo dijo a Philip O'Brien y, por lo que sé, podría haberlo publicado en los periódicos. ¿Pretendes que no me importe, que lo tome como una broma para divertirse un poco?

Maura nunca la había visto tan enfadada.

—No, claro, pero...

—Pero nada, Maura. No hay peros que valgan. El padre, que pagó una buena suma de dinero para terminar con eso, parece pensar que es algo muy gracioso de contar y se lo repite a mi madrastra. ¡Después de todo lo que prometió! —Kit parecía muy decidida.

—¿Qué vas a hacer? —preguntó Maura, afligida.

—Tal vez pida a mi abogado que les recuerde sus obligaciones —respondió la chica con altanería.

—Acabarán por descubriros, a ti y a tu abogado —le advirtió Maura.

—Cierto. Creo que tienes razón. Voy a decirle que me dirijo personalmente a él antes de poner otra vez el asunto en manos de mis abogados.

Kit sonrió ante el desafío. Su entusiasmo y su indignación eran contagiosos. Maura comenzaba a compartirlos.

—Realmente, es horroroso que ese hombre diga semejantes cosas de ti y de Clio. —Maura la miró a los ojos un instante.

—Lo que defiendo es lo mío, Maura —dijo Kit—. Que Clio se encargue de lo suyo.

Y Maura supo, sin necesidad de más, que su sobrina no enviaría ninguna denuncia.

Puso en el sobre: «Estrictamente personal».

Estimado señor O'Connor:

Probablemente mi abogado se opondría a que me pusiera personalmente en contacto con usted, pero lo hago debido a los vínculos familiares. Recordará usted la carta que me envió (adjunto copia) y el compromiso que contiene. Por desgracia, me ha llegado la grave noticia de que usted ha repetido las mismas palabras que me llevaron a buscar compensación legal anteriormente, y ha dirigido esos comentarios a mi madrastra, la señora Maura Hayes McMahon.

Deberá usted enviar de inmediato una carta a mi madrastra retractándose de cuanto haya dicho al respecto. Además, me dará firmes garantías de que no me será necesario recurrir a nuevas acciones legales.

Normalmente habría preferido dar ese paso, pero mi amiga Cliona Kelly mantiene una relación estrecha con su hijo Michael y no quisiera causar problemas entre ambas familias.

Espero recibir noticias suyas mañana mismo.

Lo saluda,

MARY KATHERINE MCMAHON

—¿Kevin?

—¿Eres tú, papá?

—Si apagaras ese maldito rock and roll sabrías quién te habla por teléfono. ¿Estudias algo o no haces más que llenarte la cabeza con esa música salvaje?

—No sueles llamarme, papá —dijo Kevin, intranquilo.

—No, ¿y te extraña? Oye, esa tal Mary Katherine...

—¿Quién?

—La chica McMahon, la de Lough Glass.

—Ah, Kit, sí. ¿Qué pasa con ella?

—¿Qué pasa con ella, qué pasa con ella? ¿No tuve que pagar un montón de dinero para que se callara, cuando dijiste que la montabas más a menudo que el Llanero Solitario a Plata?

—Sí, pero eso ya pasó, papá. Como te dije, fue un malentendido.

—Así que fue un malentendido. Dime, ¿está loca o qué tiene en la cabeza?

—No, nada de eso, es fantástica. ¿Por qué lo preguntas? —Hubo un silencio—. ¿Qué pasa, papá? Le pedimos disculpas... Es decir, yo me disculpé, tu pagaste, Kit aceptó y eso fue todo. Ahora somos muy amigos.

—Sí. Está bien. —Dedos O'Connor comprendió que la culpa era solamente suya. Al hablar de aquello había pensado que la bonita y rolliza Maura Hayes se mostraría más dócil. Grave error—. Esa chica y su amiga, ¿son las bobas por las que vosotros queréis plantarnos en Navidad, para ir a ese Bally Macflash o como se llame?

—Lough Glass, y es solo por Año Nuevo. Mamá te lo dijo. La Navidad la pasaremos en Londres.

—¡Qué bien! —dijo su padre.

Y colgó.

—Soy Maura, Kit. No puedo hablar mucho; te llamo desde el trabajo.

—Hola, Maura. Dile a Stevie que te ganas bien el sueldo y tienes derecho a usar el teléfono de vez en cuando.

—No está en la oficina. Oye, recibí una carta increíble de O'Connor.

Kit soltó una risita.

—Ya lo sabía. Yo también recibí una.

—Kit, no me digas... No hiciste que...

—Eso es, Maura: no lo hice. Y no voy a permitir que el loco de su hijo diga que sí lo hice.

—¿Clio?

—Hola, Michael.

—¿Puedo ir a verte?

—No, tengo un montón de cosas que hacer. Estoy tratando de elaborar un plan para decorar un salón que es como un granero.

—¿Se trata del hotel de Lough Glass?

—Sí. ¿Cómo lo has sabido? —Ella aún no le había dicho nada. Quería asegurarse de que la cosa funcionara antes de iniciar el ataque.

—Me lo dijo Kevin. Y mi padre.

—Sí, creo que va a ser estupendo.

—¿Por qué no me has invitado? —Michael estaba ofendido.

—Dijiste que estarías en Inglaterra con Mary Paula, ¿recuerdas?

—Ya no tengo que ir. Kevin no va.

—Bueno.

—¿Bueno qué? ¿Por qué no me has invitado?

—La última vez que fuiste a Lough Glass no pareció gustarte mucho.

—Porque todo salió mal y tu hermana se comportó como un perro con moquillo.

Clio se echó a reír.

—Eso me ha gustado. Tengo que recordarlo.

—Bueno, ¿puedo ir? ¿A Lough Glass?

—Me encantaría. No quería que te aburrieras, eso es todo.

—Otra cosa, Clio... Kit, ya la conoces...

—Por supuesto. La conozco desde que tenía seis meses.

—Puede que me haya equivocado cuando te dije que ella y Kevin se revolcaban como dos gusanos.

—Ya sé que te equivocabas.

—Sería mejor que no habláramos de ello, ¿no te parece?

—Yo nunca lo he comentado. Por Dios, no me digas que tú sí lo has hecho.

—Esto se parece cada vez más a un estado policial —comentó Michael.

Peter Kelly y Martin estaban en el bar de Paddles.

—Veo que O'Connor ha comprado otro hotel. Será el quinto —dijo el doctor—. Parece que cuanto toca se convierte en oro. Nuestra Clio parece llevarse muy bien con uno de sus hijos. Todavía no lo conocemos, pero ha dicho que vendrá para el baile de Versalles en el hotel de Dan O'Brien.

Martin McMahon sonrió.

—¿No es estupendo que vengan todos a casa y parezcan tan entusiasmados? Nosotros tenemos la casa llena de recetas y centros de mesa.

—Tenéis suerte. A nosotros nos han tocado ramas de árbol.

—Dios mío. ¿Para qué son?

—Qué sé yo. Para decorar, dice Clio. De cualquier modo, me alegro de que no ande por ahí con ese joven O'Connor. Maura siempre me dejó con la impresión de que el padre estaba medio loco. Y los hijos podrían ser iguales.

—Ah, pero Clio es muy capaz de cuidarse —dijo Martin McMahon.

—Eso espero. Por Dios, es lo único que no podría soportar: que algún hombre se aprovechara de una de mis hijas. Lo mataría, ¿sabes? Y eso que no soy violento.

—¿Cuándo nos vemos, Kit?

—Caramba, Stevie, ¿no nos estamos viendo?

—Dos minutos. Y después te irás a la reunión en el mausoleo de Dan O'Brien.

—Que jamás volverá a merecer ese nombre. Todo eso ha cambiado, ha cambiado por completo.

—Bueno, ¿adónde iremos y cuándo?

—Podrías llevarme a cenar al Castle.

—¡Estás bromeando!

—Invito yo.

—No es por el dinero, pero ¿para qué quieres ir al Castle?

—Para ver qué competencia tenemos.

—Pero eso es ridículo. Es un sábado por la noche como otro cualquiera, no un baile de Año Nuevo. No se puede comparar.

—Considéralo una investigación, Stevie...

—¿Sí?

—Y algo muy divertido. —Ella le sonrió—. Jamás olvidaré lo bien que estuviste aquella noche, en Dublín.

—No querrás que me ponga el traje de pingüino.

—No, pero estás estupendo cuando te vistes de etiqueta.

—¿Tú te vas a vestir bien? Me acuerdo bien de ese vestido tan bonito, con la espalda al aire.

—No, aquí no tengo nada escotado por la espalda. Además, no nos conviene... —Hizo una pausa.

—Tienes razón, no nos conviene. Pero vayamos, de todas formas. Es una investigación, recuérdalo.

—Si nos sorprendieran...

—Sí, pero no tiene por qué ser así.

Los dos reconocían la necesidad de mantener sus salidas en secreto.

La reunión del domingo salió bien.

Todo el mundo llevó alguna noticia. Kevin Wall y Michael Sullivan tenían tantos detalles técnicos como para cansar, y el coste estimado de la mano de obra era muy alto.

—No podemos pagar eso —dijo Philip con firmeza.

—Es una lástima, porque la fachada quedaría muy bien si pusiéramos tiestos con arbustos y un cartel nuevo. —Clio tenía mucho interés en que aquello no pareciera un local para paletos cuando se acercaran los invitados.

—Podríamos plantar algo nosotros mismos —sugirió Michael Sullivan.

—¿En qué? —preguntaron.

—En barriles.

Quedó acordado. Cada uno conseguiría al menos dos barriles. Se repartieron los bares para no preguntar varias veces a las mismas personas. Aquel era trabajo de hombres. Ellos se encargarían de sacar plantas y arbustos de la orilla del lago.

—¿Está permitido? —preguntó Anna Kelly.

—Lo preguntaremos luego —replicó Emmet.

Clio tenía a una amiga que estudiaba arte; ella podría hacerles un letrero nuevo, siempre que le pagaran los materiales. Kevin Wall dijo que podían coger la pintura de la ferretería. Nadie pidió muchos detalles acerca del modo en que negociaría eso con su padre. Acordaron que Kevin llevaría la pintura a casa de Clio y que su amiga iría a pintar el letrero antes de Navidad.

Anna Kelly tenía dibujos de las cortinas. Las recogerían hacia atrás con cintas rojas y blancas, a las que prenderían enormes manojos de acebo. Anna dijo que tenían que pintar los marcos de blanco. Ella misma organizaría un equipo, si se presentaban voluntarios. También tenía ideas para la iluminación: botellas de vino con velas. Tendrían que estar bien altas sobre las repisas, en lugares donde no hubiera peligro de que alguien las tirara. Y cada botella estaría decorada con un poco de acebo.

Todo el mundo quedó encantado por la eficiencia de Anna. Kit la observó cuando aceptaba los elogios. Era llamativamente bonita, mucho más encantadora que Clio. Había que tener en cuenta su manera de mirar a la gente. Era casi provocativa. Miraba de soslayo y apartaba la vista. Eso la hacía parecer tímida y vulnerable, cuando en realidad no era nada de eso.

Patsy Hanley no tenía aquellas habilidades, pero leyó en su cuaderno que en una reunión donde hubiera sesenta señoras o más, se necesitarían al menos cinco lavabos. Aquello causó cierto malestar.

—No podrás convencer a tu padre de que ponga cinco lavabos en unas semanas —observó Kit con preocupación.

—No, pero ese es un problema mío. Patsy ha hecho la investigación y le estamos agradecidos.

Emmet les dio la buena noticia de que los hombres eran mucho menos remilgados. Bastaría con dos servicios y un lavabo. También había descubierto que a los hombres les encantaba tener un lugar donde pudieran tomar cerveza a voluntad, así que el bar se ampliaría un poco por aquella noche y contaría con un par de camareros... eso les haría ganar más.

Clio habló de la imagen del hotel. Se alegraba de que se hubiera aceptado el letrero nuevo y pensaba que debían gastar un poco de dinero para iluminarlo con un reflector.

—Pero si todo el mundo sabe dónde está el Central —dijo Kevin.

Philip estaba de acuerdo con Clio.

—Es una manera de presentarse, ¿no?

—Eso es exactamente lo que yo quería decir.

Clio se calmó. Opinaba que se debían reemplazar aquellos sombríos cuadros marrones de los pasillos por guirnaldas de hiedra. La hiedra crecía por kilómetros junto al lago y no existía mejor decoración. Además, convenía recibir a los invitados en el vestíbulo con una copa de vino caliente especiado con canela. Algo para darles la bienvenida.

—Espero no estar invadiendo el terreno de Kit —dijo Clio vacilando—. Sé que eres tú quien está a cargo de la comida y la bebida, pero es parte de la imagen. De la presentación.

—Es perfecto —dijo Kit, apretando los dientes.

—Y ahora, la comida. —Philip señaló a Kit.

Ella aspiró profundamente. Su idea era un bufet. Sabiendo que aquello encontraría una enorme resistencia entre los comensales, quiso tantear a su público actual. Habría autoservicio; cada uno podía volver a la mesa y servirse una segunda y hasta una tercera ración. Les enseñó los cálculos: costaría menos que una cena formal. Para empezar, se ahorrarían las camareras, y necesitarían menos personal experimentado para atender las mesas y servir; cualquiera podía retirar los platos usados.

—Podríamos emplear a las chicas del convento —explicó.

—¿Pero no se quedarán con la sensación de no haber cenado? —apuntó Emmet.

—Algunos se servirán tres veces —le aseguró Kit.

—Pero supongamos que todo se termina. Supón que todos piden el pollo con salsa de vino y nadie prueba la lengua fría. ¿Qué hacemos? —Patsy Hanley hablaba con la intensidad de quien nunca probaría la lengua y teme que, por su mala suerte, no quede otra cosa cuando le llegue el turno.

Kit defendió su idea con paciencia. Como ella esperaba, todos habían presentado objeciones.

—Pero eso es lo que se empieza a hacer en Dublín, en todas partes —alegó Kit.

—Tal vez sea demasiado para la gente de aquí —comentó Anna.

Los otros asintieron; allí eran mucho más conservadores que en la capital.

—Así se hace en el Castle —dijo Kit.

—¿Estás segura? —A Philip lo convencía cualquier cosa que se hiciera en el Castle.

—Estuve anoche allí —aseguró ella.

El grupo no se habría sorprendido tanto si hubiera dicho que había estado en el planeta Marte.

—No puede ser. —Clio estaba verde de envidia.

—¿Cenaste en el Castle? —preguntó Philip.

—Sí, para curiosear. —Kit fingió sorpresa—. ¿No dijimos que era preciso investigar?

—Sí, pero con lo que cuesta eso...

—No fue tanto. No pedí ninguna bebida; eso es lo más caro. Ah, y el café va aparte. Yo no quise.

—¿No me digas que fuiste a cenar sola en el Castle? —Anna Kelly entornó los ojos con suspicacia.

Kit le sonrió.

—Mira todo lo que has hecho tú, Anna.

—¿Y cómo fuiste? —preguntó Philip.

Kit cruzó una mirada con su hermano. Él fue aún más rápido de lo que ella esperaba.

—Lo importante es saber si allí va la misma gente que vendría aquí o si son personas diferentes.

—Son gente de clase media como las que vendrían a nuestra fiesta.

Philip se sintió tan complacido por oírle decir «nuestra fiesta» que dejó de preguntarse con quién había viajado los veinticinco kilómetros hasta el Castle.

—Hagamos una lista de objeciones posibles. Vamos, que cada uno diga qué problemas encuentra en un bufet y veremos si es razonable.

Mientras iniciaban la lista, Kit volvió a mirar a Emmet. La estaba observando con gran respeto. Las cosas debían de estar progresando mucho si Kit y Stevie Sullivan habían ido a cenar al Castle. Pronto Anna se quedaría sin acompañante. Volvería a él y todo sería como antes.

—¿Cómo estás, Martin?

—Oh, Stevie, pasa.

—No, no puedo. Tengo prisa. Oye, ¿Kit ya se ha ido?

—No; va a coger el autobús de las seis. ¿Por qué? ¿Necesitabas hablar con ella?

—Es que debo llevar un coche a Dublín y se me ocurrió que podía llevarla.

—Bueno, le encantará, sin duda. Llevarás el coche lleno porque Clio y Philip también vuelven allí.

—Es un coche deportivo; solo tiene dos plazas. Pensé en llevar a Kit porque es la hija de mi vecino.

Su sonrisa era de triunfador.

—Creo que viajan en grupo, Stevie —dijo Maura desde lo alto de la escalera—. Están muy ocupados con esa cena con baile que organizan.

Los ojos de Stevie se encontraron con los de Maura. Ella sabía exactamente en qué consistía su ofrecimiento. Y lo rechazaba en nombre de Kit. Tendría que poner a Maura McMahon de su parte.

El viaje era largo: un autobús hasta la ciudad, el tren hasta Dublín y luego otro autobús para llegar al puente O'Connell.

—¿Vamos a comer patatas fritas? —propuso Philip, esperanzado.

—Estoy demasiado cansada, Philip. —Kit parecía pálida y fatigada.

—¿No sería estupendo tener un coche?

—Algún día lo tendrás. Y tu propio hotel.

—El padre de Kevin O'Connor compró otro.

—Porque la hija se va a casar. Dedos ha comprado ese hotel para el yerno. Es como un juego. Pero nosotros no queremos ser así.

Philip subió a su autobús, diciéndole adiós con la mano, y Kit corrió por O'Connell Street en dirección contraria.

Stevie Sullivan esperaba ante su puerta, en un pequeño coche deportivo de color rojo.

—No puedo creerlo —dijo ella.

—Tengo un gran antojo de comida china. Ven, sube.

—Mira que eres exigente con la comida. Supongo que no te bastaría con un buen bocadillo de jamón en Lough Glass.

—No, por supuesto. Me encanta el pollo agridulce. Y cuando has cenado una noche en el Castle con la encantadora Kit McMahon, a la noche siguiente quieres más de lo mismo.

El restaurante era muy sencillo. Kit miró a su alrededor.

—Que los del Castle no te oigan decir que esto es más de lo mismo.

—Te deseo, Kit.

—No me tendrás. Es así de simple.

—No seas tan dura.

—Tu manera de decirlo es dura y exigente. —Ella cayó en la cuenta de que le estaba hablando como persona real, sin sonrisas coquetas, sin actuar.

—¿Cómo querrías que te lo dijera? —Él también hablaba con seriedad, sin tonterías. No era el Stevie Sullivan que ella había visto durante años en su aldea natal.

—Bueno, la cuestión es que las dos personas se deseen mutuamente, ¿no? No puedes decir «te deseo» dando a entender «He decidido que seas mía», como si fueras un vaquero que recoge sus cabezas de ganado o a su mujer en la taberna. No es así como se hacen las cosas.

—De acuerdo, pero tampoco me gustan las frases elegantes. He viajado hasta aquí para decirte que te deseo y quiero estar contigo. Quiero estar contigo como corresponde, no solo para besarnos y acariciarnos en un coche, como anoche.

—¿Fue anoche? Parece que hayan pasado siglos. —Ella lo miraba con sorpresa.

—Sí, a mí también me parece mucho más.

Kit alzó los ojos para observarlo. Su expresión era del todo sincera, eso saltaba a la vista. Claro que ese era justamente el secreto de su encanto. Todas pensaban que Stevie Sullivan era sincero de verdad: Anna Kelly, Deirdre Hanley, Orla Dillon y las veinte más que ella habría podido nombrar o las muchas más de las que no tenía noticia.

Y probablemente había sido sincero en cada ocasión. Ese era su toque conquistador: que lo decía de verdad, en cada uno de los casos.

—No era mi intención sentir esto —dijo él.

—No.

—No se parece en nada a lo que yo esperaba.

—No, claro.

—Basta de sí y no, Kit. ¿Sientes lo mismo o no? —Estaba enfadado.

—Te tengo mucho cariño...

—¡Cariño! —bufó Stevie.

—Iba a decir que si no te tuviera tanto cariño, no habría estado anoche tan cariñosa contigo.

—No me lo puedo creer.

—¿Qué es lo que no te puedes creer?

—Que estés sentada aquí, fría como un témpano, justificando tu conducta como si yo te hubiera exigido una explicación. Anoche nos besamos porque quisimos. Y queríamos mucho más que eso. ¿Por qué no eres sincera y lo admites? —Había dolor en sus ojos y estaba muy alterado.

Claro que aquello debía de ser una novedad para Stevie. Las demás, incluyendo a la pequeña Anna, con su cara de bebé, seguro que se habían dejado convencer fácilmente. Aquello debía de ser extraño para el gran Stevie Sullivan. Debía de ser extraño y desagradable encontrarse con una negativa. Pero ella estaba decidida a rechazarlo.

—¿Por qué nos estamos peleando? —le preguntó Kit.

—Porque tú eres estrecha y mentirosa.

—Estrecha puede ser. Cuestión de matices. Pero mentirosa no.

—¿Cómo puedes decir, tan tranquila, que no te importo?

—Yo no he dicho eso.

—Te he dicho lo que siento. Te necesito.

—No es cierto.

—No me digas qué necesito y qué no.

—Estoy tratando de decir, sin ser grosera ni vulgar, que te valdría cualquiera.

—Y yo estoy tratando de decir, sin ser grosero ni vulgar, que eres de las que se divierten calentando a los hombres y dejándolos con las ganas.

Kit tenía su abrigo en el respaldo de la silla y comenzó a ponérselo.

—Me voy. Te dejo para que termines de comer.

Estaba pálida y temblaba de ira. Por las palabras que él había empleado, por haberle fallado a Emmet. Y por desearlo tanto. Lo necesitaba, sí. Nada le habría gustado más que volver con él a su pequeño apartamento, aquella misma noche.

¿Cómo podía haber salido todo tan mal?

Él apoyó la cabeza en las manos.

—No te vayas —murmuró.

—Es preferible. —A Kit le tembló la voz.

Él alzo los ojos y vio que le temblaban los labios. Entonces alargó una mano.

—Perdona. Lo siento mucho. No sabes cuánto me gustaría borrar este último minuto. Lo siento mucho, de veras.

—Está bien. Lo sé. Lo sé.

—No, no lo sabes, Kit. —Ella vio lágrimas en sus ojos—. No puedes saberlo. No había sentido esto nunca. Te deseo tanto que no puedo soportarlo. —Kit lo observó con inquietud—. Escucha. Esto es lo peor que podría haber pasado. Solo quería ir a un baile contigo y tener una pequeña aventura, si tú estabas dispuesta. Todo esto no formaba parte de mis planes.

—¿Qué es todo esto? —preguntó ella, maravillada ante la calma de su propia voz.

—Todo lo que siento. Supongo que es amor. Nunca me he enamorado de nadie, pero estoy tan ansioso por verte, por saber lo que vas a decir... por tocarte y oírte reír... —Las palabras salían a tropezones—. ¿Te parece que puede ser eso?

—¿Si puede ser qué?

—Amor. Hasta ahora nunca he querido a nadie, así que me cuesta reconocerlo.

—No sé —respondió ella sinceramente—. Si es cierto que sientes eso, debe de serlo.

—¿Y tú?

Ella ya no se acordaba del abrigo; en aquel momento estaban hablando de igual a igual.

—Supongo que me pasa lo mismo. Yo tampoco quería que las cosas fueran así. Pensaba... pensaba...

—¿Qué pensabas? Fuiste tú quien comenzó, al invitarme al baile.

—Ya lo sé. —La asediaban los remordimientos. No podía explicarle por qué había hecho eso. Habían profundizado demasiado como para sacarlo a relucir.

—¿Qué esperabas?, dime. ¿Qué creías que pasaría?

—Que tú serías un agradable invitado... y lo fuiste, es cierto..., pero no esperaba complicarme tanto contigo.

—No quieres llamarlo amor.

—Yo tampoco me he enamorado de nadie, así que no lo sé.

—¿No somos dos perfectos zombis? A nuestra edad, la mayoría se ha enamorado diez o doce veces.

—O dicen haberse enamorado —corrigió Kit.

—O creen haberse enamorado. —Se hizo un silencio. Por fin él añadió—: Te pido perdón por lo que te he dicho.

—Y yo te pido perdón por haber dicho que te valdría cualquiera; ha sido una grosería. —Parecía arrepentida.

—Ya no tengo hambre. —Stevie apartó su plato.

—Yo tampoco.

Él la dejó ante su puerta y se inclinó para besarla en la mejilla.

—Espero verte de nuevo durante la semana. —La miraba con expresión interrogante.

—Me encantaría, si tienes que volver.

—Estaré aquí mañana por la noche.

—Caramba, con tanto viajar vas a gastar esta carretera.

—No pienso volver ahora. Me quedo a esperar hasta mañana por la noche.

—¿Y quién se encargará del taller?

—Tu madrastra. Y mañana empezaremos con más calma. —Parecía un colegial nervioso, no el gran Stevie Sullivan.

—Y comenzaremos una página nueva y reluciente.

—Te quiero, Kit. —Dio la vuelta al coche y desapareció.

Kit pasó toda la noche sin dormir.

Mientras el reloj daba los cuartos de hora, ella seguía abrazada a sus rodillas, preguntándose por qué había sido tan inflexible. La cuestión no era tan tremenda. Era ella quien se complicaba la vida. Ahí estaba Clio: ¿acaso se le había caído el cielo encima? Siguió sentada en la cama, confundida y solitaria. Se preguntaba si podría contárselo a Lena. Tal vez sí. Lena había pasado ya por todo eso y sabía lo que era sentirse así.

—¿Queréis cenar con nosotros, tú y Louis, en Navidad? —Le preguntó Ivy en la escalera.

—Qué amable eres, Ivy.

—Eso significa que no. —Miró a Lena con expresión perspicaz.

—¿Por qué lo dices?

—Porque te conozco muy bien.

—No significa que no, sino que no sé. —Hubo un silencio—. Suena muy brusco, lo sé.

—No, tesoro: suena muy triste.

—Así es exactamente, Ivy: muy triste. —Lena subió la escalera como si le pesaran los pies.

—¿No podemos convencerte de que cambies de idea, Louis? —preguntó James Williams.

—No, James. Muchísimas gracias por todo. Hace casi diez años llegué aquí sin nada y ahora tengo el mundo a mis pies.

—Eso no te lo dio el Dryden. Lo construiste tú mismo. Será una gran pena perderte.

—Bueno, todavía nos veremos en las fiestas. Me iré pasado el Año Nuevo.

—Es realmente un alivio. Y supongo que Lena está encantada con volver a Irlanda, ¿no? Creo que su corazón estuvo siempre allí, a pesar del éxito que ha tenido en Londres.

Louis Gray suspiró profundamente.

—Eh... James, con respecto a eso hay algo que debo decirte.

Hacía ya varias semanas que ella se llevaba trabajo a casa y esperaba oír el ruido de su llave en la puerta. De inmediato se quitaba las gafas, que la hacían parecer más vieja, y recogía todos los papeles. Cuando se levantaba para saludarlo estaba fresca y radiante como siempre. A veces le sugería que tomara un baño, mientras ella le prepararía una copa.

Nunca le preguntaba con quién había estado ni por qué llegaba tan tarde. Sabía que él se lo diría alguna noche. Y algo le indicaba que sería aquella.

Es difícil perder las costumbres. Se puso su mejor blusa beis y la falda roja bien ceñida.

Luego pasó tres horas sentada a la mesa.

Pero tenía la vista demasiado cansada y la cabeza le pesaba demasiado para concentrarse en el trabajo. Lo que hizo fue esperar el ruido de sus pisadas en la escalera. Tenía una botella de vino en la nevera y el café preparado. La noche sería larga; necesitarían las dos cosas.

Al verlo entrar se levantó, pero no fue hacia él, como siempre; parecía tener los pies clavados al suelo. En cambio se llevó la mano al cuello y jugueteó con el pañuelo rojo.

—Perdóname por llegar tarde —dijo él.

Se había convertido en un saludo automático. Por lo general ella decía: «Bueno, a cualquier hora me alegro de verte». Aquella noche no dijo nada. Se limitó a mirarlo, sabiendo que tenía los ojos dilatados y fijos, como si nunca en su vida lo hubiera visto. Trató de relajar los músculos de la cara, pero ninguno le obedeció.

—Lena —dijo él. Ella siguió mirándolo—. Tengo algo que decirte, Lena.

Abajo, Ivy y Ernest estaban viendo la tele, pero ella siempre echaba un vistazo a la cortina de red de la puerta, para ver quién entraba o salía. Era una costumbre que no podía abandonar, aunque por entonces sus inquilinos fueran gente respetable.

Vio llegar a Louis Gray; tarde, como siempre. Pero aquella noche se detuvo en la escalera, donde creyó que nadie lo vería. Ivy lo vio aspirar hondo varias veces, como buscando oxígeno. Luego, como si aún no hubiera tomado bastante aire, se sentó en un peldaño y bajó la cabeza hasta los pies. Debía de estar mareado.

Por instinto, Ivy habría salido a ver qué le pasaba, si estaba enfermo. Pero luego recordó la expresión fría y lúgubre de Lena, hacía un rato. Entonces comprendió que habían llegado al final del camino. Por fin Louis, ya recuperado, continuó subiendo la escalera. Ernest seguía muy entusiasmado con la televisión.

—Voy a traerte un té —dijo Ivy. Estaba inquieta y no podía concentrarse.

—Joder, es estupendo que te mimen —dijo él.

Parecía estar muy cerca la época en que Ivy había envidiado a la hermosa pareja de arriba, aquellos dos jóvenes que no podían dejar de mimarse. Por entonces Ivy pensaba que la vida la había dejado de lado; se sentía tonta y desgraciada en presencia de tanta pasión amorosa. En aquel momento se moría por dar a Lena, tan buena amiga, un poco de la paz y la seguridad que ella tenía junto al hombre al que siempre había amado.

Se sentó ante la mesa. Él la había llevado hasta allí pasándole un brazo por los hombros. Lena contuvo el impulso de abrazarlo, de asegurarle que nada importaba, que podía seguir con aquella otra mujer, fuera quien fuese. Aunque fuera de Irlanda y ambos hubieran estado buscando un hotel allí. Podía seguir visitándola cuanto quisiera, mientras no abandonara el hogar, mientras no abandonara a Lena, su esposa. Porque ella era su esposa. ¿Acaso Louis no lo había dicho mil veces? A los ojos de todos eran marido y mujer. Por lo tanto, lo eran.

Pero no le brotaron las palabras. Tomó asiento y esperó.

—Yo no quería que sucediera esto, Lena —dijo él.

Ella le sonrió. Fue una sonrisa a medias, vaga, como las que ponía en el trabajo.

—Siempre nos hemos hablado con absoluta sinceridad. —Louis le buscó la mano.

—Sí, claro —dijo ella.

¿Qué significaba eso? Nunca habían sido mutuamente sinceros. Él la había traicionado solo Dios sabía con cuántas mujeres. Le había mentido cien veces sobre sus actividades. Y ella le había mentido al ocultarle lo de Kit y sus contactos con la vida de Lough Glass. Sin embargo allí estaban, en un piso de Londres, fingiendo que siempre se habían hablado con sinceridad.

—Por eso debo decirte... que he encontrado a otra persona. Alguien a quien amo de verdad.

—Pero a mí me amas de verdad —dijo ella con voz débil.

—Lo sé, lo sé, Lena. Lo que siento por ti es algo especial, que jamás cambiará.

—Nos hemos amado toda la vida. No trataba de discutir ni de defenderse. Estaba constatando un hecho.

—Es lo que te estoy diciendo. Nadie podría reemplazar lo que hubo entre tú y yo. Fue bueno, intenso e importante.

Ella lo miró. Era como un discurso que él hubiera aprendido para alguna obra teatral.

—¿Pero...? —dijo, dándole pie.

—Pero... he conocido a una muchacha... —El silencio debía de haber durado solo unos segundos, pero el tiempo pareció muy largo hasta que él continuó—. No quería que sucediera esto. Quería que siguiéramos como antes... Pero uno nunca sabe cuándo puede pasar algo así. Y tampoco lo buscas: simplemente... —Se quedó sin palabras.

—¿Sucede? —apuntó Lena, sin ironía. Solo quería llegar al punto en que él le diría que la abandonaba. Todo el resto era una tortura innecesaria.

—Sucede —repitió él, sin darse cuenta de que había utilizado esa misma palabra con mucha frecuencia—. Al principio fue solo una diversión... inofensiva, ya me entiendes. Pero después comprendimos... comprendimos que así lo quería el destino.

—El destino —repitió ella, sin ninguna entonación, como alguien que tratara de captar la importancia de las palabras.

—Sí. Ella nunca se había enamorado de verdad; por eso tardó un poco en comprender que era eso.

—¿Y tú, Louis?

—Bueno, yo sí. Para mí fue más fácil y más difícil, todo a la vez, no sé si me entiendes.

Ella asintió anonadada.

—¿Y entonces?

—Entonces se fue haciendo más profundo, hasta que ya resultó demasiado tarde para retroceder.

—¿Demasiado tarde?

—Sí. Ahora los dos sabemos que esto es lo que deseamos, y debemos aceptarlo. Ella solo tiene que decírselo a sus padres. Yo debo decírtelo a ti.

Lena lo miró a la cara, entristecida por el dolor que le causaba aquella cara hermosa, amada. Y de pronto comprendió por qué se lo estaba diciendo en vez de escapar como siempre, para volver a recibir el perdón cuando el lío terminara. Y al comprenderlo se estremeció.

—Está embarazada, ¿verdad?

—Bueno, es algo... es algo que nos alegra mucho, ahora.

Había levantado la barbilla en un gesto desafiante. La desafiaba a decir algo que pudiera rebajar su amor.

—¿Os alegra? —Lena se llevó una mano a la garganta.

—Estamos muy orgullosos y contentos. Siempre quise tener un hijo. Tú has tenido hijos, Lena. Sabes lo que significa estar con ellos, ver a una personita que forma parte de ti... una nueva generación. Estoy envejeciendo; quiero un hijo... o una hija. Quiero echar raíces, ser alguien en mi propio país, en vez de vivir siempre huyendo. Lo sabes. Tú y yo siempre hemos pensado así.

De pronto Lena lo vio todo muy claro, como si se despejara la niebla. Lo miró con incredulidad. ¿Qué debía saber? ¿Qué era lo que debía confirmarle? Por él había abandonado a su marido y a sus hijos, los hijos a los que amaba, a los que había echado de menos cada día de aquellos años. Había perdido al hijo que esperaba de él. Ella deseaba tener otro hijo, pero Louis había dicho que no era oportuno.

En aquel momento, pasados ya sus años fértiles, él descubría que deseaba ser padre. Y esperaba que ella lo comprendiera. Y hasta que se alegrara, quizá. Louis Gray debía de ser un hombre carente de toda sensibilidad. Y también de cerebro. Tal vez era un poco simple. Quizá aquella sonrisa ladeada y aquellos ojos profundos no eran señales de un alma amorosa, sino facciones huecas y sin sentido. ¿Era posible que él fuera solo una cáscara vacía y ella no lo hubiera visto hasta entonces?

—Dí algo, Lena, por favor. Di algo. —Su voz parecía llegar desde muy lejos.

—¿Qué quieres que te diga?

—Por imposible que parezca, podrías decirme que lo comprendes.

—¿Que lo comprendo?

—Y quizá que me perdonas.

—Muy bien.

—¿Qué?

—Eso es lo que voy a decir.

—¿Qué es lo que vas a decir?

—Lo que tú quieres. Comprendo lo que ha sucedido y te perdono.

—Pero no lo dices en serio. Solo repites lo que yo te he pedido.

—Hombre, no puedes tenerlo todo. ¿Cómo se puede saber lo que quiere decir una persona? Esta mañana, al salir, me dijiste: «Te quiero». Esta misma mañana. Y no era cierto. —Se mantenía bastante serena.

—En cierto modo, sí.

Y así era, en cierto modo.

—Bueno, puede que yo también esté diciendo esto en serio, en cierto modo.

—Pero Lena, ¿entiendes que lo nuestro se acabó? Porque se lo prometí a Mary Paula, le prometí que esta noche te lo diría. Nos casaremos en Año Nuevo.

—¿Vais a casaros?

—Aquí, en Londres. Necesito una carta de libertad, ¿puedes creerlo?, firmada por un cura.

—¿Una carta de libertad?

—Diciendo que no he estado casado con nadie.

—¡Qué cosas!

—¿Estás bien, Lena?

—Sí. ¿Cómo dijiste que se llamaba?

—Mary Paula O'Connor. El padre tiene hoteles. Van a abrir uno nuevo en Irlanda. Y yo seré el director.

—¿Mary Paula O'Connor? ¿La hija de Dedos O'Connor?

—Sí. No sabía que lo conocieras.

—¿Y su familia vendrá al completo a la boda?

—Vendrán para Navidad.

Le contaba todos aquellos datos de su nueva vida con perfecta desenvoltura. ¿Estaba loco, clínicamente loco, para no darse cuenta de que destruía la vida de Lena?

—Y esta noche irás a verla.

—Una vez que hayamos hablado.

—Bueno, ya está, ¿no? —Ella se comportaba de un modo amable y distante.

—Pero no voy a regresar. ¿Recuerdas que en otras ocasiones me fui y regresé? Quiero dejar bien claro lo mucho que me entristece decirte esto. Has sido muy buena, muy comprensiva, y en más de un sentido renunciaste a muchas cosas por mí.

—Cada uno renunció a ciertas cosas por el otro, ¿no?

—Eso es cierto.

No, no era cierto, y Lena habría querido gritárselo. Louis Gray no había renunciado a nada. Acudió a ella cuando estaba solo en el mundo, sin un centavo y habiendo agotado sus otras opciones. ¿Cómo se atrevía a poner fin a su relación con aquella sarta de mentiras?

—Bueno, será mejor que recojas tus cosas.

—No creo que...

—¿O prefieres volver mañana y llevarte todo mientras yo esté en el trabajo?

—¿No sería mejor? Porque así podrías, no sé...

—¿Qué es lo que podría?

—Bueno, separar lo que quieres desechar de lo que necesitas.

—Bueno, supongo que te llevarás tu ropa y tus otras cosas. Para qué las quiero.

—Dejaré todo lo que compramos juntos: cuadros, libros y pequeños muebles.

—Sí, no creo que necesites eso.

—Y el coche, por supuesto.

—No, el coche fue un regalo mío, Louis.

—Pero es de tu oficina.

—No. Lo compré para ti.

Había lágrimas en los ojos de Louis.

—Quédatelo.

—No, en serio. Yo voy a la oficina andando.

Hubo un silencio.

—Te dejaré la llave aquí —dijo él—. Cuando me vaya.

—Podrías dejársela a Ivy.

—No. Tendría que darle explicaciones.

—Bueno, alguien tendrá que dárselas. Y a ella le gustaría despedirse. Te tiene mucho afecto.

—Creo que sería mejor dejarla en la repisa.

—Bueno, haz lo que quieras.

—Es que no puedo irme así.

—¿Por qué?

—No hemos hablado. No nos hemos explicado.

—Claro que sí.

Iba a decir algo más; ella lo conocía bien. Quería pedirle que lo tranquilizara. Quería saber que ella no pensaba demasiado mal de él, que había sido estupendo mientras duró, que ella también tenía alguien a quien amar, que se mudaría a otra ciudad para iniciar otra vida... Pero Louis no dijo nada.

—Espero que te... —se interrumpió.

—Yo también lo espero —dijo ella.

Él salió del apartamento.

Lena se quedó un buen rato mirando la puerta. Lo que esperaba era morir antes de que Louis Gray se casara con Mary Paula O'Connor, la novia que le daría un hijo.

Ivy lo vio salir, con la cara pálida y llena de lágrimas.

Ella no había dormido bien. Pensaba en la mujer de arriba. Cada vez que deseaba subir a ver cómo estaba, se decía que Lena Gray siempre había sobrevivido gracias a que sabía poner al mal tiempo buena cara. A Lena, y solo a ella, le correspondía decidir cuándo dejaría de poner buena cara.

Al día siguiente llegó carta de Kit.

Ivy se alegró, porque eso le brindaba una excusa para abordar a Lena cuando entrara. Al verla se espantó. Era como si alguien le hubiera arrancado la vida.

—Gracias, Ivy. —Lena guardó el sobre en su bolso. Hasta su voz parecía muerta.

—Aquí estaré, si necesitas algo —dijo Ivy.

—Claro.

La casera la vio caminar calle arriba desde la puerta. No había vitalidad en su paso. Ante el semáforo se detuvo y apoyó la cabeza contra la farola.

El día de la fiesta del personal reinaba en la oficina el entusiasmo acostumbrado. Todos habían llevado ropas para ponerse elegantes al terminar el trabajo.

—Esta vez voy a comer a lo grande —dijo Jennifer—. Me acuerdo de un año en que me mareé como una tonta. Esta vez voy a ponerle una base a todo ese vino.

—Buena idea —aprobó Lena.

—Señora Gray, tiene un mensaje del señor James Williams; dejó dicho que lo llamara.

—Gracias.

—Mi madre te envía recuerdos. Anoche fui a verla —dijo Jessie.

—Qué amable es. ¿Sigue bien?

Todas sus respuestas eran adecuadas, pero carentes de vida. Hacia la hora del almuerzo todos habían llegado a la conclusión de que la señora Gray estaba a punto de resfriarse. Había muchos casos de gripe por ahí.

—Sería una lástima que se perdiera la fiesta —comentó Jennifer.

El año anterior, Louis Gray había ido a buscarla. Solo se quedó cinco minutos, lo suficiente para que todos lamentaran no conocerlo mejor.

Ella trabajó sola toda la mañana, sin recibir llamadas ni aceptar interrupciones.

Entró la recepcionista.

—Volvió a llamar el señor Williams. Le dije que usted ya había recibido el mensaje. ¿Hice mal?

—En absoluto. Gracias, querida. —Aunque el comentario era amable, con eso la estaba despidiendo.

—Comentábamos que usted parece enferma, señora Gray —dijo la chica, de pronto.

—No sé. Espero que no. Gracias por interesarte. —Su sonrisa era tensa.

Después llamó Ivy.

—Soy yo, Lena. Perdona si te interrumpo, pero quería decirte que el señor Tyrone vino y se fue, por si necesitas venir a descansar la cabeza.

—Oh, gracias, Ivy. Debes de leer el pensamiento. Tengo que terminar con un montón de trabajo, pero es posible que vaya a media tarde.

—Una siesta te dará fuerzas para la fiesta de la oficina.

—Creo que estoy cogiendo un resfriado. Tal vez tenga que disculparme.

—A eso de las cuatro te pondré la bolsa de agua caliente en la cama.

—Dios te bendiga, Ivy.

—Y a ti, querida Lena.

Mandó comprar unas aspirinas y pidió té con limón.

—¿Nada de comer? —Jennifer estaba muy amable.

—No, pero sé buena y mantén a la gente lejos de mí. Estoy haciendo lo posible por terminar con todo esto, por si debo tomarme un par de días.

Jennifer pareció aliviada al saber que había una explicación física. Aquel día había observado varias veces a Lena; por lo demacrada y distraída que estaba, temía que la señora Gray estuviera a punto de sufrir un ataque. Era estupendo pensar que se trataba de una simple gripe.

Lena fue muy metódica. Con letra muy clara, puso una nota en cada una de las carpetas que era necesario atender. A eso de las tres salió a decirles que había estado tratando de resistir, pero que cada vez se encontraba peor.

—No quiero acercarme a nadie para no seguir propagando el virus —explicó.

Todos chascaron la lengua y comentaron que tenía muy mala cara.

—¿Quieres que te acompañe para echarte una mano? —preguntó Jessie.

—No, no. Tengo quien me cuide bien.

Vieron partir a la elegante señora Gray, con los ojos hundidos y llorosos. Nadie recordaba haberla visto tomarse un día libre. Era una pena que se perdiera la fiesta.

En su banco, Lena era muy conocida.

—Perdóneme por dejar esto para la hora de cierre —dijo al joven gerente.

—A los buenos clientes, como usted, les concedemos algunos privilegios.

—Bien, me gustaría robarle un poco de tiempo. Verá usted, voy a ausentarme algunas semanas y necesito retirar de mi cuenta una cantidad considerable en efectivo.

—No hay ningún problema, señora Gray.

—Y quiero informar de que, en las próximas semanas, mi firma no figurará en ninguno de los cheques de la oficina.

—No harán falta más firmas que las del señor Millar y su esposa.

—He traído una nota para dejar constancia escrita.

—Siempre eficiente —murmuró él con admiración.

—Sí, pero en esta ocasión no he informado todavía al matrimonio Millar de que pienso tomarme un permiso, pues no sé cuánto tiempo necesitaré para... recuperarme.

—¿Van a operarla?

—No, no. Es solo una enfermedad que debo superar. Por eso quiero que no haya problemas en mi ausencia.

—Entiendo, claro.

El gerente no entendía absolutamente nada, salvo que aquella mujer que llevaba la agencia casi por sí sola le estaba transmitiendo algún mensaje. Trataba de decirle que en algún momento volvería a tomar el timón y le pedía que, mientras tanto, no diera rienda suelta a los Millar para que arruinaran la empresa.

Una solicitud muy complicada para un banquero.

—Supongo que no estás de humor para beber. —Ivy parecía esperanzada.

—Ni por asomo, Ivy. Pero sube a darme conversación, ¿quieres?

Cuando entraron en el piso, Lena echó un vistazo a la repisa. Allí estaba la llave, en un pequeño plato de cristal. El plato era nuevo y de los buenos, cristal cincelado, uno de los pocos regalos que él le había comprado. Junto a él vio una tarjeta. Una simple tarjeta blanca, con la palabra «Gracias».

Rompió la tarjeta en dos y entregó el plato a Ivy.

—¿Te gusta?

—No puedo aceptarlo.

—Si no te lo llevas irá a la basura.

—Bueno, es bonito. Claro que me lo llevo. Lo tendré abajo hasta que me lo pidas.

—Pasará mucho tiempo —dijo Lena. Abrió el ropero y sacó sus dos maletas.

—¡Lena, no! ¡Tú también no! —exclamó Ivy.

—Solo durante un tiempo. Yo volveré. Louis no.

—Claro que volverá. Siempre ha vuelto.

—No.

—No te vayas. ¿Adónde quieres ir, justo antes de Navidad? No tienes amigos en ninguna parte. Quédate conmigo, quédate.

—Volveré. Te lo juro.

—Te necesito para Navidad. Ernest y yo te necesitamos.

—No, solo temes que me mate. Anoche lo pensé, sí, pero ya se me ha pasado. No voy a hacerlo.

—Algún día te acordarás de esto y...

—Lo sé. —Lena estaba doblando pulcramente su ropa y guardando los zapatos en bolsas.

—¿Adónde irás?

—No sé.

—Tú no me dejarías salir de esta casa sin saber adónde ir. Anda, sé justa: ¿cómo quieres que yo lo permita?

—Te llamaré.

—¿Cuándo? ¿Esta noche?

—No. Dentro de algunos días.

—No voy a permitir que te vayas.

—Tus intenciones son buenas, Ivy, pero...

—Nada de peros. ¡Mira qué buena soy! No te he hecho una sola pregunta sobre tu vida privada. Anoche, cuando él se fue, no subí a verte. Jamás encontrarás una amiga como yo. No me rechaces.

—Te llamaré esta misma noche.

—¿Y me dirás dónde encontrarte?

—Lo juro.

—Bueno, entonces puedes irte.

—¿Cómo es que no tratas de retenerme?

—Necesitas alejarte de estas cuatro paredes. Todavía tienen escrito el recuerdo de Louis. Si me dices cuándo volverás, haré cambiar el empapelado.

Lena se esforzó por sonreír.

—No hace falta llegar a tanto.

—Lo haría, de veras, pero creo que volverá. Y no quiero que venga a poner su sello en el empapelado nuevo.

—No volverá. En serio. Va a casarse.

Ivy no se atrevió a mirarla a los ojos. Bajó la vista al suelo.

—Bueno —balbuceó—. Entonces, empapelado nuevo. ¿Un estampado pequeño, te parece, o rayas estilo imperio?

—Rayas —dijo Lena recordando los enormes girasoles y las aves del paraíso que decoraban las paredes de Ivy.

—Me llamas antes de medianoche. ¿De acuerdo?

—Sí, mamá —dijo Lena.

Fue a la estación Victoria, sin saber por qué. Era esa o la de Euston. Desde Euston se viajaba a Irlanda. Y sería peligroso ir allí. Solo podría volver a Irlanda cuando estuviera serena, preparada, lista para lo que pudiera suceder. Estudió el destino de los trenes. En media hora partiría uno hacia Brighton. Iría allí. Caminaría por aquel muelle, por la playa, por la avenida. Sentiría la lluvia en la cara, recordando los planes y las esperanzas que habían tejido cuando ella estaba embarazada de Louis. Y tal vez encontrara algún sentido a todo lo que había sucedido, tal vez se le ocurriera qué hacer con el resto de su vida.

Se sentó en una cafetería, contemplando las multitudes navideñas que se agolpaban alrededor. Había gente que iba a las fiestas de las oficinas y gente que volvía de ellas. Había gente de todo el país haciendo compras. Había comerciantes que volvían a su casa después de trabajar todo el día. Y cada uno tenía una existencia que controlar, una vida con esperanzas y desencantos.

Cuando abrió el bolso para pagar el café, vio con sorpresa la carta de Kit, intacta. Nunca había dejado para después una carta de su hija. Pero aquel había sido un día distinto de todos. No le habría sido posible perderse en el mundo de Kit sin haber escapado antes del propio. Allí, en el anonimato de aquella inmensa estación ferroviaria, disponía del mejor lugar para leerla.

Mi querida Lena:
Nunca pensé que me entristecería leer lo de Louis, que lo vuestro parece haber terminado y que él puede irse. En otros

tiempos esa era la noticia que deseaba recibir. Quería que recibieras tu castigo, que él te abandonara como tú nos abandonaste. Pero ya no pienso así. Preferiría mil veces que él estuviera allí, que vivieras feliz con él.

Quizá no sea cierto que esté pensando en irse. Es muy difícil saber qué están pensando los hombres. Aunque no soy ninguna autoridad en la materia, sí sé que las chicas pasan horas y horas en el apartamento de Frankie, en cafeterías y en las aulas, después de clase, hablando de los hombres, de lo que piensan y de lo que planean... y al final resulta que nunca piensan ni planean nada. Te lo digo solo por si te sirve de consuelo.

Sentada en el café de la estación, Lena dejaba que el mundo siguiera su curso. Las lágrimas le recorrían la cara sin que ella se molestara en secarlas. Se limitó a seguir leyendo.

Kit le escribía sobre el baile y las infinitas dificultades que les presentaban Dan y Mildred O'Brien, el miedo a que los invitados pasaran demasiado tiempo en el bar de Paddles y llegaran al Central borrachos y desmadrados, con lo cual el bar del hotel no vendería nada.

También hablaba de Stevie Sullivan, de su niñez, de lo que había padecido al no tener zapatos porque el padre se había bebido el dinero destinado a comprarlos. En aquel momento Stevie Sullivan usaba un finísimo calzado de cuero y siempre podría hacerlo. Él no bebía, no jugaba y trabajaba mucho; claro que todo el mundo sabía que en el pasado había hecho algunas tonterías.

Pero una de las peores cosas de vivir en un pueblo de Irlanda era que el pasado se te pegaba para siempre. A nadie se le permitía empezar de nuevo. La gente aún veía en él al chico del viejo Billy Sullivan, el hijo de un borracho. Decían que era alocado, que se había acostado con todas las chicas de la comarca. ¿No era extraño que nadie notara lo mucho que había cambiado?

Mientras leía, Lena oyó el eco fuerte y claro. Kit se refería a Stevie Sullivan de la misma forma protectora y exculpatoria que había usado ella con respecto a Louis Gray. Era hija de su madre y estaba a punto de seguir exactamente el mismo camino.

Lena pasó un buen rato sentada en la cafetería. Por fin, con las piernas pesadas, se levantó para tomar el tren hacia la costa sur de Inglaterra.

—¿Ivy?

—¿Dónde estás, Lena?

—En Brighton, en un lugar precioso. Abrigado y tranquilo.

—¿Cuál es el número telefónico?

—Escucha...

—Dímelo, ¿quieres? No voy a llamarte. No te lo pido por ti, sino por mí.

Ella lo leyó de la pared, junto al teléfono.

—Un tal señor James Williams vino a buscarte.

—¿Le dijiste algo?

—¿Por quién me tomas? Pero me encargó que te dijera, si llamabas, que en Navidad se sentía muy solo y que le encantaría...

—Está bien, Ivy. Eres muy buena.

—¿Tienes a alguien con quien puedas conversar?

—No necesito a nadie. Estoy cansadísima.

—Bueno. ¿Cuándo volverás a llamarme?

—Dentro de tres días.

—¿Y ese tal James Williams...?

—Tendrá que buscar a otro para que le haga de Santa Claus.

—Parecía muy simpático.

—Buenas noches, Ivy.

—Buenas noches, corazón. Ojalá estuvieras aquí arriba.

—¿Tienes un momento, Louis?

Louis apartó la vista de todos sus preparativos para la visita de los O'Connor. El grupo le estaba causando muchos problemas, porque todos cambiaban constantemente de planes. Al principio iban a ser cinco; después, cuatro; más adelante, dos; en aquel momento, cinco para Navidad y solo tres para Año Nuevo. Eso había desquiciado todas sus reservas, como si ya no le pusiera nervioso estar frente al señor O'Connor.

Aún no le habían informado de la gran noticia. Tal vez no le alegrara mucho enterarse de ello la segunda vez que veía a su futuro yerno, pero Mary Paula le había asegurado que ella vivía su propia vida. Era muy independiente desde hacía años. Tenía veintiocho años; ya era adulta.

Louis habría querido que las cosas fueran diferentes: tener una edad más próxima a la de ella que a la de su suegro, poder probar su capacidad en el nuevo hotel antes de probar su capacidad reproductora. De cualquier modo, confiaba en que Mary Paula tuviera razón al decir que todo se arreglaría.

—Perdona, James —dijo Louis—. Parece que hoy tengo que atender cien cosas al mismo tiempo.

James Williams tenía un aire severo; no sonrió.

—Lena no ha ido a trabajar.

—¿Cómo dices?

—Tampoco está en su casa. Pregunté a la casera.

—No entiendo, James...

—¿Dónde está, Louis?

—No tengo ni idea. Anoche estuve con ella y le conté todo. Esta mañana pasé por allí para recoger mis cosas y dejé la llave, como habíamos acordado.

—¿Qué te dijo?

—Francamente, no creo que eso te importe.

—Creo que sí me importa. Especialmente si mi encargado ha decidido aceptar otro empleo y mudarse a otro país y de pronto se acuerda de que olvidó decírselo a su esposa.

—No es mi esposa, como te expliqué ayer.

—No me vengas con esas. Todos estos años viviste con ella y la presentaste como tu esposa.

—Es que tú no sabes cómo eran las cosas. Lena no era libre.

—Mira qué suerte, considerando cómo ha terminado el asunto.

—No sé a qué se debe todo esto.

—Voy a decirte a qué se debe. Se debe a la conducta de un hombre que se ha comportado como un cretino egoísta. No has pensado sino en ti mismo, Louis, todo este tiempo. Siempre en ti.

—No pienso escucharte.

—No, ya lo creo que no. Puedes recoger tus cosas y largarte hoy mismo.

—¿Por qué razón?

—Porque yo no soportaría seguir viendo tu cara hasta que se haga oficial.

—No creo que estés hablando en serio, James.

—Nunca he hablado tan en serio.

—¿Vas a dejar que los sentimientos personales afecten a tu conducta laboral? ¿Solo porque Lena te haya atraído siempre?

—Ya tienes tus referencias, Louis, y toda la preparación que te sirvió para conseguir ese nuevo empleo y convertirte en un yerno aceptable para ese potentado irlandés. Ahora lárgate.

La hermosa cara de Louis se había vuelto dura.

—Con esto no ganas nada. Lena no tendrá mejor opinión de ti. Si ahora piensa que eres más frío y aburrido que un pez, a partir de ahora te tendrá por mezquino.

—Antes de que termine la tarde, Louis. —James Williams giró en redondo y se marchó.

Louis Gray había necesitado mucho tiempo e ingenio, pero tenía muchos contactos y amigos en la industria hotelera. Consiguió una suite en otro hotel, donde pudiera recibir a los O'Connor con elegancia. Volvería todo aquel asunto a su favor, explicando que había abandonado el Dryden para dedicarse a ellos como correspondía.

En aquel momento, por supuesto, tendría que programarlo todo de nuevo para las fiestas. Durante un momento descabellado pensó pedir ayuda a Lena, que era estupenda para dar ideas; siempre se le ocurría lo más adecuado para cada ocasión.

¿No era absurdo que le viniera a la mente de aquel modo? No, era natural: después de pasar tanto tiempo juntos, era normal que pensara automáticamente en consultarla. Se preguntaba si era verdad lo que James Williams había dicho, que ella había desaparecido del trabajo y del piso de Earl's Court.

Le parecía improbable; Lena había obrado con mucha calma, como si supiera de antemano que aquello era inevitable. Y si algo era seguro era que, en cualquier crisis, podías encontrar a Lena en aquella maldita agencia, sentada frente a su escritorio. Estaba más casada con la agencia Millar de lo que podría estarlo en toda su vida con un hombre.

Todas las tiendas de Brighton estaban llenas de regalos navideños. Lena contemplaba en los escaparates las cosas que le habría gustado comprar para su hija: el juego de collar y pendientes, aquella chaqueta tan elegante, el juego de manicura con estuche de cuero auténtico, la pequeña maleta con ribetes en dos tonos... ideal para los viajes entre Dublín y Lough Glass.

Pero ¿por qué se estaba torturando? No enviaría nada a su hija. Era una Navidad en la que no haría regalos ni los recibiría.

Las olas eran altas y se estrellaban contra la extensa playa. ¿Era aquella la playa por donde había caminado con Louis cuando esperaba un hijo suyo? Parecía haber sucedido en otro siglo, a dos personas diferentes. Por aquel entonces esperaba la carta llena de insultos, el torrente de cólera y recriminaciones de Martin. Ignoraba que en Lough Glass estaban dragando el lago por ella.

Si hubiera podido dar marcha atrás...

Pero todo era pura ilusión. No podía volver al pasado.

Era inútil entretenerse en eso. Tenía que tomar una decisión en aquel momento.

Caminó sintiendo el aire salado y la llovizna en la cara. Por fin, al encontrar un sitio protegido, se sentó para escribir a Kit, utilizando las páginas de un cuaderno. No era su estilo de carta habitual. Tampoco la releyó, como hacía normalmente. Una vez en la casa de huéspedes, consiguió sobre y sello y salió en busca de un buzón. Se sentía algo mejor, como si hubiera hablado con una buena amiga.

Cuando Kit vio el sobre con la letra de su madre en la mesa del vestíbulo, el corazón le dio un vuelco. Su padre debía de haberlo reconocido, sin duda —su madre siempre había tenido la misma letra—, pero al parecer no fue así.

Era la víspera de Nochebuena. Kit y Philip acababan de llegar desde Dublín. Maura había decorado la casa y tenía un aspecto muy festivo. Había montones de tarjetas de Navidad en la repisa y alrededor del espejo.

Kit sintió un arrebato de ansiedad. ¿Por qué le escribía su madre con tanta precipitación? Estaba desesperada por leer la carta a solas, pero todo el mundo había ido a darle la bienvenida. Emmet subió su equipaje, incluida la caja con el vestido carísimo que había comprado con el dinero de la indemnización. Le había costado una fortuna y no quería que nadie lo viera antes del baile, por si les parecía demasiado atrevido.

Había dicho a Clio que era una ganga conseguida en rebajas.

—No hay rebajas antes de Navidad —dijo Clio sagazmente—. Te estás convirtiendo en una embustera terrible y muy misteriosa.

Maura le ofrecía sopa para entrar en calor. El padre se moría por darle todas las noticias y contarle que la comisión del club respaldaba el baile de Año Nuevo. Pero Kit no veía la hora de separarse de todos. Al final pensó que solo en el baño podría encontrar paz y quietud. Sentada en la bañera, leyó:

Mi querida Kit:

La presente es para desearte una muy feliz Navidad, este año y todos los venideros.

Me alegró mucho recibir tu carta. La leí en una estación de trenes. A mi alrededor había personas que vivían su propia vida y viajaban para ver a otros o escapar de otros. Mientras tanto yo, sentada allí, leía tu carta una y otra vez.

Es bueno saber que Stevie pudo superar su niñez y superar todo lo malo que le sucedió en sus primeros años. Eso debe de haberlo hecho muy fuerte. Lo mismo vale para ti, claro. Tú también, siendo niña, viviste muchas cosas que no deberías haber vivido, pero las superaste. Superaste la muerte de tu madre y los rumores sobre su muerte. Creíste que tu madre se había suicidado y estaba en el infierno. Te encontraste con un fantasma. Y sobreviviste a todo eso.

En muchos sentidos, creo que vosotros dos estáis emparejados. Claro que, como toda madre, me preocupo por ti. Pero tal vez no tenga derecho a hacerlo. Tal vez renuncié a ese derecho hace mucho tiempo.

Fuiste muy amable al decir que quizá Louis no estaba pensando en abandonarme. Pero en realidad se ha ido. Va a casarse con otra, una mujer mucho más joven, que está esperando un hijo suyo. Así que esa parte de mi vida ya ha terminado.

Solo quería asegurarte que no voy a causar más problemas a quienes tanto hice sufrir. Tal vez temas que, al faltar Louis, yo me convierta en un barco sin timón. Por eso quiero tranquilizarte. No alteraré nada de lo que está hecho.

Te digo esto porque estoy segura de que se te cruzará por la mente. También porque siento un ansia dolorosa de volver a Lough Glass, de ver el baile que vosotros estáis preparando. Tuve la sensación de que podría observar desde fuera. Por eso, en cierto sentido, estoy escribiendo esto, para obligarme a entender que no debo ir. Que la fiesta sea un gran éxito para todos vosotros.

Paz, Kit. Paz y buena voluntad. ¿No es eso lo que todos buscamos a fin de cuentas?

Tu madre, que te quiere,

LENA

Sentada en el baño, Kit miraba la carta con incredulidad. No se parecía en nada a las cartas de Lena. Las frases no se correspondían. Eran términos breves y entrecortados, divagaciones sobre una estación ferroviaria. Lena la había enviado a la farmacia. La había firmado «tu madre, que te quiere».

Louis la había abandonado para casarse con otra mujer. Y Lena no podía soportarlo.

Kit se comportó con naturalidad. Estaba segura de que nadie había notado nada extraño. Pero se sentía muy sola.

En Nochebuena pasó un buen rato despierta, pensando en su madre, que estaría sola en su cama de Londres. Habría querido llamarla por teléfono, pero era más fácil comunicarse con el planeta Marte que telefonear a Londres desde Lough Glass en Navidad.

¿Y si Lena estuviera tan perturbada que llegara a contarlo todo? ¿Y si la llamada le hacía perder el control, decir a Maura y a papá que estaba viva? ¿Y si Emmet se enterara?

Kit se quedó en la cama, lamentando no poder decírselo a nadie. Solo podía hablar con Stevie Sullivan.

Pero el secreto no le pertenecía.

El nerviosismo la acompañó durante todo el día de Navidad. Sin motivo alguno, Kit se descubrió llorando justo en el peor momento: mientras se estaban preparando para ir a casa de los Kelly, a tomar un jerez e intercambiar regalos.

Todo el mundo quería ir. Maura, para ver a su hermana; Martin, para ver a su amigo Peter; Emmet, para ver a su amada Anna. Kit era la única que no deseaba ir.

Pero no había remedio.

—Voy enseguida —dijo al oír que estaban listos para salir. Necesitaba un rato para recuperar la compostura y prepararse para la visita a los Kelly.

Se salpicó la cara con agua fría y salió. Aquella mañana de Navidad sentía la cabeza como si fuera de plomo.

—Eh, espérame.

Stevie Sullivan había visto salir a Kit y corría tras ella. La chica se volvió a mirarlo. Él sonreía de oreja a oreja; llevaba escrito en la cara el placer de verla.

—No me llamaste para desearme una feliz Navidad —le reprochó.

—Esperaba verte en misa.

—Oh, estaba en la parte de atrás de la iglesia. Como soy humilde, no quiero exhibirme demasiado.

—Hablando de negocios, imagino —se burló ella.

Stevie la miró con atención.

—Has estado llorando.

—¿Se nota? No podría soportar el interrogatorio de Clio.

—No. Yo lo he notado porque conozco cada rincón de tu cara. ¿Por qué has llorado, Kit?

—No puedo decírtelo.

—¿Hay algo que yo pueda hacer?

—No, Stevie. Gracias pero no.

—¿Me lo dirás algún día?

—Algún día, tal vez.

—Te olvidarás.

—No, jamás podré olvidar por qué lloro hoy.

—Michael y Kevin lo están pasando muy bien en Londres. Anoche me llamó —dijo Clio, muy complacida.

—¿Cómo es la hermana? —preguntó Kit.

—No sé. La he visto solo una vez.

—¿Y el hombre con quien se casa?

—Oh, más viejo que mi abuela, al parecer. Dice Michael que podría ser su padre.

—Pero ¿es buena persona?

—Por lo visto, sí.

—¿No es de esos viejos ricachones que buscan jóvenes?

—No, todo lo contrario. Según Michael, no tiene un centavo.

—¿Y lo admitirán en la familia?

—Sí. Parece que es alguien importante en la industria hotelera de Londres.

—¿Y cómo es que no ha hecho fortuna? —preguntó Kit.

—Qué sé yo. Pero ella está loca por él. Michael cree que podría estar embarazada.

—¡No! —Kit abrió bien los ojos de entusiasmo.

—Bueno, la boda es muy precipitada.

—¿Cómo se llama él? —A Kit no le importaba mucho, pero cualquier cosa era mejor que responder a las preguntas de Clio.

—Louis. ¿No te parece romántico? Louis Gray.

El día después de Navidad, Kit pidió a Stevie que la llevara a la ciudad.

—No habrá nada abierto —dijo él, intrigado.

—Eso no importa.

—Claro que importa. ¿Qué sentido tiene ir a ese cementerio de ciudad bajo la lluvia? ¿No podemos mojarnos aquí?

—Por favor, Stevie. No te pido tanto.

Él no preguntó por qué necesitaba tanto cambio para hacer una llamada telefónica desde un hotel de la ciudad. Se sentó a tomar una cerveza en el bar, mirándola desde lejos, mientras ella ocupaba la cabina del rincón más alejado. Kit se pasaba la mano por el pelo y hablaba con gravedad. Stevie comprendió entonces que aquel viaje bajo la lluvia tenía como único objetivo llamar a alguien con quien no habría podido comunicarse desde su casa. Aunque usara el teléfono del Hotel Central, tenía que pasar por el filtro de Mona Fitz.

Decidió no preguntarle nada. Que ella se lo explicara cuando estuviera dispuesta.

—¿Es usted Ivy Brown?

—Sí, sí, ¿quién es?

—Kit McMahon, señora Brown. Nos vimos una vez. ¿Me recuerda?

—Sí, sí, por supuesto. —Ivy parecía preocupada—. ¿Pasa algo malo?

—¿Podría hablar con Lena, si no es molestia?

—Ay, querida, no está aquí.

—Verá, Ivy, necesito hablar con ella. Es preciso. Tengo que darle una noticia terrible.

—Creo que ya ha recibido todas las malas noticias que puede soportar.

—Ya sé que él va a casarse con otra, el muy cretino. Ese grandísimo cerdo.

—Basta, Kit.

—No me voy a callar. No tengo dinero, Ivy. No puedo viajar porque estoy metida hasta el cuello en algo muy importante. Pero necesito hablar con Lena. Tiene que decirme dónde está.

—Estuvo en Brighton, pero me llamó desde una cabina telefónica de Londres. Dijo que estaría fuera unos días más y que me llamaría en Año Nuevo.

—¿Adónde iba?

—No me lo dijo.

Tenían reservas para 158 personas. En el club de golf nunca habían recibido a más de 86. Philip O'Brien dijo a Kit que desde Nochebuena no había podido dormir más de dos horas al día.

—Será extraordinario —dijo Kit.

—No estás segura. Lo dices solo para darme ánimos.

—Caramba, Philip, cómo me fastidias a veces. Te digo lo que pienso. ¿Por qué me acusas de mentirosa?

—Porque tu mente está a muchos kilómetros de aquí —dijo él—. Desde Navidad te pasas el día pensando en otra cosa.

Kit guardó silencio.

—¿Es cierto o no? —preguntó él.

—Es cierto que tengo mucho en que pensar, pero estoy segura de que la cena será extraordinaria.

—¿No quieres decirme qué es lo que te preocupa?

—¿Para qué?

—A lo mejor yo podría ayudarte.

—No sé... —vaciló ella.

—Sabes que puedes contar conmigo.

—Eres un gran amigo —dijo ella, con sinceridad.

—Repíteme eso de que la cena no va a ser un desastre.

—La gente hablará de esto durante todo el año, Philip. Y ahora volvamos al trabajo.

Kit se encargaría de la comida y de enseñar a las chicas del convento que harían de camareras. Philip era el responsable de las bebidas. Emmet, de los muebles. Anna se encargaba de la decoración.

Patsy debía vigilar el servicio de señoras y procurar que hubiera siempre jabones y papel higiénico. Uno de los cuartos de la planta baja había sido transformado, con cortinas rosadas, artísticos arreglos florales y fundas de rayas rosadas y blancas en los muebles. Los dos lavabos nuevos, que al hotel le hacían mucha falta, estaban ya instalados y en funcionamiento; el hermano de Kevin Wall se había encargado de eso.

Los padres de Philip tenían muchas dudas sobre aquellos gastos, pero les complacía tanto la atención que estaba despertando el hotel en Lough Glass y en toda la zona circundante que no protestaban demasiado.

—Ya era hora de que la gente se tomara en serio nuestro hotel —bufaba Mildred, cada vez que anotaba más reservas de terratenientes a los que nunca habían visto por allí.

—Siempre dije que, tarde o temprano, a este lugar se le daría el valor que tiene —le aseguró Dan O'Brien, sin reconocer en absoluto el mérito de su hijo y de los amigos que lo habían hecho posible.

Clio no tenía una responsabilidad específica; en general, se encargaría de los huéspedes provenientes de Dublín, cuidaría de que todo marchara bien en la mesa y disimularía el constante ir y venir de los demás.

Por la tarde, Kit y Philip miraron a su alrededor.

—Lo logramos —dijo ella.

Las mesas estaban adornadas y las paredes, decoradas con ramas verdes, daban la impresión de que todo estaba al aire libre. Justo antes de que llegara la gente se encenderían las velas. Las chicas del convento habían ido a enseñar el uniforme; todas vestían blusa blanca y falda azul marino, con una enseña bordada con las letras HCLG: Hotel Central de Lough Glass.

Kit les había hecho ensayar una y otra vez lo que harían en caso de accidente. Si alguien dejaba caer un plato, no habría risitas ni alboroto; encontrarían recogedores y cepillos bajo algunas mesas, disimuladas por los manteles largos. Les obligó a repetir los nombres de los platos hasta que los aprendieron de memoria.

—Nada de risitas al pronunciar los nombres franceses. La gente no quiere pasar por estúpida, sino sentirse bien atendida. —Las chicas la miraron con respeto—. Philip y yo nos pasábamos el día entero aprendiendo estas cosas en el colegio —añadió Kit, para justificarse.

—Vosotras lo estáis aprendiendo gratis —añadió Philip.

Las chicas les sonrieron. Él pensó que jamás podría agradecer a Kit todo el apoyo que le estaba prestando.

—Te traje un ramillete para el vestido —le dijo—. Está en la nevera, para que se mantenga fresco. Solo para darte las gracias, como amigo.

—Eres muy buen amigo —confirmó ella. Y le echó los brazos al cuello.

Al sentir sus pechos contra él, Philip tuvo que contenerse para no estrecharla con fuerza y besarla en los labios.

—Tú también —dijo, tratando de hacer que su tono fuera despreocupado.

El grupo de Dublín llegó en tres coches, alrededor de las seis. El bar estaba iluminado y era acogedor. Philip tenía lista la primera ronda de vino especiado para que lo probaran.

—Si a vosotros os tumba, estaremos sobre aviso para no dárselo a la gente de verdad.

Kevin O'Connor lo miró con interés. Aquel no era el Philip soso que él veía en el colegio. Y aquel hotel no era la pocilga que Michael decía haber visto en su visita anterior, sino un edificio elegante, cubierto de enredaderas, con muchas plantas atractivas plantadas en barriles alrededor de la entrada. Y los adornos para el baile de Año Nuevo le parecieron muy adecuados.

Las habitaciones eran mucho más cómodas de lo que le habían insinuado. Él compartiría una con su amigo Matthew; se había comprometido a vigilar la conducta del muchacho. De cualquier modo, no podía compartirlo con su gemelo, porque en algún momento de la noche Michael recibiría a Clio Kelly. Kevin se preguntaba cómo había hecho su hermano para tener tanta suerte con una chica de Lough Glass.

—El lugar es magnífico, Philip —dijo Kevin. Los otros estuvieron de acuerdo.

—Gracias.

Philip parecía seguro de sí mismo. Había alejado a sus padres de allí, diciéndoles que a las siete y media, cuando todo comenzara, ellos deberían recibir a los invitados en el bar. Pero no antes. Experimentaba un arrebato de entusiasmo extraordinario. Todo se haría realidad. Aquella noche ponía en marcha su carrera y su viejo proyecto de casarse con Kit McMahon.

Kit había pedido a su padre y a Maura que fueran de los primeros en llegar.

—Yo pensaba tomar una cerveza con Peter en el bar de Paddles —dijo Martin.

—No, tómala en el bar.

—Es un sitio un poco triste...

—Espera a verlo esta noche —dijo Kit.

Maura estaba muy bien con su vestido negro con mangas de gasa.

—Es una pena tener que ponerme el abrigo, pero supongo que me congelaría si saliera sin él.

—Son unos cuantos metros —dijo Kit—. Estás tan bonita que sería una pena estropearlo.

—Sé buena y ponte el abrigo, Maura. No quiero que cojas una pulmonía.

—Lilian va a ponerse una estola, pero yo tendría pinta de lavandera. —Maura parecía desilusionada.

—¿Puedo preguntarte algo, papá?

Martin la miró sorprendido.

—¿Te acuerdas de esa pequeña capa de piel que tenía mamá?

—Sí, creo que sí. ¿Por qué?

—Si no te acuerdas bien es porque ella casi nunca la usaba. Está en mi ropero, en una caja, por si se me ocurre ponérmela. Pero no creo que me quede bien. ¿Por qué no se la damos a Maura?

Era un riesgo y ella lo sabía. Hasta entonces nunca habían mencionado las cosas de su madre.

—Eres muy amable, Kit, pero en realidad no creo que...

—Voy a buscarla. Puedo, ¿no, papá?

—Es tuya, hija, y me encantaría que Maura se la pusiera. Me encantaría.

Kit volvió al rato. La capa estaba en una caja, envuelta en papel de seda. Al desenvolverla salió un fuerte olor a naftalina. Tenía un broche delante y era anticuada y algo vieja, pero a Maura podía sentarle bien. Kit cubrió con ella los hombros de su madrastra y dio un paso atrás para observar el efecto.

—A ti te queda preciosa. Ven a mirarte al espejo.

Le quedaba realmente espléndida. A la altura de los hombros parecía hecha a la medida de Maura, pero el broche no cerraba.

—Hay que sujetar esto con una cinta negra —dijo Kit—. Tengo un trozo en el cajón.

Al volver encontró a su padre y a Maura cogidos de la mano. Ella tenía lágrimas en los ojos. Kit se preguntó si algo habría salido mal.

—Le estaba diciendo a tu padre que tal vez no deba llevarla. Alguien podría recordar habérsela visto a Helen en otra ocasión.

—Nunca vi que Helen se la pusiera. En mi vida.

—¿Se la regalaste tú, papá?

—No me acuerdo. No, creo que ya la tenía, pero no recuerdo habérsela visto puesta. Me encantaría que te la pusieras, querida.

—Para ella debió de ser algo especial. —Maura dudaba todavía.

—No, porque en ese caso se la habría... —Kit se interrumpió, horrorizada. Había estado a punto de decir que su madre se la habría llevado a Londres.

—¿Sí? —Maura la estaba mirando.

—Se la habría puesto más veces. A ver, déjame enhebrar la cinta. Serás la más guapa del baile.

—¿Y tú cuándo vas a vestirte?

—Tengo el vestido en el hotel. No quiero ponérmelo hasta que haya terminado en la cocina.

—¿Al chef no le molesta que te hayas hecho cargo?

—Hace falta mucha imaginación para llamar «chef» a Con Daly. Hasta «cocinero» le queda grande. Para él es un alivio tan enorme tenernos allí que podría lamernos los pies de agradecimiento.

Emmet fue a que le ataran la corbata de lazo.

—Esto es tarea para una novia —comentó Maura, mientras se la ataba con pericia.

—Oh, durante algunos años no tendré tiempo para las chicas —contestó él.

Kit cruzó una mirada con él y sonrió.

—Cuánta sensatez —comentó Martin McMahon—. Si todos pensaran lo mismo, el país andaría mucho mejor.

—Os espero abajo. —Kit salió a la carrera.

Stevie Sullivan la llamó golpeando una ventana del piso alto.

—¿Puedes subir y ayudarme a vestirme?

—Me temo que no puedo —respondió ella—. Dentro de cinco minutos debo estar trabajando y las órdenes de combate son muy estrictas. Casi todas son obra mía.

—No te veo muy emperifollada —comentó él, un tanto decepcionado.

Kit llevaba su gruesa chaqueta y los grandes rulos escondidos bajo un pañuelo.

—Emperifollada... ¡Qué maravillosa expresión! Hasta luego.

Kit se deslizó hacia la cocina, escapando de las fuertes voces que se oían en el bar. La de Matthew parecía un trueno. Debía advertir a Kevin que ejerciera un estricto control de vigilancia sobre él.

En la cocina hacía demasiado calor; abrió una ventana, pero la corriente de aire hizo volar algo de un estante.

—Poned una silla en la puerta de atrás para mantenerla abierta —ordenó.

—Yo me encargo —dijo Con Daly, con su inmaculado delantal blanco. En otros tiempos Con estaba siempre como si alguien le hubiera volcado encima el contenido de una docena de platos.

Las jóvenes camareras formaban un pequeño grupo, lanzando risitas nerviosas. Kit frunció el entrecejo. ¿Cuántas veces les había dicho...? Pero a su edad, ella y Clio no hacían otra cosa que reír de aquel modo.

—Escuchad —les dijo—. Sé que pensáis que todas somos ya muy mayores y probablemente unas locas, pero quiero explicaros lo que estamos haciendo. Tratamos de demostrar que podemos comportarnos como las adultas o mejor aun. Y las adultas creen que seguimos siendo niñas. Así que necesitamos parecer muy seguras. Vamos a ver, ¿cómo se llaman los aperitivos que serviremos al principio?

—Entremeses.

—¿Qué es el estragón?

—Una hierba aromática que lleva la salsa.

—Y sobre todo, queremos que no parezcáis colegialas, sino auténticas camareras. Por algún motivo que ignoro, la chica que se ríe y se divierte parece una aficionada, así que no puedo permitiros eso. Cuando esto termine podremos reírnos hasta reventar; antes, no. Y Philip ha dicho que si no hay risitas, cada una percibirá cuatro chelines de premio.

Era mucho dinero. Las chicas se miraron con asombro.

—Va para todas. Si hay una sola risita, nadie cobra los cuatro chelines. ¿De acuerdo? —Todas asintieron con solemnidad, temerosas de mirarse a los ojos—. Estupendo. Y hora, ¿qué otra cosa tenía que hacer yo?

—Vestirte, supongo —sugirió una de ellas. Las otras enrojecieron, pero se las arreglaron para no reír, asustadas y decididas a ganarse aquel premio.

Kit descolgó el vestido escarlata de su percha. Philip le había ofrecido su cuarto para cambiarse. Estaba limpio y ordenado; a la vista había cosas destinadas a darle una buena imagen de él: libros que él no había leído, toallas limpias y un jabón caro que nunca había usado.

El vestido le sentaba perfectamente. Como era un modelo con los hombros descubiertos, no podría usar sostén. Pero además era innecesario por su buen corte. Kit, a medio vestir, se observó en el espejo. No sentía entusiasmo por las celebraciones de aquella noche. Si hubiera podido llamar a Lena y hablar con ella...

Estaba cansada de tanto trabajo. Se vio pálida. Pero no podía perder la oportunidad de aquella noche. Para eso era todo. No debía ceder un centímetro a la venenosa Anna Kelly, que había comprado un vestido color lima en Brown Thomas. Según los rumores, era deslumbrante. Y Kit no se había matado dando impulso a aquel hotel solo para que los padres de Philip se llevaran los elogios sin mover un dedo. Lo que buscaba era un escenario, un sitio público para que todos vieran cómo Stevie Sullivan se enamoraba de ella.

Tenía que llenar de lágrimas los perversos ojillos de Anna para que corriera a buscar al pobre e inocente Emmet, que la recibiría de buen grado, claro. Kit había hecho una promesa y estaba dispuesta a cumplirla. Pero a esas alturas era mucho más que eso: era algo que deseaba con toda el alma, tanto que casi le dolía.

Cuando Kit entró, había ya una considerable multitud, pero Stevie y sus clientes aún no habían llegado. Recorrió el salón con la vista, buscándolos, pero no estaban por ninguna parte. Se acercó al grupo que formaban su padre y Maura con los Kelly. Maura no se había quitado la capa.

—Es increíble cómo ha cambiado esto, Kit. —El padre miraba alrededor, asombrado—. Tendré que dejar la farmacia en tus manos.

—De acuerdo, siempre que no te opongas a que te abramos agujeros en las paredes. Mildred protestaba cada dos minutos —susurró Kit—. Esas condenadas paredes se estaban viniendo abajo, con manchas de humedad que parecían moho, y ella: «No me vayáis a meter muchos clavos en las paredes».

Mildred, de pie junto al fuego, aceptaba los cumplidos de todos con aires de realeza.

—Bueno, esta vieja casona tiene su encanto —decía con modestia, como si siempre hubiera estado así.

Luego Kit se reunió con Clio y los O'Connor. Su amiga llevaba un vestido beis, con el escote ribeteado de capullos de rosa. Era bonito, pero nada del otro mundo. Clio no destacaba entre la multitud, como Kit con su vestido escarlata. O Anna, con el suyo color lima. Clio pareció darse cuenta, porque hizo una mueca.

—Bienvenidos a Lough Glass —dijo Kit al grupo.

—Estás preciosa —comentó Frankie Barry.

—Gracias. Al menos, aquí llamo la atención. En Londres me tomarían por un buzón.

—O un autobús —añadió Clio—. Todo el mundo la miró con sorpresa—. También son rojos —aclaró ella, intimidada.

—Sí, claro —dijo Kit. Y miró a los gemelos O'Connor—. ¿Qué tal el viaje a Londres?

—Fabuloso —dijo Michael.

—Pero allí no hay nadie que te llegue a la suela del zapato, Kit —soltó Kevin.

Clio parecía más irritada que nunca. Kit fingió no percatarse.

—¿Y el novio de tu hermana? ¿Es buena persona?

Clio se preguntaba cómo no se le había ocurrido a ella aquella pregunta. Kit estaba conquistando a todo el mundo. No tenía el menor interés por Kevin O'Connor, pero allí estaba el muchacho, pendiente de cada palabra suya.

—Aceptable —respondió Kevin—. Un poco viejo, ya sabes... pero está bien. Se comprende que ella lo quiera. Nos llevó a recorrer todo Londres en su coche. A los muelles, a Covent Garden... En cierto sentido, era como un guía turístico.

—¿No tenía que trabajar? —preguntó Kit.

—Bueno, era Navidad.

—Pero ¿no es eso lo terrible de la hostelería? Tenemos que trabajar en Navidad.

El muchacho miró a su hermano.

—Es verdad. Supongo que había pedido permiso.

—Me parece que ya había dejado su hotel. Como van a casarse muy pronto...

Clio parecía aburrida. Kit, en cambio, manifestó interés.

—¿Y todos vosotros volveréis para la boda?

—No, ellos vendrán aquí. La boda será en Dublín.

Kit habría querido preguntar si el novio les había presentado a su familia. En realidad, quería decirles que Mary Paula se había liado con un mentiroso de primera línea. Contarles la historia de su futuro cuñado, con todos sus engaños, para ponerles de punta aquellos pelos engominados.

—¿Ese reloj es nuevo, Clio? —preguntó Kit.

Su amiga había estado exhibiendo la muñeca para llamar la atención.

—Sí. Es un regalo de Michael.

—Qué bonito —comentó Kit. Y todos lo admiraron.

Al año siguiente sería el anillo de compromiso. Así se desarrollaba la parada nupcial. El reloj era uno de los preliminares. Miró a Clio como si la viera por primera vez. Se casaría con Michael O'Connor. Pronto sería cuñada de Louis Gray.

La señora Hanley no se cansaba de elogiar lo bien que se habían portado los chicos.

—Mi Patsy también participó —dijo a la señora Dillon, la del puesto de periódicos—. ¿Cómo es que tu Orla no estuvo en esto desde el principio?

—Bueno, Orla tiene su propia vida, naturalmente. Está casada y vive en el campo, más bien lejos.

—No creo que venga esta noche, ¿o sí?

—Nunca se sabe —respondió la señora Dillon en un tono evasivo, y se alejó.

Había recomendado a su hija Orla que por ningún concepto se presentara sola en el baile. Si no la acompañaban el marido y varios parientes, que no apareciera por allí.

—Puedo ir sola, si se me antoja. Habrá muchos que querrán bailar conmigo.

La señora Dillon, temerosa de que Stevie Sullivan bailara demasiado con ella, puso mala cara.

Cuando el zumbido de la conversación se convirtió casi en rugido, Philip y Kit decidieron que Bobby Boylan y su banda comenzaran a tocar.

—Algo suave, sin demasiado «chunda-chunda» —sugirió Philip.

Era una banda de cinco músicos, todos vestidos con chaqueta rosa claro, que probablemente habían comprado cuando estaban más delgados.

—¿Cuándo los llevamos a comer? —preguntó Philip.

—Se están divirtiendo —respondió Kit—. Nadie mira el reloj.

—¿Has visto el de Clio?

—Me lo enseñó. Parecía a punto de pedir a Bobby Boylan un redoble de tambores para pasearlo por todo el salón.

Philip se echó a reír.

—Me alegra comprobar que puedes ser tan venenosa como cualquiera.

—¿Quién, yo? ¿Cuándo he sido de otro modo? Bueno, esperemos diez minutos más.

Stevie Sullivan y su grupo seguían sin aparecer y ella no quería iniciar nada hasta que llegara la estrella principal.

Anna se excusó en medio de una conversación.

—Disculpad. Tengo algo que hacer.

Kit la siguió con la mirada. No creía que los adornos se hubieran roto, de momento. Pero no: Anna Kelly había visto llegar a Stevie Sullivan y quería acercarse para saludarlo.

Kit observó su cutis perfecto, el pelo rubio rizado que le caía por la espalda, enhebrado con pequeñas cintas en el mismo tono lima. La chica era como una aparición.

Stevie Sullivan y sus amigos venían del bar de Paddles, todos en perfecto estado.

—Por Dios, no habría reconocido este hotel —dijo uno de los agentes—. Aquí no te atrevías a hablar con los dueños porque parecían a punto de caer muertos a tus pies.

—¿Y qué te parece esa orquesta, Stevie? Qué distinción la tuya, traernos a un lugar así.

Eran hombres enrojecidos, probablemente solteros, que le habían encargado muchos tractores, camiones y camionetas en el curso de aquellos años. Les halagaba verse invitados a un baile tan fino como el del club de golf. No era un sitio al que normalmente pudieran acudir.

Kit decidió enviar algunos panecillos calientes de más a su mesa. Aquellos individuos parecían capaces de comerse los adornos si no les servían la cena de inmediato.

Cada mesa tenía escrito el nombre de los comensales, en letras grandes; no hacía falta que bizquearan o se ajustaran las gafas. Emmet estaba alerta por si faltaban sillas, listo para correr a buscar más si hiciera falta.

Los cestos de panecillos calientes ya estaban en las mesas, servidos por las solemnes chicas del convento. Habían ensayado muchas veces cómo se iniciaría la comida. Kit acompañaría primero a los que debían ocupar las mesas más alejadas del bufet.

Todo funcionó como en un sueño.

Con Daly, el cocinero, que normalmente no se dejaba ver en sociedad, aparecía radiante ante la puerta de la cocina, con su atuendo blanco y su gorro alto, como si él fuera responsable de todo, cuando en realidad no había hecho más que ejecutar las órdenes más sencillas y básicas de Kit y Philip.

Por el rabillo del ojo, Kit vio en la puerta a Orla Dillon (ahora Orla Reilly). Se la veía pequeña y desaliñada, como si hubiera pasado un rato bajo la lluvia, sin decidirse a entrar. Tenía el pelo lacio y el vestido le caía sin gracia. Unos años antes todos pensaban que Orla era una gran triunfadora, que tenía gran experiencia con los hombres. Aquella noche resultaba patética.

No estaba en la mesa de la señora Dillon, eso era obvio. Allí había seis personas y no parecían dispuestas a recibir cordialmente a aquella muchacha loca que había abandonado el hogar de las montañas por una noche de diversión.

Kit se acercó a ella.

—Hola, Kit. —Sus ojos carecían de expresión.

—Qué tal, Orla. ¿Vienes con algún grupo en particular?

—Qué bonito vestido. ¿Lo compraste en Dublín?

—Sí. —Kit parecía nerviosa.

—Me encantaría ir a Dublín. Hasta para trabajar.

Olía a licor. Kit comprendió que aquello sería incómodo. No podía echarla a la calle. Pero ¿dónde sentarla? Lo único que sabía con certeza era que había tenido un lío con Stevie Sullivan. Probablemente por eso estaba allí, por eso había surgido del fondo de la nada: para llevarse un poco de la magia de Año Nuevo.

—Bueno, Orla, ¿dónde piensas sentarte para cenar?

—Me dijeron que había una mesa donde podías ir a servirte.

—Sí, claro, por supuesto.

—Entonces, ¿qué importa el asiento?

—No me gustaría que te encontraras sin sitio.

—No te preocupes por eso. Ya encontraré alguno.

Eso era lo único que faltaba: que apareciera una ex novia de Stevie, borracha y quizá perseguida por su brutal familia política, blandiendo sus hachas.

Cuando Orla se alejó hacia el bufet, Philip apareció junto a Kit.

—¿Qué pasa?

—Está bebida —dijo Kit, escueta.

—Por Dios, ¿y qué vamos a hacer con ella?

—Podríamos darle más de beber. Cuando quede inconsciente, la escondemos en un armario o algo así.

Él la miró con gratitud por no tomarse las cosas a la tremenda.

—También podemos entregársela a su madre. ¿Cómo se dice? «Que cada palo aguante su vela.»

—No creo que ese dicho entusiasme mucho a la señora Dillon. No; creo que es mejor ver hacia dónde va y acomodarla por allí. Emmet le traerá una silla.

La vieron serpentear, con un plato de comida peligrosamente lleno, hacia la mesa de Stevie Sullivan. Emmet se acercó con una silla adicional y se quedó rondando hasta que lo llamaron por señas.

—Bueno, al menos está sentada —dijo Kit.

Le irritaba mucho que aquel trozo del pasado hubiera vuelto para acosar a Stevie. Sin embargo no tenía por qué estar celosa, aunque Orla había conocido al muchacho de un modo muy diferente: ella no era una estrecha como Kit; ella había ido hasta el final.

—No es justo para el pobre Stevie dejar que ella se le pegue de ese modo, delante de todos sus invitados —observó Philip—. Él ha sido tan amable... Mira la gente que ha traído.

Kit sintió una oleada de culpa. Si las cosas marchaban de acuerdo con los planes, una vez que se iniciara el baile pasaría toda la noche en brazos de Stevie. Entonces Philip no lo compadecería tanto.

Vio que él se acercaba a la mesa donde se sentaban los jóvenes organizadores. Habló con su hermano Michael y le entregó unas llaves. El chico asentía con aire grave, dándose importancia. Luego Stevie volvió a su mesa.

La banda tocaba piezas que no turbaban la buena digestión.

—Todo está bien, Philip —dijo Kit—. Aún mejor de lo que esperábamos.

—Será la primera de muchas veces.

—¿No te lo dije desde un principio?

Los dos observaban todo, orgullosos. Las camareras, muy serias, comenzaban a limpiar las mesas. Siguiendo las instrucciones recibidas, apilaban pulcramente los platos, sin raspar los restos de comida, y los llevaban a la cocina. En la mesa larga se estaban disponiendo los postres. Pronto llegaría el momento de que las señoras fueran a empolvarse la nariz. Entonces comenzaría el baile.

Kit intentó no preocuparse por Orla Dillon. Stevie Sullivan se las arreglaría con aquella brusca e indeseable aparición de su pasado. Él procuraría evitar una escena. Stevie Sullivan era capaz de solucionarlo muy bien todo.

Michael Sullivan se acercó a Kit.

—Ya sé que me tocaba despejar la pista de baile, pero ha surgido algo.

—¿Qué?

—Stevie quiere que lleve a alguien en el coche. Parece que está algo mareada.

—¿No puede llevarla él?

—No. Debo decir que la llevará él, pero no es cierto. No sé si me entiendes.

—Te entiendo a la perfección —dijo Kit, complacida.

Todo se hizo hábilmente. Stevie guió a la tambaleante Orla hasta la puerta y le susurró algo al oído. Orla fue como un corderito hacia el coche, seguida por Michael.

—¿Dónde está Stevie? —balbuceó Orla.

—Yo te llevaré. Es más discreto. Él se reunirá contigo allí.

—¿Dónde es allí?

—Vamos, Orla —dijo Michael Sullivan.

Y condujo el automóvil bajo la luz de la luna, por carreteras que ofrecían una estupenda vista del lago. Diecisiete kilómetros más allá se detuvo, en tierras de los Reilly, frente a la casa donde vivía Orla. En la cocina se oía una música.

—Eh, yo no quería venir aquí —dijo ella.

—Dice Stevie que es mejor así. Diles que fuiste a la ciudad a comprar una botella de whisky para celebrar el Año Nuevo.

—Pero no es cierto. No tengo ninguna. —En aquel momento la chica estaba asustada.

—Sí tienes una. Stevie la compró para ti. Tengo que esperar, por si creen que estabas con Stevie o algo así.

—Pero ellos saben que eres su hermano.

—No importa. Para ellos soy solo un colegial. Tú no saldrías con un colegial.

—No sé. —Orla lo miraba. Por fin bajó del coche y caminó hacia la puerta, con paso inseguro. Era de esperar que no dejara caer la botella.

Uno de los hombres abrió la puerta. Michael oyó voces fuertes.

—¿Quién te trajo en ese coche? —preguntó el hombre, apartándola para pasar.

—Un chico —dijo ella, tambaleándose.

El hombre salió a investigar.

—Buenas noches, señor Reilly —dijo Michael con nerviosismo—. La señora estaba allí, comprando una botella de whisky para todos ustedes, y como no tenía transporte, Paddles me pidió que la trajera hasta aquí.

—¿Por qué a ti? —preguntó el hombre.

—Porque la señora Dillon..., la madre de la señora, me conoce.

—Ah, bueno. Gracias —rezongó.

—Feliz Año Nuevo —dijo Michael mientras maniobraba para salir de nuevo a la carretera.

—Igualmente, muchacho.

Volvió a la fiesta. Todo salía bien. Había dicho a Stevie que le haría aquel favor a condición de que le regalara un coche para él solo, aunque fuera el más barato. Su hermano estaba desesperado.

Cuando llegó, el baile estaba en pleno apogeo.

—¿Me he perdido algo? —preguntó a Emmet.

—Mucho trajín de mesas y sillas. También abrimos las ventanas para airear un poco.

Bobby Boylan pidió a todos que salieran a bailar «Carolina Moon».

—¿Bailas, Kit? —preguntó Philip.

Era lo menos que ella podía concederle, después de trabajar alegremente juntos varias semanas. Todo era un éxito. La gente comenzaba a decir que jamás abandonaría el Central.

Dan O'Brien le había estrechado la mano, diciéndole que ella había tenido algo que ver en la organización de todo eso y que no fuera a pensar que él era un desagradecido. Pese a lo complicado de sus frases, Kit comprendió que, de tan complacido como estaba, no se atrevía a hablar.

La madre de Orla la había arrinconado en el servicio de señoras para decirle que era una gran chica; ella nunca olvidaría el tacto con que había tratado a la pobre Orla.

—Nunca lo olvidaré —repitió la señora Dillon varias veces.

Kit se quedó perpleja. En su opinión, había llevado muy mal la llegada de aquella muchacha, pero lo cierto era que había sido devuelta a sus montañeses y que todo iba bien.

Stevie. ¿Cuándo la invitaría a bailar?

Cuando la banda de Bobby Boylan se las ingenió para que «Carolina Moon» siguiera brillando, Kit y Philip salieron a la pista. Los de su mesa se levantaron para vitorearlos.

—¡Bien hecho, Philip! —clamaron—. ¡Bien hecho, Kit!

Todos los demás aplaudieron. La guapa chica del vestido escarlata y el hijo de la casa. Kit estaba afligida. ¿Y si Stevie creía que ella lo estaba haciendo a propósito para llamar la atención y dar a entender que salía con Philip? Pero no podía hacer nada, salvo sonreír y agradecer las felicitaciones.

La luna había asomado por detrás de las nubes. Formaba en el lago un triángulo plateado, largo y estrecho.

—Mira, Philip. ¿No es algo mágico?

En cierto modo había señalado para apartar los brazos de él. Sabía que Stevie la estaba observando y no quería separarse de Philip de un modo que lo hiciera sufrir. Él miró. Era lo que ellos tanto esperaban.

—Esta noche estoy muy orgullosa de Lough Glass —dijo Kit—. Podría gritarlo desde los tejados. Por lo general, cuando digo que soy de aquí tengo que prepararme para que la gente pregunte: «¿Dónde está eso?».

—Hay alguien del Castle. Parece que lo enviaron a observar.

—Bueno, tendrá mucho que contar.

—Estaba interesado por el invernadero. Dijo que era un detalle muy interesante. Parece ser que allí acaban de derribar uno. ¿Verdad que fuimos astutos? —comentó Philip. Se acercaron a los grandes ventanales para contemplar el invernadero iluminado y el lago que se extendía más allá—. No se podía pedir un escenario mejor para recibir el Año Nuevo.

Kit echó un vistazo al reloj; eran las once menos cuarto. Le quedaban setenta y cinco minutos para lograr que Stevie Sullivan saliera a la pista y le deseara feliz año nuevo con un beso, delante de todo el mundo. Apenas podía esperar.

Maura y Martin bailaban al compás de «On the Street Where You Live».

—¿No te parece que han hecho un trabajo estupendo? Es veinte veces mejor que el club.

—Esta noche estás adorable, Maura.

—Y tú también, tan joven y tan guapo.

—No, no, eso es decir demasiado. —Martin se echó a reír.

—Es lo que yo veo. —Maura era transparente en su franqueza.

Él la estrechó un poco más.

A poca distancia bailaban Peter y Lilian, rígidos y algo separados. Aquello tenía todas las pintas de algo hecho por obligación. El doctor no tardaría en alejarse hacia el bar.

Philip O'Brien bailaba con su madre.

Aquel muchacho sabía hacer las cosas, se dijo Martin. Luego miró a su alrededor, buscando a su bella hija, con aquel vestido escarlata que tanto llamaba la atención. La vio tomar de la mano a Stevie Sullivan, el del taller. Stevie parecía un artista de cine, moreno y apuesto. Cuando empezaron a bailar, Martin tuvo la sensación de que bailaban juntos desde hacía mucho tiempo. Eso era ridículo, claro; aquellos dos apenas se conocían.

—Ahora no, Emmet. Tengo que atender la decoración —respondió Anna Kelly.

—Por supuesto. —Él pareció no reparar en su brusquedad—. No quería dejar de bailar con todas las chicas de nuestra mesa. Patsy —llamó, levantando la voz—, ¿me concedes el honor?

A Patsy Hanley se le iluminó la cara. Llevaba un vestido de tafetán muy apropiado, con un cinturón ancho. Su madre irradiaba orgullo en otra mesa al ver que la hija salía a bailar con el joven y guapo Emmet McMahon, el de la farmacia.

En Lough Glass jamás se olvidaría aquella noche. Kevin O'Connor estaba bailando con Frankie Barry.

—Estupendo lugar, ¿no? —comentó Kevin.

—Con un hotel como este en el bolsillo, Philip O'Brien será el mejor partido de Irlanda.

—Juega bien tus cartas, Frankie —dijo él, riendo.

—No, creo que solo tiene ojos para la señorita McMahon... como todos vosotros.

—Pues le conviene andarse con cuidado con la señorita

McMahon. Es de las que pueden asestarte un golpe muy bien dado si te propasas.

—Bueno, sí, pero no parece ensañarse mucho con ese muchacho al que llama «mi vecino», ¿verdad? —observó Frankie.

Y los dos miraron a Kit McMahon y Stevie Sullivan, que bailaban como si no hubiera nadie más en el salón, como si jamás hubiera existido nadie más.

—Estás preciosa, Clio —dijo Michael.

—¿Por qué lo dices?

—Porque es cierto.

—¿Y...?

—Y porque se te nota muy triste.

—¿Y...?

—Y porque quiero que subas al cuarto conmigo. Ahora mismo.

—¿Ahora mismo, delante de todos? ¡Estás loco!

—Puede que esto sea un golpe terrible para ti, Clio, mujer de mis sueños, pero nadie en este salón nos está mirando ni piensa en nosotros. Todos van a lo suyo.

Debía de ser cierto. Clio echó un vistazo a la pista de baile. Kit parecía completamente loca. Estaba agarrada a Stevie Sullivan como si no quisiera soltarlo nunca más. Stevie Sullivan, que se había acostado con todo el mundo. Aquella chica había perdido la cabeza.

—Yo saldré primero, como si fuera al baño. Tú espera tres minutos. ¿De acuerdo?

—Bueno. —Michael había temido que resultara más difícil.

En aquel momento, Anna Kelly volvió a la mesa.

—¿Quieres bailar? —preguntó a Michael.

—Más tarde, ¿eh? —respondió él. Y vio que su rostro se teñía de un color rojo oscuro.

—No bailaría contigo aunque fueras el único hombre con piernas en todo el salón, Michael.

Él la vio revolotear hacia una mesa donde había muchos hombres.

—Bailo muy bien —la oyó decir.

Y también estaba muy bien con aquel vestido color lima. Michael no se extrañó de ver que cinco de aquellos hombres se levantaban, inseguros, para competir por el honor.

Él se escabulló escaleras arriba.

—He encendido la estufa eléctrica. —Clio ya estaba en la cama y había colgado cuidadosamente el vestido del respaldo de una silla. Michael estaba a punto de imitarla con celeridad, pero ella susurró—: Cierra con llave, por favor.

—Eres una experta en estas cosas —comentó él con admiración.

Clio lo miró sorprendida.

—Bien sabes que no. Eres el primero y el único.

—Ajá, eso dices.

—Y tú sabes que es cierto, ¿no?

—Como usted diga, señora. —La rodeó con los brazos.

Clio tenía una expresión preocupada. Si Michael pensaba que ella podía haber estado con otros, eso significaba que ella no tenía nada especial.

—Te quiero, Michael.

—Sí, yo también —respondió él automáticamente.

El hombre que bailaba con Anna Kelly era agente de la Ford. Cubría una zona muy amplia y Stevie Sullivan era uno de sus mejores clientes. El muchacho tenía mano para los negocios. Estaba progresando mucho, sin duda. Para Joe Murphy había sido un placer que lo invitara a aquella fiesta. Stevie le había preguntado si quería llevar a su esposa... pero Joe prefirió no hacerlo; no tenía sentido complicar las cosas. Y con aquel angelito entre los brazos se alegraba mucho de no haberlo hecho. No era fácil conseguir a alguien que cuidara a los niños y, de cualquier modo, Carmel era tímida; no se entendía bien con la gente.

—Usted baila muy bien —le dijo Anna.

Él la estrechó con fuerza. ¡Y pensar que aquella misma mañana se había sentido algo viejo y gordo, como si su juventud hubiera quedado atrás!

—No te apartes de mí —dijo Stevie.

—Creo que la canción ha terminado —observó Kit.

—Bueno, solo por el momento.

—Te amo.

—Te pueden leer los labios.

—¿Tienes miedo de que la gente te oiga o te lea los labios?

—No, no tengo miedo. Te amo, Kit McMahon. Te amo tanto que me duele el corazón. No soporto que no estés conmigo. Eres mi mujer... y lo digo en el buen sentido, no por ser posesivo. Soy tu hombre, eso es lo que quiero decir. —Le sonrió, con su encantadora sonrisa torcida.

Estaban cerca de una ventana. La música recomenzó. En ningún momento habían pensado en separarse.

—Mira esa luna —señaló Kit—. Es como si se la hubiéramos encargado a algún electricista.

—El lago está precioso. Más tarde podríamos ir a caminar por la orilla. Bajar corriendo por el invernadero hasta la orilla.

—Creo que es la peor idea del mundo.

—Sí —dijo él—, es cierto. Me encantaría vivir allí abajo, a la orilla del agua.

—Como la hermana Madeleine.

—Sí. Algún día tú y yo podríamos tener una cabañita.

—Jamás viviremos los dos en una cabañita junto al lago.

—¿Por qué dices eso? —Él parecía sinceramente afligido.

—Porque no hacemos más que engañarnos. Venga, basta.

—Una cabaña a la que acudieran los pájaros, desde donde pudiéramos oír el ruido del agua, como la hermana Madeleine.

—La echo de menos —dijo Kit.

—Yo también.

En todo Lough Glass, ellos dos eran los que más motivos tenían para estar resentidos con la ermitaña: la hermana había dado albergue al hombre que había herido a los suyos. Pero ambos sabían que lo había hecho de corazón.

—Me gustaría saber dónde está en estos momentos.

—Oh, bien abrigada en su cama de Santa Brígida —dijo Stevie.

—¿Santa Brígida? ¿Sabías dónde estaba? —Todos lo ignoraban. Su partida y su destino habían sido siempre un misterio.

—Sí. La vi allí.

Kit habría podido caer redonda de la sorpresa.

—No me lo puedo creer.

—De veras. Fui para tratar de convencer a la superiora de que comprara una camioneta; de ese modo el jardinero podría llevarlas a la estación y hacer un montón de cosas. Y la vi allí, con aquellos ojos tan azules y extraños.

—¿Hablaste con ella?

—Claro.

—Me asombras, Stevie.

—Algún día te llevaré a verla. Le encantará.

—Tal vez se oculte de la gente.

—Puede ser, pero de nosotros no.

Ella sintió un escalofrío de placer al oírlo.

Y el baile seguía. Bobby Boylan y su banda se reanimaban con la cerveza que Philip, con mucha consideración, les daba a intervalos regulares.

La operación de limpieza había sido un sueño de eficiencia, después de la cual Con Daly, el cocinero, y el resto del personal, recibieron autorización para unirse a la fiesta. Se añadió una mesa más para ellos, cerca de la cocina.

—¿Me concedes el próximo baile? —preguntó Kevin O'Connor a Anna Kelly. Era muy hermosa. No se explicaba por qué su hermano hablaba de ella como si fuera un monstruo o un perro salvaje.

—¿Qué te hace creer que voy a bailar contigo? —preguntó ella. Aún ardía de indignación por el rechazo de Michael. Su hermano gemelo era igual de horrible.

—Bueno, estamos en un baile. —Kevin no se sentía muy seguro—. No he querido ofenderte —añadió humildemente.

—Me alegro de saberlo —espetó Anna Kelly con severidad, y se alejó.

Había cometido una imprudencia al escoger a Joe Murphy como pareja. El hombre la recorrió con las manos de una manera muy directa y hasta le sugirió que podían ir a su coche, un modelo flamante, según dijo, del que solo había cinco en toda Irlanda. Ella tuvo que quitárselo de encima con rapidez.

Pero Stevie la había visto bailar con él. Ella se cuidó de que la viera en todo momento. ¿Qué estaba haciendo con Kit, por Dios? Bailar una canción por obligación era una cosa, pero aquello ya era demasiado.

Buscó a su hermana con la vista. Había salido hacía un siglo. Luego sus ojos inteligentes detectaron que tampoco Michael O'Connor estaba allí.

Comenzó por buscarlos en el invernadero. Todos habían dicho, durante los preparativos, que sería un sitio ideal para las parejas enamoradas: solo se iluminaba el exterior y nadie podía ver lo que pasaba dentro. Allí había un banco largo con su cojín. Claro que haría frío...

Pero Anna se acercó de puntillas para echar un vistazo. No había allí rastro de su hermana ni de Michael O'Connor. Se detuvo a mirar el lago; nunca había estado más bello. ¿Por qué Stevie Sullivan tardaba tanto en darse por enterado de que ella estaba allí, muy bien vestida, muy adulta, esperándolo? En aquel momento habría podido estar con ella a la luz de la luna. O en el invernadero.

Cuando estaba a punto de salir del sendero vio una silueta. Allí había tantas sombras que la tomó por una parte del seto, pero luego notó que había alguien agazapado. La silueta se puso de pie: era una mujer. Vestía una larga falda de lana y una capa, con una capucha que usó para cubrirse la cara y la cabeza cuando notó que Anna la estaba mirando. Luego echó a correr por el camino que llevaba al lago.

Anna se asustó tanto que ni siquiera pudo gritar. Se quedó sin aliento. Aquella mujer debía de haber estado junto a ella durante cinco minutos, sin decir nada, sin revelar su presencia. ¿Quién era? ¿Qué estaba mirando allí?

Una gitana, probablemente. Los gitanos se pasaban el día robando cosas, pese a lo que dijera su padre. Con el corazón todavía acelerado, Anna volvió al hotel.

Al regresar al baile se cruzó con Stevie.

—Estás encantadora —le dijo él.

—Gracias, Stevie. Y tú, muy guapo. Nunca te había visto tan elegante.

—La pequeña Anna. —Parecía lleno de admiración.

—No tan pequeña —replicó ella, contrariada—. Has traído a un grupo muy interesante.

—Sí, pero aléjate de Joe Murphy. Tiene esposa e hijos.

Ella se puso furiosa: en vez de sentir celos, él le daba un consejo de amigo.

—No lo dudo. Dios proteja a su pobre familia —dijo en tono insolente.

—Tengo que ir al bar y rescatar a algunos de mi rebaño —explicó Stevie—. Me gustaría invitarte a bailar, pero debo ir a ver si no me están haciendo quedar mal.

—La verdad es que no tengo ni un solo baile libre.

—Bueno, mejor así.

A Anna le habría gustado coger una silla para matarlo a golpes con ella.

En el bar, los amigos de Stevie habían pedido mucho brandy y estaban entreteniendo con anécdotas a Peter Kelly y a Martin McMahon.

Clio y Michael no habían vuelto a la mesa. Anna ya los había buscado por todas partes. No estaban en la sala de estar. Tampoco había encontrado a Clio en el lavabo de señoras ni en la reluciente cocina.

Anna Kelly, que tenía que haber sido la belleza del baile con aquel vestido carísimo, estaba desolada. Stevie Sullivan ni siquiera la miraba. En su mesa nadie había sido galante en absoluto. Su única conquista había sido un gordo casado y manazas. Y una gitana que le había dado un susto de muerte.

Tenía ganas de llorar largo y tendido. Pero no en el recién reformado lavabo de señoras, donde cualquiera podía verla. En el descansillo de arriba había un sofá. Iría a sentarse allí un rato, en la oscuridad, donde nadie la viera.

Anna se sentó para llorar por las injusticias de la vida, la volubilidad de los hombres y la desgracia de vivir en una pecera como Lough Glass, donde todo el mundo te conocía. También quería llorar por el vestido rojo, vulgar y barato, que se había puesto Kit McMahon, y por lo mucho que parecía impresionar con él a todo el mundo.

A poca distancia se oyó girar una llave. El corazón le dio otro salto. Aquel lugar estaba lleno de ruidos y extrañas sombras. De pronto vio que su hermana se asomaba furtivamente. Anna ahogó un grito: Clio había estado en la habitación de Michael O'Connor. Haciendo eso, sin duda. Haciendo el amor. Por Dios... Su grito debió de ser audible, porque Clio entró otra vez en el cuarto. Anna se deslizó hasta la puerta.

—Te digo que hay alguien fuera —estaba diciendo su hermana, con voz de pánico.

—No seas ridícula. ¿Quién puede estar ahí?

—No sé. Cualquiera.

—¿En el peor de los casos, quién? —preguntó Michael. También a él le temblaba la voz.

—Mi madre, supongo. O la señora O'Brien. La señora O'Brien sería peor, porque se lo diría a mi madre y al mundo entero y... Oh, Michael, por Dios, ¿qué vamos a hacer?

Anna rió para sí durante un momento. Luego sacudió imperiosamente la puerta.

—Abran esta puerta inmediatamente —ordenó a todo pulmón—. Soy Mildred O'Brien. Si no abren esta puerta mandaré llamar al sargento O'Connor.

Abrieron la puerta y se presentaron los dos. Anna tuvo que llevarse una mano a la boca para no reírse. Entró en el cuarto y se arrojó en la cama, muerta de risa. Después de sonarse la nariz y secarse los ojos, miró para ver si los otros también reían.

No, pero se habían relajado un poco. Por muy malo que fuera verse descubiertos por Anna, podría haber sido peor.

—Muy divertido —dijo Clio, por fin.

—Maravilloso, conocer a alguien con tanto sentido del humor. —Michael apenas había podido recobrar el aliento—. Si la función ha terminado, podríamos bajar.

—Oh, he terminado. —Anna los miró alternativamente—. ¿Y vosotros?

Entonces tuvo otro ataque de risa incontrolable.

Por fin los tres pudieron bajar la escalera. La compañía les daba seguridad. Y la necesitaban, porque la señora O'Brien estaba al pie de la misma.

—¿Se puede saber dónde estabais?

—Subí con algunas personas para enseñarles el bellísimo panorama que se ve desde el corredor del piso alto —dijo Anna, tan fresca.

—Esta vieja casa es magnífica —dijo la señora O'Brien—. No todo el mundo sabe apreciarla, pero nosotros siempre lo supimos.

Todos empezaban a reunirse para cantar «Auld Lang Syne» y despedir el año.

—¿Tan tarde es ya? —preguntó Stevie.

—Quiera Dios que todo haya funcionado solo en estas últimas horas, porque no he hecho nada de lo que debería hacer —reconoció Kit.

—Lo has hecho todo —aseguró él.

Bobby Boylan y los muchachos estaban dando algunas notas con la trompeta para anunciar a la gente que era hora de formar el círculo. Se abrieron las puertas para que todos pudieran oír las campanas de la iglesia. Alguien había encendido la radio para la cuenta atrás.

Stevie y Kit seguían juntos. Maura, al verlos, se le encogió el corazón. Anna, al verlos, comprendió que había perdido aquella batalla, pero tal vez la guerra no. Clio, al verlos, volvió a decirse que Kit estaba mal de la cabeza. Frankie, al verlos, pensó que a Kit le gustaba aquel muchacho desde que el mundo era mundo y que se había decidido en la fiesta de Dublín. Philip, al verlo, comprendió que lo suyo había terminado.

Un momento después, todos enlazaron los brazos y gritaron «¡Feliz Año Nuevo!»; los globos caían del techo, la banda tocaba y la gente salía al jardín para gritar «¡Feliz Año Nuevo!» por encima del lago.

A lo lejos, en la otra orilla, se veían las hogueras de los gitanos. El panorama nunca había estado más hermoso.

Stevie Sullivan besó a Kit McMahon como si fueran los únicos habitantes de la tierra. Estaban en el jardín del Hotel Central, con el lago delante y el sendero bañado por la luna, que se extendía hacia las colinas y los bosques del condado vecino. Aquel lugar y aquel momento les pertenecían por entero.

No vieron a nadie más en el jardín. Todos estaban dentro, donde Bobby Boylan había organizado una cadena que serpenteaba por todas las habitaciones de la planta baja. La encabezaba Con Daly, el cocinero, a quien todos aclamaban como el chef del siglo.

Stevie y Kit, abrazados, escuchaban tal vez el chapoteo del lago, pero no oyeron caer las lágrimas de la figura que los observaba. Una figura en la oscuridad que se había pasado toda la noche observando.

Anna vio de qué modo se miraban. Fue como un puñal. Como si alguien le hubiera clavado un afilado puñal bajo las costillas, allí donde el vestido era más ajustado e incómodo. Parecía muy triste.

Emmet la estaba observando. Aquella podía ser su oportunidad. El pueblo entero había visto a Kit tomar posesión de Stevie Sullivan. Su padre y Maura debían de estar comentando el hecho. Emmet jamás sabría cómo dar las gracias a su hermana. Si no lograba en aquel momento que Anna volviera a él, no lo conseguiría nunca.

—¿Sabes qué me gustaría hacer? —le preguntó el muchacho.

—No. —No quería amabilidad; estaba segura de que Emmet le propondría bailar, beber algo, besarse. Y ella no quería nada de eso. Tenía el corazón destrozado.

—Estoy cansado de todo esto. Me encantaría ir a sentarme en el invernadero.

—Para abrazarme, besarme y quitarme el vestido, supongo.

—Por supuesto que no. —Emmet se escandalizó—. Además, tú y yo hicimos un trato. Estás enamorada de otro, pero eso no nos impide ser amigos.

—Creo que él no me quiere. Creo que tu maldita hermana se las arregló para entrometerse.

—Bueno, eso no tiene nada que ver conmigo. Ni contigo —dijo Emmet tranquilamente—. Somos amigos. Podríamos ir al invernadero a leer un poco de poesía, como hacíamos antes. Tú lees poesía como nadie, Anna.

—¿Te gustaría hacer eso? —Ella desconfiaba.

—Sí, mucho.

—¿Y cuando estemos allí dentro no me vendrás con que «Bueno, ya que estamos aquí...».

—No. Poesía, nada más. Por si acaso, traje un libro.

Se miraron.

—Bueno, vamos —dijo Anna. Cualquier cosa era mejor que presenciar el horrendo fracaso de aquella noche en la que todo había salido tan mal.

Emmet había pensado en todo. Dentro había una manta para abrigarse y un termo con chocolate caliente.

—Oye, qué bien —exclamó Anna. Se sentía bien por primera vez en varias horas.

Tenían un libro de poemas, pero no lo abrieron. Se quedaron escuchando la música que resonaba en las ventanas y a través del lago.

—Me gustaría decir, como amigo, que estás muy guapa —dijo Emmet.

—Gracias. —Ella lo miró con suspicacia.

—Mucho más bonita que una estrella de cine.

—Bueno, eres muy amable, de verdad.

—Mal amigo sería si no supiera decir lo que estoy pensando —añadió él, anhelante.

Anna lo miró con los ojos llenos de lágrimas.

—Ya sabes lo que quiero decir —dijo Emmet como un tonto.

—Oh, Emmet —exclamó Anna Kelly—. Emmet, te quiero. Soy tan ciega y estúpida... Gracias por esperarme, por comprender.

Se abrazaron y se besaron en el invernadero.

Observados, a pocos metros de distancia, por una mujer cubierta por una capa con capucha. Una mujer que también lloraba.

Kevin O'Connor y Frankie se habían descubierto mutuamente aquella noche de Año Nuevo. Se miraron con ojos nuevos. Luego salieron a caminar por la orilla del lago, deteniéndose de vez en cuando para un poco de esto o de aquello. Así lo llamaban.

Y cuando estaban abajo, cerca de los botes, vieron a aquella mujer, una mujer de pelo oscuro y blusa blanca. Estaba sentada con la cabeza entre las manos y lloraba como si se le fuera a romper el corazón. No era nadie que hubieran visto en el baile.

Ninguno de los dos había visto nunca a nadie tan alterado. Junto a ella, en el suelo, se veía una gran capa oscura. Cuando se le acercaron para hablarle, ella recogió la capa, se envolvió en ella y echó a correr, saltando sobre las cuerdas de amarre. Y se perdió corriendo en la oscuridad.

Cuando Kevin y Frankie volvieron al hotel, se lo contaron a los demás. Los mayores ya se estaban yendo; los jóvenes se habían reunido en la sala de estar, poco dispuestos a poner fin a la fiesta. Kevin y Frankie estaban muy asustados por aquel encuentro. Había sido fantasmal.

—Yo la vi algo más temprano —dijo Anna—. Era una gitana. Salió corriendo en esa dirección. Estaba agazapada en el jardín, observando el hotel, como si espiara.

Emmet se le acercó con aire protector al ver que se estremecía por el incidente.

—No, no era una gitana —aseguró Frankie.

—No. Le vi la cara —añadió Kevin—. Era diferente.

—Y vestía ropa buena.

—¿Dijo algo? —preguntó Kit, con un nudo en el estómago.

—No, nada.

—¿Sería el fantasma? ¿Os acordáis de esa mujer que se ahogó en el lago hace muchos años y gritaba...? —comenzó Clio. De pronto vio que todos la miraban fijamente: Stevie, Emmet, Anna, Kevin Wall, Patsy Hanley. Todos los chicos de Lough Glass que recordaban quién más se había ahogado en el lago—. No me refería a ella.

Pero Kit se había separado del grupo, había cruzado la puerta y corría por el sendero hacia el lago.

—¡Lena! —iba gritando—. ¡Vuelve, Lena, vuelve! ¡No te vayas otra vez, Lena! ¡Vuelve! ¡Soy Kit!

Los otros, desde la puerta, horrorizados, la vieron perderse en la noche oscura.

—¡Vuelve, Lena, vuelve! —gritaba entre lágrimas.

10

De aquel baile se habló durante años.

¡Había tantas cosas de que hablar! De aquella buscona de Orla Reilly, a la que habían enviado donde correspondía. De la cantidad de comida que había en la mesa: un verdadero banquete. De los maravillosos premios que se sortearon.

De la capa de piel que lucía Maura McMahon como si fuera de la realeza. Y de la multitud de hombres duros invitados por el taller, que durmieron en sus coches y por la mañana siguieron bebiendo en el bar de Paddles. Y del claro de luna en el lago.

Y de Stevie Sullivan y Kit, que bailaron juntos toda la noche. De la manera en que ella había corrido hacia el lago, cuando algún tonto dijo haber visto allí a un fantasma y ella pensó que era el espectro de su madre. Pobre chica, que salió gritando «no me dejes» o algo así, nadie oyó bien. Y de cómo se había quedado cogiendo frío allí abajo, con su vestido rojo, hasta que Stevie la llevó a su casa.

¡Había tantas cosas de que hablar!

—Oye, Maura, puedes dejarme con Stevie en el cuarto. Te juro que no vamos a desnudarnos inmediatamente para hacer nada.

—Nunca hubiera pensado semejante cosa —dijo Maura, indignada.

Había estado dos días llevando caldo de gallina a la temblorosa Kit, sin una palabra de reproche por la forma extraña en que había terminado el baile. La intranquilizaba que Stevie Sullivan fuera tan a menudo a visitar a la enferma y buscaba cualquier excusa para volver a la habitación. Kit le sujetó una mano.

—Claro que lo piensas, Maura. ¿Acaso Stevie no tiene fama de haberlo hecho con todas las mujeres del condado?

—Bueno... —Maura enrojeció.

—Pero hemos estado en sitios mucho más discretos y retirados que este, y si no lo he hecho hasta ahora no voy a sucumbir en mi propia casa. ¿No es así?

—No quiero que sufras.

—Quédate tranquila.

Maura le apoyó una mano en la frente.

—Peter me ha dado órdenes de mantenerte la temperatura baja. Creo que está normal, pero Stevie Sullivan no va a ser de mucha ayuda en eso.

—Sin él estaría peor, Maura.

Kit le hablaba de igual a igual. Eso la conmovió.

—Voy a hablar con tu padre.

—Él no lo entenderá, a menos que se lo digas como es debido. Es decir, yo no podría explicar a papá que si Stevie y yo no lo hemos hecho todavía, no vamos a comenzar bajo su techo.

—Trataré de explicar la situación de una manera algo más diplomática —dijo Maura.

Nadie había preguntado a Kit el porqué de su extraño arrebato. Hasta el doctor Kelly había dicho que no tenía importancia. Lo que había contado aquella estúpida de Dublín debió de recordarle la desaparición de su madre. Nadie aclaró al doctor Kelly que había sido Clio, su propia hija, quien había desencadenado el problema.

Cuando Kit se quedaba sola apretaba las sábanas con los

puños, con la mente a cien por hora. Tenía que ser Lena. ¿Quién sino habría ido a mirar? Debía de haber visto a su hijo en el invernadero, con Anna Kelly, y a su hija en brazos de Stevie bajo el claro de luna. Debía de haber visto a Maura Hayes con su pequeña capa de piel.

Debió de ver un pueblo lleno de vida, de estandartes, globos, flores. Un pueblo que era gris y opresivo cuando ella vivía allí. Sabía que entre los asistentes a la fiesta estaban los muchachos O'Connor, hermanos menores de la chica que iba a casarse con Louis. Una muchedumbre de casi doscientas personas se divertía, mientras ella, con el corazón destrozado, permanecía al margen de una población que la creía muerta.

Y en aquel momento Kit estaba prisionera allí. Como había cogido un resfriado, tenía órdenes de guardar cama. No había un momento en que la casa quedara a solas; no tenía oportunidad de llamar a Ivy para averiguar si Lena había regresado. Ivy tenía que saberlo. Pero ¿cómo hablar con ella?

Emmet se sentó en la cama.

—¿Te sientes bien, Kit? Dime la verdad.

—Estoy bien, sí. ¿Acaso el baile no fue un éxito?

—Pero después...

—Después me llevé un susto. Estaba muy nerviosa, y con tanto alboroto no había comido nada.

—Estuviste maravillosa. Todo fue de maravilla.

—Sí.

—No sé cómo agradecértelo.

—Yo puedo sugerirte cómo —dijo ella.

—¿Cómo? Haré lo que me pidas.

Ella lo miró: deseoso de ayudar, tonta y felizmente enamorado (o eso creía él) de aquella horrible Anna Kelly. En muchos aspectos era todavía un niño.

No podía pedirle que llamara a Ivy. No podía contarle todo: que su madre estaba viva, que había ido a verlos a todos, que había vuelto a huir, corriendo otra vez hacia el lago.

Clio fue a visitarla.

—Habría querido darme de tortas. Qué inconsciente soy, cómo pude hablar de gente en el lago, de fantasmas.

—No importa. Yo estaba nerviosa. Había tomado tres copas sin comer nada... —Esa sería su excusa.

—¿Podrás perdonarme?

—Claro que sí.

—Debes de estar muy enferma para decir eso. Normalmente nunca me perdonas.

—Oh, pero esta vez te perdono. —Kit sonrió débilmente.

—Estuvo genial el baile, ¿no?

—¿No te descubrieron? —preguntó Kit.

—No. Solo Anna. A propósito, ella me pidió que viniera a averiguar todo lo posible sobre lo tuyo con Stevie Sullivan. —Clio soltó una risita aniñada.

—¿Y te pidió que fueras diplomática?

—Sí. Me dijo que fuera discreta.

—Ah, y estás cumpliendo —reconoció Kit.

—No quiero dar la menor información a esa odiosa Anna. Pero esto es para mí... solo para mí, Kit. ¿Qué estuviste haciendo, por Dios? ¿Estabas borracha de veras?

—Un poco, probablemente.

—Nunca se había visto nada igual. Estuviste pegada a él. Toda la noche.

—Lo sé —recordó Kit.

—Bueno, la gente se dará cuenta de que fue solo la locura de una noche.

—No, porque van a verme pegada a él durante el resto de mi vida.

Clio se quedó boquiabierta, con los ojos como platos.

—Estás loca, Kit. ¡Precisamente Stevie Sullivan!

—Justamente él, sí.

—¡Pero Kit, él tiene una novia en cada puerto! No le importa que sean solteras o casadas, gordas o flacas. Ya sabes cómo es.

—Lo sé. Le quiero.

—Todavía tienes fiebre. Es eso, seguro.

—Tú me has preguntado. ¿Querías saberlo? Pues ya lo sabes.

—¿Por qué me dices esto? No puede ser verdad.

—Te lo digo porque somos amigas. Tú me cuentas que estás enamorada de Michael O'Connor, que te acuestas con él y que te encanta. Somos amigas y nos contamos esas cosas.

—Pero estar enamorada de Michael es diferente. Es... bueno, lo que cabe esperar. Pero no puedes enamorarte del tipo del taller que se ha acostado con todas las criadas del distrito.

—Su pasado no me importa —dijo Kit con insolencia.

—Vamos, no seas ridícula. No se trata de su pasado. ¿No viste aparecer a Orla Reilly en el baile, hecha una loca, buscando un poco más de guerra con Stevie?

—¿Y tú no viste cómo la despachó él a su casa?

—Hablas en serio —reconoció Clio, espantada.

—¿No decías siempre que yo era anormal porque no me enamoraba de nadie? Ahora estoy enamorada y eso tampoco te gusta.

—Mira, me voy a casa. No estás en condiciones de recibir visitas.

—Bueno. Y cuéntale a Anna lo que te he dicho: que estoy loca por él y que no descansaré hasta que sea mío.

—No pienso decirle nada de eso. Le diré que estabas completamente borracha y que no recuerdas haber bailado con él.

—Cuando yo le diga lo contrario, tendrás problemas por haber hecho tan mal el encargo.

—Prefiero no hacerte caso. Estás completamente loca. He venido a preguntarte si podía hacer algo por ti, enviarte alguna carta, recibir tus mensajes... pero ahora creo que debería conseguirte un psiquiatra.

—Gracias, Clio. Eres una gran amiga.

Kit cayó en la cuenta de que su amistad con Clio era extraña, aunque se conocieran desde siempre. No habría podido pedirle que llamara a Ivy para transmitir un simple mensaje, aunque Clio hubiera sido la última persona en la tierra. No podía decirle: «Clio, llama a Inglaterra y habla con esta mujer, por favor; pregúntale si Lena está bien. Hazlo sin preguntar». Clio habría pedido todos los detalles. Y luego el país entero lo sabría.

—¿Estás muy cansada? No voy a quedarme mucho tiempo.

—No, Philip, estoy bien. Me alegro de verte. ¿Verdad que fue el mejor baile del mundo?

—Oh, sí. Jamás podré agradecértelo como mereces.

—¿Agradecerme qué, Philip? ¿Que haya quedado como una idiota? Cuando empezaron a hablar de fantasmas perdí la cabeza.

—Ah, eso...

—Claro. ¿En qué pensabas? —Kit se quedó mirándolo, con atención. Por fin dijo—: ¿Cómo están tus padres?

—Creen que todo fue idea suya.

La cara de Philip había cambiado. Ya no expresaba la misma devoción sumisa. Era como si el baile hubiera servido para convencerlo de que no tenían futuro como pareja.

Ella habría podido confiar en él hasta el fin del mundo. Pero ¿podía confiarle un mensaje para Ivy?

Cuando llegó Stevie la encontró incorporada, ruborizada y ansiosa.

—Deja la puerta abierta —susurró.

—¿Por qué?

—Para que sepan que no estamos revolcándonos como dos cerdos.

—¿Por qué has dicho eso? Soy capaz de controlarme cuando es necesario. No lo digas ni en broma. —Sonreía de oreja a oreja.

—Quiero pedirte algo.

—Lo que quieras.

—Lo tengo escrito. Quiero que hagas una llamada, pero nadie debe oírte.

—¿Adónde?

—A Londres.

—Cómo no.

—¿Te parece que Mona escuchará por la centralita?

—A mí no. Siempre hago llamadas aburridas a Dagenham, Cowley y lugares así.

—Pero no llames en presencia de Maura.

—Entendido.

—Es lo más importante de mi vida. ¿Podrías hacerlo ahora?

—De inmediato.

—Te lo he anotado.

—Bien.

—No, no es un mensaje común. Léelo primero.

—«Solo a Ivy; a Ernest, su marido, no. Di que eres mi novio, que estoy enferma y no puedo llegar hasta un teléfono. Dile que Lena puede haber estado aquí, en Lough Glass, la noche de Año Nuevo. Quiero saber si ha tenido noticias de ella desde entonces.»

Las lágrimas empezaron a rodar por las mejillas de Kit. Stevie sacó un pañuelo para enjugárselas con ternura.

—¿Y ella me lo dirá?

—Tal vez se preocupe, pero puedes decirle que solo te encargué hacer esa pregunta, sin contarte toda la historia.

Él asintió como si entendiera. Estaba arrebatador, con aquel pelo oscuro cayendo sobre el cuello de su jersey rojo... Comprendió que se había lavado y cambiado solo para cruzar la calle y hacerle una visita. Eso la conmovió tanto que habría querido llorar otra vez.

—Volveré pronto —dijo él—. Tómate la sopa, que se está enfriando.

—Gracias, Stevie.

Él se fue. Lo haría. Y no había preguntado nada. Kit cerró los ojos, con la absoluta certeza de haber hecho lo correcto.

—¿Cómo volviste a casa? —preguntó Ivy, haciéndose cargo del bolso de Lena y ayudándola a quitarse el abrigo mojado.

—¿A casa? —Lena la miró sin comprender.

—Bueno, a Londres.

—En barco y en tren. Era más fácil. —Su voz era monótona y apagada.

—¿Viniste en barco y en tren desde Brighton?

—No estuve en Brighton.

—Claro que sí, Lena. Te llamé allí.

—¿Ah, sí? Sí, tienes razón.

—¿Y dónde estuviste después?

—En Irlanda. En Lough Glass. Fui a verlos.

—No te creo.

—Sí.

—¿Qué dijeron?

—No me vieron. No sabían que yo estaba allí.

—Oye, Lena, ¿has comido algo?

—No sé.

—Si yo te preparara algo para comer, ¿qué te gustaría? No voy a ofrecerte pavo.

—No me importaría. Este año no he comido pavo.

—Bueno, ¿sopa y un bocadillo de pavo?

—Muy pequeño, Ivy.

Sonó el teléfono.

—¡Increíble! —exclamó Ivy—. Dice la operadora que es una comunicación con Irlanda.

—Kit. —Lena se levantó de un salto—. Pásamela.

—No, no sabemos si... —Su amiga trató de retener el teléfono.

—Hola —dijo una voz de hombre—. ¿Puedo hablar con Ivy, por favor? Aquí Stevie Sullivan; soy el novio de Kit McMahon.

—Habla Ivy —dijo Lena.

—Bueno, es con respecto a Lena. Kit quiere saber si está bien. ¿Se ha puesto en contacto con usted?

—¿Por qué no ha llamado Kit en persona? —Quiso saber Lena.

—Porque está en cama, enferma.

—¿Está mal? ¿No puede acercarse al teléfono?

—No, creo que es una especie de secreto y no quiere que la oigan telefonear desde su casa.

—¿Cómo que «cree»? Si ha llamado por ella debe de estar enterado de todo.

—Ivy —dijo el hombre—, Kit y yo somos amigos; ella me pidió que hiciera esto. Está afligida por alguien que se llama Lena. No estoy enterado de nada, de veras. Pero quiero volver ahora mismo y decirle que Lena está bien. ¿Es así?

—Sí —dijo ella lentamente—. Dígale que está bien.

—Disculpe, pero me gustaría darle un poco más de información. No pretendo que me diga quién es Lena, pero la otra noche Kit estuvo muy mal, muy alterada, y no dejaba de llamar a Lena. No sé de qué se trata, pero es importante.

—Sí —contestó Lena, con voz inexpresiva—. Es importante, sí.

—¿Y bien?

—Puede decirle que Lena cogió el barco y el tren y llegó bien a casa. Que... que ya está bien y que pronto le escribirá una carta muy larga.

—Está muy intranquila. ¿Puede decirme algo que sirva como prueba de que he hablado con usted? —El muchacho quería hacer bien las cosas; no estaba dispuesto a volver junto a Kit sin un mensaje que la convenciera.

Lena hizo una pausa.

—Podría decirle... Podría decirle que el baile fue un éxito. Que nadie habría pensado que el Hotel Central podía quedar así.

—¿Y eso le demostrará que he hablado con usted?

—Sí, creo que sí.

Hubo otra pausa.

—¿No sabe de qué se trata? ¿En serio?

—En serio.

—Gracias —dijo ella.

—Gracias a usted, Ivy. —Y colgó.

Corrió al otro lado de la calle para decírselo a Kit. Repitió el mensaje palabra por palabra. Al oír los elogios del Hotel Central, ella lo miró con los ojos como platos.

—Repíteme eso.

Stevie se lo repitió.

—No has estado hablando con Ivy. Has hablado con Lena.

Y rompió a llorar.

Ivy ayudó a Lena a llegar hasta la mesa.

—Bueno, qué oportuno. Si hubiera llamado media hora antes, yo no habría sabido qué decirle.

—Oh, Dios mío.

—¿Qué pasa?

—Ella confía en él. Se lo dirá todo y estará en su poder para siempre.

—¿A qué te refieres?

—Si Stevie Sullivan conoce su secreto, de ahora en adelante tendrá un poder absoluto sobre ella. Hará con ella lo que quiera. Y por mal que la trate, ella tendrá que aceptarlo, porque no podrá escapar jamás. Si él conoce su secreto podrá usarlo para dominarla.

—¿Por qué lo odias tanto?

—Lo vi, Ivy. Estuve tan cerca de él como de ti ahora. Los vi besarse. Vi los ojos con que Kit lo miraba.

—Ella se va a enamorar. ¿O quieres que se meta monja?

—No. Es que lo vi, Ivy.

—¿Y qué tiene de malo?

—Que era Louis, otra vez. Podría haber sido el hijo de

Louis o el hermano menor. Ella hará lo mismo que yo hice. Mira qué herencia le he dejado: amar a alguien que va a destrozarte el corazón.

—Carta de Lena, Jim —dijo Jessie.

—Oh, gracias a Dios. Temía que nos hubiera abandonado del todo. ¿Qué dice?

—Que sufre de estrés y está mal de los nervios. El médico dice que es por exceso de trabajo y le ha aconsejado que se tome algunas semanas de vacaciones. Dice que volverá a finales de enero.

—Bueno, es un alivio saber que ha ido al médico.

—Y es cierto que trabaja demasiado —dijo Jessie.

—Le hemos dicho muchas veces que se tomara unas vacaciones.

—Dice que tal vez vaya a Irlanda un tiempo. —Jessie seguía examinando la carta.

—Eso le hará bien. Aquello es más tranquilo. Además, como son de allí, probablemente tengan amigos y parientes.

—No dice nada de él.

—Bueno, lo más probable es que él también vaya.

—Habla siempre en primera persona. Ni siquiera lo menciona.

Clio estaba comiendo con la familia de Michael O'Connor. Parecían simpatizar mucho con ella y aceptarla en el grupo.

—Vendrás a la boda de Mary Paula, ¿verdad? —Le preguntó la madre de Michael.

—Sí, me encantaría, señora.

Las cosas marchaban muy bien desde Año Nuevo. Todo el mundo había elogiado la fiesta del HCLG, como conocían en aquel momento al hotel. Dedos O'Connor se había interesado por todos los detalles.

—Y tu madrastra, Maura Hayes, ¿disfrutó del baile?

—En realidad es mi tía —dijo Clio.

—Es la madrastra de Kit —aclaró Kevin.

—¿Y Kit es...?

—Kit es la que me gustaba —explicó Kevin, para colaborar.

—Bueno, ¿y cómo está? —insistió Dedos.

—Me parece que está perdiendo la cabeza. Se ha liado con el don Juan del pueblo.

—¿Maura Hayes? —exclamó Dedos, incrédulo.

—No, Kit —respondieron todos a coro.

Dedos no obtendría más información sobre la agradable regordeta a la que siempre había deseado conquistar.

Kit había vuelto a Dublín. Por un acuerdo tácito, en sus encuentros con Clio no se mencionaba a Stevie Sullivan.

—Háblame de la boda de Mary Paula. ¿Van a celebrarlo a lo grande?

—No. Todo será muy discreto.

—Me extraña de los O'Connor.

—Al parecer, el adorable Louis no tiene familia... al menos, una familia que pueda presentar en una boda.

Clio se comportaba con tanto engreimiento que Kit la detestó durante unos instantes, hasta que recordó a quién odiaba en realidad.

—Bueno, ¿y cómo piensan celebrarlo?

—No será en ninguno de sus hoteles. Una ceremonia en la iglesia de la universidad y un almuerzo para dieciséis personas en un reservado del Russell, frente a St. Stephen's Green.

—¡En el Russell! Dios mío, qué lujo.

—Sí. No sé qué ponerme. Como tú no quieres decirme dónde consigues esos vestidos tan bonitos...

—¿Pretendes ponerte un vestido sin mangas para almorzar en el Russell?

—Oh, está bien. Jamás lo sabré. Hay muchas cosas que jamás sabré de ti, Kit.

—Ni yo de ti. Qué mujeres tan misteriosas somos, ¿no?

—Estás muy pálida. ¿Te has repuesto de aquello?

—Sí. Es un poco de cansancio, nada más. —En realidad, había pasado la noche despierta, esperando la carta que Lena había prometido enviar. Una carta donde le explicaría todo. Pero aún no había llegado.

—Soy Clio, tía Maura. ¿Te acuerdas de esa preciosa capa de piel que te pusiste para el baile?

—Hola, Clio. Qué alegría que me llames. Y desde Dublín.

—Sí. Bueno, no puedo hablar mucho, pero quería pedirte un gran favor.

—¿Cuál?

—¿Podrías prestármela para una boda? Quiero estar deslumbrante y esa capa quedaría fantástica con mi traje color beis.

—Eres demasiado joven para usar pieles, Clio. Son para mujeres mayores, como yo.

—Ya lo sé, pero esa capa es muy bonita. En realidad, es más adecuada para mujeres más jóvenes.

—Oh, vaya —dijo Maura.

Clio trató de dar marcha atrás.

—Quiero decir... a ti te quedaba espléndida.

—Bueno, me alegro de que te gustara.

—Por eso se me había ocurrido... —Maura permanecía callada— se me había ocurrido que podrías prestármela. La cuidaría mucho.

—Lo siento, pero no —respondió Maura sin alterarse—. Lamento no poder colaborar, pero esa capa es un regalo muy especial y no quiero perderla de vista.

Stevie iba a Dublín cuatro noches por semana y cada una de aquellas noches salía con Kit. Habían acordado encontrarse fuera. Las tentaciones que brindaba el pequeño apartamento, donde nadie reparaba en quién entraba o salía del edificio, eran demasiado peligrosas.

Stevie quería respetar su promesa. Si para continuar sus relaciones con Kit debía mantenerse lejos de su cama, estaba dispuesto a hacerlo.

Se sentaban en un bar, cogidos de la mano. Viajaban en autobús hasta Dun Laoghaire para caminar por el muelle, bajo la lluvia y el viento. Iban a los grandes cines de O'Connell Street. Y no quedaban con nadie. No necesitaban a nadie más.

¿Y con quién iban a quedar? ¿Con Philip, que les rompía el corazón con su cara de pena? ¿Con Clio, que estaba convencida de que Kit estaba desperdiciando su vida? ¿Con Frankie, que estaba tan embelesada con Kevin O'Connor que no tenía tiempo para nadie más?

Pero nunca se cansaban de hablar, de hacerse carantoñas, de reír. Si alguien hubiera preguntado a Kit de qué hablaban, ella no habría podido decirlo. El tiempo volaba sin que ella supiera cómo. Nunca mencionaban el pasado de Stevie. Ni su deseo de amarla de otro modo. Tampoco mencionaban a la mujer con quien él había hablado por teléfono cierto día. Aquella mujer seguía siendo un secreto que él no quería conocer. Algún día Kit le diría que era su madre, pero aún no.

Mi queridísima Kit:
Lo he intentado muchas veces. Hay un cesto lleno de páginas rotas y hechas añicos. Creo que sufrí una especie de ataque. No puedo decirte más. Espero que ya haya pasado. Pero no pasará del todo hasta que Louis se case. Será el 26 de enero, en Dublín. Cuando todo esto termine, creo que podré volver a la normalidad. Créeme, Kit, por favor. Perdóname esto, como me has perdonado tantas otras cosas. Dime que estás sana y fuerte. Que has vuelto a estudiar.
Hablé con Stevie. Él creyó que era Ivy, pero tú sabes que no. Parecía muy preocupado por ti, como si te amara mucho.

Lo digo porque sé que es lo que deseas. Y porque así lo creo. Eso no significa que sea para bien. Te quiero tanto, Kit... Pase lo que pase, no lo olvides.

Tu madre, que te quiere,

Lena

Kit estaba muy preocupada. Lena había vuelto a usar la palabra «madre» en una carta. ¿En verdad habría sufrido un ataque? ¿Qué le estaba advirtiendo con respecto a Stevie? Y sobre todo, ¿por qué insistía en que recordara que Lena la quería, pasara lo que pasase? ¿Qué podía pasar que no hubiera sucedido ya?

—¿Sabes qué me encantaría que hicieras?
—No, no quiero ni pensarlo —dijo Kit.
Clio tenía los ojos demasiado brillantes.
—¿Podrías quitarle la capa a Maura para prestármela? Ella no se dará cuenta. Y te pagaré el billete para que la devuelvas después de la boda.
—¿Estás loca? —preguntó Kit.
—Esas palabras son mías. La loca no soy yo, sino tú. Es tu nombre el que todo el mundo asocia con el de Stevie Sullivan. El otro día mi madre me preguntó qué hacías.
—Me importa un bledo lo que tu madre piense, pregunte o diga.
—Desde que yo recuerdo, siempre dices lo mismo —dijo Clio.
—Algún motivo debo de tener. Siempre la citas como si ella lo supiera todo y los demás nada.
—¿Por qué estamos discutiendo? —preguntó Clio.
—Porque tú has sido muy grosera y me has ofendido, como casi siempre.
—Lo siento.
—No es cierto. Solo quieres la capa de Maura.

—Es un préstamo. Nosotras nos prestamos todo: zapatos, bolsos, lápices de labios.

—Pero son cosas nuestras, no las de otra persona.

—Ella no se enterará.

Kit hizo una pausa. Qué ironía, que alguien le pidiera la capa de Lena para lucirla en la boda de Louis. Tal vez él mismo se la había regalado a su madre, hacía muchos años. Su padre no recordaba haberla comprado, cualquiera que comprara un abrigo de piel lo recordaría.

¿Y si permitía que Clio se la pusiera? Podía dar un buen susto a Louis, en plena boda, con el recuerdo del regalo que había hecho a Lena. Pero los hombres nunca se acordaban de aquellas cosas. Y si se acordara, pensaría que Clio tenía una capa parecida.

Clio la observó durante la pausa. Kit parecía estar dudando, tratando de decidir si se la prestaría o no.

—No —dijo Kit por fin—. Lamento que hayamos discutido como tontas, pero no es posible.

—Ojalá esa maldita boda ya hubiera pasado —dijo su amiga—. Todo el mundo está nervioso. Salvo el novio, al parecer. Ha invitado a cuatro personas y está encantado. A propósito, es muy guapo, para su edad.

—¿Cuándo lo conociste?

—Oh, está aquí. La otra noche estuvo tomando unas copas con el padre de Michael. Por su modo de dar la mano, una se da cuenta de que podría gustarle, en otras circunstancias. Ah, y decididamente, está embarazada. Se le nota en la postura, cuando está de pie.

—¿Quieres que vayamos al norte este fin de semana? —preguntó Stevie.

—No —respondió Kit—. Debo quedarme en Dublín.

—¿Para qué? Supuse que te gustaría dar un buen paseo en coche. Tengo una reunión de trabajo que durará unos veinticinco minutos. Después podríamos ir a ver una película porno...

—¿Para ponerme cachonda?

—No, solo para divertirnos. Y recorrer la carretera costera de Antrim. Dicen que es preciosa.

—Pero no podríamos hacer todo eso en un solo día.

—Nos quedaríamos a pasar la noche. En cuartos separados. Lo juro.

—No, Stevie, no puedo. Este sábado no. Quiero estar en Dublín, de veras.

—¿Por qué?

—Te lo diré: quiero ir a la iglesia, a ver cómo se casa la hermana de Michael O'Connor con ese tal Louis Gray.

Stevie la miró.

—Iba a preguntarte por qué demonios... Pero no lo voy a hacer.

—Gracias.

—Bueno, si no quieres acompañarme al norte, volveré esa noche para salir contigo.

—Eso espero —dijo ella, muy seria.

—¿Aceptas?

—Podrías pasar por el apartamento. Si me encuentras, bien.

—No es mucho prometer para que uno conduzca durante doscientos ochenta kilómetros por una carretera oscura, en una fría noche de invierno.

—Es que... bueno, hay algo que me preocupa. Tengo miedo de que pase algo.

—¿Quieres que me quede contigo, por si acaso?

Por un momento, Kit sintió la tentación de aceptar. Pero al final decidió no hacerlo. El viaje al norte podía ser el comienzo de un gran negocio. Y de cualquier modo, tal vez ella se equivocara. Era imposible que Lena quisiera asistir a la boda de Louis...

A Louis Gray le pesaban los años. Había pasado demasiadas noches con los miembros jóvenes del clan O'Connor, tratando de demostrar que era el cuñado idóneo. Aquellos mucha-chos tenían una capacidad ilimitada para beber cerveza. Su turno de pagar llegaba con asombrosa celeridad. Mary Paula se encontraba mal por las mañanas y no estaba de humor para consolarlo. Era él quien debía consolarla.

Eso era difícil porque él se hospedaba en uno de los hote-les de los O'Connor y ella, en la casa de sus padres. Louis pasaba gran parte de su tiempo familiarizándose con el régi-men de la empresa de la que formaría parte.

El personal lo trataba con mucho respeto, pero él sabía que eso se debía solo a que era el futuro yerno y heredero vi-sible del presidente.

Dedos O'Connor, su futuro suegro, le parecía un hombre difícil; su esposa, una entrometida agotadora. En aquellos días de ajetreo, eran muchos los aspectos que lo confundían. Los hermanos de Mary Paula, por ejemplo: dos mocosos mal educados que parecían muy interesados en los asuntos de Lough Glass, nada menos. Habían vuelto precipitadamente a Irlanda desde Londres para asistir a una fiesta que se celebra-ría en un lugar llamado HCLG.

En las muchas visitas secretas que Louis había hecho con anterioridad a Lough Glass no había visto aquel hotel; solo un antro destartalado en el que cualquiera habría tenido mie-do de entrar.

Louis había buscado un padrino entre sus viejos conoci-dos de Dublín. No tuvo problemas para encontrarlo: un hombre al que había conocido hacía años en el negocio de la venta al por menor, presentable y carente de imaginación. A Harry Nolan le parecía razonable que Louis Gray volviera a Irlanda tras haber logrado seducir a una chica de veintiocho años, hija de un hotelero rico, y haber obtenido un contrato de gerente como recompensa por haberle devuelto la honra.

Harry había sido una elección perfecta. La noche anterior a la boda, Louis tomó un par de copas con él. La noche fue tran-quila, porque ninguno de los dos quería acabar demasiado mal.

Desde su habitación de hotel, Louis contemplaba los tejados de Dublín. Le habría gustado dejar de pensar en Lena. ¿Dónde estaría aquella noche? Le había asegurado que comprendía. ¿Por qué le resultaba tan preocupante que, desde entonces, no la hubieran visto en la oficina ni en casa?

Hizo una llamada más a Ivy. Disfrazó la voz y dio otro nombre, pero siempre tenía la sensación de que ella lo reconocía.

—No sé si usted podría decirme dónde encontrar a la señora Gray. He tratado varias veces de comunicarme con ella en el trabajo —dijo Louis.

—Se ha ido —respondió la sepulcral voz de Ivy—. Nadie sabe adónde ni por qué. Me temo que no puedo serle útil.

Hacía frío, pero era agradable. Cuando Harry Nolan y Louis Gray llegaron a la iglesia de la universidad, en St. Stephen's Green, lucía un tibio sol de invierno. Al pasar los coches, la gente estiraba el cuello en los autobuses para ver quiénes se estaban reuniendo ante aquella elegante iglesia donde se casaba la gente rica.

—Dentro de una hora habrá terminado la función y estaremos en el Russell, atiborrándonos de gin-tonics —dijo Harry.

Louis miraba a lo lejos. Se sentía nervioso. Todo parecía tener extrañas conexiones. Resultaba que Michael, el hermano de Mary Paula, tenía intención de casarse con la hermosa Clio, la hija del médico de Lough Glass, alguien a quien Lena probablemente conocía bien. Se obligó a recordar que todos creían muerta a Helen McMahon. Si a él se le ocurriera revelar que había vivido con ella durante tantos años, nadie le creería.

Mientras permanecía al sol vio a una mujer en la acera de enfrente, una mujer de gafas oscuras; la encontró tan parecida a Lena que se sintió desfallecer.

—Supongo que no has traído nada para animarnos —preguntó a Harry.

—Sí, una petaca de brandy. Si quieres atacarla, entremos en la sacristía —dijo Harry.

Dedos O'Connor ayudó a su hija a bajar de la gran limusina. Los invitados ya habían entrado.

—Estás encantadora, Mary Paula —dijo—. Espero que él te trate bien.

—Quiero a Louis, papá.

—Está bien. —No parecía del todo convencido.

—No se me ve gorda, ¿verdad?

—No, por supuesto que no. Fíjate en cómo te admira la gente.

Una pequeña multitud de viandantes se había detenido para sonreír a la novia. Algunos se sentaron en la parte trasera de la iglesia, para presenciar la ceremonia desde una distancia discreta.

Kit tenía la cabeza entre las manos, como si estuviera rezando. Llevaba una gabardina con cinturón y un pañuelo de cuadros en la cabeza. Estaba segura de que los asistentes a la boda ni la veían. Pero no estaba rezando: espiaba por entre los dedos. Había gente mayor, que rezaba el rosario en silencio. Y un par de estudiantes haciendo tiempo antes de ir a comer a Grafton Street. También un par de vagabundos: un hombre con un abrigo de arpillera y una mujer con cinco bolsas.

A Lena no la veía.

De pronto divisó una silueta junto al confesionario. Una mujer con una falda larga de lana oscura y una elegante chaqueta de estilo militar. Kit la vio quitarse las gafas oscuras y el pañuelo de la cabeza para ponerse un coqueto sombrero, un sombrero con pluma; debía de ser más caro que cuantos se veían en aquella boda elegante pero íntima. La mujer se irguió, dispuesta a reunirse con el grupo de invitados. Iba a sentarse en el lado del novio.

Lena había hecho lo que Kit temía: había ido a Dublín y estaba a punto de estropear la boda de Louis Gray. Perdería lo que le quedaba: su dignidad, su anonimato y, posiblemente, su libertad. Bien podía estar a punto de atacar al novio o a la chica. Sus ojos tenían una expresión delirante. No sería responsable de lo que hiciera. Podía pasar la noche y gran parte de su vida en la cárcel.

La novia estaba ya frente al altar y su padre la había entregado a Louis, que estaba radiante. Kit solo lo había visto una vez, pero recordaba aquella sonrisa. También recordó el comentario de Clio: que Louis Gray te hacía sentirte especial. Allí estaba, frente a todos, como un apuesto actor a punto de recitar su papel. Y ella cayó en la cuenta de que eso era, eso había sido y eso sería siempre. Su maravillosa madre no podía ni debía perder nada por alguien tan indigno.

Kit cruzó desde un lateral de la iglesia hasta el otro. Nadie las vio, porque estaban demasiado alejadas de la escena principal. Antes de que Lena hubiera podido dar más que unos pasos por el pasillo, Kit la sujetó por un brazo.

—¿Qué...? —Lena se volvió hacia ella.

—Llévame contigo —siseó Kit.

—¡Sal de aquí!

—Hagas lo que hagas, mamá, voy contigo. Si tú te hundes, me hundirás también a mí.

—Déjame, Kit, déjame. No tienes nada que ver con esto. —Estaban forcejeando en la parte oscura de la iglesia, sin llamar la atención de la gente congregada cerca del altar, de espaldas a ellas.

—Lo digo en serio —aseguró Kit—. Si tienes un cuchillo o un revólver, voy contigo. Que me arresten a mí también.

—No seas ridícula. No tengo nada de eso.

—Bueno, si vas a causar algún problema, yo estaré a tu lado.

A aquellas alturas el sacristán y dos de los monaguillos habían detectado algún problema y se esforzaban por mirar, pero ninguno de los invitados giró la cabeza.

—Créeme. Lo digo en serio —añadió Kit.

—¿Qué quieres hacer con tu vida? —preguntó Lena, con los ojos enloquecidos de pánico.

—Yo, nada. Eres tú quien la destruye. —Hubo un silen-

cio que se prolongó una eternidad. Kit sintió que el brazo se
aflojaba—. Salgamos. Acompáñame. —Lena seguía inmóvil—. Ven conmigo, mamá.

—No me llames así —dijo Lena.

Kit notó que respiraba normalmente. Si Lena estaba dispuesta a volver a su anonimato, la crisis habría terminado.
Impulsó a su madre al aire libre, que era seco y frío. Pronto
saldrían los novios y la gente les arrojaría confeti. Para entonces, ellas habrían desaparecido.

Lena no dijo nada. Ni una palabra.

—¿Estás cansada? —le preguntó Kit.

—Tan cansada que podría echarme a dormir aquí, en plena calle.

—Ven, vamos a la esquina; allí hay una parada de taxis.

Lena no preguntó adónde las llevaría el taxi. En el momento en que doblaban la esquina, una mujer gritó:

—¡Kit!

Ambas se volvieron. Era Rita, con un abrigo muy elegante. Las dos jóvenes se abrazaron.

—Te presento a una amiga, Lena Gray, de Inglaterra.

—Mucho gusto —dijo Rita.

—Hola, Rita.

Había demasiado placer y calidez en la voz de Lena. Rita
levantó bruscamente la cabeza para mirarla otra vez, como si
hubiera reconocido el saludo.

—Lena es una gran amiga, que me ha dado muy buenos
consejos. Trabaja en una agencia de empleo —dijo Kit, desesperada.

Rita se mantuvo serena.

—Ya, claro; buen negocio en estos tiempos. La gente joven necesita todos los consejos que le puedan dar. Su trabajo
debe de ser muy gratificante, señora.

Lena no dijo nada.

—Tenemos prisa —dijo Kit.

—Me alegro de haberte visto, Kit. —Pero Rita no dejaba
de mirar a Lena—. Y también a usted, señora... señora Gray.

Doblaron la esquina.

—Se ha dado cuenta —comentó Lena.

—No, de ningún modo —aseguró Kit—. Pero quiero sacarte de aquí antes de que nos encontremos con alguien más. Podría ser uno de esos días en que Mona Fitz viene de compras.

El conductor del primer taxi de la parada las miró con impaciencia.

—¿Adónde, señoras?

Lena parecía tener la mente en blanco.

—¿Quieres que vayamos primero a recoger tu equipaje? —preguntó Kit.

—¿Equipaje?

—La maleta, el bolso. ¿Dónde lo has dejado? —Kit trataba de parecer indiferente.

—No tengo equipaje.

La chica se estremeció. Tal vez jamás supiera qué pensaba hacer su madre en la boda de Mary Paula O'Connor y Louis Gray. Había viajado a Dublín sin llevar nada, sin planear dónde pasaría la noche. Era como si no esperara estar en libertad cuando cayera la noche.

—¿Quieres venir a mi apartamento? Puedes descansar ahora y quedarte a pasar la noche. Siempre he querido que vinieras. Tengo un camisón para prestarte y una bolsa de agua caliente.

—¿Cabremos las dos en la cama?

—Yo dormiré en el suelo, sobre los cojines. —Hubo una pausa—. Me encantaría que vinieras, Lena. —Otra pausa—. No es mucho pedir.

—Eso es cierto —dijo Lena.

Kit dio su dirección al taxista.

Subieron las escaleras con lentitud. Lena no dijo nada cuando Kit abrió la puerta.

—Bueno, dime que te gusta. Di que es bonito, que tiene personalidad... —Kit estaba ansiosa—. Dime siquiera que tiene posibilidades.

Lena le sonrió.

—He soñado tantas veces con este lugar... Había imaginado la ventana al otro lado.

—¿Y qué soñabas que te serviría para comer cuando vinieras? —preguntó Kit.

Lena vio que en la mesita, junto al infiernillo de gas, había cuatro tomates y una hogaza de pan.

—En mis sueños siempre era té con bocadillos de tomate.

A partir de entonces todo fue bien. Conversaron como amigas.

Y por fin, agotada, Lena se acostó en la cama. Eran solo las cuatro de la tarde, pero Kit tenía la sensación de que su madre llevaba varias noches sin dormir. Ocupó una silla frente a la ventana, sintiéndose muy vacía. Habría querido que llegara Stevie. Cuando oscureció, no encendió la luz.

A eso de las ocho vio el coche de Stevie, que se detuvo para mirar hacia su ventana. Nunca había subido al cuarto. En aquel momento lo vería de un modo muy diferente al que ella había imaginado: con su madre acostada en la cama.

Caminó de puntillas hasta la puerta y le hizo señas para que entrara. Luego acercó otra silla a la ventana, con un dedo contra los labios.

—Ella necesita dormir. No la despiertes —dijo—. Es Lena.

—Lo sé.

Los dos callaron. Él le había llevado una caja de bombones que solo se vendían al norte de la frontera. Le acarició la mano.

—¿Has tenido un buen viaje? —preguntó ella.

—Agotador. ¿Qué tal la boda?

—No pasó nada.

—Eso era lo que tú querías, ¿no? —La miraba.

Ella asintió.

—Te lo contaré algún día. Lo juro.

—Entonces, ¿quieres que me vaya?

Kit nunca había visto tanta desilusión en una cara. Stevie había regresado, conduciendo con frío y lluvia, y ella le pediría que se fuera a causa de Lena, una mujer que ocupaba su cama, sin darle explicaciones.

—No. Le dejaré una nota para decirle que hemos ido al restaurante chino. ¿Te parece bien?

—Desde que salí de Drogheda estaba pensando en carne de cerdo agridulce.

—Si despierta, tal vez se reúna con nosotros, o al menos me esperará.

> Lena:
> Dormías tan apaciblemente que no quise despertarte. Son las ocho y cuarto; voy con Stevie al restaurante chino. Te dejo la tarjeta para que sepas dónde está. Por favor, ven a comer con nosotros. Si no, volveré a medianoche y me acostaré en los almohadones. Pero de veras me gustaría que vinieras a reunirte con nosotros.
> Con el cariño de siempre,
>
> KIT

Luego salieron de puntillas y cerraron la puerta.

Cuando hubieron salido, Lena se incorporó. Después de leer la nota, se acercó a la ventana para observarlos; caminaban abrazados por la calle. Aquel chico quería mucho a Kit, la quería de verdad. Por lo visto, no sabía nada de sus circunstancias; ella era solo una amiga, Lena, la de Londres, sobre la cual no daba explicaciones.

Y también notó que él tenía todas las características de Louis Gray. Cuando amaba, lo hacía con toda el alma. Pero en su caso no había durado demasiado. Si hubiera podido proteger a su hija de eso...

Kit volvió sola y leyó la nota.

> Me desperté, pero no tenía fuerzas para ir a reunirme con vosotros. Perdona. Comí algunos bizcochos y ahora me vuelvo a la cama. Bendita seas, queridísima Kit. Hasta mañana.

—Deja que te lleve a pasear por Dublín —dijo Kit.

—No, será mejor que vuelva a Londres. Se acabaron las vacaciones. En otra ocasión me organizaré mejor.

—Me gustaría presentarte a Stevie. Quiero que lo conozcas.

—No.

—No confías en él.

—Cuando me fui era un niño. Confío en lo que tú dices de él.

—Te he dicho todo sobre él, hasta el último detalle. Si te vas a poner tan dura, tendré que dejar de contarte cosas.

—Creo que estás a punto de no hablarme más de él.

—¿Por qué? ¿Piensas que vamos a ser amantes?

—No te critico, créeme.

—¿Y por qué no apruebas esto?

—Temo que él te destroce el corazón.

—Bueno, ya se arreglaría.

—Los corazones muy destrozados no se arreglan.

—Lena, sé que ves... cierto parecido, digamos...

—Si tú también lo ves, es posible que exista.

—No. —Kit levantó la barbilla, a la defensiva.

—Sé lo que estás pensando. Vas a decir que si yo hubiera conocido a Stevie hace algunos meses... si todo esto hubiera ocurrido mientras Louis estaba conmigo... entonces habría aprobado y comprendido, diciendo que cada uno debe seguir su camino.

—¡Y es cierto! —exclamó la chica.

—Tal vez no. Te dije que había valido la pena. ¿Que sentido habría tenido todo esto si yo no creyera que había hecho lo debido? Entonces habría destruido la vida de todos por nada, que es lo que he hecho. La de todos, por culpa mía.

—No, no es así. —Kit hablaba con suavidad.

—Claro que sí. Miro a mi alrededor y lo veo.

—Pero papá está bien, y Maura. Emmet es feliz. Yo estoy enamorada. Y tú y Louis... bueno, lo que hubo entre vosotros fue estupendo. Una vez me dijiste que era mejor arder con intensidad... que era mejor...

Lena parecía perdida.

—En cierto sentido, estás diciendo que no destruí la vida de nadie, que todo el mundo sobrevivió perfectamente, incluido Louis. Solo destrocé mi propia vida. Es como si aquel día me hubiera ahogado de verdad.

—No he dicho eso, claro que no. Deja de poner palabras en mi boca. Solo digo que no te sientas tan culpable. Siempre has sido buena con la gente, para ayudar, para dar... Nunca has sido destructiva.

—Si tú no hubieras estado allí...

Kit no permitiría que siguiera por aquel camino.

—Dime, ¿qué es lo que más te gustaba de Louis?

—Cómo se le iluminaba la cara cuando me veía, como si se accionara un interruptor...

Era una frase curiosa, se dijo Kit, sobre todo después de haber visto a Louis en la boda, como un actor representando un papel.

—¿Y lo peor de él?

—Que estaba convencido de que yo me tragaba sus mentiras. Eso nos hacía pasar por idiotas a los dos.

—¿Y por qué crees que no duró lo que había entre vosotros? —Era amable, pero perspicaz. Intuyó que Lena quería responder. Pensar en voz alta.

—No sé —dijo Lena en tono reflexivo—. Dímelo tú. ¿Por qué piensas que fue?

—Tal vez porque no habéis tenido hijos. Si te hubieras quedado embarazada...

—Lo estuve. Estaba más avanzada que Mary Paula O'Connor. Por eso me fui de Lough Glass y de Irlanda, abandonándoos a ti y a Emmet. Claro que estaba embarazada.

—¿Y qué pasó?

—Lo perdí. Al hijo que iba a tener con Louis.

Kit le cogió la mano.

—¿Y no pudiste... nunca intentaste...?

—Él no quería tener hijos. Solo quiso tenerlos cuando yo ya era demasiado vieja para eso, pero por entonces quería tenerlos con otra. —Apretó los labios con fuerza.

Kit McMahon se sintió más triste que nunca.

No hablaron de lo que la había llevado a Dublín. De lo que podría haber hecho si Kit no la hubiera rescatado, llevándosela en el último momento.

Lena se recuperaba poco a poco, como una planta necesitada de agua. Algo le estaba devolviendo la energía, la esperanza, la razón de ser. Volvía rápidamente a ser la Lena de antes, llena de planes, la que se movía con rapidez. Corrió a una cabina telefónica para averiguar los horarios de los aviones. Telefoneó a Ivy para decirle que volvería aquella misma noche. Y a Jessie Millar, para avisar de que al día siguiente iría a trabajar.

—Te acompaño al aeropuerto —dijo Kit.

—No. Podríamos encontrarnos con una docena de conocidos.

—No me importa. Te acompaño.

—¿Y Stevie? Supón que apareciera por aquí.

—Le dejaré una nota en la puerta.

Lena la miró con expresión pensativa.

—¿No tiene llave?

—Ya sabes que no.

—Sí. Solo he querido decir que tal vez debería tenerla.

—¿Pero no pensabas que...?

—Sé que le quieres. —Para Lena todo era simple. El amor era algo que surgía y no podías controlar: se adueñaba de todo.

Kit estaba desconcertada.

—Pero... ¿y todo lo que me has dicho sobre lo que te había ocurrido y lo que no debería repetirse?

—Es demasiado tarde —replicó Lena con naturalidad—. Lo único que debes aprender de mí es a no escoger el camino seguro. No te precipites casándote con un buen hombre solo porque sea bueno. Esa no es la solución.

Kit pensó en Philip.

—No creo que lo haga —dijo pensativamente.

—Ahora crees que no, pero si te encontraras sola podrías hacerlo. Y sería un gran error. Bueno, ya ves cuánto dolor y cuántos desastres provocó.

Kit volvió a lo que había dicho antes.

—¿Te parece que debo darle a Stevie la llave... de aquí?

—Me parece que deberías preguntarte por qué estás retrasando algo que deseas tanto. —Se miraron con asombro—. Debo de ser la única madre irlandesa que piensa así en este viejo asunto...

Las dos se echaron a reír. La locura que se había apoderado de Lena parecía haber desaparecido, tal vez reemplazada por otra distinta.

Stevie llamó a la puerta.

—Solo será un momento.

—Pasa y te presentaré a Lena. —Kit abrió la puerta.

—Mucho gusto. —Ella le estrechó la mano con firmeza—. Lamento de veras haberos echado a perder los planes este fin de semana, Kit ha sido muy amable conmigo.

—No, por Dios. —Él sonreía con calidez. No parecía incómodo ni torpe, lo cual era estupendo, considerando que se encontraba en una situación de la que no entendía absolutamente nada.

—De cualquier modo, la buena noticia es que ya salgo hacia el aeropuerto. Estaba tratando de convencer a Kit de que no me acompañara... y tú eres la excusa perfecta. Podríamos caminar los tres juntos hasta Busaras; allí puedo coger el autobús al aeropuerto.

—Tengo un coche a la puerta —dijo Stevie, antes de que Kit dijera nada—. Sería un placer llevaros hasta allá. Después daré una vuelta mientras os despedís.

Lena aceptó. Stevie miró a su alrededor, buscando el equipaje, pero no pareció desconcertado al ver que no había ninguna maleta. Lena ocupó el asiento delantero, con Kit atrás, apoyada en el respaldo entre los dos.

—Mira, ¿ves esa casa de la esquina? Allí vive el abuelo de Frankie. Es increíblemente rico y toda la familia se pasa el día llamándolo para preguntarle por su salud. ¿Te imaginas?

—¿Y Frankie lo llama? —preguntó Lena.

—No. Ella es más sensata.

—Lo más probable es que el viejo se lo deje todo a ella, solo para burlarse de los demás —comentó Stevie.

Lena lo miró con interés. Louis habría dicho que no tenía nada de malo ser simpático con el viejo, que nunca se sabía. No esperaba que Stevie Sullivan no pensara igual.

El muchacho habló de temas no problemáticos. No le preguntó de dónde venía ni qué la había traído hasta allí. En cambio dirigió la conversación hacia los aviones y comentó que le gustaría pilotar uno. Al parecer, nunca había viajado por aire.

—Soy un verdadero paleto, Lena —dijo con una amplia sonrisa.

Costaba creer que el hijo de aquella bruja de Kathleen Sullivan y su marido, borracho y loco, pudiera haber salido así, apuesto y seguro de sí mismo, y nada autoritario.

Sabía que su hija había entregado el corazón a aquel hombre. Ninguna de sus advertencias serviría de nada. Solo le quedaba confiar y rezar.

Él cumplió con su palabra: las dejó en el aeropuerto y se despidió de Lena.

—Vuelve alguna vez a vernos —dijo con voz afectuosa y acogedora.

Ella respondió de igual manera:

—También podéis visitarme vosotros. Al menos, de ese modo subirías a un avión.

Kit la miró encantada. Stevie había sido aceptado. Era evidente que a Lena le caía bien. Se sintió contenta. En cuanto él estuvo lejos, asió a Lena por el brazo.

—Estaba segura de que te gustaría —dijo con entusiasmo.

—Por supuesto que sí. ¿A quién no?

Lena sacó la cartera para pagar el billete. Debía de haber sacado solo billete de ida. ¿Qué habría querido hacer en Irlanda? ¿O acaso no lo había pensado siquiera? En aquel momento parecía estar totalmente bien.

Kit la acompañó hasta la puerta de embarque.

—¿Vendrás pronto, muy pronto? —Lena la miró profundamente a los ojos.

—Sí, en cuanto te hayas instalado otra vez, claro que iré.

—Gracias, Kit. Gracias por todo.

La joven no supo por qué le daba las gracias. No tenía idea de lo que había evitado. Tenía un nudo en la garganta, así que en vez de decir adiós, se limitó a tener abrazada a Lena durante un rato, antes de volver corriendo a la salida.

Ya en el coche se sonó con fuerza la nariz.

—Bueno, eso está mejor —dijo Stevie con aire paternal, como si hablara con una criatura de dos o tres años.

—Has sido muy amable al traerla hasta aquí.

—Tonterías...

—Y gracias también por no preguntar y todo eso. Algún día te lo explicaré, pero es demasiado complejo.

—Claro. ¿Te gustaría subir a las montañas?

—¿Adónde?

—A los montes Wicklow. Podríamos ir allí, donde no hay casas ni gente, para que te airees un poco.

—Sería fantástico.

Viajaron en silencio. No sintieron la necesidad de conversar hasta cuando dejaron atrás Glendalough, ya en Wicklow Gap. Entonces aparcaron el coche para caminar bajo el aire frío y limpio, entre los matorrales de aliagas.

Stevie tenía razón: era como si toda la población se hubiera marchado. No había nada que mirar, excepto lo que estaba allí desde el principio del mundo: árboles, montañas y un río.

Kit sintió que su mente se vaciaba. Aspiró larga y profundamente. Se sentaron en una roca grande, que formaba una especie de saliente, para mirar hacia el valle.

—Es una historia muy larga... —comenzó a decir ella.

—Ella es tu madre —dijo Stevie.

Ivy se alegró mucho al verla.

—Sube enseguida a ver el empapelado nuevo —le dijo.

El cuarto parecía totalmente distinto: rayas blancas y rosas desde el techo hasta el suelo. Un taburete ante el tocador, tapizado con una tela haciendo juego. La cama había sido levemente cambiada de lugar y tenía una colcha rosada, con un borde de la misma tela de rayas.

—Es hermoso, ha quedado fantástico —exclamó Lena.

—Diferente, al menos —rezongó Ivy.

—Está muy cambiado. No parece el mismo lugar.

—Es lo que yo esperaba. —Ivy estaba enfurruñada.

—No, todo está muy bien. Te aseguro que ya estoy bien.

—¿Qué estuviste haciendo en Irlanda?, dime —quiso saber Ivy.

—Fui a ver. Quise ver con mis propios ojos cómo se casaba con otra. Ya pasó.

—¿Fuiste a la boda?

—Solo a la iglesia. No estaba invitada. —Rió.

—Me asombras. ¿Quieres hablar de eso o prefieres no hacerlo?

—Creo que prefiero no hablar de él. Quiero seguir adelante con mi vida.

Ivy pareció complacida.

—Es lo mejor, sin duda. Bueno, eso significa que volverás a comer. Porque tengo unos bistecs estupendos para los tres.

—Un gran bistec bien jugoso... Eso era exactamente lo que estaba deseando que me ofrecieras —dijo Lena.

Ivy trotó alegremente hasta la planta baja, para informar a Ernest de que Lena estaba curada.

Su amiga se quedó sola en la habitación que había compartido con Louis. No volvería a hablar de él, no se lo mencionaría a nadie. Pero sobre todo pensaría en él lo menos que fuera humanamente posible.

Lo había visto casarse con otra mujer. Él estaba fuera de su vida. Se alegraba de haber visto aquello, de haber presenciado la boda. De algún modo, aquello ponía fin a todo.

No tenía muy claro cómo había llegado hasta allí ni qué tenía intenciones de hacer. Pero eso no importaba. Había estado allí para verlo. Había estado muy cerca de Kit; sabía lo mucho que amaba a Stevie. Antes, aquello la asustaba. En aquel momento sabía que no tenía sentido tratar de oponerse. Era inevitable.

En el trabajo se alegraron mucho de ver nuevamente a la señora Gray.

—La fiesta de Navidad no fue lo mismo sin usted.

—¡La fiesta de Navidad! —Qué lejos parecía haber quedado. Ni siquiera recordaba no haber estado presente—. Oh, seguramente se las arreglaron bien sin mí.

—No tan bien. Nos faltaba animación... Y usted, ¿pasó una hermosa Navidad o aún estaba enferma?

—Todavía estaba enferma, pero gracias a Dios ya me siento mejor.

Su sonrisa era luminosa; su actitud, práctica, como diciendo: «Volvamos al trabajo».

La gente de Millar soltó un suspiro de alivio colectivo. La señora Gray había regresado. Todo estaba bien.

—¿James?

—¿Eres tú, Lena?

—Sí. Quería saber si estarás libre para comer conmigo un día de estos.

—Estoy libre cuando quieras. Hoy, mañana, cualquier día del año.

—Muy galante, James. ¿Qué te parece mañana, en el mismo lugar que la vez pasada, a la una en punto?

—Con muchísimo gusto.

Lena examinó los papeles. Decubrió que había oportunidades desaprovechadas y contratos malogrados y que se había dedicado mucho tiempo a gente inadecuada. También era deficiente la búsqueda mensual de posibilidades en periódicos y publicaciones. Ni siquiera la oficina parecía tan elegante como de costumbre. Eran solo pequeños detalles, pero los detectó.

Y ella tenía que arreglarse tanto como su oficina. Al salir del trabajo fue al salón de belleza. Grace West no le hizo preguntas. Pero Lena le debía una explicación.

—Se casó con una muchacha a la que había dejado embarazada. Los hermanos de ella son amigos de mi hija.

—¿Se casó? Pues sí que le han concedido rápido el divorcio, ¿no? —exclamó Grace.

—No había necesidad. No estábamos oficialmente casados.

—Me alegro de que tengas una hija —dijo Grace simple y llanamente.

James Williams la esperaba sentado a la mesa.

—Estás muy bien —dijo.

—Ahora me siento bien.

—Estaba muy preocupado por ti. Traté de ponerme en contacto contigo.

—Lo sé —dijo ella.

—Pero ¿por qué no respondiste a ninguna de mis llamadas?

—Por entonces no estaba bien, pero ya pasó. Bueno, aquí estamos. —Su cara era alegre y animada.

—¿Una copa de vino? —sugirió él.

—Sí, me hace falta.

—¿Sabías que despedí a Louis?

—No, no lo sabía. Supuse que se habría quedado contigo hasta la semana pasada.

—No, después de lo que te hizo ya no soportaba verlo.

Ella actuaba con perfecta compostura y calma.

—No sé qué decir. Supongo que debería darte las gracias por haber hecho eso por mí... Pero si te invité a comer fue para decirte que Louis ya ha desaparecido de mi vida. No quiero volver a mencionarlo ni pensar en él, ni quiero volver a hablar de cosas pasadas.

—Muy bien.

—Sí. Hace cuatro días... nada más, asistí a su boda. Todo eso ya pasó.

—Creo que tienes toda la razón. No volveremos a mencionar su nombre, ni tú y ni yo; pero me gustaría que pudiéramos hablar de otras cosas. Por ejemplo, si quieres venir al teatro conmigo, a ver una exposición de arte o salir, simplemente, a cualquier parte.

Ella lo miró con expresión pensativa.

—De vez en cuando me encantaría salir contigo, como con cualquier amigo, pero eso sería todo. No parto de ningún prejuicio, pero he aprendido que es mejor evitar los malentendidos.

—Desde luego... —murmuró él.

—Lo digo en serio, James. He pasado por dos matrimonios; a mi modo de ver, dos relaciones largas. Y no tengo la menor intención de volver a complicarme.

—Comprendo perfectamente.

—Ni siquiera en una relación intrascendente. Por eso, si quieres que seamos amigos y que nos invitemos a comer de vez en cuando...

—¿Y a cenar?

—Y al teatro. —Ella le siguió el juego.

—Siempre se puede vivir de esperanzas.

—Pero un hombre inteligente como tú debería saber que vivir de una falsa esperanza es una manera muy tonta de malgastar la vida.

Él levantó la copa.

—Por nuestra amistad.

Ivy la vigilaba como un halcón.

Ella bajaba a menudo al apartamento de su casera. A veces le aceptaba un café; con frecuencia Ivy la convencía de que comiera un bocadillo. Estaba mejor, decía la amiga. Su piel volvía a ser firme y joven; había aumentado esos pocos kilos que la hacían parecer menos nerviosa, menos demacrada. Kit aún seguía enviando sus cartas al domicilio de Ivy, aunque ya no había necesidad. Era como si adivinara que a ella le gustaba hacer de cartero.

A veces Lena le leía algunos párrafos.

Fuimos a ver a la hermana Madeleine. En muchos sentidos es exactamente la misma. Trabaja en la cocina y en la huerta. Tiene una paloma con una pata artificial que ella misma le hizo. Y una liebre, una pobre liebre vieja que se pasa todo el día durmiendo en una caja y come copos de maíz. Se golpeó en la cabeza, al parecer mientras huía de algo, y no sabe dónde está.

Se alegró mucho de verme. No preguntó por ti llamándote por tu nombre delante de Stevie, por supuesto. Pero quiso saber si en Londres iba todo bien y le dije que sí. Es como si siempre hubiera vivido allí. Cuando le menciono a personas como Tommy, gente a la que ella quería, aparta la mirada, como si le hablara de alguien con quien soñó alguna vez.

¿Será cierto que estuvo casada? ¿Recuerdas eso que nos contó hace años, a Clio y a mí, y que nosotras mantuvimos tan en secreto? El otro día pregunté a Clio qué pensaba. Ella dijo que se había olvidado del asunto. Me cuesta creerlo. Fue el secreto más grande que nos revelaron siendo niñas. Claro que en estos días Clio tiene sus propios secretos y problemas. Esta vez está casi segura de haberse quedado embarazada. Y le aterroriza decírselo a Michael.

—¿No es estupendo que pueda contarte todas esas cosas? —preguntó Ivy.

Lena estuvo de acuerdo. Ninguna madre podía hablar así con su hija. Pero había algo sobre Stevie que no le decía, aunque ella no estuviera segura de qué era. Decidió no preocuparse. Algún día se lo diría... si fuera importante.

—Voy a rendirme a tus pies —dijo Clio a Kit.

—No lo hagas. Te arrepentirás. —Estaban en el apartamento de Kit. Clio había llegado de improviso.

—Necesito desesperadamente ayuda.

—¿Así que estás segura? ¿Te hiciste un análisis?

—Sí. Presenté una muestra de orina bajo nombre falso.

—¿Y todavía no se lo has dicho a Michael?

—No puedo, Kit. Es demasiado para sus padres. Dos bodas rápidas en pocos meses.

—Pero la tuya no les cuesta nada. La pagarán tus padres.

—Por Dios, ya lo sé. ¿Por qué crees que tengo tanto miedo? A ellos también tengo que decírselo.

—Bueno, hazlo lo antes posible. Díselo hoy a Michael y yo te acompañaré a Lough Glass para ayudarte a dar la noticia a tus padres. ¿Te parece bien? —Kit miró a su amiga, esperando que le diera las gracias. Era un gesto muy generoso, considerando que Clio no había hecho más que ser despectiva y hostil con Stevie.

—No, no es el favor que necesito.

—¿Qué otra cosa puedo hacer? —preguntó Kit.

—Quiero abortar.

—¡No puede ser!

—No hay otra solución.

—Estás loca. ¿No quieres casarte con él? ¿No te pasas el día diciendo eso? Ahora él tiene que casarse.

—Tal vez no quiera.

—Claro que querrá. De cualquier modo, en eso otro no puedes pensar.

—Mucha gente lo hace. Si supiéramos adónde ir... Quería pedirte que lo averiguaras.

—No pienso averiguar nada de eso. Piénsalo bien, Clio. Esta es la oportunidad de tu vida.

La chica estaba sollozando.

—Es que no lo entiendes. No sabes lo horrible que va a ser esto. No sabes lo que significa.

Kit le puso una mano en el hombro.

—¿Recuerdas cuando éramos niñas y buscábamos el lado positivo de las cosas?

—¿Eso hacíamos?

—Sí. Veamos cuál es en este caso. Él es respetable, así que tus padres no pueden escandalizarse tanto como si se tratara de Stevie Sullivan.

—Eso es verdad. —Clio sollozó.

—Le quieres y crees que él te quiere.

—Sí, creo que sí.

—Su familia puede afrontar una boda apresurada. Ya han pasado por eso y saben que no es el fin del mundo.

—Sí, sí.

—Puedes pedir a Maura que te ayude, que interceda por ti. Ella es estupenda para evitar peleas; la he visto.

—¿Y lo haría? Tengo la sensación de que se ha alejado de mí.

—Se lo pediré yo —dijo Kit—. Y Maura podría sugerir que ocupes su apartamento; es estupendo y ella estaba pensando venderlo. Michael podría comprárselo. Tiene jardín; sería estupendo para el bebé.

—¡El bebé! —gimió Clio.

—Eso es lo que vas a tener —explicó Kit.

—¿Serás mi dama de honor? —preguntó Clio.

—Sí, sí, claro, gracias —la tranquilizó Kit.

—No tiene por qué ser una gran boda. Solo unas cuantas personas... Podríamos celebrarla en el Central. Que venga solo la familia de Michael, Mary Paula con Louis y...

A Kit se le heló la sangre. Louis Gray no podía ir a Lough Glass. Era preciso pensar muy deprisa.

—No sé si sería buena idea hacerlo en casa. Ya sabes cómo son allí; la mitad del pueblo se ofendería si no la invitaras.

—¿Y dónde, si no?

—¿Recuerdas el lugar de la boda de Maura? Era precioso... y para ella sería un halago que le pidieras que se encargara de eso.

—Eres muy lista, Kit. Deberías haberte metido a espía internacional —dijo Clio, admirada.

El Hotel Central de Lough Glass recibió cuatro reservas para fiestas, como resultado directo de la cena de Año Nuevo. Philip estaba al borde de un ataque.

—No podemos poner velas de Navidad por todas partes.

—No. Tus padres tendrán que mojarse y decorar el local.

—¿Me ayudas a convencerlos? —preguntó él.

—¿Por qué yo? —Kit se sentía metida en demasiados asuntos.

—Porque eres práctica y tranquila para hablar. No te precipitas como todos nosotros.

—De acuerdo.

La gran remodelación del Hotel Central se inició casi de inmediato.

Aunque el doctor Kelly y su esposa hubieran querido celebrar la boda allí, no habría sido posible. En aquel molesto asunto, Maura fue una gran ayuda.

—Ha sido muy buena con Clio —repetía Lilian—. ¡Y yo, tan convencida de que últimamente había cierta distancia entre ellas!

—Eso te demuestra cómo se equivoca uno —comentó Peter Kelly. Estaba sorprendido por su propia reacción ante la noticia de que su hija estaba embarazada.

Todos parecían pensar que como Maura iba a venderles su apartamento, todo encajaba. Nadie mencionaba el sexo «ilícito» que había llevado a aquello. El doctor Kelly pertenecía a una generación que no mantenía relaciones sexuales antes de la boda. ¿Cómo podía haber cambiado todo en su propia familia sin que él se diera cuenta?

—Seguramente lo sabías, papá. Tienes que haberte dado cuenta de que yo estaba embarazada —le dijo Clio.

—No, no. Te aseguro que para mí ha sido un gran golpe.

—Pero los médicos suelen darse cuenta —insistió ella.

—Esta vez no.

Sin motivo alguno le vino a la mente un recuerdo: el recuerdo de aquella noche, hacía ya tanto tiempo, en que al ver a Helen McMahon había notado que estaba encinta. Después ella se había lanzado al lago. Al menos en algunos aspectos, el mundo había cambiado para mejor, se dijo. Y dio unas palmaditas en el brazo a su hija.

—Yo te diré cómo debes vestirte para ser la dama de honor —dijo Clio—. Esta noche lo consultaré con Mary Paula y decidiré con ella qué se pondrá cada uno.

—No, no es así como se hará. Yo te diré lo que voy a ponerme para ser tu dama de honor —aclaró Kit.

—¿Qué?

—Pienso ponerme un vestido de hilo color beis, con una chaqueta a juego. Si dependiera de ti, llevaría un sombrero grande o un adorno de flores y cintas.

—No te creo —tartamudeó Clio.

—Será mejor que me creas. Si no estás de acuerdo, elige otra dama de honor.

—Puedo elegir a otra, ¿sabes?

—Como quieras, Clio. Y no creas que me ofenderías, por favor. No voy a romper contigo por eso. —En muchos sentidos, romper sería maravilloso; así no tendría que asistir a la reunión familiar y encontrarse con Louis. El Louis de su madre. Kit suspiró.

—No sé a qué viene ese suspiro —protestó Clio—. Soy yo quien ha de soportar todo esto. Soy la novia, caramba. Se supone que la gente debe ser amable conmigo.

—Soy amable contigo —susurró Kit—. Te dije que ese payaso aceptaría casarse contigo, te propuse que usaras a

Maura como mediadora, te sugerí lo de su apartamento, lo del hotel de Dublín... ¡Jesús, María y José! ¿Te parece que es poca amabilidad?

Ese violento estallido las hizo reír.

—Tú ganas —dijo Clio—. Le diré a Mary Paula que mi dama de honor está loca. Otra cruz a la espalda.

¿Te gustaría venir a Londres con Stevie? Hay una exposición especial de automóviles y motores —escribía Lena—. A él le encantaría y nosotras podríamos ponernos al día con la charla. Si te parece buena idea, házmelo saber; de cualquier modo, aquí te envío el billete. No quiero pagar el de Stevie para no ofender su orgullo. Para él sería una gran oportunidad de ver coches nuevos y hacer contactos.

Hazme saber tu opinión.

Kit la llamó por teléfono.

—Abrí la carta hace cinco minutos. Nos encantaría ir a Londres. No dirás que no soy entusiasta.

—¿Y Stevie? ¿A él también le encanta?

—Todavía no lo sabe, pero en cuanto se lo diga saltará de ganas.

—Pareces muy segura de él —observó Lena.

—Y lo estoy.

Philip caminaba por la calle.

—Pareces muy alegre —dijo en tono acusador. La típica observación que habría hecho su madre.

Kit se preguntaba si ella también usaba algunas expresiones de su madre. Quizá todo el mundo lo hacía. Clio, por ejemplo, hacía los mismos comentarios esnobs de la señora Kelly.

Quizá sea cierto que voy a llevar una vida como la de mi madre, se dijo horrorizada. Y miró a Philip como si lo viera por primera vez.

—Eh, Kit, tranquila. No tiene nada de malo estar alegre.

—¿Qué?

Enlazó su brazo al de él para caminar hasta la escuela. Conversaron de cosas en las que no estaban pensando. Philip se preguntaba si Kit ya lo habría hecho con Stevie Sullivan. Kit se preguntaba qué dirían Philip y todos los O'Brien si se enteraran de que ella estaba alegre porque su madre, fallecida hacía muchos años, acababa de invitarla a Londres.

> Os he reservado habitaciones en una pensión cercana. Dos cuartos individuales. Yo invito. En cuanto a las camas, vosotros decidiréis.
>
> LENA

> No hay nada que decidir. Te dije que si hubiera algo de eso te lo contaría.
>
> KIT

—Vienen amigos a visitarme. Voy a retrasar el plan un par de semanas —dijo Lena a los Millar, durante el almuerzo del sábado.

El plan consistía en establecer una sucursal de Millar en Manchester. Habían encontrado a la mujer perfecta para que la llevara. Peggy Forbes estaba preparándose con ellos, en Londres. Solo se necesitaba un local adecuado, personal apto y un gran lanzamiento. Recibían tantas solicitudes del norte de Inglaterra que era razonable establecerse allí. Peggy era de la zona. Si todo marchaba bien (y estaban seguros de que así sería) pronto la harían socia.

—No soporto que hayas viajado en avión antes que yo —comentó Stevie, mientras despachaban el equipaje en el aeropuerto de Dublín.

—Oh, pero tú has hecho muchas cosas que yo nunca he hecho. Demasiadas, en realidad.

Él la abrazó al instante.

—Ninguna que tuviera importancia —aseguró.

—Eso ya lo sé —respondió Kit en tono arrogante.

No era obstáculo entre ellos el pasado libertino de Stevie ni la virginidad de Kit. Se resolvería solo. Ella sabía que Stevie tenía esperanzas de resolverlo durante la estancia en Londres.

—¿Se lo dirás ahora? —preguntó él.

—Sí, aunque probablemente ya lo ha adivinado. Cuando nos escribimos sabemos leer entre líneas. Es curioso.

—No trataré de caerle bien ni de fingir que soy digno de ti. —Él hablaba con mucha seriedad.

—No. Te descubriría de inmediato —dijo Kit, mientras cruzaban por la tienda de objetos libres de impuestos.

—¿Qué podría llevarle? —Stevie se detuvo a observar los estantes llenos de bebidas y cigarrillos. Se detuvo delante del champán—. No me importa que le guste o no. Es algo apropiado para una fiesta. Y será una celebración.

Por todo lo que Lena le había contado, Kit comprendió que Louis Gray habría dicho y hecho exactamente lo mismo.

Lena los estaba esperando. Stevie se maravilló al verla tan bien. Su cara, hundida y ojerosa hacía dos meses, relucía en aquel momento de salud y entusiasmo.

—Tengo un amigo que insistió en traerme —dijo—. Nos está esperando fuera.

Comieron con James en Earl's Court. Después él se despidió, porque aquella noche debía conducir hasta su casa de Surrey. Stevie se hizo cargo del equipaje y las dejó solas para que conversaran.

Kit y Lena se cogieron de las manos. La chica miró a su madre a los ojos, encantada. Todo saldría bien.

—Él lo sabe todo, Lena. Yo no se lo dije. Lo adivinó.

—Es un chico inteligente. Y te quiere mucho. Es lógico que lo sepa. Tendríamos que habernos dado cuenta.

—No importa. Eso no cambia nada.

—Lo sé.

—De veras. ¿Quién más lo sabe? Ivy, Stevie y en cierto modo la hermana Madeleine. ¿Alguien más? —Kit miraba a su madre.

—No. James no lo sabe.

—Y ninguna de esas personas hará nada que nos perjudique.

—No, por supuesto. Me alegro de que Stevie esté enterado. Me alegro por ti, porque guardar un secreto así es una carga pesada. —Parecía pensativa.

Kit comprendió que Lena había guardado secretos durante muchos años. Primero las cartas; después el encuentro entre las dos. Debía de ser difícil no compartir algo así con alguien a quien se amaba.

El fin de semana fue mágico. Fueron a Trafalgar Square y se hicieron fotografiar con las palomas. Recorrieron de la mano la National Gallery, de cuadro en cuadro.

—Tendré que estudiar a los artistas y leer un libro al mes —dijo Stevie—. No quiero que te cases con un ignorante.

Era la primera vez que hablaba de matrimonio. Ella lo miró con agudeza.

—Algún día —añadió él, con su irresistible sonrisa.

Stevie fue varias veces a ver los coches. Un día lo hizo en compañía de Ernest; al siguiente, con James. Ambos comentaron que era un entendido. No había nada que ignorara sobre el motor o la carrocería de un coche.

Lena llevó a Kit a su oficina. Era mucho más grande y espléndida de lo que la chica había pensado. Y era evidente que todo giraba alrededor de su madre.

—Una amiga mía, de Irlanda —era la presentación.

La gente parecía interesada. Muy rara vez Lena llevaba algo de su vida privada a la oficina. Hacía tiempo que no se tenían noticias de su guapo marido, pero nadie se atrevía a preguntar directamente.

—Y aquí está mi pequeño armario. —Lena rió al cerrar la puerta tras ellas.

Kit miró a su alrededor, asombrada. El gran escritorio tallado, los cuadros y diplomas de la pared, los artículos enmarcados, las flores frescas en un jarrón azul y dorado. Parecía haberse quedado sin palabras.

—¿En qué piensas? —le preguntó Lena, con suavidad.

—Es curioso, pero me decía que es una pena que la gente de Lough Glass no pueda saber lo bien que te ha ido. —Su voz sonaba ahogada.

—A veces pienso algo parecido: es una pena que la gente de aquí jamás sepa lo bien que me ha ido en otro aspecto. Jamás sabrán que eres hija mía.

En aquel momento hablaban en serio. Habían cambiado de actitud.

—¿A Louis también lo mantenías lejos de tu trabajo?

—Sí. Por protección, supongo. Necesitaba algo que pudiera dominar. Aunque no siempre funcionó. Una de nuestras mejores chicas formaba parte de su larga lista de amantes, según descubrí. Dawn, Dawn Jones. Todavía la echo de menos.

—¿Qué fue de ella?

—La despedí. No soportaba ver todos los días una parte del pasado de Louis.

—Medio país forma parte del pasado de Stevie —comentó Kit en tono melancólico—. Es algo que debo soportar.

—Ah, pero eso es diferente —dijo Lena—. El pasado pasado está. Lo malo es que surjan estas cosas en el presente.

—No, es cierto. Eso no me gustaría. —Lena notó que su hija se mordía los labios.

—Error fue hacer la vista gorda —explicó—. Creo que hice bien al no cuestionar su pasado y olvidarlo por completo. Pero debería haberle hecho saber que sabía lo del presente. En eso me equivoqué. Le dejé pasar todo con tal de retenerlo... o retener algo suyo.

La mente de Kit estaba muy lejos. Pensaba en Clio. Su amiga le había dicho que Stevie seguía corriendo tras las chicas y que todo el mundo lo sabía. Que si Kit no se acostaba con él, no faltaría quien lo hiciera. La idea la preocupó.

La terminal del aeropuerto estaba al final de calle. Lena fue a despedirlos.

—James quería traernos, pero...

—No quieres sentirte en deuda con él —dijo Kit.

—Exactamente.

—No es que quiera venderte un coche —dijo Stevie—, pero ¿por qué no compras uno? Kit dice que antes tenías coche.

—Y tiene razón. Se lo di a Louis. En realidad, lo compré para él, así que se lo quedó. —Se mostraba tan desenvuelta al hablar de Louis con Stevie que a Kit la reconfortó aquella sensación de intimidad.

—Deberías comprar uno. Un vehículo pequeño y fácil de aparcar. Voy a pensar qué es lo que más te conviene y te lo diré cuando vuelvas.

—No será fácil volver a Lough Glass.

—Me refería a Dublín.

—No sé. Es curioso, pero tuve una sensación muy absurda cuando sobrevolaba la ciudad, el día en que me llevasteis al aeropuerto de Dublín. Pensé que ese era mi último viaje allí.

—Eso es un poco macabro —dijo Stevie.

—No, no tenía ese sentido. Estaba segura de que volveríamos a vernos. No tenía que ver con la muerte, con accidentes aéreos ni nada de eso. Simplemente, sentí que ese período de mi vida había terminado. La próxima vez que vengáis, podríais acompañarme a Manchester para ver lo que tenemos allí.

—Pero Irlanda es tu patria —A Kit le temblaban los labios.

—No, la patria no es un lugar: es tu gente. Créeme. Siempre te tendré a ti, ¿verdad?

—¿No quieres volver a Dublín porque allí vive Louis?

—Para mí no vive allí, en cierto sentido. Te juro que es como si él estuviera en Marte. No, pero pienso que vosotros vendréis con más frecuencia...

—¿Asistirás a nuestra boda... dentro de algunos años? —dijo Stevie.

—Bueno, bueno, eso sí que no lo sabía —exclamó Lena.

—Yo tampoco —añadó Kit.

—Debe de ser la primera vez que alguien se declara en el aeropuerto de Londres.

Como Lena lo estaba tomando a broma, Kit decidió hacer lo mismo.

—No le hagas caso, mujer. Cuando Stevie y yo nos casemos, lo más probable es que tú ya estés en silla de ruedas.

Anunciaron su vuelo. Stevie la besó en ambas mejillas.

—No sé cómo darte las gracias por los buenos ratos que hemos pasado. Y por presentarme a tus amigos. —Kit la abrazó con lágrimas en los ojos.

La gente se dirigía a los autobuses. Era hora de partir.

De pronto Stevie se volvió para abrazarla también.

—Cuidaré de ella. Créeme, por favor, seré un buen marido. Si no lo creyera me marcharía ahora mismo.

Eso tomó a Kit tan por sorpresa que la dejó sin aliento.

—¿Por qué has hecho eso? —le preguntó cuando ya estaban en el autobús.

—Porque sentí la necesidad —respondió Stevie. Y tras una pausa—: Tuve la extraña sensación de que no volvería a verla.

—Bueno, muchísimas gracias —exclamó Kit con rabia—. ¡Podías haber dicho otra cosa! ¿A cuál de los dos se supone que perderé? ¿A mi madre o al hombre con quien voy a casarme?

—¡Has caído! —apuntó Stevie con alegría—. Has prometido casarte conmigo. —Se volvió hacia un turista norteamericano—. ¿Lo ha oído? Mary Katherine McMahon ha aceptado casarse conmigo.

—Piensa en los gastos —replicó el hombre, que tenía pinta de haberse visto obligado a pensar mucho en eso.

Al parecer, la boda de Clio sería más difícil de lo que Kit había pensado. Y todos los detalles debían ser analizados con la dama de honor.

—Puedo invitar a Stevie, si insistes —dijo Clio—, pero eso significa añadir otra persona por el lado de Michael.

—Stevie estará ocupado —aclaró Kit. No estaba ocupado, y a ella la fastidiaba profundamente que no lo hubieran invitado.

Dos días después se apuntó una tía de Michael que vivía en Belfast pero viajaría a Dublín. De modo que Stevie podía asistir.

Clio protestaba porque el hotel no era muy elegante.

—¿No querías una boda discreta? —preguntó Kit.

—No, fuiste tú quien dijo que fuera discreta.

—¿Michael está contento por lo del bebé?

—¡No hables del bebé, por favor! —dijo Clio.

—Mira, no pienso aparecer durante el desayuno de bodas para hacer un discurso sobre el asunto. Simplemente te pregunto si a tu futuro marido le gusta la idea de ser padre.

—Bueno, no es como Louis, si a eso te refieres. Louis no puede apartar la mano del vientre de Mary Paula. ¡Qué pesado! Que si el bebé se mueve, que si está dando patadas...

—El tuyo tiene menos tiempo. No puede hacer esas cosas.

—Oh, no hables del mío —pidió Clio—. Ahora el problema es la luna de miel. El señor O'Connor opina que Michael debería hacer ese curso intensivo de contabilidad, para que él pueda emplearlo en uno de sus hoteles.

—Bueno, sí, es lógico. Él no está preparado para la hostelería y necesita un empleo.

—Nosotros queríamos ir al sur de Francia —se quejó Clio. Parecía una niña de cuatro años a la que le hubieran quitado la muñeca.

—¿Te pondrás la capa de piel para la boda de Clio? —preguntó Martin.

—No, querido. Si no te molesta, había pensado en otra cosa.

—Pero te quedaba muy bien.

—La reservo para usarla cuando se case Kit —dijo Maura.

—No me digas que eso es inminente. —Martin McMahon parecía alarmado.

—No, por supuesto. —Maura rió—. Pero algún día se casará. Y con suerte, tú y yo estaremos allí.

—Está muy entusiasmada con Stevie. —Parecía preocupado.

—Lo sé. Al principio eso me alarmó, pero el muchacho se ha reformado. Ya no lo llama ninguna chica. Solo sale de la oficina para ver a Kit.

—Supongo que hay hombres a los que una mujer puede reformar. —Martin parecía dudarlo.

—Bueno, en la historia hay algunos casos.

La boda de Clio Kelly fue deprimente.

Los O'Connor ya habían agotado toda su capacidad de fingir alegría y disimular los problemas del embarazo. Dedos sujetó a Maura McMahon por el brazo en cuanto la vio.

—Mal asunto, este, mal asunto.

Maura le apartó la mano con mucha decisión.

—Puede que esto no hubiera sucedido si tú hubieras dado mejor ejemplo a tus hijos —dijo Maura en tono formal.

Lilian Kelly nunca habría pensado que la boda de su primogénita se celebraría bajo semejante nubarrón. Muchas veces la había planeado mentalmente. Siempre la imaginaba en su pueblo natal, con una recepción en el Castle. Aquella anónima iglesia de Dublín y el mismo hotel que había escogido la pobre Maura le parecían de segunda.

Clio vestía de blanco, pero Kit se había puesto un atuendo demasiado informal. Era bonita, eso no se podía negar, y aquel sombrero blanco con cintas largas resultaba muy elegante.

A Lilian Kelly la consolaba un poco saber que la desgracia de Kit era aún mayor que la de Clio. Todos podían sospechar que la boda de su hija era algo precipitado, sí, pero al menos se casaba con un O'Connor. En cambio Kit andaba con aquel paleto venido a más, un muchacho que tenía una reputación espantosa, hijo de la pobre Kathleen y de un borracho que había terminado loco. Eso sí que era inaceptable.

Stevie fue una estupenda incorporación para la fiesta, tal como Kit esperaba. Entretuvo a la tía de Michael hablándole de Belfast y le prometió buscarle un buen Mini Morris de segunda mano, la próxima vez que estuviera por allí. Formuló al señor O'Connor preguntas muy inteligentes sobre la industria hotelera. Discutió con el padre Baily la posibilidad de conseguir un coche para una rifa. Habló con Maura sobre el viaje a Londres, en términos tan claros que ella quedó convencida de que habían ocupado cuartos separados en la pensión.

—¿Cómo conseguiste ese alojamiento? —preguntó ella, con toda inocencia.

—Oh, en este trabajo uno siempre tiene conocidos que le recomiendan algún lugar —respondió él.

Recordó con Kevin la gran noche de fin de año. Estudió con Martin McMahon sus planes para ampliar el taller.

—No quiero destrozar la vida de mis buenos vecinos si mis negocios siguen creciendo. Voy a mudarme donde tenga más espacio —dijo, acallando una inquietud que el farmacéutico quería expresar desde hacía algún tiempo.

Finalmente se acercó a Mary Paula y a Louis, que se mostró tan cordial y despreocupado que Stevie sintió un nudo en la garganta. Por aquel hombre la madre de Kit había abandonado el hogar, permitiendo que se la creyera ahogada. Había vivido con él tanto tiempo, soportando sus traiciones, que había estado a punto de perder la cabeza.

Louis habló de su propio coche, un Triumph Herald comprado en Londres. Ya tenía algunos años, pero aún estaba bien y no le daba problemas. Lo había comprado nuevo.

A Stevie se le subió la bilis a la garganta al enterarse de

que había conocido a Mary Paula cuando iba conduciendo hacia un congreso. Aquel hombre del Triumph blanco había despertado su admiración, explicaba ella.

—Le dije: «Qué bonito coche». Y él me respondió: «Vamos a probarlo, ¿quieres?». —Y ninguno de los dos asistimos al congreso.

—Pero no le cuentes eso a mi suegro —susurró Louis—. Podría creer que soy indigno de su confianza.

Mary Paula soltó una risa aniñada.

—¿Y no lo eres? —preguntó Stevie.

—No. —Louis parecía alarmado. Aquel muchacho lo estaba mirando de una manera extraña.

Stevie se alejó muy deprisa. Kit lo había estado observando.

—Por favor —le susurró al oído—. Por favor, no debemos decir nada. Por el bien de ella. Por papá, por Maura.

Y dirigió una mirada a Louis, con los ojos llenos de odio.

¿Era estúpido, acaso, para no saber quiénes eran todos ellos? Sabía que Lena estaba casada con Martin McMahon, el farmacéutico de Lough Glass. Sabía que Clio era de Lough Glass. ¿O tal vez no le importaba su vida con Lena? ¿Había quedado tan atrás que no le importaba nada?

Naturalmente, estaba convencido de que todos creían muerta a Helen McMahon, ahogada en el lago y sepultada en el cementerio. Pero debería de haberle resultado un poco difícil enfrentarse a su familia.

Lena nunca había mencionado a Martin el nombre de Louis, de eso Kit estaba segura. Solo había dicho que quería a otro, sin pronunciar su nombre, porque eso lo hacía demasiado real. Lo había escrito en su carta, por supuesto. Pero aquella fue la carta que Martin jamás recibió.

Las formalidades terminaron antes de lo que sería de esperar en cualquier boda irlandesa. Clio fue a cambiarse.

—Ha sido maravilloso —dijo Kit, mientras ayudaba a su amiga a quitarse el vestido.

—Ha sido diabólico —dijo Clio.

—Te equivocas. Ya verás cuando lleguen las fotos.

—Primero tendría que olvidarme de la cara que tenían todos. Por Dios, qué bruja es la señora O'Connor. Su propia hija se casa embarazada y no dice una palabra. Pero yo soy quien pervirtió a su pobre niño. Lo tiene escrito en la cara.

—Bueno, basta. Ha estado muy bien —dijo Kit para tranquilizarla.

—Stevie se ha comportado muy bien, a decir verdad.

—Bien —dijo Kit, en tono seco.

—Hablaba con unos y con otros como si estuviera acostumbrado.

—Probablemente está acostumbrado a causa de su trabajo. —Kit se comportaba con dignidad.

—Acostumbrado a esta clase de gente, quise decir.

La novia no arrojaría el ramo. Solo se quedaría algunos minutos más, para lucir su conjunto de viaje. Luego los novios se irían. El resto haría lo mismo poco después.

Louis se acercó a Kit, tal como ella esperaba. Sabía que era la hija de Lena, pero no tenía idea de que ella conociera su relación con ella.

Kit habría querido estar muy lejos de él, pero le pareció grosero no responder a su cálida sonrisa.

—Un día estupendo, ¿no?

—Sí, desde luego.

—¿Y no hay nada entre tú y el padrino? ¿Esto no va a terminar en otra boda, para que yo tenga otra cuñada encantadora?

—No, no. Kevin sale con mi amiga Frankie. —Las palabras surgieron con lentitud. Se sentía muy intranquila. Se alejó.

Algo desconcertado, Louis se volvió para conversar con otra persona. No era normal que una muchacha se apartara de él de aquel modo. Stevie lo estaba observando; le había visto apoyar una mano en el brazo de Kit, con su encanto despreocupado y familiar, y ardía por dentro.

La gente se estaba reuniendo cerca de la puerta para despedir a los novios. Louis y Stevie se encontraron allí.

—Me dice Clio que tú también eres de Lough Glass. Parece ser un buen lugar. Tendremos que ir allí, un día de estos —comentó Louis.

Stevie acercó mucho la cara a la suya.

—Ya estuviste en Lough Glass —dijo con voz serena y decidida. Hubo una pausa. Luego añadió, en tono de amenaza—: Y si sabes lo que te conviene, no volverás.

Luego se alejó.

Louis se había puesto pálido. ¿Qué quería decir aquel individuo? Vio que Stevie rodeaba con el brazo los hombros de Kit y que ella le cogía la mano con fuerza. Kit McMahon, la hija de Lena. Y su novio. Pero ellos no podían saberlo, por Dios.

Ninguno de ellos lo sabía.

Lena escribió desde Manchester. Allí la gente era muy amable y parecía tener más tiempo para relacionarse que en Londres; no vivían a la carrera. Y cuando una conocía a alguien tenía muchas probabilidades de volver a verlo. Se parecía más a la vida de Dublín, aunque en Dublín, por supuesto, te encontrabas con demasiada gente. Recordaba vagamente haberse cruzado con Rita, pero estaba segura de que Kit lo había arreglado. Se preguntaba si habría estado inconsciente o loca durante un tiempo.

Ya no importaba. Solo importaba vivir para su hija, por si Kit la necesitaba.

Lena comprendió que debía renunciar a Emmet. Lo había abandonado cuando era un niño. En aquel momento el chico tenía edad suficiente para abrazar a una muchacha y decirle que la quería. Para Lena sería imposible volver a su vida. Ya había terminado con las fantasías... para siempre.

Pensaba conseguir un pequeño apartamento en Manchester. Peggy Forbes vivía con su madre y, de cualquier modo, no sería buena idea compartir el alojamiento con una persona de la agencia. Peggy era una cuarentona divorciada, estupenda para tratar con la gente. La próxima vez que Kit y Stevie viajaran a Inglaterra, tenían que ir a Manchester. Peggy enseñaría a todos cómo era la vida en el norte.

A veces, Kit enseñaba a Stevie parte de las cartas.

—No me gusta leer lo que ella te escribe. Debería ser privado.

—Solo te enseño algunos párrafos. Me reservo las partes privadas.

—¿Hablan de mí?

—A veces.

—¿Te aconseja que no sigas sus malos pasos? —La miraba con ansiedad. En realidad quería saberlo.

—Antes sí. Ya no.

—¿Cuándo cambió?

—Al conocerte.

Casi inmediatamente después de la boda, Clio y Michael se mudaron al apartamento de Maura. El precio había sido acordado muy pronto. Dedos firmó el cheque sin regatear.

—Tienes que venir a verlo —dijo Clio—. Hasta puedes traer a Stevie, si quieres.

—No, gracias. Puedo ir alguna noche que él no venga a Dublín.

—¿No viene siempre?

—Bueno, recuerda que vive y trabaja a dos horas de viaje de aquí.

Kit sabía que hablaba en tono sarcástico y a la defensiva. Solo Clio la hacía comportarse así.

La tarde en que fue al apartamento encontró a Clio de muy malhumor.

—¿Ya has tomado el té? —preguntó con brusquedad.

—En realidad, no, pero no tengo hambre —dijo Kit.

—No se me ocurrió que...

—No importa. —Kit se preguntaba cómo podía no habérsele ocurrido. Cuando se hace una invitación para las seis de la tarde, se supone que la gente va a tomar algo a esa hora.

Kit admiró el apartamento y los regalos de boda. Algunos estaban todavía en sus cajas, sin desenvolver.

—Creo que sufro de depresión preparto —dijo Clio—. ¿Has oído hablar de ella?

—No —respondió Kit con sinceridad—. Se supone que a estas alturas una está entusiasmada, tejiendo peúcos y preparando la cena para el marido y sus amigos.

Clio estalló en lágrimas.

—Cuéntamelo. Vamos, cuéntamelo.

Kit sabía que iba a oír una retahíla de quejas. ¿No convendría sacudir a aquella chica hasta romperle los dientes? Alguien debería haberlo hecho hacía mucho tiempo. El doctor Kelly y su esposa siempre le habían permitido salirse con la suya.

—Todo es absolutamente horrible. El miércoles Michael no vino a dormir. Había una fiesta en el hotel donde está trabajando y ninguno de ellos volvió a su casa. Ni siquiera Louis, que vive al lado del hotel. Mary Paula está completamente furiosa, aunque Louis le lleva flores todos los días. Michael no me trae flores. Dice que soy una pesada. ¡A estas alturas! Hace apenas unas semanas que nos hemos casado y ya me dice que soy una pesada.

—Bueno, bueno, no lo dice en serio —dijo Kit.

—Y papá no me ayuda en nada. Ni mamá. Les dije que me gustaría ir a casa unos días y me dijeron que no. Dicen que yo me lo he buscado. Y odio este apartamento. Se ve por todos lados el sello de tía Maura. Todo el mundo está tan enfadado, Kit...

—Yo no.

—Claro, porque te revuelcas como una tonta con Stevie Sullivan y no puedes pensar en otra cosa.

—Ni por asomo, aunque te parezca mentira.

—Pues te vendría bien.

—Clio, quien está mal eres tú. Hablemos. Veamos la parte positiva. Michael solo pasó fuera una noche y estaba con... tu cuñado. No hay motivo para pensar que estuviera haciendo algo malo.

—No sé —dijo Clio, lúgubre—. Mary Paula me dijo que allí había otras chicas. Mujeres fáciles.

Kit se preguntaba si Mary Paula y Clio, que se habían casado embarazadas hacía muy poco, estaban en situación de considerar «fáciles» a otras mujeres. Pero lo dejó correr.

—¿Qué otros puntos positivos hay? —prosiguió Kit, empeñada—. Tienes un hogar precioso. Michael tiene un buen empleo. Vas a tener un bebé.

—Lo que significa que no puedo trabajar —se quejó Clio.

—¡Si no querías trabajar! Dijiste que solo querías conseguir marido. Bueno, pues ya lo tienes.

—Nada es como antes. —Clio sollozó.

—No, es diferente, pero nosotras también tenemos que cambiar, supongo.

—Ojalá pudiéramos ser otra vez niñas, visitar a la hermana Madeleine, ir a casa a tomar el té.

—Bueno, ahora somos nosotras las que debemos preparar el té. ¿Quieres que salga a comprar algunas cosas?

—¿Me harías el favor? Me siento tan mal, tan torpe, que no puedo moverme.

—Estás igual que Mary Paula. ¿Cuándo nace su bebé?

—Esta semana. Por eso es tan horrible lo de Louis y todo eso. Y Louis se peleó con el padre de Michael por cuestiones de dinero. Parece que se limita a embolsarse el sueldo todos los meses y no le pasa por la cabeza pagar las cuentas. La otra noche hubo allí una escena horrible.

—Hablando de dinero: no tengo mucho, si quieres que compre algo para cenar —dijo Kit.

—Ah, hay un billete de cinco libras bajo el reloj. —Clio

señaló con un movimiento de la mano. Sonó el teléfono—. ¿Quieres cogerlo, Kit, por favor?

Era Louis.

—No eres Clio.

—No, soy Kit McMahon. ¿En qué puedo ayudarte?

—Mi esposa está en el hospital y ha empezado el parto.

—Enhorabuena —dijo Kit en tono inexpresivo.

—No, espera. Quería preguntar a Clio si podía llamar al suegro para decírselo.

—¿Por qué no lo llamas tú?

—Bueno, para serte franco, hemos tenido unas palabras. Creo que él preferiría enterarse por otro miembro de la familia. Pero no encuentro a Michael ni a Kevin por ninguna parte.

—Sí, me enteré de que tuviste problemas con tu suegro. —Kit lo dijo sin saber por qué lo hacía, pero le asqueaba pensar que aquel aprovechado de Louis vivía a costa de todos.

Él cambió de tono.

—¿Cómo te has enterado?

—Por Clio, que lo supo por tu mujer. —En aquel momento se comportaba con descaro.

—¿Y te parece que es asunto tuyo?

—No —reconoció ella.

—Bueno, ¿puedes ponerme con Clio?

—No está en casa.

—Bueno, está bien.

—¿Quieres que llame a O'Connor y le diga que Mary Paula ya está ingresada y que tú no querías llamarlo personalmente?

Louis colgó.

—¿A qué ha venido todo eso? —Clio la miraba boquiabierta.

—Ese gusano de Louis Gray tiene miedo de hablar con tu suegro.

—¿Y por qué lo has tratado tan mal?

—Porque lo odio.

—¿Por qué, mujer?

—No sé. Es irracional. A veces hay antipatías irracionales.

—Bueno, ese hombre es parte de mi familia política, Kit. No está bien que descargues tu odio en ellos solo porque tus cosas con Stevie no anden bien.

—¿Quién ha dicho que mis cosas con Stevie no andan bien?

—Supongo que así es. De lo contrario él no habría ido a esa fiesta del hotel donde trabajan Louis y Michael. La del miércoles por la noche.

Kit la miró con incredulidad.

—¿Que Stevie estuvo allí?

—Sí. ¿No te lo dijo?

—Sabes muy bien que no me lo dijo.

El miércoles anterior... él le había dicho que tenía una reunión en Athlone. Maldito Stevie, él y todos los hombres atractivos. Kit se puso la chaqueta y se dirigió a la puerta.

—El billete de cinco libras, Kit. —Clio señaló la repisa.

—Arréglatelas sola con ese té, Clio —dijo Kit.

Y salió dando un portazo.

Se moría por escribir a Lena y contarle que el matrimonio de Louis estaba en crisis, apenas cinco meses después de la boda. Habría querido abrazarse a su madre para llorar. Consultarle si debía hacer frente a Stevie y preguntarle directamente dónde había estado, verificar si existía aquella reunión en Athlone.

¿No era aquel el camino que había recorrido su madre y del que tanto se arrepentía, pasarse la vida averiguando cosas para luego pasarlas por alto? Caminaba por la calle, mirando a otras personas que no tenían la vida destrozada, que se ocupaban de sus asuntos. Hombres que llegaban a casa después de trabajar, esposas que les abrían la puerta, niños que jugaban en el jardín, bajo el sol poniente de junio.

No debía contar a Lena que Louis estaba mal. Ella había dicho que tenía paz si no sabía nada de él. Aun así, existía el peligro de que Lena lo aceptara a su lado otra vez. Que olvidara, que perdonara. Después de todo, tampoco le costaría mucho perdonar una esposa y un bebé, cuando ya había soportado tantas cosas.

Lena y Peggy Forbes estaban cenando en un restaurante indio de Manchester, después de la inauguración oficial de la agencia. Peggy era una rubia muy elegante, de cuarenta y tres años. Se había casado siendo muy joven y muy tonta, decía, con un hombre que habría estado mejor con una corredora de apuestas. Lo había conocido en el hipódromo, lo que debería haber sido ya una pista... Se divorció a los veintisiete, tras seis años de un matrimonio muy insatisfactorio.

Entonces comenzó a trabajar, a trabajar mucho. Eso le daba un gran placer, decía. No por el dinero en sí, porque no tenía como objetivo ganar una fortuna, sino porque le gustaba conocer gente nueva y ayudarla a progresar.

Peggy comentó que no solía contar toda su vida a cualquiera, pero como Lena había puesto tanta fe en ella, prefería ponerla en antecedentes.

—Yo también tengo un pasado algo confuso —dijo Lena—. Estuve casada dos veces y ninguno de esos matrimonios funcionó. En la oficina no comento nada sobre el asunto; en realidad, allí casi nadie sabe nada de mi primer matrimonio y se creen que el segundo aún dura.

Peggy asintió.

—Es lo mejor.

—Si te lo cuento es solo porque no quiero responder a tu franqueza con mi silencio.

—Eso no me habría molestado.

—Porque eres una mujer práctica y sabes que soy la jefa. Pero también me gustaría que fuéramos amigas.

—Estoy segura de que así será.

—Y sería muy agradable que saliéramos juntas, aquí en Manchester; podríamos ir al cine o a comer, o visitar a tu madre. Eso sí: no me gustan los clubes ni ese tipo de salidas nocturnas.

—Tampoco a mí —dijo Peggy—. En la oficina, las chicas más jóvenes me tienen lástima y están siempre proponiéndome que salga con ellas, pero no tenemos la misma idea de lo que es pasarlo bien.

—A mí me pasa lo mismo —dijo Lena.

—Lo único que lamento es no haber tenido hijos. Me habría gustado tener una hija. ¿Y a ti?

Lena vaciló.

—En realidad, tengo una. Pero eso no se sabe.

—No te preocupes. No diré nada —aseguró Peggy. Y sonrió con una sonrisa abierta y cordial.

—Creo que hemos hecho una estupenda elección —decía Lena a Jim y Jessie Millar en la oficina de Londres.

En aquel momento entró la recepcionista.

—Lo siento mucho, señora Gray, pero la llama su marido. Dice que se trata de una emergencia y que necesita hablar con usted.

—Usa esta habitación —dijo Jim Millar.

Él y Jessie se levantaron para salir, pero Lena se opuso.

—Pídele su número, Karen, y dile que lo llamaré dentro de cinco minutos.

Fue al despacho y se miró en el espejo. Estaba viva y bien. Estaba sana. No permitiría que él la turbara. No había en la vida de Louis ninguna emergencia que pudiera afectarle.

En el número de Dublín la atendieron dándole el nombre de un hotel. Louis la llamaba desde el trabajo. ¿Qué novedad era aquella?

—Soy Lena.

—Gracias por llamarme. Era de esperar. Siempre fuiste muy formal.

—Cierto. ¿En qué puedo ayudarte? —Su voz era tranquila.

—¿Estás sola?

—Tan sola como se puede estar aquí. ¿Por qué?

—Tengo un gran problema y tú también.

—¿Yo? ¿Por qué?

—Están enterados.

—¿Quiénes?

—Todos los de Lough Glass.

—¿De qué están enterados, Louis?

—Saben lo tuyo.

—Lo dudo. A menos que tú se lo hayas dicho.

—Juro por Dios que no he abierto la boca. Hasta ahora no he dicho una palabra a nadie.

Ahí estaba: la amenaza. Había chantaje en su tono de voz. «Hasta ahora...»

—¿Y quién parece estar enterado, concretamente? —preguntó ella.

—Un individuo llamado Sullivan. ¿Lo conoces?

—Me acuerdo de él. Su familia tiene un taller.

—Y Kit... Kit lo sabe. Ayer estuvo muy grosera conmigo. Me trató mal.

—Eso lo dudo.

—De veras. Dijo haber oído rumores de que yo me había peleado con mi suegro.

—Lamento que estés en malas relaciones con tus parientes —dijo Lena. Su voz sonaba tan dura que a ella misma le costaba reconocerse.

—No me vengas con eso, Lena. Yo también tengo problemas. —Ella esperó—. Ellos creían que yo tenía más efectivo del que tengo.

—¿Sí?

—Me enteré por los periódicos de que habéis abierto una oficina nueva en Manchester. La agencia salió mencionada en las páginas de finanzas, nada menos.

—Sí. ¿Viste qué bien les va a los Millar?

—Investigué, Lena.

—¿Qué?

—Hice que alguien fuera a la Cámara de Comercio. Estás en el registro.

—¿Y qué, Louis?

—Formas parte de la empresa. Estás en condiciones de ayudarme. Nunca en mi vida he pedido nada. Ahora te pido a ti.

—No, no me estás pidiendo nada. Lo que tratas de hacer es chantajearme.

—¿No dijiste que la línea podía estar abierta?

—En este extremo, probablemente no. En el tuyo, quién sabe.

Hubo un silencio.

—Nos separamos como amigos, Lena. ¿No podemos seguir siéndolo?

—No nos separamos como amigos.

—Claro que sí. Me acuerdo de esa noche.

—Nos separamos sin peleas y sin escenas. Pero entonces yo no era tu amiga ni lo soy ahora. —Hubo un silencio. Lena volvió a hablar—. Bueno, si eso es todo, te deseo buena suerte. Y espero que superes ese problema con tu suegro. No dudo que lo harás, porque tienes mucho encanto.

—Solo una cantidad, Lena. No volveré a pedirte nada.

—No. Y espero que no vuelvas a llamarme. Si lo haces, pediré al personal que no me pase tus llamadas.

—Con esa actitud altanera no conseguirás nada. No sabes con quién estás tratando —exclamó él.

—Con un hombre que debe dinero a su suegro, al parecer.

—No porque le haya robado ni pedido prestado. Solo porque él supone que debo pagar mis propios gastos.

—O que debes rascarte el bolsillo de vez en cuando.

Esa era exactamente la frase que había usado Dedos. Louis le había mentido; había dicho que estaba ahorrando para el nacimiento de su hijo.

—Tengo un hijo —informó.

—Qué bien.

—No, es que necesito dinero para abrirle una cuenta de ahorros. Eso es lo que dije: que estaba ahorrando para abrirle una cuenta.

—Adiós, Louis.

—Te vas a arrepentir.

—¿Qué puedes hacerme?

—Puedo acabar contigo. Puedo decir a esos paletos que no has muerto. A Martin, Maura, Peter, a todos ellos. Que te estás dando la gran vida en Londres, como directora de una empresa. ¡Eso sí que armará jaleo en Lough Glass! Bigamia, Maura convertida en una mujer de dudosa virtud... Kit y su hermano, abandonados por una madre débil...

Lena cayó en la cuenta de que no sabía siquiera cómo se llamaba Emmet.

—Hazlo, Louis, y caerás mucho más bajo de lo que puedas haberte imaginado.

—Simples amenazas. —Rió.

—No, en absoluto. Al telefonearme con esta noticia has cometido un gran error. Te habría sido más fácil conseguir dinero vendiendo toda tu sangre o asaltando una joyería.

—Lena...

Pero la línea estaba muerta.

Llamó al taller de Sullivan. Atendió Maura McMahon. Lena estuvo a punto de colgar, pero el tiempo era valioso. Disimulando la voz con una mala imitación del acento de los barrios bajos, pidió hablar con Stevie.

—En este momento no puede ponerse. ¿Puede decirme quién le llama?

Había olvidado el timbre de Maura. El tono amable, la voz dulce. Se sintió más decidida que nunca a que nada turbara la vida serena que llevaba aquella mujer. Que nadie malograra su felicidad con Martin McMahon.

—Es realmente urgente. Hablo desde una pensión de Londres donde estuvo hospedado.

—¿Sí? —En aquel momento Maura parecía nerviosa y alerta.

—¿Está segura de que no puede ponerme con él?

—¿Hubo algún problema con la factura o algo así?

—No, no.

—Bueno, ¿puedo decirle que la llame cuando regrese?

—¿Cuándo regresará?

—Mañana. Está en Dublín.

—¿Hay alguna manera de que pueda comunicarme con él allí?

—Temo que no, pero si me deja su nombre y su número...

Dio a Maura el nombre y el número telefónico de Ivy. Luego hundió la cabeza entre las manos.

Su única esperanza era Stevie.

Aquella noche Kit llamó a casa y habló con Maura.

—Me han dicho que Clio es tía política —comentó Maura.

—Oh, ¿de veras?

—Sí. Un niño, me dijo Lilian.

—Estupendo —comentó Kit.

—¿Así que has reñido otra vez con ella?

—Esta es la última pelea.

—Me alegro de saberlo.

—No, quiero decir que la amistad se acabó.

—Eres demasiado mayor para pensar así, Kit. Una amistad no se acaba nunca.

—Sí: cuando no es auténtica —dijo Kit.

—Pasemos a cosas más alegres —sugirió Maura—. ¿Esta noche saldrás con Stevie?

—No sé —respondió Kit sinceramente. Habían acordado que él pasaría por el apartamento a las ocho, si podía. Pero ella no estaba segura de querer recibirlo.

—Bueno, si lo ves, ¿quieres darle un mensaje?

—Espera. —Kit sacó un cuaderno—. Adelante, Maura.

—Debe llamar a Londres, a esta pensión.

—¿Qué?

—No, no es por ninguna factura. Pregunté. Pero esa mujer es como una ostra, no quiso decirme nada. Quiere que él la llame a este número...

—Creo que ya tengo el número —dijo Kit.

—Te lo doy, de cualquier modo. Se llama Ivy Brown y el número de Londres es este...

Ivy. Kit se apoyó contra la cabina telefónica. A Lena debía de haberle sucedido algo. Y debía de ser algo muy malo para que quisiera hablar con Stevie. Kit se sintió muy débil. ¿Qué podía haber pasado?

¿No sería estupendo tener dinero suficiente para llamar a Londres desde una cabina sin pensarlo dos veces, en vez de ahorrar monedas un par de días para llamar a Lough Glass? No podía esperar hasta las ocho; eran solo las seis y cuarto. Iría a pedir dinero prestado.

Al salir de la cabina vio el coche de Stevie, que se detenía allí. Él abrió el maletero y sacó su chaqueta fina. Solía viajar con una vieja, para mayor comodidad, según decía. Curioso, que aún se pusiera elegante para ella.

—Presumido —dijo ella, acordándose de las chaquetas de Louis Gray, colgadas en el armario de Lena. Pero en aquel momento lo necesitaba. Se le acercó antes de que hubiera tenido tiempo de guardar la chaqueta vieja.

—Me has pillado —exclamó él.

—¿Y te preocupa que te pille en esto, precisamente?

—¿Qué pasa?

—¿A qué te refieres?

—Hablas como si yo tuviera una lista de crímenes que ocultar.

—¿Y no la tienes?

—No, en absoluto. ¿Qué pasa? Estás más blanca que el papel.

Ella le contó lo de la llamada.

—Debe de ser un mensaje en clave.

—Voy a llamar —dijo él—. ¿Quieres entrar en la cabina?

—No. —Kit se apartó. No quería la intimidad de la cabina telefónica, donde los dos estarían apretados.

—De acuerdo.

Lo vio hablar por teléfono un rato. Después de colgar hizo otra llamada. El asunto debía de ser grave. Kit se paseaba junto a la cabina, pero no lo notaba impresionado ni afligido, como si se estuviera enterando de una enfermedad o un accidente. Parecía muy enfadado.

Kit abrió la puerta de la cabina, vacilando.

—No, no. No le diré nada hasta que se haya arreglado. Comprendo. Sí, puedes confiar en mí. Te llamaré mañana. Adiós.

Luego Stevie salió.

—¿Qué pasa? —preguntó ella.

—Tu madre está bien. Hablé con ella. Está bien de salud y parece muy tranquila. Quería que le solucionara un problema, pero sin que tú te enteres.

—No te creo.

—Mira qué gracioso. Si tú me dijeras algo así, yo te creería.

—¡No puedo confiar en ti! —le gritó ella—. Esta es otra mentira. Seguramente te has valido de mi madre para encubrir algo.

—Te has vuelto loca, Kit —dijo él sin alterarse—. Tú misma me diste el mensaje. Llamé a ese número y eso fue lo que pasó. No sé de qué me estás hablando.

—Claro que lo sabes. Hablo de lo del miércoles. Querías que ella te encubriera.

—¿Lo del miércoles? —Parecía sinceramente desconcertado.

—Lo del miércoles, sí. Alguien te ha dicho que se te había descubierto la mentira. Y ahora estás amañando algo con ella porque crees que le gustas.

—Supongo que le gusto, sí. Y se nota que me tiene confianza.

—Eres un mentiroso, Stevie.

—No —dijo él, simplemente—. No miento. —Durante un momento no hicieron más que mirarse—. No pienso volverte la espalda por algún malentendido. Pero creo que estás demasiado furiosa como para explicármelo, así que dime: ¿qué hacemos?, ¿adónde quieres ir?

—Quiero que te vayas al infierno —dijo Kit.

—¿Por qué? ¿Por qué dices eso?

—Porque soy hija de mi madre, claro, pero no voy a soportar lo que ella soportó durante toda su vida. Es mejor que lo entiendas ahora y no dentro de algunos años.

—Ahora tengo algo que hacer. Un encargo de tu madre. Pero me gustaría volver para que habláramos.

—Te vas a encontrar con la puerta cerrada —aseguró Kit.

—Ella me pidió especialmente que te mantuviera al margen de esto, pero si quieres verificar lo que te digo, puedes llamarla para preguntarle y agregar un problema más a los que tiene. ¿Y de qué serviría?

—De qué, es cierto.

—Si no me crees y necesitas comprobarlo, lo más probable es que tampoco la creas a ella. Es preferible que ahorres dinero.

Stevie subió a su coche y salió a gran velocidad.

Kit pasó un buen rato despierta, pero él no volvió al apartamento. Tampoco le dejó mensaje alguno.

Cuando por fin llegó la mañana, ella tenía los ojos enrojecidos.

En la escuela se encontró con Philip.

—¿Estás resfriada, Kit?

—Un poco. ¿Cómo estás?

—Bien. Con muchísimo trabajo. Tenemos reservas para seis excursiones, este verano. ¿No quieres venir a trabajar en el hotel, Kit? ¿O ya tienes algún trabajo?

—No sé, Philip. No es un buen día para preguntármelo.

—Necesito que me respondas pronto.

—El fin de semana —prometió ella.

—Ah, Kit, Clio te estaba buscando.

—¿Cuándo?

—Llamó cuando yo estaba a punto de salir. Quiere que la llames. Era muy urgente.

—Para ella todo es urgente —dijo Kit—. Probablemente quiere que alguien le alcance un pañuelo.

Al mediodía, al salir de clase, vio a Clio sentada en el vestíbulo.

—¿No tienes miedo de coger algún virus si te alejas tanto de la zona elegante? —preguntó Kit.

Su amiga estaba muy pálida.

—Fue todo culpa mía, Kit. Lo dije solo por despecho.

—¿El qué?

—Eso de que Stevie estuviera en la fiesta. No es cierto. Lo inventé para que no presumieras tanto.

—Estupendo. Gracias por decírmelo ahora, al menos.

A Kit le brillaban los ojos; su corazón estaba contento. Debería haber adivinado desde un principio que todo era fruto de la mezquindad de Clio, que Stevie no le mentía. Luego recordó la conversación de la noche anterior, y se estremeció.

Clio aún la estaba mirando.

—No hacía falta que vinieras hasta aquí solo para decirme eso —dijo Kit.

—Claro que sí. Después de lo que ha pasado...

—¿Qué ha pasado?

—Stevie. Fue al hotel y le dio a Louis una paliza de órdago. Ha perdido tres dientes y tiene la mandíbula rota.

—¿Qué?

—Está hospitalizado. Mary Paula está medio loca. La semana que viene bautizan al niño y Louis parece que ha sido recogido en una taberna del puerto después de cerrar.

—Pero ¿por qué le pegó Stevie?

—Debe de haber pensado que fue Louis quien te dijo lo de la fiesta.

—Yo no le mencioné a Stevie lo de la fiesta.

—Bueno, alguien debe de habérselo dicho. ¿Qué otro

626

motivo tenía para pegarle así? Por Dios, Kit, cuánto lo siento. Qué cosas tan horribles están pasando últimamente.

En Manchester había muchos problemas que solucionar. Lena dijo que iría a ocuparse en persona.

Por la tarde llamó Louis.

—Veo que aún no has puesto mi nombre en la lista negra. Me han pasado contigo directamente.

—¿Qué le ocurre a tu voz, Louis? Suena cambiada.

—Como si no lo supieras. Mandaste a un matón para que me golpeara.

—No es cierto. Mandé a un amigo para que te hiciera entrar en razón.

—Me rompió la mandíbula, tengo un ojo morado y me faltan tres dientes. Hermoso espectáculo voy a ser en el bautizo.

—Qué mala suerte.

—Para mí no: para ti. Voy a demandarle. Y explicaré públicamente en los tribunales por qué lo hago. Ese hombre tiene dinero de sobra. Y tú también hablarás, y el premio será mayor de lo que pensamos.

Lena se echó a reír.

—No eres capaz de algo así. ¿Echar a perder todo lo que has conseguido: un puesto cómodo, una esposa joven, un bebé...? No te conviene divulgar que has estado viviendo con una mujer que abandonó a su marido y a sus hijos. Te conozco bien. Estás tirándote un farol.

—Antes de que mandaras a ese individuo, tal vez. Ahora ya no tengo nada que perder. Si alguna credibilidad tenía, ha desaparecido. Me estoy hundiendo, pero voy a arrastrarte conmigo. Solo quería que lo supieras, por si te permites el lujo de dormir bien.

—No te creo. Y de ahora en adelante estás en la lista negra, sí. No podrás volver a llamarme.

—No, pero ya tendrás noticias mías. Verás de lo que soy capaz, Helen McMahon.

—No viajes esta noche —dijo Jessie—. Hoy has trabajado mucho.

—Cuanto antes llegue allí, mejor.

—Bueno, coge el tren. Así podrás dormir.

—Allí necesito el coche. —Lena había comprado un Volkswagen Escarabajo por consejo de Stevie; nunca le había fallado y le resultaba muy preciado—. Me gusta ir sola en el coche; es como un pequeño mundo diferente, donde puedo pensar.

—No pienses demasiado —dijo Jessie—. Y si te cansas, para. Manchester está muy lejos.

—¿Por qué no viajas por la mañana? —dijo Ivy.

—Tonterías. Me encantan las noches largas. Además, haré la mayor parte del trayecto con la luz del día —aseguró Lena.

—Llévate un termo con café. Te lo traigo en dos minutos, mientras tú preparas la bolsa.

—De acuerdo. Cuando tenga allí un pequeño apartamento propio, ni siquiera tendré que preparar la bolsa.

Estaba en pleno viaje cuando la atacó aquella sensación, la misma que había tenido después de Año Nuevo: nada parecía real, el suelo le quedaba muy lejos y los sonidos le llegaban distorsionados. La acompañaba una opresión en el pecho, como si fuera a desmayarse o a caer.

Pero eso era ridículo. Estaba en su coche, viajando a una velocidad del todo normal. ¿Convendría detenerse? Al ver un sitio adecuado, se situó en un lateral y paró el coche. Después de tomar unos sorbos de café, bajó a estirar las piernas. Pero entonces volvió aquella extraña sensación de que el suelo formaba un ángulo peculiar. Se apoyó en el coche para sujetarse.

Por todas partes la rodeaba la cara de Louis y su voz: «No tengo nada que perder, te arrastraré conmigo, Helen McMahon».

Así no podía conducir. Pero tampoco podía quedarse allí. Era preciso volver al coche. El asiento y el volante le servirían de apoyo; era solo su mente, que estaba jugando sucio. Después de un rato se unió al torrente de coches que iban hacia el norte, e intentó pensar en la oficina de Manchester.

La gente ya había encendido las luces. La carretera brillaba; allí debía de haber llovido. La cara de Louis regresaba otra vez. No podía imaginarla tal como estaría en aquel momento: con cardenales y cortes, con dientes de menos. Ella había pedido a Stevie que lo amenazara, simplemente. Tal vez no se había explicado bien. Pero allí estaba otra vez: su cara hermosa, petulante, impaciente, como cuando no obtenía lo que deseaba.

—Sal de aquí, Louis —dijo en voz alta.

—Ya no tengo nada que perder —dijo Louis—. Te arrastraré conmigo. Te arrepentirás de no haberme escuchado. No tengo nada que perder.

Vio un camión enorme. Las luces de un camión y un terrible estruendo de cristales y...

Después, nada.

Peggy Forbes esperaba que Lena la llamara en cuanto se hubiera inscrito en el hotel. Sería a las once de la noche, como muy tarde. Era medianoche, y estaba preocupada.

En el hotel también estaban molestos.

—Hemos perdido varias oportunidades de ocupar su habitación —dijeron.

—Creo que lo principal es averiguar si la señora Gray ha tenido algún accidente, en vez de preocuparse por la ocupación de la habitación —observó Peggy Forbes.

Ellos le pidieron mil disculpas.

Fue Ivy quien se enteró, a las dos de la mañana.

Un joven policía llamó a su puerta.

—¿Puedo pasar?

—Ernest —llamó ella—. Ernest, ven pronto. Lena ha muerto.

Fue instantáneo, le dijeron. Ella había cruzado la carretera hacia el sentido contrario. Debía de haberse dormido o deslumbrado. El conductor del camión estaba desconsolado. Lloraba como un niño al lado de la carretera. Quería hacer saber a la familia que había sido imposible evitarla. El coche de la señora estaba fuera de control. Claro que eso no serviría en absoluto de consuelo a la familia, había dicho.

—Ella no tiene familia —dijo Ivy al policía—. Su trabajo y yo: eso era todo lo que tenía. Nosotros somos su familia. Por la mañana avisaré a la oficina.

—Estas eran las únicas direcciones que figuraban en su agenda y en su cartera, al parecer —dijo el policía—. Nuestra gente de allí dijo que los únicos contactos registrados eran usted y la agencia Millar. Supongo que es como usted dice.

—Es como le digo —confirmó Ivy—. Gracias, oficial.

A las nueve de la mañana Ivy fue a la agencia Millar, rigurosamente vestida de negro. Tenía una lista de cosas de las que hablar con Jessie Millar. Las formalidades policiales y lo que preguntarían, la empresa fúnebre, el entierro, el anuncio en los periódicos.

No esperaba que el golpe afectara tanto a Jessie Millar. No reaccionó como una simple compañera de trabajo, sino como una verdadera amiga. Cuando cesó el llanto lo arreglaron todo.

—Lo delicado es la cuestión del señor Gray. Creo que yo puedo encargarme de eso —sugirió Ivy.

—Por favor. Pase y use su despacho. Haga todas las llamadas que necesite. Como si estuviera en su casa.

Ivy nunca había estado en una oficina tan lujosa. Le habría encantado comentarlo con Lena, pero estaba allí para disponer su entierro con la empresa de pompas fúnebres. Luego se encargaría del señor Gray. Recordaba el nombre del hotel donde él trabajaba en aquel momento. La violencia de su reacción la tomó por sorpresa.

—Ese es un truco sucio y barato, Ivy —dijo él.

—¡Ojalá! —A ella le temblaba la voz.

—Si cree que puede librarse con esa mentira, que lo piense mejor.

—Los funerales serán el jueves, Louis. Sería preferible que vinieras.

—¡Qué funerales! ¡No me hagas reír!

Ella le dio el nombre y el número telefónico de la funeraria. Dijo que se lo confirmaría por escrito, poniendo en el sobre «Privado».

—Sería preferible que vinieras —repitió con voz serena.

Luego llamó a Stevie Sullivan. La atendió una mujer que debía de ser la segunda esposa de Martin McMahon.

—Habla Ivy.

—Ah, la de la pensión, recuerdo —dijo amablemente Maura.

Ivy se acordó de la excusa. Parecía mentira que apenas hacía un par de días Lena estuviera sana y salva.

—¿Puedo hablar con él?

—Claro. —Maura estaba desconcertada. Esa tal Ivy hablaba ahora con una voz muy distinta.

—Tengo que ir a Dublín, Maura —dijo Stevie, metiendo algunos papeles en un maletín, mientras recogía las llaves de un coche—. Es por un asunto inesperado e importante. Volveré dentro de unos días.

—Pero tienes compromisos, entrevistas...

—Cancélalas, ¿quieres?

—¿Alguna excusa?

—Ninguna que pueda darte ahora. Inventa alguna.

—¿No puedes decirme nada más? Por favor, Stevie. Estoy un poco preocupada. Esas llamadas desde Londres...

Stevie la miró.

—Sí, en realidad viajo a Londres. Paso por Dublín para recoger a Kit. Ha muerto una amiga nuestra.

—Pero ¿qué amiga...?

—Por favor, Maura. Sé que estás preocupada, pero por favor. Este es un mal momento.

—Su padre querrá saber por qué sale volando de ese modo.

—No, no sale volando. Escucha: sé que vosotros no me tenéis mucha confianza, pero daría la vida para impedir que Kit sufriera algún daño. Creo que ya lo sabes. No la he seducido y no trataré de... Con el paso del tiempo, dentro de algunos años, espero que se case conmigo. Pero tal vez no quiera. No puedo ser más franco.

—Ve a preparar tus cosas, Stevie —dijo ella—. Yo me encargo de todo.

Sacó a Kit de una clase. Le ofreció las dos manos.

—Esta será la segunda vez que recibas esta noticia, Kit —dijo.

Ella apoyó la cabeza en su hombro y lloró.

Sacaron el cuerpo del hospital y lo llevaron a una funeraria de Londres. Stevie entró llevando a Kit de la mano. Se detuvieron junto al ataúd. Lena parecía dormida. Los cardenales y las heridas que pudiera tener en la frente estaban disimuladas por el pelo. Ninguno de los dos lloró. Se limitaron a mirarla un rato.

Ivy los invitó a ocupar el apartamento de Lena.

—Es lo que ella querría. Lo dejé preparado.

Ellos subieron, moviéndose con lentitud, como en un sueño.

—Ella me dijo que había cambiado el empapelado —comentó Kit.

—Cuando él se fue, para borrar su recuerdo de allí. Creo que sirvió de algo.

—Seguramente —dijo Stevie.

—Tenía toda la vida por delante —dijo Ivy, arrugando la cara. Les volvió la espalda—. Os dejo. Si necesitáis algo, no tenéis más que bajar.

—Solo hay una cama —observó Stevie.

—Podemos sobrevivir así —dijo Kit.

Se quitó el vestido y las sandalias. Se lavó la cara, los brazos y el cuello en el lavabo que su madre debía de haber usado con tanta frecuencia. Luego ocupó un lado de la cama. Stevie se tendió al otro lado y le cogió la mano. Al cabo de un rato notó que ella se había dormido.

—Él no vendrá al entierro —dijo Ivy.

—Claro que sí —aseguró Kit. Estaba pálida, pero tranquila.

—¿No estamos mejor sin él? —preguntó Ernest—. Todo esto fue culpa suya.

—No pienso enterrarla sin ese cretino aquí, mirando —dijo Kit—. Ella merece siquiera eso. Merece que él aparezca en su funeral, con corbata negra.

—¿Y si no viene?

—Lo obligaré.

Louis Gray no atendió la llamada que Kit McMahon hizo desde Londres. La secretaria dijo que tenía instrucciones de no pasarle a la señorita McMahon.

—¿Puede darle un mensaje de mi parte, por favor?

—Por supuesto.

—Aquí, en Londres, se le espera en cierta reunión y necesito saber si piensa asistir o no.

—Un momento. Voy a preguntar. —Al cabo de unos instantes regresó—. Lo siento, pero dice el señor que lamentablemente no irá.

—En ese caso dígale que lamentablemente tendré que ir a buscarlo.

Kit colgó.

En la oficina pidió a Jessie un préstamo de cien libras. Dijo que era para el entierro. Se lo dieron sin problemas. Luego dejó una nota para Stevie y fue directamente al aeropuerto. El vuelo fue de una hora; el viaje en taxi hasta el hotel de Louis, de una hora más. Estaba tranquila cuando pidió verlo. Le dijeron que estaba en una reunión con el señor O'Connor padre y algunos miembros de la dirección.

—Tengo un taxi esperando —dijo Kit—, así que voy a entrar para hablar con él.

Antes de que la recepcionista pudiera detenerla, Kit estaba ya en la sala de juntas.

—Les pido disculpas por esto, pero se trata de una emergencia.

O'Connor reconoció a la muchacha que sabía causar tantos problemas.

—Sal de aquí ahora mismo —dijo Louis.

—Escúchala, Louis —ordenó Dedos.

—Temo que en Londres ha muerto una persona muy amiga nuestra y todos necesitamos su presencia en los funerales. No me gusta armar semejante drama, pero usted es muy necesario allí.

—¿Quién es esa persona? —preguntó O'Connor, al ver que Louis parecía haber perdido la voz.

—Leonard Williams, hermano de James Williams, su ex jefe —dijo Kit con toda claridad—. La familia reclama insistentemente su presencia. —Miraba a los ojos de Louis al hablar. Le estaba diciendo que le guardaría el secreto, que no diría nada, siempre que él fuera al entierro.

—¿James Williams, el que conocimos en el Dryden la vez pasada? —preguntó Dedos.

—Ese Williams, sí. ¿Vendrá conmigo? Tengo un taxi fuera.

—No esperarán que vaya ahora mismo —dijo Louis tartamudeando.

—Debe estar allí lo antes posible.

Seguían mirándose a los ojos. Louis comprendió que Kit era capaz de cualquier cosa. No tenía elección.

—Debo volver para el bautizo —repuso Louis.

—Los bautizos se pueden retrasar, pero la muerte súbita y los entierros no.

—Iré esta noche —prometió él.

—Ya sabe adónde: a la casa de Londres oeste. Allí están todos los detalles.

—Sí, sí, lo sé.

—¿Qué papel tienes tú en esto? —preguntó Dedos en tono suspicaz.

—La persona fallecida se portó muy bien conmigo y con todos nosotros. Por eso, los que tuvieron alguna importancia en su vida deben estar presentes en el funeral —explicó ella.

Los otros no sabían de qué se trataba y se miraban confundidos. Primero, Louis Gray, el nuevo administrador, aparecía con cara de haberse peleado y luego las extrañas indicaciones de aquella joven a quien Dedos escuchaba con un respeto insólito en él.

Louis Gray y su suegro salieron juntos y acompañaron a Kit hasta el taxi.

—Será mejor que vayas, Louis —dijo Dedos—. Si te tiene agarrado por los cojones, como al resto de nosotros, estamos todos listos.

El día era demasiado luminoso para un entierro. Londres tenía un aspecto demasiado bueno para albergar algo tan triste. Kit se había puesto un sencillo vestido de algodón negro y un sombrero de Lena. Llevaba un pequeño bolso negro que había encontrado en un cajón de su madre.

Ahí estaban Ivy, Jessie, Grace West, la anciana señora Park, en su silla de ruedas, y Peggy Forbes, la de Manchester, destrozada. Todo el personal de la agencia Millar, James Williams, todos los inquilinos de la casa, clientes de la agencia, camareros de algunos restaurantes, empleados del banco.

Había una numerosa multitud en la iglesia católica que Kit había encontrado para la misa.

Mientras el sacerdote leía la oración, pidiendo que los ángeles le salieran al encuentro, Kit estrechó con mucha fuerza la mano de Stevie. Los dos habían estado en la iglesia parroquial de Lough Glass el día en que el padre Baily leyó su responso por Lena. Pero en aquella ocasión se había pedido a los ángeles que salieran al encuentro de Helen McMahon.

Antes, el cura había preguntado si preferían algún himno en especial. A Kit no se le ocurrió ninguno. Algo que hubiera cantado en la escuela, le dijo el cura.

—La Salve —había dicho Kit.

No fue una buena elección. El organista comenzó dos veces, pero los presentes, que eran mayoritariamente anglicanos, no conocían aquel himno en honor de la Virgen. Kit no iba a permitir que aquello fallara, aunque tuviera que cantar sola.

—Salve, reina y madre... —comenzó a entonar.

Stevie la acompañó.

Luego se sumó otra voz. Era Louis Gray, de chaqueta oscura y corbata negra, con la cara amoratada y torcida, con un ojo negro. La mayoría pensó que él también había estado en el mismo accidente. Tenía buena voz, potente, y ayudó a Stevie y a Kit.

El organista, complacido, tocó la segunda estrofa. Los tres repitieron lo que ya habían cantado. Cuando llegaron al final, toda la congregación se les había unido. Kit y Stevie se miraron. Lena se habría sentido orgullosa de ellos.

Solo unas cuantas personas fueron a la incineración, por sugerencia de Ivy y de Kit.

Louis miró patéticamente a la muchacha.

—¿Tengo que ir?

—Sí.

Era muy distinto de todo lo que Kit había visto hasta entonces; no había ataúd que descendiera a la tierra, ni ruido de palas y arena al caer: solo unas cortinas, que se abrieron y se cerraron. Parecía irreal.

Esperaron fuera, ante la pequeña capilla del horno crematorio.

—¿Cuándo te enteraste? —preguntó Louis a Kit.

—Lo supe siempre —dijo ella.

—No mientas. Ella pasó la primera Navidad muriéndose de pena porque no podía llamarte.

—Me escribió poco después.

—No te creo.

—Como quieras. Yo era el secreto que tú ignorabas, así como tú tenías muchos de los que ella no estaba enterada. Las cuentas quedan saldadas.

—De acuerdo —dijo Louis.

Parecía viejo y cansado. Esa fue la venganza de Kit.

Tuvieron que hablar con un abogado. Lena había dejado todos sus bienes a Mary Katherine McMahon de Lough Glass. Descontando los legados para Ivy y Grace West, su cuarta parte de la agencia Millar pertenecía en aquel momento a Kit.

—¿Cómo desea que se las transfiera cuando terminen los trámites? Se trata de cuarenta o cincuenta mil libras —dijo el abogado.

—Más adelante le escribiré —resolvió Kit.

Alquilaron un coche para volver a casa cruzando Inglaterra. Atravesaron sembrados, bosques y pequeñas poblaciones; luego subieron por Gales. Regresarían a Londres para visitar a los amigos: Ivy, Ernest, Grace y Jessie.

Pero en aquel momento querían ir a casa.

—¿Qué voy a hacer con el dinero? No puedo decir que me han regalado cincuenta mil libras.

—No. —Stevie estaba pensativo.

—¿Y qué puedo hacer? Ella quería que fuera mío... pero

tengo que hacerlo bien. Sería terrible que toda la historia se destapara a estas alturas.

—Podrías dármelo a mí —sugirió Stevie.

—¿Qué?

—Puedes invertirlo en mi negocio.

—¿Estás loco?

—No, yo podría transformar el local por completo. Y de cualquier modo, cuando te cases conmigo será tuyo. Mientras tanto lo cuidaré por ti.

—¿Y qué confianza me mereces tú?

—Lena confiaba en mí.

—Cierto. Pero eso sería una locura.

—No, en absoluto. Podríamos buscar a un abogado para hacerlo legalmente.

—No sé, Stevie.

—Entonces piensa algo mejor.

Y siguieron cruzando las carreteras de Gales.

Pasaron la noche en Anglesey, en una encantadora pensión. La mujer tenía un acento cantarín.

—Tengo una hermosa habitación para ustedes —les dijo—. La cama tiene dosel. Y desde ahí casi se puede ver Irlanda.

Estaban demasiado exhaustos como para explicarle la situación. O tal vez cada uno pensó que lo diría el otro. De cualquier modo, en Londres habían dormido inocentemente juntos en la cama de Lena. Subieron a acostarse. Él estaba muy guapo a la luz de la luna, con el pelo largo y oscuro contra la almohada. Kit alargó una mano hacia él.

—Si vamos a ser compañeros de cama, será mejor que empecemos a practicar.

Se quedaron tres días en Anglesey. Y tres noches.

Y luego volvieron a casa.

Hubo muchas explicaciones que dar, pero no les importó. Kit accedió a trabajar en el Hotel Central durante el verano. Stevie dijo a Maura que tal vez recibieran una inyección de dinero para el taller.

—Ya sé de dónde sacaste ese dinero —dijo Maura súbitamente.

—Por Dios, ¿lo sabes? —exclamó Stevie.

—Sí, de las carreras de galgos —contestó ella en tono triunfal—. ¿Me equivoco? Dime.

—Algo así —reconoció Stevie, avergonzado.

—¿Y te parece que puedo confiar en ti?

—Pero confías, ¿no?

—Sí. No sé por qué, pero el día en que saliste corriendo me di cuenta de que eras sincero al decir que no seducirías a Kit.

Stevie rezó pidiendo que no se volviera a preguntárselo.

Era la noche más corta del año. Stevie y Kit salieron a remar por el lago.

Todo el mundo se había acostumbrado a verlos juntos, paseando de la mano por la orilla. Ya nadie se molestaba en cotillear. Como Anna Kelly y Emmet, que estaban juntos desde que la gente podía recordar. Igual que Philip O'Brien y aquella chica estupenda, aquella estudiante de farmacia de tanto carácter, que había empezado a trabajar en la farmacia McMahon. Se llamaba Bárbara y, según decía la gente, era la chica que Philip O'Brien había buscado toda su vida sin saberlo. De la hermana Madeleine ya nadie se acordaba y Orla Reilly rara vez iba al pueblo. El bar de Paddles se llenaba todas las noches. Mona Fitz estaba en el asilo para enfermos mentales.

La vida continuaba. Y era normal que los jóvenes salieran en bote por las serenas aguas del lago de Lough Glass durante la noche.

Stevie y Kit tomaron la pequeña caja de cenizas y las esparcieron por el lago. La luna estaba alta en el cielo. No estaban tristes: aquello no era realmente un funeral. Todo había terminado en Londres hacía años, aquella primera vez. Esta vez no era algo triste. Era, simplemente, lo correcto.

Igual de correcto que pasar la luna de miel en Gales. En el futuro, cuando se estudiara la historia del pueblo y se hablara de las personas que habían vivido allí, tal vez se mencionara a Helen McMahon, que había muerto en el lago. De este modo sería verdad: en aquel momento su cuerpo estaba en el lago, como el de tantos otros que se habían ido antes, pero el de ella se iba en paz.

A LA VENTA A PARTIR DE
SEPTIEMBRE DE 2011

MAEVE BINCHY

Bajo el cielo de Dublín

COMIENZA YA A DISFRUTAR LA NUEVA NOVELA DE
MAEVE BINCHY LEYENDO EL PRIMER CAPÍTULO

PLAZA JANÉS

www.megustaleer.com

1

Katie Finglas había tenido un día agotador en el salón de belleza. Las cosas no hubieran podido ir peor. A una mujer que no le había comentado que tenía una alergia le habían salido unos bultos y un sarpullido en la frente. A la madre de una novia le había dado una pataleta porque, según ella, sería el hazmerreír de todo el mundo. A un hombre que había pedido mechas rubias casi le dio un ataque cuando, en plena faena, preguntó cuánto le costarían. A Garry, el marido de Katie, una clienta de sesenta años cuyos hombros él le había tocado inocentemente con la mano lo amenazó con denunciarlo por acoso sexual.

Katie miró al hombre que estaba de pie frente a ella, un sacerdote robusto con el cabello rojizo y lleno de canas.

—Usted debe de ser Katie Finglas, y tengo entendido que es la dueña de este establecimiento —dijo el sacerdote, mirando el inocente salón de belleza como si fuera un burdel de lujo.

—Así es, padre —respondió Katie, suspirando y preguntándole si había algún problema.

—Es que he estado hablando con algunas de las chicas que trabajan aquí. Las he visto en el centro, en la zona de los muelles, ya sabe, y me han dicho que...

Katie estaba muy cansada. Tenía empleadas a un par de jóvenes que habían terminado sus estudios; les pagaba bien, las había formado ella misma, así que ¿de qué podían haberse quejado a un sacerdote?

—Sí, padre. Dígame, ¿hay algún problema?

—Bueno, en realidad es un pequeño problema. Y he pensado que sería mejor que viniera a hablarle con franqueza —respondió, algo incómodo.

—Muy bien, padre —añadió Katie—. Dígame de qué se trata.

—Se trata de una mujer llamada Stella Dixon. Resulta que está en el hospital...

—¿En el hospital?

Katie sintió que la cabeza le daba vueltas. ¿Qué había sucedido ahora? ¿Tal vez alguien había inhalado agua oxigenada?

—Lo lamento —dijo, intentando mantener la calma.

—Sí, la cuestión es que quiere que usted la peine.

—¿Quiere decir que vuelve a confiar en nosotras?

A veces, la vida daba sorpresas increíbles.

—No, no creo que haya estado aquí antes... —respondió el sacerdote, con gesto desconcertado.

—¿Y qué interés tiene usted en todo esto, padre?

—Me llamo Brian Flynn y soy el capellán del hospital de St. Brigid. Sustituyo temporalmente al sacerdote titular, que está de peregrinación en Roma. Aparte de tabaco y alcohol, esta es la única petición seria que he recibido de una paciente.

—¿Quiere que vaya al hospital a peinar a esa mujer?

—Está muy enferma. Se está muriendo. Pensé que le iría bien hablar con alguien mayor que ella. Aunque usted no tiene aspecto de muy mayor; más bien parece una niña —dijo el sacerdote.

—Madre mía, lo que se perdieron las mujeres de Irlanda cuando decidió ser sacerdote, padre... —comentó Katie—. Deme todos los detalles y pasaré a verla con mi caja de trucos de magia.

—Muchas gracias, señora Finglas. Aquí lo tiene todo escrito —contestó él padre Flynn pasándole una nota.

Una mujer de mediana edad se acercó al mostrador. Llevaba las gafas apoyadas en la punta de la nariz y parecía preocupada.

—Supongo que enseña trucos de peluquería a la gente —comentó.

—Sí, o más bien el arte de la peluquería, como nos gusta llamarlo —respondió Katie.

—Tengo una prima que viene de Estados Unidos y pasará unas semanas con nosotros. Me ha dicho que allí hay sitios en los que te peinan por muy poco dinero si dejas que practiquen contigo.

—Bueno, aquí dedicamos los martes por la noche a los aprendices; la gente se trae su propia toalla y les hacemos un peinado. A cambio suelen darnos cinco euros, que destinamos a una organización benéfica.

—¡Hoy es martes! —exclamó la mujer en tono triunfal.

—Así es —respondió Katie, apretando los dientes.

—Entonces, ¿puedo apuntarme? Me llamo Josie Lynch.

—Perfecto, señora Lynch. La espero a partir de las siete —dijo Katie mientras apuntaba el nombre.

Su mirada coincidió con la del sacerdote, que le pareció llena de afecto y comprensión.

No era todo champán y lujo, en eso de dirigir un salón de peluquería propio.

Josie y Charles Lynch vivían en el número 23 de St. Jarlath's Crescent desde que se casaron, hacía treinta y dos años. Habían sido testigos de muchos de los cambios que se habían producido en el barrio. El colmado de la esquina se había convertido en un pequeño supermercado; la vieja lavandería, donde planchaban y doblaban las sábanas del vecindario, era ahora una lavandería automática en la que la gente quería un lavabo rápido y dejaba bolsas enormes llenas de ropa de todo tipo. Donde ahora había un centro asistencial con cuatro médicos, en el pasado solo atendía el viejo doctor Gillespie, quien había traído al mundo a todos los vecinos y también había visto cómo se iban de él.

Durante el período de mayor bonanza económica, las casas de St. Jarlath's Crescent habían cambiado de manos por increíbles sumas de dinero. Las casas pequeñas con jardín cerca de la ciudad eran las más solicitadas. Por supuesto, eso era agua pasada, pues la recesión lo había igualado todo a la baja, aunque seguía siendo un barrio mucho más próspero que hacía treinta años.

En realidad, bastaba con fijarse en Molly y Paddy Carroll y en su hijo Declan, que era médico... ¡un médico de verdad, titulado! O en la hija de Muttie y Lizzie Scarlet, Cathy, que dirigía una empresa de catering que contrataban en las grandes ocasiones.

Sin embargo, muchas otras cosas habían ido a peor. El espíritu de comunidad se había perdido. Las procesiones ya no recorrían la calle durante las celebraciones del Corpus como treinta años atrás. Josie y Charles Lynch se sentían muy solos, y aún más en St. Jarlath's Crescent, donde cada noche se arrodillaban para rezar el rosario.

Siempre había sido así.

Una vez casados, planearon una vida basada en la creencia de que la familia que rezaba unida permanecía unida. Pensaban tener ocho o nueve hijos, porque Dios jamás traía a este mundo una boca que no pudiera alimentar. Pero sus planes se truncaron: después de Noel, a Josie le dijeron que no podría tener más hijos. Aquello le resultó difícil de aceptar. Ambos procedían de familias numerosas y sus hermanos también tenían muchos hijos. Pero, en fin, quizá fuera mejor así.

Siempre habían deseado que Noel fuera sacerdote. Comenzaron a ahorrar para su educación religiosa antes de que cumpliera los tres años. Siempre guardaban una parte del sueldo de Josie en la fábrica de galletas. Cada semana añadían algo más a la cuenta de ahorros de la Caja Postal, y cuando los viernes Charles recibía su sobre del hotel donde trabajaba como portero, también ingresaban cierta cantidad en aquella cuenta. Cuando llegara el momento, Noel recibiría una buena formación como sacerdote.

Así pues, para Josie y Charles fue una gran sorpresa —y a la vez una enorme decepción— que Noel no mostrara el más mínimo interés por la vida religiosa. Los hermanos dijeron que el chico no parecía tener vocación, y cuando le comentaron esa posibilidad a los catorce años, respondió que no quería ser cura aunque fuera el último trabajo disponible sobre la faz de la tierra.

Sin duda, fue una respuesta clara y contundente.

Lo que no estaba tan claro, sin embargo, era qué le gustaría hacer. Noel se limitaba a decir vaguedades y a comentar que tal vez le gustaría dirigir una oficina; no trabajar en una oficina, sino dirigirla. Pero no mostraba el menor interés por estudiar gestión empresarial, ni contabilidad, ni ninguna otra asignatura que pudiera sugerirle el departamento de orientación profesional. Decía que le gustaba el arte, pero no quería pintar. Si se insistía un poco, añadía que le gustaba mirar cuadros y pensar en ellos. Dibujaba bien; siempre llevaba consigo un cuaderno y un lápiz, y no era extraño verlo acurrucado en un rincón, bosquejando un rostro o un animal. Por supuesto, aquel no era el camino adecuado para una carrera profesional, pero Noel tampoco esperaba eso. Hacía los deberes sentado a la mesa de la cocina, suspirando de vez en cuando, aunque raramente se le veía animado o entusiasmado. En las reuniones de padres y profesores, Josie y Charles hacían preguntas al respecto. Se preguntaban si no había nada en la escuela que lo motivara. ¿Nada en absoluto?

Los profesores estaban desconcertados. Hacia los catorce o quince años, la mayoría de los chicos eran imprevisibles, aunque por lo general ya se habían decidido por algo. O quizá por no hacer nada. Según ellos, Noel Lynch se había vuelto aún más callado y retraído que de costumbre.

Josie y Charles se preguntaban si todo iba bien.

Noel era callado por naturaleza, y siempre les había parecido una bendición que no llenara la casa con amigos chillones y revoltosos. Pero pensaron que aquello se debía a su vida espiritual, a su preparación para un futuro como sacerdote. Ahora era evidente que no se trataba de eso.

Josie sugirió que tal vez no le gustara el estilo de vida de aquellos hermanos. Pensándolo bien, quizá tuviera una vocación distinta y quisiera ser jesuita, o misionero.

Pero parecía que no era el caso.

Y cuando cumplió los quince años, Noel anunció que no quería seguir rezando el rosario en familia, ya que le parecía un ritual de oraciones repetitivo y sin sentido. No le importaba ayudar a la gente, esforzarse por que los menos favorecidos tuvieran una vida mejor, pero sin lugar a dudas no había ningún Dios que exigiera quince minutos diarios de aquella cantinela.

Al cumplir los dieciséis sus padres descubrieron que había dejado de ir a misa los domingos. Alguien lo había visto cerca del canal cuando se suponía que estaba en la misa de primera hora que se celebraba en la iglesia de la esquina. Les dijo que no veía la necesidad de seguir yendo a la escuela, puesto que no necesitaba aprender nada más. En la empresa Hall's estaban contratando personal, y allí le enseñarían el trabajo de oficina. Le parecía mejor empezar a trabajar inmediatamente en lugar de perder el tiempo.

Los hermanos y los profesores de su escuela decían que siempre les apenaba que un chico empezara a estudiar y se marchara sin obtener una titulación; aunque también era cierto —añadían encogiéndose de hombros— que resultaba muy difícil conseguir que el muchacho se interesara realmente por algo. Daba la impresión de que se limitaba a esperar que su etapa escolar llegara a su fin. Tal vez lo mejor fuera que dejara la escuela en ese momento, que entrara a trabajar en Hall's —una importante empresa del sector de la construcción—, que le pagaran un sueldo todas las semanas y que averiguaran qué era lo que más le interesaba, si es que realmente le interesaba algo.

Josie y Charles pensaron con tristeza en el dinero que habían ido ahorrando durante años en la oficina de correos. Un dinero que jamás serviría para que Noel Lynch fuera sacerdote. Un hermano bondadoso les comentó que tal vez deberían gastárselo en unas vacaciones, pero Charles y Josie se escandalizaron. Ese dinero se había reservado para la obra de Dios, e iban a invertirlo en la obra de Dios.

Noel consiguió entrar a trabajar en Hall's. Conoció a sus compañeros de trabajo, aunque no daba muestras de excesivo entusiasmo. Con ellos no llegaría a entablar más amistad que con sus otros compañeros de colegio. No quería estar siempre solo, aunque a menudo eso era lo más sencillo.

Pasado un tiempo, Noel acordó con su madre que no se sentaría a comer con ellos. Almorzaría bien al mediodía en el trabajo y él mismo se prepararía algo para cenar. De ese modo se ahorraba rezar el rosario, relacionarse con los beatos de sus vecinos y sufrir un interrogatorio sobre lo que había hecho durante el día, que era el tema habitual de las comidas en casa de los Lynch.

Se acostumbró a regresar a casa cada día más tarde. Y como le pillaba de camino, también se acostumbró a pasar por el pub de Casey, un local enorme, acogedor y discreto al mismo tiempo. Allí se sentía como en casa, porque todos lo conocían por su nombre.

—Yo te sirvo, Noel —solía decirle el grosero hijo de los dueños.

El viejo Casey, que hablaba poco pero estaba al tanto de todo, miraba por encima de las gafas mientras sacaba brillo a los vasos de cerveza con un trapo de lino limpio.

—Buenas noches, Noel —lo saludaba, con una mezcla de cortesía propia del dueño y de desaprobación por ver allí al chico. Al fin y al cabo, conocía a su padre. Se alegraba de ganar dinero con la pinta —o las pintas— de cerveza a medida que avanzaba la noche, pero también parecía decepcionado por el hecho de que el muchacho no se gastara su sueldo de manera más prudente.

Sin embargo, a Noel le gustaba aquel lugar. No era un pub de moda con precios desorbitados, y tampoco estaba lleno de chicas que se reían como tontas e interrumpían a los hombres mientras bebían. Allí la gente lo dejaba en paz.

Y eso Noel lo valoraba mucho.

Al llegar a casa, se dio cuenta de que su madre tenía un aspecto diferente, pero era incapaz de decir por qué. Llevaba el traje de punto rojo que solo se ponía en ocasiones especiales —en la fábrica de galletas donde trabajaba vestía de uniforme, lo cual le parecía fantástico, porque así no tenía que utilizar la ropa buena—. La madre de Noel nunca se maquillaba, de modo que el cambio no podía deberse al maquillaje.

Por fin se dio cuenta de que era el pelo: su madre había ido a un salón de belleza.

—¡Te has cambiado de peinado, mamá!

Josie Lynch se acarició la cabeza, satisfecha.

—Me lo han dejado bien, ¿verdad? —comentó, como si fuera una clienta habitual de ese tipo de establecimientos.

—Muy bien, mamá.

—¿Te apetece una taza de té?

—No, mamá, gracias.

Estaba impaciente por marcharse de allí y sentirse a salvo en su habitación. Pero en ese momento recordó que su prima Emily llegaba de Estados Unidos al día siguiente. Su madre debía de estar preparándose para esa visita. Al parecer, Emily se quedaría algunas semanas, pero aún no se había decidido exactamente cuántas...

Noel no estaba demasiado interesado en la visita y por ello no había hecho más de lo estrictamente necesario, como ayudar a su padre a pintar la habitación o despejar el almacén del piso inferior, donde habían alicatado las paredes e instalado una ducha. Noel no sabía gran cosa de Emily. Solo que era una mujer madura, de unos cincuenta años, hija del hermano mayor de su padre, Martin. Había sido profesora de arte, pero se había quedado sin trabajo de manera repentina y se gastaba sus ahorros en viajar por el mundo. Empezaría con una visita a Dublín, que su padre había abandonado hacía muchos años para buscar fortuna en Estados Unidos.

Según Charles, las cosas no le habían ido demasiado bien. El hermano mayor de la familia había trabajado en un bar del que él era el mejor cliente. Nunca se había mantenido en contacto con ellos. Las tarjetas de Navidad que llegaban las enviaba Emily, que fue quien les escribió para comunicarles primero la muerte de su padre y después la de su madre. Con un tono muy formal, les anunció que durante su estancia en Dublín esperaba contribuir a los gastos familiares, ya que había alquilado su pequeño apartamento de Nueva York y le parecía lo más justo. Josie y Charles estaban convencidos de que era una mujer prudente, pues les prometió que no los molestaría ni les robaría su tiempo. Dijo que ya encontraría con qué distraerse.

Noel suspiró.

Aquel sería uno más de los acontecimientos triviales que sus padres elevaban a la categoría de gran drama. Nada más cruzar la puerta, la mujer tendría que escuchar historias sobre el prometedor futuro que a él le esperaba en Hall's, sobre el trabajo de su madre en la fábrica de galletas y sobre el puesto de su padre como portero de un lujoso hotel. Le hablarían de la decadencia moral de Irlanda, de la escasa asistencia a la misa del domingo, y de los borrachos que saturaban los servicios de urgencias de los hospitales. También la invitarían a rezar con ellos el rosario.

La madre de Noel había pasado un tiempo considerable dudando entre colgar un cuadro del Sagrado Corazón o uno de Nuestra Señora del Perpetuo Socorro en la habitación recién pintada. Noel había conseguido evitar que aquella duda se hiciera dolorosamente interminable al sugerir que sería mejor esperar hasta que Emily llegara.

—Fue profesora de arte, mamá; puede que haya traído sus propios cuadros —comentó, y de manera sorprendente, su madre se mostró de acuerdo con él en el acto.

—Tienes razón, Noel. Sé que tengo tendencia a decidir por los demás. Será agradable tener en casa a otra mujer con quien compartir las tareas.

Noel tenía la leve esperanza de que fuera cierto y de que esa mujer no alterara sus costumbres. De todas formas, era época de cambios en casa. Su padre pensaba jubilarse dentro de un par de años. A su madre aún le quedaban algunos más en la fábrica de galletas, pero también se planteaba jubilarse para hacer compañía a Charles y así dedicarse a hacer buenas obras juntos. Noel esperaba que gracias a Emily sus vidas fueran menos complicadas, y no al revés.

Pero no solía dedicar demasiado tiempo a pensar en el asunto.

A decir verdad, Noel pasaba los días sin pensar en demasiadas cosas: ni en su empleo sin futuro en Hall's; ni en el tiempo y el dinero que desperdiciaba en el pub de Casey; ni en el fanatismo religioso de sus padres, quienes creían que el rosario era la respuesta a la mayoría de los problemas de este mundo. Tampoco le preocupaba el hecho de no tener novia estable; aún no la había conocido, eso era todo. Y tampoco le inquietaba no tener amigos: en algunos lugares era fácil encontrarlos, y Hall's no era uno de ellos. Había decidido que la mejor manera de afrontar que las cosas no fueran demasiado maravillosas era no pensar en ellas. Y hasta el momento, le había funcionado.

¿Por qué intentar arreglarlas si no estaban rotas?

Charles Lynch había permanecido en silencio. No se había fijado en el nuevo peinado de su esposa, y tampoco en que su hijo se había tomado cuatro pintas de camino a casa después del trabajo. Sentía escaso interés por la llegada de Emily, la hija de su hermano Martin, a la mañana siguiente. Martin también había dejado claro que no le interesaba la familia que había dejado en Irlanda.

Durante años Emily les había escrito cartas muy amables,

y en la última incluso se ofrecían a pagarles la comida y el alojamiento. Lo cierto era que en aquel momento la oferta les venía muy bien. A Charles Lynch le habían comunicado aquella misma mañana que prescindían de sus servicios como portero del hotel. Él y otro portero aún «mayor» tendrían que marcharse a finales de mes. Charles había intentado encontrar las palabras para decírselo a Josie al llegar a casa, pero no conseguía articularlas.

Podría repetir lo que aquel joven trajeado le había dicho unas horas antes: una letanía de frases para asegurarle que no había hecho nada mal y que tampoco lo despedían por deslealtad hacia el hotel. Había trabajado allí toda la vida, con su elegante uniforme, y formaba parte de la vieja imagen del establecimiento. Pero él era exactamente eso: una imagen vieja. Los nuevos propietarios querían caras nuevas, y estaba claro que nadie podría detener el avance del progreso.

Charles siempre había creído que llegaría a viejo trabajando allí. Que un día celebrarían una cena en su honor, a la que Josie asistiría vestida de largo, y le entregarían un reloj chapado en oro. Pero era evidente que nada de eso sucedería.

Al cabo de dos semanas y media perdería su empleo.

Para un hombre de más de sesenta años, al que habían despedido del hotel en el que llevaba trabajando desde los dieciséis, había pocas oportunidades. A Charles Lynch le habría gustado contárselo a su hijo, pero Noel y él llevaban años sin mantener una conversación, si es que alguna vez habían tenido alguna. El chico siempre parecía ansioso por meterse en su habitación, y evitaba las preguntas y las charlas. No sería justo hacerle partícipe de todo eso en aquel momento.

Charles no tenía con quién desahogarse ni a quién pedir consejo. Pensó que lo mejor sería contárselo a Josie y quitarse ese peso de encima de una vez, pero ella no dejaba de hablar de aquella mujer que estaba a punto de llegar de Estados Unidos. Tal vez debería retrasar el viaje un par de días. Charles suspiró, pensando que todo había sucedido en muy mal momento.

Para: Emily

De: Betsy

Me gustaría que no fueras a Irlanda, porque te echaré muchísimo de menos. Ojalá me hubieras dado la oportunidad de ir a despedirte... pero bueno, siempre fuiste de tomar decisiones rápidas e impulsivas. ¿Por qué ibas a cambiar ahora?

Sé que debería desearte que encontraras todo lo que buscas en Dublín, pero en cierto modo no quiero que eso ocurra. Quiero que me cuentes que pasaste seis semanas maravillosas pero que después vuelvas a casa.

Sin ti nada será lo mismo. A tan solo una manzana de aquí se inaugura una exposición, pero sé que no me animaré a ir sola. Y sin tu compañía tampoco iré a tantas funciones de teatro por la tarde.

Cada viernes pasaré a cobrarle el alquiler a la estudiante que ocupa tu piso. Mantendré los ojos bien abiertos por si planta en tus macetas alguna de esas sustancias que alteran el estado de ánimo.

Escribe y cuéntame todo tipo de detalles sobre la casa donde vives; no te dejes ni uno. Me alegro de que te lleves el portátil, así no tendrás excusa para no mantenerte en contacto conmigo. Yo seguiré dándote noticias sobre cómo le va a Eric en la tienda de maletas. Le interesas mucho, de verdad, Emily, ¡aunque no te lo creas!

Espero que conectes bien pronto el ordenador para que pueda recibir noticias sobre tu llegada a la tierra de los tréboles.

Besos de tu amiga, que se siente sola,

BETSY

Para: Betsy

De: Emily

¿Qué te hace pensar que tengo que esperar a llegar a Irlanda para ponerme en contacto contigo? Estoy en el aeropuerto JFK, y este aparato también funciona.

¡Bobadas! No me echarás de menos... ¡Tienes demasiada imaginación! Tendrás millones de fantasías en la cabeza. A Eric no le gusto lo más mínimo. Es hombre de muy pocas palabras, pero las que dice son muy interesantes. Te habla de mí porque le da vergüenza acercarse a ti. Seguro que te has dado cuenta.

Yo también voy a echarte de menos, Bets, pero esto es algo que tengo que hacer.

Juro que te mantendré informada. Puede que recibas cartas de veinte páginas cada día... ¡y entonces te arrepentirás de haberme pedido que te escriba!

Besos,

EMILY

—Me pregunto si deberíamos haber ido al aeropuerto a recogerla —dijo Josie Lynch por quinta vez a la mañana siguiente.

—Ella aseguró que prefería venir sola —repuso Charles, como había dicho ya las cuatro veces anteriores.

Noel se limitó a tomar un sorbo de té y no hizo ningún comentario.

—En la carta decía que si el viento soplaba con fuerza, tal vez el vuelo llegara antes de tiempo —comentó Josie, como si viajara en avión con frecuencia.

—Podría llegar en cualquier momento... —dijo Charles en tono apesadumbrado.

Detestaba tener que ir al hotel aquella mañana, sabiendo que allí tenía los días contados. Habría tiempo de sobra para contárselo a Josie una vez que Emily estuviera instalada en casa. ¡La hija de Martin! Solo esperaba que no hubiera heredado la afición a la bebida de su padre.

Sonó el timbre de la puerta. El rostro de Josie se contrajo en un rictus de preocupación. Le quitó la taza de té a Noel y recogió la huevera y el plato vacío de delante de Charles. Mientras volvía a acariciarse el nuevo peinado, dijo en un tono de voz agudo y forzado:

—Abre la puerta, por favor, Noel, y da la bienvenida a tu prima Emily.

Noel abrió la puerta a una mujer menuda, de cuarenta y tantos años, con el pelo crespo y un impermeable de color crema. Llevaba dos bonitas maletas rojas con ruedas. Parecía controlar por completo la situación. Era la primera vez que visitaba el país y había encontrado St. Jarlath's Crescent sin dificultad.

—Tú debes de ser Noel. Espero no llegar demasiado pronto.

—¡Qué va! Como puedes ver, estamos todos levantados y a punto de ir a trabajar. Y, por cierto, bienvenida.

—Gracias. Bueno, entonces... ¿puedo pasar a decir solo hola y adiós?

Noel cayó en la cuenta de que la había hecho esperar demasiado en la puerta, y es que aún estaba medio dormido. Hasta las once de la mañana, cuando se tomaba su primer vodka con cola, no sentía que tuviera el control de su vida. Noel estaba completamente seguro de que nadie en Hall's conocía su inyección matinal de alcohol ni su segunda dosis a media tarde. Disimulaba muy bien, y siempre llevaba una botella de auténtica Coca-Cola Light que asomaba de su gruesa mochila. El vodka lo añadía de una fuente aparte, cuando estaba solo.

Acompañó a la mujer menuda hasta la cocina, donde su madre y su padre la besaron en la mejilla y comentaron qué estupendo era que la hija de Martin Lynch hubiera regresado a la tierra de sus antepasados.

—Entonces, hasta esta noche, Noel —dijo la mujer.

—Claro. Es posible que llegue un poco tarde. Tengo muchas cosas que hacer. Espero que te sientas como en casa...

—Por supuesto, y gracias por compartir tu hogar conmigo.

Noel los dejó solos. Mientras cerraba la puerta a sus espaldas, le llegó el tono orgulloso de la voz de su madre mientras enseñaba a Emily la habitación recién decorada del piso de abajo. Y oyó también a su prima comentar que le parecía perfecta.

Noel pensó que su padre había estado muy callado durante el día y también la noche anterior, aunque tal vez solo fueran imaginaciones suyas. Su padre no tenía preocupaciones; le bastaba con seguir siendo importante en el hotel, rezar el rosario todas las noches, realizar su peregrinación anual a Lourdes para visitar la gruta y comentar que algún día le gustaría viajar a algún lugar más lejano, como Roma o Tierra Santa. Charles Lynch tenía la suerte de ser un hombre que se sentía satisfecho con el simple hecho de que las cosas siguieran como estaban. No necesitaba vacunarse contra el peso muerto de los días y las noches bebiendo durante horas en el Old Man Casey's.

Noel caminó hasta el final de la calle, donde solía tomar el autobús. Caminó como lo hacía todas las mañanas, saludando a la gente con la cabeza pero sin verla en realidad, sin fijarse en cuanto lo rodeaba. Se preguntó sin demasiada curiosidad qué haría allí esa americana de aspecto vivaracho.

Lo más probable era que se quedara una semana, hasta que empezara a desesperarse.

En la fábrica de galletas, Josie comentó con sus compañeras la llegada de Emily, que había encontrado St. Jarlath's Crescent como si se hubiera criado en el barrio. Les dijo que era una mujer de lo más agradable y que se había ofrecido a prepararles la cena aquella misma noche. Le habían indicado cuáles eran sus preferencias, mostrándole cómo llegar hasta el mercado. Al parecer, a Emily no le hacía falta descansar porque había dormido por la noche en el avión. Había elogiado la casa y comentado que su gran afición era la jardinería, por lo que buscaría algunas plantas cuando saliera a comprar. Si a ellos no les importaba, por supuesto.

Sus compañeras de trabajo le dijeron que podía considerarse afortunada. Cabía la posibilidad de que hubiera sido fácilmente una mujer muy complicada.

En el hotel, Charles se comportó como el hombre agradable que era siempre con todo el mundo. Cargaba con maletas que sacaba de los taxis, indicaba a los turistas los lugares más importantes de Dublín, consultaba los horarios de las funciones de teatro y miraba con tristeza la expresión de un rollizo King Charles spaniel que alguien había dejado atado a una reja del hotel. Charles conocía a ese perro: se llamaba César. A menudo iba con la señora Monty, una anciana excéntrica que llevaba un sombrero enorme, un collar de perlas de tres vueltas, un abrigo de piel y nada más. Si alguien la hacía enfadar, la mujer se desabrochaba el abrigo y dejaba boquiabierto a todo el mundo.

El hecho de que hubiera dejado allí al perro debía de significar que la habían ingresado en el hospital psiquiátrico. A tenor de lo ocurrido en el pasado, la mujer pediría el alta al cabo de unos tres días y pasaría a recoger a César, que así reemprendía una vida imprevisible junto a ella.

Charles suspiró.

La última vez había conseguido esconder a César en el hotel hasta que la señora Monty regresó a recogerlo, pero ahora las cosas habían cambiado. Se llevaría al perro a casa a la hora de la comida. A Josie no le gustaría. En absoluto. Pero san Francisco había sentado las normas en lo relativo a los animales. Si las cosas se ponían dramáticas, Josie no se atrevería a ir contra las indicaciones del santo. Charles esperaba que la hija de su hermano no tuviera alergia ni tampoco manía a los perros. Parecía una mujer de lo más sensata.

Emily había pasado una mañana ajetreada yendo de compras. Cuando Charles entró en casa, la encontró rodeada de comida. Sin pensarlo dos veces le preparó una taza de té y un sándwich de queso.

Charles se lo agradeció. Había creído que se quedaría sin almorzar. Le presentó a César y le contó parte de la historia que justificaba su llegada a St. Jarlath's Crescent.

Dio la impresión de que a Emily Lynch le parecía una decisión de lo más natural.

—Ojalá hubiera sabido que traerías un perro; le habría conseguido un hueso. Pero bueno, he conocido al señor Carroll, vuestro amable vecino. Es carnicero, y quizá tenga alguno.

¡No llevaba allí ni cinco minutos y ya conocía a los vecinos! Charles la miró con admiración.

—Vaya, estás llena de energía. Te has jubilado muy pronto, teniendo en cuenta lo en forma que estás.

—Ah, no, yo no quería jubilarme —respondió Emily mientras retiraba los restos de masa del borde del pastel—. No, de hecho, adoraba mi trabajo. Dejaron que me fuera. Bueno, en realidad me lo pidieron.

—¿Por qué? ¿Hubo algún motivo? —Charles no salía de su asombro.

—Porque les parecía que era mayor, demasiado prudente y previsible. Porque estaba chapada a la antigua. Era de la vieja escuela. Solía llevar a los niños a galerías y a exposiciones. Les daba una hoja con veinte preguntas y se pasaban allí la mañana, tratando de encontrar las respuestas. Y eso les daba una base muy sólida a la hora de contemplar un cuadro o una escultura. Bueno, al menos eso creía yo. Pero entonces llegó un director nuevo, jovencísimo, con la idea de que la enseñanza del arte se basa en la expresión libre. Y quería profesores recién licenciados que supieran trabajar de esa manera. Y como yo no sabía, tuve que marcharme.

—Pero no es posible que te echaran por el simple hecho de ser mayor.

Charles se mostraba comprensivo. Su caso era distinto. Como le habían dicho, él era la imagen pública del hotel, y en esa época querían que el hotel tuviera una imagen joven. Aunque era cruel, tenía su lógica. Pero Emily no era mayor. Aún no había cumplido los cincuenta. Debía de haber leyes contra esa clase de discriminación.

—No, en realidad no me echaron. Se limitaron a dejarme en un segundo plano y a encargarme trabajos administrativos, lejos de los niños, sin nada que ver con el estudio del arte. Aquello se me hizo insoportable, así que me marché, pero solo porque me obligaron.

—¿Te disgustaste? —preguntó Charles, mostrándole toda su comprensión.

—Oh, sí, al principio sí. Me disgusté muchísimo. Era como si no hubieran tenido en cuenta el trabajo que había hecho durante muchos años. A menudo, en galerías de arte me encontraba con gente que me decía: «Señorita Lynch, usted despertó mi interés por el arte», y tuve la sensación de que cuando dejaron que me fuera todo eso quedaba borrado. Como si mi contribución no hubiera servido para nada.

Charles sintió que los ojos se le llenaban de lágrimas. En realidad Emily estaba describiendo los años que él había pasado como portero del hotel. Borrado. Así era exactamente como se sentía.

Emily se había animado. Colocó trozos de masa enrollada encima del pastel y limpió rápidamente la mesa de la cocina con rapidez.

—Pero mi amiga Betsy me dijo que estaba loca si me quedaba llorando en un rincón. Que tenía que hacerme a la idea de una vez por todas y dedicarme a lo que siempre había deseado. «Ahora empieza el resto de tu vida», me dijo.

—¿Y lo hiciste? —preguntó Charles.

¡Estados Unidos era un lugar maravilloso! Él no sería capaz de hacer algo parecido allí... ni en un millón de años.

—Pues sí. Me senté y anoté todas las cosas que quería hacer. Betsy tenía razón. Si hubiera conseguido trabajo en otra escuela tal vez habría pasado lo mismo. Tenía algunos ahorros, así que podía vivir sin trabajar durante un tiempo. El problema era que no sabía exactamente qué hacer, de manera que probé varias cosas.

»Primero, un curso de cocina. ¡Tachán! Por eso soy capaz de preparar un pastel de pollo tan rápidamente. Después me apunté a un curso intensivo para aprender a utilizar el ordenador e internet como Dios manda, de manera que en caso de necesidad pudiera conseguir trabajo en una oficina. A continuación fui a un centro de jardinería donde enseñaban a plantar y daban clases de arreglos florales en macetas. Así que ahora que tengo tantas habilidades, he decidido salir a ver mundo.

—¿Y Betsy? ¿También hizo lo mismo?

—No. Ella ya sabía cómo funciona internet, y no quiere aprender a cocinar porque está siempre a dieta, pero sí compartió conmigo la afición por los arreglos florales.

—Imagina que te ofrecieran volver a tu trabajo. ¿Volverías?

—No, ahora ya no puedo, aunque me lo ofrecieran. No, en este momento estoy demasiado ocupada —respondió Emily.

—Entiendo.

Charles asintió con la cabeza. Dio la impresión de que iba a decir algo, pero se contuvo. Paseó de un lado a otro de la cocina, y sacó leche para el té.

Emily sabía que quería decirle algo. Se le daba bien escuchar. Seguro que al final se lo comentaría.

—El hecho es que... —comenzó a explicar lentamente, apesadumbrado— el hecho es que estas escobas nuevas que se supone tienen que barrer a fondo se llevan también muchas cosas importantes y valiosas junto con las telas de araña y todo lo demás...

Emily se dio cuenta enseguida. Era un asunto delicado. Le dirigió una mirada de comprensión.

—Toma otra taza de té, tío Charles.

—No, tengo que volver.

—¿En serio? Vamos, tío Charles, piénsalo un instante. ¿De verdad tienes que volver? ¿Qué más pueden hacerte? Si es que no lo han hecho ya...

El hombre le dirigió una mirada vacía y prolongada.

Emily la entendió.

Esa mujer a la que acababa de conocer se había dado cuenta, sin necesidad de decírselo, de lo que le había pasado a Charles Lynch. Algo que su propia esposa y su hijo no habían sido capaces de advertir.

Esa noche, el pastel de pollo fue todo un éxito. Emily había preparado también ensalada. Los tres charlaron relajados y Emily sacó el tema de su jubilación.

—¡Es realmente increíble, pero aquello que más temes puede convertirse en una auténtica bendición! Hasta que todo terminó, no me di cuenta de que me había pasado tantas horas en trenes y autobuses que cruzaban la ciudad. No me extraña que no tuviera tiempo para navegar por internet ni para la jardinería doméstica.

Charles la observaba con admiración. Como quien no quiere la cosa, le estaba allanando muchísimo el camino. Al día siguiente hablaría con Josie, aunque tal vez debiera decírselo ahora, en ese mismo instante.

Fue mucho más sencillo de lo que hubiera imaginado. Poco a poco le explicó que llevaba tiempo pensando en dejar el hotel. El asunto había salido a relucir hacía poco en una conversación, y lo más asombroso era que al hotel también le convenía, así que se marcharía de mutuo acuerdo. Solo tenía que asegurarse de que le dieran una indemnización razonable.

Siguió diciendo que aquella tarde se le habían ocurrido un montón de ideas sobre aquello que le gustaría hacer.

Josie estaba desconcertada. Miraba a Charles más bien inquieta, temiendo que su actitud fuera una coraza. Tal vez quisiera hacerse el duro aunque por dentro estuviera destrozado. Sin embargo, todo hacía suponer que hablaba de corazón.

—Supongo que es lo que el Señor quiere para ti —dijo en tono piadoso.

—Sí, y pienso aceptarlo de buen grado.

Desde luego, Charles Lynch decía la verdad. Hacía mucho tiempo que no se sentía tan liberado. Tras su conversación con Emily a la hora del almuerzo, había empezado a sentir que ahí fuera quedaba todo un mundo por descubrir.

Emily entraba y salía limpiando los platos vacíos, llevando el postre e interviniendo con naturalidad en la conversación de vez en cuando. Cuando su tío le dijo que tenía que pasear al perro de la señora Monty hasta que la soltaran del lugar donde estuviera encerrada, Emily le sugirió que quizá podría ocuparse también de los perros de otra gente.

—Ese hombre tan amable, Paddy Carroll, el carnicero, tiene un perro enorme llamado Dimples que necesita perder unos cuantos kilos —dijo con entusiasmo.

—No podría cobrarle a Paddy —objetó Charles.

Josie se mostró de acuerdo con él.

—Verás, Emily. Paddy y Molly Carroll son vecinos. Sería raro pedirle dinero a cambio de que Charles paseara a ese perro enorme y bobalicón. Pareceríamos demasiado codiciosos.

—Ya. Entiendo que no queráis parecerlo, pero quizá sea una buena táctica para conseguir que os regale algunas chuletas de cordero, o que os reserve la mejor carne picada de vez en cuando.

Emily creía firmemente en ese sistema de trueque, y daba la impresión de que a Charles también le parecía de lo más adecuado.

—Pero si Charles pudiera encontrar un trabajo de verdad, Emily, quiero decir una profesión, una vida como la que tenía antes, cuando trabajaba en el hotel... Un lugar donde fuera alguien —dijo Josie.

—No puedo sobrevivir solo paseando perros, pero tal vez pudiera encontrar trabajo en una residencia canina. Eso me encantaría —precisó Charles.

—Tal vez haya algo con lo que ambos disfrutéis —comentó Emily amablemente—. Por ejemplo, a mí me encantó buscar mis raíces y trazar mi árbol genealógico. No digo que hagáis lo mismo, claro.

—Bueno, ¿sabes qué es lo que siempre nos habría gustado hacer? —comenzó a decir Josie en tono vacilante.

—Pues no. ¿Qué?

A Emily parecía que todo le interesaba, y por eso resultaba tan fácil hablar con ella.

—Siempre hemos creído que era una pena que en el vecindario no se honrara lo suficiente a san Jarlath. Al fin y al cabo, nuestra calle lleva su nombre, pero la gente del barrio no sabe nada acerca de él. Charles y yo siempre pensamos en recaudar fondos para construir una estatua en su honor.

—¡Una estatua a san Jarlath! ¡Vaya! —exclamó Emily sorprendida. Quizá se había equivocado al animarlos a pensar demasiado—. Pero ¿no hace ya mucho tiempo que no está entre nosotros? —preguntó con cautela para que sus palabras no cayeran como un jarro de agua fría sobre el plan de Josie, especialmente cuando se fijó en el rostro de Charles, encendido de entusiasmo.

Josie rechazó su objeción haciendo un gesto con la mano.

—Oh, eso no es ningún problema. Al ser un santo, da igual que muriera algunos años atrás o en el siglo sexto —respondió Josie.

—¿El siglo sexto? —El caso era peor de lo que Emily había imaginado.

—Sí, murió hacia el 520 después de Cristo, y su festividad es el 6 de junio.

—Y esa sería una buena época para organizar una pequeña procesión hasta su altar —dijo Charles, que ya estaba planeándolo todo.

—¿Y era de esta zona? —preguntó Emily.

Al parecer, no. Jarlath era del otro extremo del país, de la costa atlántica. Fundó la primera archidiócesis de Tuam, y fue maestro de otros hombres bondadosos e incluso de otros santos, como san Brandán de Clonfert y san Colman de Coyne, lugares muy lejanos.

—Pero aquí siempre hubo devoción por él —puntualizó Charles.

—De otro modo, ¿por qué le habrían puesto su nombre a una calle? —repuso Josie.

Emily se preguntó qué habría sucedido si su padre, Martin Lynch, se hubiera quedado allí. ¿Habría sido una persona sencilla y complaciente, como Charles y Josie, en lugar del borracho cascarrabias en que se había convertido en Nueva York?

Aunque todo eso del santo que había muerto a kilómetros de distancia, hacía siglos, tenía que ser forzosamente una fantasía.

—Por supuesto, el problema sería recaudar fondos para la campaña destinada a erigir la estatua y, al mismo tiempo, encontrar algo con lo que ganaros la vida —comentó Emily.

Al parecer, eso no suponía ningún problema. Llevaban años ahorrando con la esperanza de invertir el dinero en la educación religiosa de Noel. Para entregar a su hijo a Dios. Pero ese deseo no había arraigado en él. Siempre habían deseado que esos ahorros fueran destinados a Dios, y ahora se les presentaba la ocasión propicia.

Emily Lynch se dijo que no debía intentar cambiar el mundo. No era el momento de repasar todas las buenas causas a las que se podía haber destinado el dinero (muchas de ellas auspiciadas por la Iglesia católica, por cierto). Emily habría preferido que lo hubieran invertido en sí mismos, y que Josie y Charlie hubieran podido vivir con holgura después de tantos años de trabajo duro a cambio de muy poco. Tuvieron que soportar lo que debió de ser una tragedia para ellos: que la vocación no hubiera «arraigado» en Noel. Pero había fuerzas irresistibles que no podían combatirse con lógica ni con argumentos prácticos. Emily Lynch lo sabía por experiencia propia.

Noel había tenido un día largo y difícil. El señor Hall le había preguntado dos veces si se encontraba bien. Y había algo amenazador detrás de aquella pregunta. Cuando se lo preguntó por tercera vez, Noel quiso saber, cortésmente, a qué venía tanta curiosidad.

—He encontrado una botella vacía que en algún momento estuvo llena de ginebra —contestó el señor Hall.

—¿Y qué tiene eso que ver conmigo y con el hecho de que esté bien o no? —respondió Noel, seguro de sí mismo, casi envalentonado.

El señor Hall le dirigió una mirada severa y prolongada por debajo de sus pobladas cejas.

—Espero que nada, Noel. Hay mucha gente dispuesta a subirse a un avión para ir a trabajar muy lejos y que aceptaría encantada el trabajo que se supone haces tú.

El señor Hall siguió avanzando, y Noel se fijó en que los otros empleados apartaban la mirada.

Noel jamás había visto al señor Hall de ese modo; por lo general, siempre tenía a punto un comentario amable, alguna palabra que lo animaba a seguir comprobando resguardos y recibos, repasando facturas y libros de contabilidad, y realizando las tareas de oficina más básicas que se puedan imaginar.

Al parecer, el señor Hall creía que Noel podía hacerlo mejor y ya le había hecho muchas sugerencias positivas en el pasado, en la época en que había aún un poco de esperanza. Pero ahora era distinto: aquello se parecía más a una reprimenda, a una advertencia. La conversación afectó a Noel y, de camino a casa, se dirigió sin pensarlo al enorme y acogedor pub de Casey. Recordaba vagamente haber bebido demasiado la última vez que había estado allí, aunque solo vaciló unos segundos antes de entrar.

Mossy, el hijo del viejo Casey, parecía nervioso.

—Hola, Noel, ¿tú por aquí?

—¿Me pones una pinta, por favor, Mossy?

—Verás, no creo que sea buena idea, Noel. Ya sabes que no puedo servirte. Mi padre dijo...

—Tu padre dice muchas cosas cuando se calienta. Pero esa orden se revocó hace tiempo.

—No, no es verdad, Noel. Lo siento, pero es así.

Noel notó que se le disparaba un tic nervioso en la frente. Debía tener cuidado.

—Bueno, es una decisión de tu padre y tuya. Además, resulta que he dejado de beber y lo que te pedía era una pinta de limonada.

Mossy lo miró boquiabierto. ¿Que Noel Lynch había dejado el alcohol? ¡Menuda cara pondría su padre cuando se enterara!

—Pero si no soy bienvenido en el pub de Casey, tendré que marcharme a algún otro lugar. Dale recuerdos a tu padre.

Noel hizo ademán de irse.

—¿Cuándo dejaste la botella? —preguntó Mossy.

—Oh, Mossy, eso no es asunto tuyo. Dedícate a servir alcohol a estos muchachos. ¿Acaso te impido hacerlo? ¿Verdad que no?

—¡Espera un momento, Noel! —gritó Mossy.

Noel dijo que lo sentía, pero que tenía que marcharse. Y salió con la cabeza bien alta del lugar en el que había pasado la mayor parte de sus ratos libres.

En la calle soplaba un viento frío cuando Noel se apoyó contra la pared y se quedó pensando en lo que acababa de decir. Solo lo había hecho para molestar a Mossy: un estúpido comentario farfullado entre dientes, fruto de la decisión que había tomado Casey. Ahora tenía que asumir lo que había dicho. No podría volver al pub del viejo Casey.

Tendría que ir a ese lugar que el padre de Declan Carroll frecuentaba con su enorme perro con pinta de oso. ≠ugar donde nadie tenía «amigos», ni «colegas», ni «gente» que hubiera conocido allí. Eran todos «conocidos». Muttie Scarlet siempre iba a consultar con sus «conocidos» el resultado más probable de una carrera importante o de un partido de fútbol. No era un lugar que Noel hubiera frecuentado hasta ese momento.

¿No sería todo más fácil, pensó, si de verdad hubiera dejado de beber? En tal caso, el señor Hall podría encontrar las botellas que quisiera. El señor Casey tendría que arrepentirse y disculparse, y eso le supondría un enorme placer. Además, Noel tendría todo el tiempo del mundo para retomar lo que quería hacer. Tal vez pudiera sacarse un título comercial y optar a un ascenso. Quizá incluso se planteara marcharse de St. Jarlath's Crescent.

Abstraído en sus pensamientos, Noel dio un largo paseo por Dublín. Subió por el canal, bajó por las plazas de estilo georgiano y echó un vistazo al interior de restaurantes en los que hombres de su edad cenaban en compañía de chicas. Él no era un marginado social, sino que vivía en su propio mundo, un lugar donde esa clase de mujeres no existían. ¿Y por qué? Porque estaba demasiado ocupado empinando el codo.

Pero eso iba a cambiar. Se haría un doble regalo de sobriedad y tiempo: mucho más tiempo. Antes de entrar en el número 23 de St. Jarlath's Crescent consultó el reloj. A esa hora ya estarían todos en la cama. Había tomado una decisión tan trascendental que no quería mezclarla con una conversación trivial.

Pero se equivocaba. Estaban todos despiertos y animados, sentados a la mesa de la cocina. Al parecer, su padre iba a dejar el hotel donde había trabajado toda su vida. Y daba la impresión de que habían adoptado a un pequeño King Charles spaniel llamado César, de ojos enormes y expresión tierna. Su madre planeaba trabajar menos horas en la fábrica de galletas. Su prima Emily ya conocía a casi todo el vecindario y se había ganado su amistad. Y por último —eso era lo más inquietante—, estaban a punto de iniciar una campaña para erigir una estatua en honor de un santo que llevaba muerto mil quinientos años..., si es que había existido alguna vez.

Cuando había salido de casa aquella mañana sus padres eran gente normal. ¿Qué podía haberles sucedido?

No fue capaz de escabullirse a su habitación, como hacía casi siempre, y una vez allí sacar una botella de la caja etiquetada como «Útiles de pintura», que contenía básicamente pinceles sin utilizar y botellas de vino y ginebra sin abrir.

No, desde luego, ahora que había decidido dejar de beber, no.

Se había olvidado de eso. De repente, mientras se sentaba y trataba de comprender los extraños cambios que se estaban produciendo en su hogar, lo invadió una intensa oleada de pesimismo. A continuación no llegaría el agradable olvido, sino que le esperaba una noche en que intentaría evitar acercarse a la caja de útiles de pintura o quizá tendría que verter el contenido de las botellas en el lavabo de su habitación.

Se esforzó por entender de qué hablaba su padre: pasear perros, cuidar animales domésticos, recaudar fondos, devolver a san Jarlath al lugar que se merecía... En todos los años que llevaba bebiendo, Noel no se había encontrado con una escena tan inesperada y surrealista como esa. Y justo sucedía la noche en que estaba totalmente sobrio.

Se acomodó en la silla y buscó la mirada de su prima Emily.

Ella debía de ser la responsable de un cambio tan repentino en el estado de ánimo de sus familiares: la idea de que aquel día comenzaba una nueva vida para todos. Una locura, algo peligroso en una casa que llevaba décadas sin conocer cambio alguno.

En mitad de la noche, Noel se despertó y se dijo que la decisión de dejar de beber no debía tomarse a la ligera. Empezaría la semana siguiente, cuando el mundo se hubiera asentado. Sin embargo, cuando alargó un brazo hacia la caja en busca de una botella, supo, con una lucidez inusual en él, que la semana siguiente no llegaría jamás. Vació dos botellas de ginebra en el lavabo y a continuación dos más de vino tinto.

Volvió a la cama y no dejó de dar vueltas hasta oír el sonido del despertador a la mañana siguiente.

En su habitación, Emily encendió el portátil y envió un mensaje a Betsy:

> ¡Aún no he pasado ni una noche en el país y, sin embargo, es como si llevara años viviendo aquí!
>
> He llegado en un momento de cambios sorprendentes. En esta casa todos han comenzado una especie de viaje. El hermano de mi padre ha perdido su trabajo como portero en un hotel y ha decidido dedicarse a pasear perros; su mujer

quiere trabajar menos horas y organizar una campaña para erigir una estatua a un santo que lleva muerto —no te lo pierdas— ¡mil quinientos años!

Y su hijo, que es una especie de ermitaño, ha elegido precisamente el día de hoy para abandonar su idilio con el alcohol. Ahora mismo oigo cómo vacía botellas en el lavabo de su habitación.

Me pregunto qué me hizo pensar que aquí reinaría la calma y la tranquilidad, Betsy. ¿Será que no sé nada de la vida o es que estoy condenada a vagar por el mundo sabiendo poco y entendiendo aún menos?

No respondas a esta última pregunta. En realidad, no es una pregunta, sino más bien una suposición. Te echo de menos.

Besos,

EMILY

El papel utilizado para la impresión de este libro
ha sido fabricado a partir de madera
procedente de bosques y plantaciones
gestionados con los más altos estándares ambientales,
lo que garantiza una explotación de los recursos
sostenible con el medio ambiente
y beneficiosa para las personas.
Por este motivo, Greenpeace acredita que
este libro cumple los requisitos ambientales y sociales
necesarios para ser considerado
un libro «amigo de los bosques».
El proyecto Libros Amigos de los Bosques promueve
la conservación y el uso sostenible de los bosques,
en especial de los bosques primarios,
los últimos bosques vírgenes del planeta.